DIEZELS NIEDERJAGD

DIEZELS NIEDERJAGD

Zwanzigste Auflage der Originalausgabe
neu bearbeitet von

Prof. Dr. DETLEV MÜLLER-USING
Institut für Jagdkunde der Universität Göttingen

Mit 200 Abbildungen nach Zeichnungen
von Karl Wagner und Wilhelm Buddenberg
und 5 farbigen Tafeln

VERLAG PAUL PAREY
HAMBURG UND BERLIN

Die farbigen Tafeln stammen von W. BUDDENBERG, Prof. G. LÖBENBERG, M. KIEFER und J. A. SCHRIJNDER, die technischen Zeichnungen von K. KLIEFOTH

DIE JAGDKLASSIKER

FERDINAND VON RAESFELD

DAS DEUTSCHE WAIDWERK

1970 · 12. Auflage, neu bearbeitet von
G. VON LETTOW-VORBECK

FERDINAND VON RAESFELD

DAS ROTWILD

1970 · 6. Auflage, neu bearbeitet von
Olfm. a. D. F. VORREYER

FERDINAND VON RAESFELD

DAS REHWILD

1970 · 7. Auflage, neu bearbeitet von
G. VON LETTOW-VORBECK u. Prof. Dr. W. RIECK

DIEZELS NIEDERJAGD

1970 · 20. Auflage, neu bearbeitet von
Prof. Dr. D. MÜLLER-USING

FERDINAND VON RAESFELD

DIE HEGE

1965 · 3. Auflage, neu bearbeitet von
G. VON LETTOW-VORBECK

ISBN 3 490 03212 8

Printed in Germany by Westholsteinische Verlagsdruckerei Boyens & Co., Heide in Holstein. Einbandgestaltung: Werner Hans Bartmes, Heidelberg. Umschlaggestaltung: Jan Buchholz und Reni Hinsch, Hamburg

VORWORT ZUR 19. UND 20. AUFLAGE

„Habent sua fata libelli“ – Bücher haben ihre Schicksale. – Als vor über 100 Jahren der Kgl. bayer. Revierförster KARL EMIL DIEZEL, zuvor Lehrbeauftragter für Jagdkunde an HEINRICH COTTAS Forstlicher Meisterschule in Zillbach, seine „Erfahrungen aus dem Gebiete der Nieder-Jagd“ vorlegte, ahnte er nicht, daß dem anspruchslosen Büchlein so etwas wie ein Welterfolg beschieden sein würde: 14 Auflagen im Laufe eines Jahrhunderts, Übersetzung in eine Fremdsprache, Ankauf für die Dienstbüchereien sämtlicher Forstämter seiner Heimat und später ein Gedenkstein für den Autor – eine Ehrung, der nach ihm unter den jagdlichen Autoren nur noch wenige – wir nennen HERMANN LÖNS, FREIHERR V. RAESFELD, FRIEDRICH V. GAGERN – teilhaftig wurden! Mehr aber als alle diese Äußerlichkeiten würde es dem bescheidenen Manne bedeutet haben zu wissen, daß er mit seinen auf vielfältige Beobachtungen und Erfahrungen gegründeten, gemütvollen Schilderungen für sein Gebiet den Typus des „unterhaltsamen Lehrbuches“ geschaffen hat, einen Vorläufer etwa zu ALFRED BREHMS gewaltigem Werk.

Solch verpflichtende Tradition machte die notwendig gewordene umfassende Neugestaltung des für uns „klassischen“ Werkes nicht leichter. Fast 50 Jahre sind nach der gründlichen Überarbeitung der 5. Auflage durch den Forstmeister FRHR. V. NORDENFLYCHT-LÖDDERITZ vergangen, ohne daß wesentliche Änderungen erfolgt wären. Was aber hat sich nicht draußen im Revier geändert! Viele Wildarten sind hinzugekommen, die damals entweder nicht zur Niederjagd zählten, wie Fasan und Fischreiher, oder wenig beachtet wurden, wie Murmeltier, Bläßhuhn, Haubentaucher, zugewandert sind wie die Türkentaube und, gelegentlich, die Ginsterkatze, oder ausgesetzt wurden wie Bisamratte, Waschbär und Nutria. Die wildbiologische Bedeutung der Krähenvögel machte ihre Aufnahme in den neuen „Diezel“ erforderlich, einige selten gewordene Arten, wie Fischotter und Wildkatze, mußten unter neuen Gesichtspunkten behandelt, der Wolf gestrichen werden. – Auch die Jagdmethoden haben sich vielfach gewandelt: Den Hochsitz erwähnt DIEZEL nur ein einziges Mal, beim Fuchspassen am Bau, während wir wohl gut die Hälfte unserer Zeit im Revier auf Kanzeln verbringen. Viele Jagdarten, die er und seine ersten Nachfolger in der Bearbeitung dieses Buches ausführlich behandeln, sind heute gänzlich unbekannt, wie die Otterjagd mit dem Dreizack. Andere sind erst in unseren Tagen üblich oder in weiten Kreisen bekanntgeworden.

Am meisten aber änderten sich unsere Kenntnisse von der Lebensweise und den Lebensgewohnheiten des Wildes; und nicht nur eine Fülle von Einzeltatsachen kam hinzu – was wußte man vor hundert oder auch nur vor fünfzig Jahren von Beutelisten unseres Raubwildes, was von Tragzeiten bei Hase, Dachs und Marder, von der Zahnalterslehre, was von Hormonen und Vitaminen, um aus der Fülle nur einiges herauszugreifen! Entscheidender aber noch ist der Wandel der Gesichtspunkte: „Vermehrungspotenz“, „Standortfaktoren“, „Biologisches Gleichgewicht“ sind Vokabeln, die heute jedem Jäger geläufig sind. So mußte der naturgeschichtliche Teil für alle Wildarten neu geschrieben werden.

Der eigentümliche Zauber, der von DIEZELS Schriften ausgeht, beruht auf der Meisterschaft des Stils, der das „lehrhafte Geplauder" in einer Vollendung schafft, wie sie wenige erreicht haben. Das zu erhalten, mußte – darin waren Verlag und Herausgeber sich einig – das erste Ziel der Neubearbeitung sein.

Die Gliederung des Stoffes entspricht im wesentlichen der modernen zoologischen Systematik, doch wurde auf besonderen Wunsch des Verlages das Reh an erster Stelle behandelt. Hinsichtlich der Schreibweise der Silbe „waid" habe ich mich der allgemeinen Übung angeschlossen, obwohl ich sie wissenschaftlich nicht für richtig halte.

Das Jagdhundkapitel bearbeitete der langjährige kynologische Schriftleiter von „Wild und Hund", Herr HERMANN EISERHARDT, die Illustrationen stammen, soweit sie nicht aus früheren Auflagen übernommen werden konnten, von der Meisterhand W. BUDDENBERGS, die Zeichnungen von der K. KLIEFOTHS. – Nachdem zunächst Dr. KONRAD EILERS (†) die Waffen- und Schießkunde behandelt hatte, gewannen Verlag und Herausgeber in der Person des Herrn HERBERT v. WISSMANN, Leiter des Deutschen Instituts für Jagdliches und Sportliches Schießwesen e. V. in Düsseldorf-Gerresheim, den bestmöglichen Bearbeiter auch für diesen Teil.

Ganze Generationen von Jägern sind gleichsam anonyme Mitarbeiter des „DIEZEL". Ich konnte aus unzähligen Einzelbeiträgen schöpfen, die im Laufe von Jahrzehnten in der Jagdpresse erschienen sind und wertvolle Revierbeobachtungen enthalten, die ich, nach dem Vorbilde FERDINAND v. RAESFELDS, im Laufe der Jahre planmäßig gesammelt habe. Darüber hinaus sind alle Abschnitte, insbesondere die Hegekapitel, im Feuer der Vorträge und Diskussionen bei den Jagdvereinen gehärtet, und ungezählte Gespräche auf luftiger Kanzel, in Forststuben und Jägerhäusern ermöglichten es, im Sinne DIEZELS – aus der Praxis für die Praxis – zu schreiben, soweit nicht eine in 45 Jägerjahren erzielte bunte Lebensstrecke mich aus eigenem Wahrnehmen und Erleben schöpfen ließ.

Herr Oberlandforstmeister Prof. NÜSSLEIN förderte meine Arbeit und steuerte zu meiner Freude auch selbst eine Schilderung bei.

Schon nach 5 und wiederum nach 6 Jahren erwies sich ein Neudruck notwendig und gab jeweils die erwünschte Gelegenheit, vor allem den naturgeschichtlichen Teil dem Fortschritt unserer wildbiologischen Erkenntnisse anzupassen. – So lege ich die Neuauflage dieses Buches der Jägerei vor in der fröhlichen Gewißheit, in Wahrung altehrwürdiger Tradition im Geiste DIEZELS für sie gearbeitet zu haben.

Hann. Münden,
z. Z. des Schnepfenstrichs 1966

D. MÜLLER-USING

Hei mihi praeteritos
referat si Jupiter annos!
C. Ae. Diezel

KARL EMIL DIEZEL

„Ich (KARL EMIL DIEZEL) bin am 8. Dezember 1779 geboren. Mein Vater war protestantischer Pfarrer zu Irmelshausen im Grabfelde (Unterfranken, Bayern) und ein ungleich besserer Redner als ich, meine Mutter eine Tochter des Herzoglich Koburgschen Oberstleutnants VON HELDWITT ZU HELDWITT. Ich habe sie leider nicht gekannt, da sie in ihrem ersten Wochenbette schon starb.

Ich hatte einen Kandidaten der Theologie zum Lehrer, und es ging so ziemlich gut vorwärts, würde aber noch um vieles besser gegangen sein, wenn die lateinischen und griechischen Buchstaben nicht bisweilen eine frappante Ähnlichkeit mit jenen Sperlingen gehabt hätten, die ich nach beendeten Schulstunden bei gutem Wetter mit dem Blasrohre sehr fleißig zu dezimieren pflegte."

Mit diesen Worten beginnt der achtzigjährige DIEZEL seinen Lebenslauf, um den ihn die „Allgemeine Forst- und Jagdzeitung", deren Mitarbeiter er viele Jahrzehnte hindurch gewesen war, gebeten hatte, und schon diese wenigen Worte sind charakteristisch für ihn: Sie zeigen einmal die Bescheidenheit des Mannes, der sogar seinen Namen einzuklammern für nötig befand, und sie zeigen, schon im zweiten Absatz, das Übergleiten in den vergnüglichen Plauderton, der alle Veröffentlichungen DIEZELS auszeichnet und ihnen die unverwelkbare Frische gibt, die sein Werk ein Jahrhundert überdauern ließ.

Das Gymnasium besuchte er zunächst in Schleusingen, wo ein vorzüglicher Altphilologe, der Professor WALCH, ihm die große Vorliebe für die alten Klassiker vermittelte, die ihn durch sein ganzes Leben begleitet hat. Die letzten Gymnasialjahre verbrachte er dann in Koburg, wo ihm indessen das Gymnasium Casimirianum weniger Anregungen zu geben vermochte. Es mag das auch an „allerlei Zerstreuungen" gelegen haben, zu denen der weit überdurchschnittlich Begabte auch „die Erlernung der neuen Sprachen und mehrerer Instrumente, dazu die edle Reit- und Fechtkunst" rechnete; mit mehr Recht wohl die häufigen Einladungen in ansässige Familien und so manche „Jagd-Partien", deren er ausdrücklich Erwähnung tut.

DIEZEL studierte dann in Leipzig Jurisprudenz, wahrscheinlich auch „Cameralia", doch blieb er, damaligem Brauche folgend, nur zwei Jahre auf der Universität, nicht ohne mit dem Karzer Bekanntschaft gemacht zu haben: Ein stadtbekannter Raufbold hatte ihn, der Händel und Gelage haßte, herausgefordert, und wenn jener auch die Herausforderung mit einer blutigen Abfuhr im dritten Gang büßen mußte, so war doch der Karzer für beide die Folge. Erst das Eintreten eines regierenden Fürsten für ihn befreite ihn aus seiner mißlichen Lage.

Nach Hause zurückgekehrt, begann er ein gewaltiges Jagen „und fing nun auch an, wie die jungen Vögel zu tun pflegen, hier und da ein wenig zu zwitschern", indem er einige Beiträge für das damals vielgelesene Journal GEORG LUDWIG HARTIGS, des späteren preußischen Oberlandforstmeisters, lieferte. Es ergab sich hieraus ein Briefwechsel mit dem bedeutenden Manne, der ihn zu sich nach Dillenburg einlud und ihm sogar einen Damschaufler in dem dortigen Wildpark freigab. „Ein solches Übermaß von Bequemlichkeit war aber nicht nach meinem Geschmack, ich schoß daher, trotz allem Zureden meiner Begleiter, gar nicht, und manche derselben werden mich vielleicht für eine Erzschlafhaube gehalten haben!" Die Abneigung gegen das Damwild, das er niemals in freier Wildbahn kennenzulernen Gelegenheit hatte, ist DIEZEL denn auch sein Leben lang nicht losgeworden.

Bald darauf finden wir ihn als Hauslehrer in Zell bei Alsfeld (Hessen) im Hause des als Wolfsjäger vielgenannten und vom Oberforstmeister VON WILDUNGEN sehr geschätzten Wildmeisters EULER, dessen Spottlust die von ihm mitgebrachte kleinkalibrige Doppelflinte reizte, die DIEZEL nur mit 15 bis 18 groben Schroten zu laden pflegte, bis ihn die jagdlichen Erfolge und die ungewöhnliche Schießfertigkeit des jungen Präceptors eines Besseren belehrten. Hier in Zell kam DIEZEL wohl das erste Mal mit dem eigentlichen Forstberuf in engere Berührung, denn er berichtet, daß er sich „dort schon für die forstwirtschaftlichen Verrichtungen im Freien – geschrieben wurde damals noch nicht – lebhaft zu interessieren anfing". Bald darauf sehen wir ihn, wohl auf Grund einer Empfehlung HARTIGS, bei HEINRICH COTTA an dessen Forstlehranstalt in Zillbach, wo er Unterricht in Jagdkunde, neueren Sprachen, Geschäftsstil und Fechten zu geben hatte, gleichzeitig aber auch keine der Vorlesungen des forstlichen Altmeisters versäumte und auch „die sogenannten Exkursionen" mitmachte. Erst hier entschloß er sich endgültig für den Forstberuf – er war inzwischen 28 Jahre alt geworden.

Als COTTA nach Tharandt berufen wurde, erfuhr DIEZEL zufällig von einem Freunde, daß im damaligen Großherzogtum Würzburg eine Prüfung für das Forstfach abgehalten werde. Eilig begab er sich dorthin, der erste Tag der Prüfung war aber schon vorbei; doch wurde er noch zugelassen und mußte am zweiten und letzten Tage zugleich auch alles Versäumte nachholen. Trotz dieses Nachteils bestand er die Prüfung als bester unter 62 und wurde sofort als Sekretär im Würzburger Forstbüro angestellt – heute würde man etwa sagen: Forstassessor bei der Forstabteilung der Regierung zu Würzburg. Drei Jahre mußte er, der, genauso wie unsere Forstassessoren heute, auf ein Revier drängte, in dieser Stellung ausharren, bis er ein solches erhielt – nachdem ihm ärztlicherseits bescheinigt wurde, daß die sitzende Tätigkeit „sehr nachteilig auf den Zustand seiner Brust wirke!" Sein erstes Revier war Röthlein (unweit Schweinfurt), damals ein jagdliches Paradies mit einer interessanten und vielseitigen Wasservogelfauna; manches seltene Stück hat DIEZEL dort für die Universität Würzburg gesammelt.

Mit dem Übergang Würzburgs an die Krone Bayerns – nach dem Wiener Kongreß – trat DIEZEL 1815 in bayerische Dienste über. 1826 wurde er – an Stelle der erwarteten Beförderung – gegen seinen Willen nach Kleinwallstadt am Main versetzt, nach den Ermittlungen H. KREYENBORGS wohl wegen einer vorausgegangenen handgreiflichen Belehrung eines geistlichen Herrn, der sich allzu intensiv um das Seelenheil seiner Frau bekümmert haben soll. Dort wirkte er 27 Jahre hindurch als Revierverwalter. Aus seinen Schriften geht hervor, daß er keineswegs *nur* Jäger war, sondern sich auch mit *forstlichen Problemen* intensiv auseinandersetzte, so mit dem der Aufforstung devastierter Laubholzflächen mit Nadelholz.

Hart traf den fast Siebzigjährigen die 48er Revolution: „Auch ich konnte dem Schicksal, welches damals so viele Forstmänner betroffen hat, nicht entgehen, d. h.: Es wurde an meinem Tor getrommelt, und wenn der Parlamentär, den man zu mir geschickt hatte, nicht eine respektable Reihe geladener Gewehre auf meinem Tische hätte liegen sehen, so würde vielleicht noch mehr geschehen sein; denn dieses Belagerungskorps bestand aus einem Auswurf der Gemeinde, aus Lumpen aller Art, besonders aber aus Holz- und Wildfrevlern, die sich gerne wegen Beschränkung ihrer Liebhabereien an mir hätten rächen mögen."

Fortan war ihm Kleinwallstadt verleidet, und nach seiner 1852 erfolgten Pensionierung – Dienstnachfolger wurde sein Schwiegersohn – zog er, sobald es ihm möglich war, in die Schweinfurter Gegend, die er von seinem ersten Revier Röthlein her liebgewonnen hatte. In seinem letzten Wohnsitz Schwebheim verstarb er am 25. August 1860 im Alter von mehr als 80 Jahren, nachdem er 8 Tage vorher noch an einer Hühnerjagd teilgenommen hatte. Rund ein Jahr zuvor konnte er noch schreiben: „Ich jage noch ebenso eifrig wie vor fünfzig Jahren und schieße noch ebenso gut . . . Das kommt daher, weil ich von jeher nicht viel Weingläser in die Hand genommen habe."

Der große, hagere Mann mit dem länglichen Gelehrtengesicht war nicht nur nüchtern, sondern von ungewöhnlicher körperlicher Härte, ging selbst im Winter ohne ein Tuch um den Hals und hatte, als er zum letztenmal die Blätter fallen sah, nur die angenehme Empfindung bevorstehender Jagdfreuden. Bis an sein Lebensende erregte seine schier unglaubliche Schießkunst die Bewunderung aller seiner Jagdgefährten.

Diezel war mit einem scharfen Verstande, einer vorzüglichen Beobachtungsgabe und einem reichen Wissen ausgestattet. Bis in sein höchstes Alter liebte er die Beschäftigung mit den alten Klassikern und mit deutscher und französischer Literatur. Er pflegte einen ausgedehnten Briefwechsel mit zahlreichen Gesinnungsgenossen und Freunden, war Mitglied vieler wissenschaftlicher Gesellschaften und blieb bis ins hohe Greisenalter schriftstellerisch tätig.

Zu allen diesen Vorzügen des Körpers und des Geistes kamen hervorragende Eigenschaften des Herzens. Erhaltene Proben seiner poetischen Versuche lassen auf ein tiefes Gemüt schließen. Unser Bild zeigt den Charakterkopf, den das Leben geprägt hat, dem Klugheit, aber auch Humor aus den Augen leuchten, dessen Mund und Kinn zugleich aber auch eine feste Energie verraten. Er war einer unserer Besten.

INHALT

DAS REH

Jagdrechtliche Stellung 17

Naturgeschichte 17

Systematik 17 – Lebensraum 17 – Färbung 17 – Haarwechsel 21 – Altersbestimmung 21 – Gehörn 24 – Geschlechtshormone 26 – Fortpflanzung 27 – Gewichte 29 – Nahrung 29 – Stimme 29 – Gesellschaftsbildung 30 – Feinde 30 – Standorte 32 – Wanderungen 32 – Sinne 32

Waidmannssprache 33

Jagd 36

Pürsch 36 – Ansprechen 40 – Schußzeichen 42 – Pürschfahrt 44 – Ansitz 45 – Blattjagd 47 – Drücken 48 – Rickenabschuß 49 – Aufbrechen 52 – Versorgen 52 – Zerwirken 53 – Wirtschaftliche Bedeutung 53

Hege 53

Geschlechterverhältnis 53 – Bestandesdichte 53 – Zuwachs 54 – Deckung 54 – Äsungsverbesserung 55 – Fütterung 56

DER FELDHASE

Naturgeschichte 58

Systematik 58 – Schädel 58 – Gestalt 59 – Färbung 59 – Skelett 60 – Gewicht 61 – Verbreitung 61 – Aufenthalt 62 – Wanderungen 62 – Fortbewegungsarten 62 – Sinne 63 – Nahrung 63 – Stimme 63 – Fortpflanzung 63 – Säugen 63 – Vergesellschaftung 64 – Paarung 65 – Tragzeit 65 – Satzstärke 65 – Jugendentwicklung 65 – Geschlechtsmerkmale 67 – Lebensalter 67 – Siedlungsdichte 68 – Feinde 68

Waidmannssprache 69

Jagd 71

Ansitz 71 – Suche 75 – Pürsch 80 – Böhmische Streife 81 – Vorstehtreiben 82 – Standtreiben 83 – Kesseltreiben 86 – Brackieren 92

Hege 94

Abschußgestaltung 94 – Jagdschutz 96 – Fütterung 97 – Aussetzen 98 – Krankheiten 99 – Unglücksfälle 100 – Wirtschaftliche Bedeutung 100

DER NORDISCHE UND DER ALPEN-SCHNEEHASE

Naturgeschichte 102

Jagd 104

DAS WILDKANINCHEN

Naturgeschichte 105
Kennzeichen 105 – Färbung 105 – Gewicht 105 – Verbreitung 106 – Sinne 106 – Nahrung 106 – Vergesellschaftung 107 – Fortpflanzung 108 – Feinde 108

Waidmannssprache 108

Jagd 109
Ansitz 109 – Pürsch 110 – Suche 110 – Frettieren 111 – Treiben 113 – Volkswirtschaftliche Bedeutung 113

DAS MURMELTIER

Naturgeschichte 115
Beschreibung 115 – Verbreitung 116 – Nahrung 117 – Fortpflanzung 117 – Winterschlaf 117 – Sinne 118 – Stimme 118 – Feinde 118

Waidmannssprache 119

Jagd 119
Ansitz 119 – Trophäe 120 – Verwertung 120

Hege 120
Aussetzen 121

Volkstümlichkeit 121

DER BIBER

Naturgeschichte 122

Jagd, Hege 123

DIE BISAMRATTE UND IHRE VERWANDTEN

Bisamratte 124

Naturgeschichte 124
Systematik 124 – Kennzeichen 124 – Aufenthalt 124 – Baue 125 – Nahrung 125 – Fortpflanzung 126 – Feinde 126

Jagd 126

Volkswirtschaftliche Bedeutung 127

Nutria 128

Wanderratte 128

DER FUCHS

Naturgeschichte 131
Verbreitung 131 – Körperform 131 – Färbung 132 – Viole 132 – Farbvarietäten 132 – Maße 132 – Gewichte 133 – Spur 133 – Aufenthalt 133 – Bau 134 – Stimme 134 – Nahrung 135 – Fortpflanzung 136 – Haarwechsel 138 – Feinde 138

Waidmannssprache 138

JAGD 139
Ansitz 139 – Schußzeichen 140 – Lockjagd 142 – Ansitz am Bau 146 – Luderplatz 147 – Schleppe 148 – Treiben 148 – Pürsch 150 – Sprengen 151 – Kunstbau 152 – Streifen des Balges 153 – Wirtschaftliche Bedeutung 155

DER WASCHBÄR

NATURGESCHICHTE 157
Verbreitung 157 – Siedlungsdichte 157 – Nahrung 158

DIE MARDER

NATURGESCHICHTE 159
Kennzeichen 159 – Spur 160 – Maße, Gewichte 161 – Aufenthalt 161 – Nahrung 162 – Fortpflanzung 162 – Zähmung 164 – Lebensalter 164 – Feinde 164 – Sinne 164 – Stimme 164

WAIDMANNSSPRACHE 165

JAGD 165
Lockjagd 165 – Ausneuen 165 – „Gespenst“ 168 – Ansitz 168 – Auspochen 169 – Wirtschaftliche Bedeutung 169

ILTIS · HERMELIN · MAUSWIESEL · NERZ

ILTIS 170
Kennzeichen 170 – Verbreitung 170 – Siedlungsdichte 170 – Fortpflanzung 171 – Nahrung 171 – Gewichte 172

STEPPENILTIS 172

HERMELIN 173
Verbreitung 173 – Fortpflanzung 173 – Kennzeichen 174 – Nahrung 174

MAUSWIESEL 174

NATURGESCHICHTE 174

JAGD 175

ZWERGWIESEL 176

NERZ 177

DER DACHS

NATURGESCHICHTE 178
Systematische Stellung 178 – Beschreibung 178 – Aufenthaltsort 179 – Nahrung 180 – Stimme 181 – Fortpflanzung 181 – Winterruhe 182

WAIDMANNSSPRACHE 182

JAGD 182
Anstand am Bau 183 – Graben 184 – Hetzen und Stellen 187 – Streckenzahlen 188

DER FISCHOTTER

NATURGESCHICHTE 189

Beschreibung 189 – Spur 189 – Verbreitung 190 – Aufenthalt 190 – Nahrung 191 – Fortpflanzung 191 – Stimme 192 – Zähmung 192

JAGD 192

DIE WILDKATZE

NATURGESCHICHTE 194

Verbreitung 194 – Fortpflanzung 196 – Nahrung 196 – Verhalten 196 – Kennzeichen 197

DIE GINSTERKATZE 198

DER FASAN

NATURGESCHICHTE 199

Verbreitung 199 – Verbreitungsgeschichte 199 – Rassen 200 – Andere Arten 202 – Stimme 202 – Fortpflanzung 202 – Gewicht 203 – Nahrung 203 – Psychische Leistungen 204

WAIDMANNSSPRACHE 204

Abfedern 205

JAGD 205

Suche 205 – Streife 205 – Treiben 206

HEGE 210

Aussetzen 210 – Reviervoraussetzungen 210 – Reviervorbereitung 212 – Zuwachsprozent 214 – Abschußquote 215 – Schüttungen 216 – Ausgemähte Gelege 216 – Jagdwirtschaftliche Bedeutung 217

DAS REBHUHN

NATURGESCHICHTE 218

Beschreibung 218 – Rassen 219 – Aufenthalt 219 – Fortpflanzung 219 – Nahrung 221 – Stimme 221 – Feinde 222

WAIDMANNSSPRACHE 222

JAGD 223

Suche 223 – Schußzeichen 224 – Der Schuß 225 – Das Halten 225 – Vorsichtsmaßnahmen 226 – Hühnerdrachen 226 – Versorgung 227 – Streife 227 – Treiben 228 – Diezels Erzählungen 228

HEGE 229

Deckung 229 – Kleinstbrache 230 – Hegebusch 230 – Fütterung 231 – Abschußquote 232 – Jagdwirtschaftliche Bedeutung 232 – Sonstige Hühnervögel (Niederjagd) 232 – Wachtel 233 – Stein- u. Rothuhn 233 – Alpen- u. Moorschneehuhn 234

DIE RALLEN

ARTEN OHNE JAGDLICHE BEDEUTUNG 235
BLÄSSHUHN 236
Naturgeschichte 236 – Jagd 238

DIE WALDSCHNEPFE

NAMEN 241
NATURGESCHICHTE 241
Beschreibung 241 – Gewichte 242 – Verbreitung 243 – Wanderungen 243 – Fortpflanzung 245 – Strich 245 – Stimme 246 – Nahrung 247 – Feinde 248
WAIDMANNSSPRACHE 248
TROPHÄEN 249
JAGD 249
Strich 249 – Der Schuß 251 – Suche 252 – Treiben 253 – Wirtschaftliche Bedeutung 254

DIE SUMPFSCHNEPFEN

NATURGESCHICHTE 255
Artmerkmale 256 – Stimme 257 – Fortpflanzung 258
JAGD 258
Der Schuß 258 – Suche 258

DIE WILDTAUBEN

NATURGESCHICHTE 261
Artmerkmale 261 – Verbreitung 261 – Fortpflanzung 261 – Nahrung 262 – Feinde 263
JAGD 264
Pürsch auf den Tauber 264 – Lockjagd 265 – Anstand 265 – Der Schuß 265 – Treiben 266 – Andere Jagdarten 267
HEGE 268
Wirtschaftliche Bedeutung 268 – Hohl-, Turtel- und Türkentaube 269

DIE TAUCHER

NATURGESCHICHTE 270
Systematik 270 – Kennzeichen 270
JAGD 271

DIE WILDGÄNSE

NATURGESCHICHTE 273
Artmerkmale 273
JAGD 274
Strich 275 – Pürsch 277 – Zudrücken 277

DIE WILDENTEN

Naturgeschichte der Stockente 278
Aufenthalt u. Verbreitung 278 – Nahrung 278 – Fortpflanzung 278 – Mauser 280 – Lebensalter 281 – Andere Gründelenten 281
Waidmannssprache 281
Jagd 282
Suche 283 – Strich 283 – Treiben 286 – Streife 288 – Lockjagd 288
Tauchenten und Säger 289
Hege 291
Deckung 291 – Bekämpfung der Entenfeinde 292 – Fütterung 293 – Wirtschaftliche Bedeutung 293

DIE REIHER

Vorkommende Arten 294
Naturgeschichte des Fischreihers 294
Jagd 295

DIE GREIFVÖGEL

Waidmannssprache 297
Systematik und Artmerkmale 299
Bussarde 304 – Habicht 304 – Sperber 309
Jagd 310
Greifvogelschutz 311

DIE KRÄHENVÖGEL

Artenübersicht 312
Jagd 316
Nestabschuß 316 – Elsterjagd 318 – Winterabschuß 318 – Krähenhütte 319

DIE JAGDHUNDE

Allgemeines 321 – Jägersprache 322 – Rassen, Verwendung 324 – Geschichte 325 – Abrichtung 327 – Leistung im Revier 332 – Pflege 337

SCHUSSWAFFEN- UND SCHIESSKUNDE

Waffenkunde 341
Waffen und Munition zur Jagd auf Reh und Raubwild 341 – Flinte und Drilling; Kaliber und Lauf 342 – Flinte und Drilling; Schaft 346 – Flinte und Drilling; Verschluß, Schloß und Sicherung 348
Schiesskunde 354
Anschlag-, Ziel- und Schießübungen 354 – Schießen in der jagdlichen Praxis 358
Sachregister 364

DAS REH

Zum Niederwild im eigentlichen Sinne gehört das Reh nicht – aber auch nicht zum Hochwild. Es nimmt eine Mittelstellung ein, und in den deutschen Ländern, in denen es vorzeiten eine Mittlere Jagd neben der Hohen und Niederen gegeben hat, gehörte es dorthin, so in den sächsischen Fürstentümern. Methodisch wurde es, in manchen Gegenden bis in die dreißiger Jahre dieses Jahrhunderts hinein, als Niederwild behandelt, wie heute noch in Frankreich: Man schoß es, unabhängig von Alter und Geschlecht, im Herbst und im Winter gelegentlich der Treib- und Drückjagden mit Schrot ab, allenfalls erlegte man im Sommer Sechserböcke mit Schrot oder Kugel.

Daher mag es kommen, daß diese Wildart, wenn auch nicht in der allerersten, so doch schon in der zweiten, von DIEZEL noch selbst bearbeiteten Auflage dieses Buches Aufnahme fand.

Heute, wo in ganz Deutschland und Österreich der Kugelschuß für sie zwingend vorgeschrieben ist und mit der Trophäe in Mitteleuropa ein gewisser Kult getrieben wird, könnte man fast darüber streiten, ob es seinen Platz nicht besser unter den zur Hohen Jagd gerechneten Wildarten fände. Doch gehört es seiner allgemeinen, weiten Verbreitung wegen jagd*rechtlich* nicht zu diesen, mit anderen Worten: Auch die beste Rehwildjagd gilt nicht als „Hochwildjagd" – und so mag es, als die in Deutschland, noch *vor dem Hasen,* jagdwirtschaftlich wichtigste Wildart überhaupt, seine Behandlung nach wie vor hier finden.

Unser Rehwild wird zur Familie der Hirsche (Cervidae) gestellt und bildet unter den heimischen Arten einen eigenen Zweig. Es steht den *Echten Hirschen* (Cervinae), die durch Rot-, Sika- und Damhirsch bei uns vertreten sind, nicht allzu nahe, sondern gehört zu den *Trughirschen* (Odocoileinae), zu denen, neben allen amerikanischen Hirscharten (mit Ausnahme des aus Asien dort eingewanderten Wapiti), auch die Elche und Rener gerechnet werden. Trotz des riesigen Verbreitungsgebietes, das von Portugal bis nach China, von Kleinasien bis nach Mittelnorwegen reicht, kennt man nur zwei Arten in jeweils mehreren Rassen, das Reh schlechthin und das Sibirische Reh, das bis zu Damhirschstärke erreicht, ja die moderne Systematik läßt gar wohl nur eine „Großart" gelten.

Das Reh ist die zierlichste europäische Hirschart und als solche wegen ihrer scheuen Anmut geradezu sprichwörtlich, ein rechter Liebling des Volkes.

Und das konnte es in der Tat sein: Ob Straße, Autobahn oder Schienenweg – von überall her sah man, wenn man z. B. in Deutschland reiste, einzeln oder in Sprüngen diese anmutige Wildart auf Wiesen, Feldern oder Waldlichtungen, und vor dem Zweiten Weltkrieg bevölkerten 1–1½ Millionen Rehe Deutschlands Wildbahnen. – Das war nicht immer so. Bis tief ins 18. Jahrhundert hinein lebte das Reh, von Wolf und Luchs gezehntet, in erstaunlich geringer Zahl bei uns und spielte dementsprechend auch jagdwirtschaftlich keine Rolle. Dort aber, wo das in diesem Betracht so wichtige Rot- und Schwarzwild aus landeskulturellen Gründen weichen mußte, gewann die kleinste Schalenwildart an Wertschätzung

und Bedeutung, zuerst wohl in den Niederlanden und Ostfriesland, wo sie schon seit dem 17. Jahrhundert auf fast keinem jagdlichen Stilleben fehlte. Jeder Krieg und jede Revolution brachten ihr jedoch furchtbare Einbußen, durch die sie oft bis an den Rand der Vernichtung gelangte.

So schrieb nach der 1848er Revolution Meister DIEZEL in der 2. Auflage seines Buches die Sätze: „Das Schwarzwild wie das Rotwild und das ziegenfarbige Damwild sind bereits aus der freien Natur so gut wie verschwunden und existieren fast nur noch in Tiergärten, Museen und Bildergalerien. Wenn ich unter solchen Verhältnissen und solchen Aussichten, um mehrfachen Anforderungen zu entsprechen, mich dennoch entschlossen habe, auch noch ein Kapitel vom Rehwild zu liefern, so kommt es mir beinahe vor, als handle es sich nur noch um eine diesem Tiergeschlecht zu haltende *Leichenrede*.“

Ähnliche Prophezeiungen sind seit Anfang des vorigen Jahrhunderts nach allen verlorenen Kriegen und staatlichen Umwälzungen von vielen Seiten, auch von den besten Waidmännern, geäußert worden, haben sich aber glücklicherweise nicht zum kleinsten Teil erfüllt. Viermal im Laufe von 150 Jahren hat der deutsche Wald seine Wildbestände opfern müssen, und viermal hat er sie verstärkt wiedergewonnen!

Auch heute sind in allen Bundesländern die Kriegsfolgen überwunden, der Rehwildbestand ist stärker an Zahl, als er jemals war. Zu stark!

Die *Färbung* ausgewachsenen Rehwildes ist *im Sommer* nahezu einheitlich gelbrot, auf dem Rücken kräftiger und dunkler, auf der Unterseite fahl. Der Färbungscharakter wechselt nach Population und auch individuell von einem Braunrot über ein fast feuriges Rotgelb, ja Kupferrot (das man wohl überwiegend bei Waldbewohnern findet) bis zu fahlgelben Tönen, die bei Feldrehen häufiger anzutreffen sind, ohne daß von Rassen oder Schlägen gesprochen werden könnte. Abweichend gefärbt ist die (schwarze) Muffel mit je einem weißen Fleck unterhalb der Nasenlöcher, sowie die stets reinweiße Unterlippe. Gesicht und Scheitel sind grau, im Alter grauweiß, doch kann von einer *durchaus* konstanten jährlichen Veränderung wohl nicht gesprochen werden. Indessen bietet die Gesichtszeichnung immerhin einen für die jagdliche Praxis hilfreichen Anhaltspunkt für eine ungefähre Alterseinstufung, auf die wir noch zu sprechen kommen. Die Ohrinnenseite ist matt hellgraugelb, der Ohrrand schmal schwarzbraun gesäumt. Gleichfalls dunkelbraun ist die Laufbürste am Ende des Mittelfußes. Die Schalen sind schwarz, der im Sommerkleid wenig auffallende Spiegel ist gelblich. Weibliche Stücke erscheinen oft in der Gesamtfärbung etwas matter, der Spiegel ist stets größer.

Im *Winterkleid* ist die Oberseite bräunlichgrau, die Unterseite mausgrau. Der Nacken trägt einen schmalen, braunen Mittelstreif, der sich in der Schulterregion verliert. Der Unterschied zum Sommerkleid ist bedeutend und dadurch gekennzeichnet, daß typische Merkmale, wie der gleich zu erwähnende Nasenfleck des Jährlings, fehlen – andere, wie ein meist vorhandener, in der Regel quergeteilter, weißer Kehlfleck, ausschließlich im Winterhaar auftreten. Das Einzelhaar ist eigentümlich geringelt und weist eine schwarze Spitzenzone, eine wurzelwärts sich auflichtende braungelbe und eine lange, graue Zone im untersten Abschnitt auf, die zur Wurzel hin fast weiß wird. Dementsprechend wirken die Tiere *während* des Haarwechsels zum Winterhaar auf dem Rücken für einige Tage fast schwarz, nach dem Verfärben immer noch recht dunkel, auf Grund der fortschreitenden Abnutzung der Haarspitzen zum Nachtwinter hin bräunlich. Die Jäger sagen dann, nicht ganz zu Recht, daß sie schon anfingen zu verfärben. Im Frühjahr aber werden sie immer lichter bis zu einem hellen Mausgrau, durch das dann bald das rote Sommerhaar durchschimmert. Bock und Ricke (Geiß) sind an der verschiedenen Form und Ausdehnung des während des ganzen Winters schneeweißen Spiegels gut zu erkennen. Der des *Bockes ist klein,* beim nicht beunruhigten Stück etwa apfelgroß und rund bis herzförmig; der der Ricke von bedeutender Querausdehnung und etwa der Form einer liegenden Acht. Nicht immer deutlich ist beim Bock ein mehr oder weniger starkes Haarbüschel von hellgelblicher bis mattbräunlicher Färbung an der Mündung der Harnröhre, der „Pinsel“, der auch im Sommerkleide sichtbar ist. Das im Laufe des Winters wachsende Bastgehörn ist mit kurzen, weichen, grau- bis lichtbraunen Haaren bedeckt, die im Färbungscharakter jeweils dem Stirnhaar gleichen.

Weibliche Stücke unterscheiden sich von den Böcken durch die erwähnte Form des Spiegels und ein langes, dichtes Haarbüschel von gelblicher, rötlichgrauer oder auch fast weißer Färbung („Schürze“), das in der Scheidenregion entspringt und, gut daumenstark, in einer Länge von 5–7 cm hinunterhängt und so den Spiegel in der Ansicht von hinten teilt. Schon das weibliche Kitz im ersten Lebenswinter ist durch dieses Haarbüschel so deutlich gekennzeichnet, daß eine Unterscheidung von Bock- und Rickenkitz jedem Wissenden mühelos gelingt.

Das frischgesetzte *Kitz* hat eine tief dunkelbraune Oberseite. Am kräftigsten gefärbt ist ein etwa 3 cm breites Mittelband, das sich vom Scheitel über Hals und Rücken bis zum Spiegel hinzieht. Beiderseits dieses Bandes verläuft eine Reihe rahmfarbiger bis trüb weißgrauer, engstehender Flecken, der nach den Seiten zu je drei bis vier weitere Reihen parallellaufen, die in ihrem Verlauf immer undeutlicher werden. Die individuelle Verschiedenheit ist hierbei so groß, daß fast kein Kitz dem anderen völlig gleicht. Auch Zwillingskitze können differieren. Die Flanken sind braungrau, der Bauch weißgrau. Die Läufe sind mittelbraun. Am Hinterlauf findet sich ein kräftig dunkelbrauner Streifen.

Dieses *erste* Jugendkleid verschwindet schon nach sehr kurzer Zeit, das *Undeutlichwerden* der Fleckenreihen *beginnt* bereits nach kaum drei Wochen. Mit zwei bis drei Monaten sind sie gänzlich verschwunden, und zwar nicht durch Haarausfall, sondern dadurch, daß das Erstlings- vom *zweiten* Jugendkleid durch- und überwachsen ist. Dieses unterscheidet sich grundsätzlich in nichts mehr von dem erwachsener Stücke, es sei denn, daß es ein wenig heller erscheint. Getragen wird es nur knapp zwei Monate, von Ende Juli bis Ende September, dann macht es dem Winterkleid Platz, dessen Gesamtfärbungscharakter meist kräftiger und mehr bräunlich ist als der erwachsener Stücke.

Jährlinge sind im Sommer dann meist recht hell rotgelb, nie so dunkel, wie es ältere Stücke sein können. Sehr oft tragen *beide Geschlechter* eine auffallende Gesichtszeichnung in Gestalt eines etwa 2 cm breiten, weißen Querbandes oberhalb der Muffel, das später scheitelwärts in eine Spitze ausläuft und als Nasenfleck bezeichnet wird. Im Alter von zwei Jahren ist diese Zeichnung noch deutlich zu erkennen, mitunter gar heller und ausgedehnter als beim Jährling. Der dreijährige Bock hat dann oft ein richtig buntes Gesicht, da weiße Augenringe häufig auf dieser Altersstufe schon auftreten. Der ältere Bock wird in seiner Gesichtsfärbung wieder mehr einheitlich lichtgrau. Ganz alte Böcke können zum „Weißkopf“ werden. Absolute Gewißheit geben aber diese Zeichnungsmerkmale nicht! Der Muffelfleck kann beim Jährling ganz fehlen, auch kann ein solcher die Gesichtszeichnung eines Dreijährigen aufweisen.

Parallel mit diesen Färbungsmerkmalen gehen solche des Körperbaues, wobei insbesondere die Stärke des Halses („Träger“) eine Rolle spielt. Er ist beim Jährling kaum stärker als beim gleichaltrigen Schmalreh, beim zweijährigen schon erkennbar stärker und bei älteren Böcken gewöhnlich so entwickelt, daß der Unterschied sofort ins Auge fällt. Im ruhigen Ziehen tragen diese das Haupt meist selbst dann verhältnismäßig tief, wenn der Träger eigentlich nichts zu tragen hat, das Gehörn also schlecht entwickelt ist; jüngere Böcke dagegen nach Art des weiblichen Wildes ziemlich hoch. Doch gibt es Ausnahmen, und sehr alte Böcke können, so etwa vom achten, neunten Lebensjahre an, wieder einen dünnen Hals haben. Über Unterschiede im *Verhalten* der einzelnen Altersklassen wird im jagdlichen Teil noch zu reden sein.

Abänderungen der Haarfarbe und -form werden, bei der Häufigkeit der Art, oft beobachtet: Vollständiger oder teilweiser Albinismus, besonders häufig aber Melanismus, der in einzelnen Gegenden gehäuft auftritt, im niedersächsischen Forstamt *Haste* sogar den größten Teil des dortigen Bestandes auszeichnet. Aber auch einzelne schwarze Rehe inmitten durchweg normal gefärbter Bestände finden sich überall einmal, auch in Süddeutschland, auch linksrheinisch. Das schwarze Rehwild Niedersachsens ist nicht, wie vorzeiten behauptet wurde, im 17. Jahrhundert aus Portugal eingeführt, sondern war, wie

Fm. SCHRAUBE festgestellt hat, schon im Mittelalter dort heimisch. Es ist kaum geringer als das rote, mit dem es sich selbstverständlich unbegrenzt kreuzt, und verdient insbesondere dort, wo es nur in einzelnen Stücken auftritt, weitgehende Schonung, weil solche Stücke die schönsten Beobachtungen über individuelles Verhalten, Standortveränderungen, Fruchtbarkeit und Lebensdauer ermöglichen. Eine sehr seltene Mutation steht im „Haus der Natur" zu *Salzburg*, nämlich ein wollhaariges Reh.

Der Herbsthaarwechsel beginnt in Mitteleuropa auch beim erwachsenen Reh um die Mitte des September und wird in der zweiten Oktoberhälfte abgeschlossen, wenn kein abnormer Witterungsverlauf herrscht. Der Frühjahrshaarwechsel beginnt selten vor Ende April. Berichte über wesentlich früheres Verfärben dürften in vielen Fällen ihre Erklärung in dem über die rotbraune Zone des Einzelhaares Gesagten finden. Zum Abschluß kommt er bei der großen Mehrzahl der Rehe meist erst Ende Mai, Anfang Juni, bei Kümmerern erst im Juli. Die alte Regel „Jung verfärbt zuerst" hat nach neueren Beobachtungen nicht durchweg, aber doch in der Mehrzahl der Fälle Gültigkeit, und zwar sowohl für den Frühjahrs-, als auch für den Herbsthaarwechsel. Rote Böcke um die Oktobermitte sind fast immer alte Böcke. Hochbeschlagene oder führende Ricken verhären, wie alle mir bekannten Tiermütter, später als gleichaltrige, gesunde männliche Stücke.

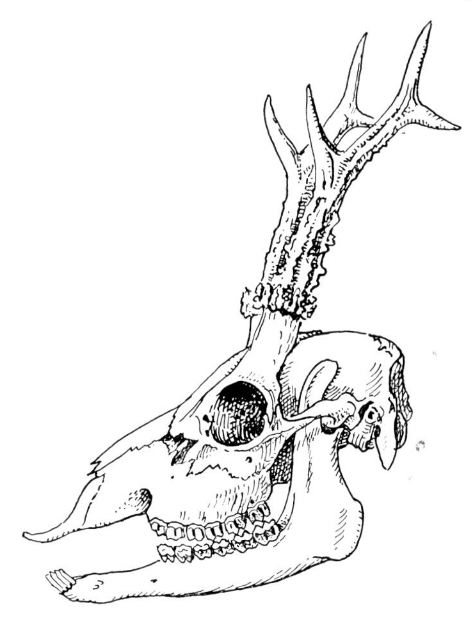

Rehschädel

Eine sachgemäße Kontrolle des Wahlabschusses ist nur möglich auf Grund einer ausreichend genauen *Altersbestimmung.* Wir müssen uns daher mit den Grundlagen für eine solche kurz beschäftigen. Bei allen Säugetieren eignet sich besonders der Schädel dazu, und hier wiederum oft – aber nicht immer – das Gebiß, dessen fortschreitende Abnutzung bei den Huftieren deutlich erkennbare Altersmerkmale abgibt. Solche finden sich bei manchen unserer Hirscharten einmal im Innern der Schneidezähne, wo das nach Abnutzung der umhüllenden *Schmelz*schicht freiwerdende Zahnbein (Dentin) von innen her durch eine ständig sich anlagernde Substanz, das sogenannte *Ersatzdentin,* ergänzt wird. Doch findet die Ersatzdentinbildung nach dem Beanspruchungsgrad der Zähne in wechselnden Rhythmen statt, so daß, wie beim wachsenden Baum, Zonen rascherer und langsamerer Neubildung aufeinander folgen (Jahrringbildung). Leider ist diese gerade beim Reh weniger deutlich als beim Rot- und Damwild, auch erfolgt die Gesamtabnutzung der Zähne angesichts der kürzeren Lebensdauer, die das Reh im allgemeinen erreicht, so schnell, daß schon nach wenigen Jahren die ältesten Jahresringe wieder abgenutzt sind. So scheidet diese, die EIDMANNsche Methode der Altersbestimmung, beim Reh aus.

Eine zweite Methode ist die HÜBNERsche: Auch das Dickenwachstum des Rosenstocks erfolgt *bisweilen* durch verschieden starke Ablagerung von Knochensubstanz in Jahresrhythmen, so daß auf dem quer durchschnittenen Rosenstock Jahresringe zu sehen sind, leider aber nur in einem Bruchteil der Fälle so deutlich, daß eine genaue Altersbestimmung

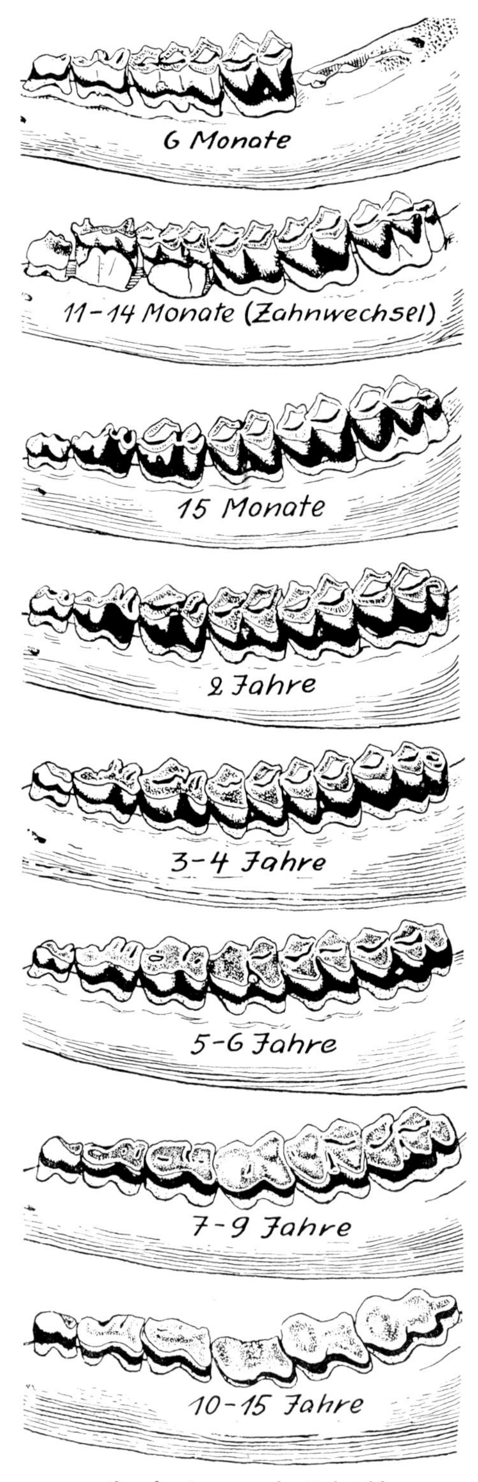

Altersbestimmung des Rehwildes

möglich wird. Nur einmal glückte mir eine solche, und zwar in einem Ehrengerichtsverfahren gegen einen ehrenhaften alten Jäger, dem bei einer Pflichttrophäenschau Unterschiebung eines falschen (älteren) Unterkiefers zu dem „Jährlingsgehörn", das er ausstellte, zum Vorwurf gemacht worden war. Die Hübnersche Methode aber erbrachte durch vier sehr deutlich sich abzeichnende Rosenstockjahrringe, daß keinesfalls ein Täuschungsversuch vorlag; denn der angeblich falsche Unterkiefer war, nach den Abnutzungsmerkmalen, zuvor schon als von einem etwa fünfjährigen Bock herrührend beurteilt worden.

Vorläufig bleibt die Altersbestimmung nach dem *Abnutzungsgrade* der (Unterkiefer-) Backenzähne die beste Methode.

In dem von Geheimrat Dr. Ströse verfaßten und später von mir revidierten Rehalter-Merkblatt der „Gesellschaft der Jagdkunde" heißt es:

„Zur Feststellung des Zahnalters dient der Durchbruch und der Wechsel der Bakkenzähne, später die sich ändernde Gestalt der Reibeflächen, das Verschwinden der Kunden (Schmelzfalteneinsenkungen von halbmondförmiger Gestalt), die allmähliche Abflachung des Winkels zwischen Kaurand und Kaufläche, die Änderung der Seitenansicht des zweiten Vormahlzahnes (Praemolaren), das Verschwinden der Grenzen zwischen den vorderen und hinteren Zahnsäulen, der Verlust und das Auseinanderbrechen der Zähne in hohem Alter und die Höherstellung dieser in ihrem Zahnfach (Alveole). Die Erfahrungen haben gelehrt, daß man sich dabei nicht an ein einzelnes Merkmal klammern darf, sondern alle Veränderungen beachten und das Gesamtbild des Gebisses ins Auge fassen muß. Ratsam ist es, sich eine Sammlung von fachmännisch bestimmten Unterkiefern anzulegen, die die kennzeichnenden Altersmerkmale deutlich zeigt."

Die hier und im folgenden gebrauchten Fachausdrücke erklärt die Abb. S. 24 die Veränderungen an der Unterkieferzahn-

Bestimmungstabelle nach Zahnwechsel und Abnutzung

M III	M II	M I	P III (3)	P II (2)	Mon.
fehlt noch	fehlt noch	fehlt noch	Milchzahn (dreiteilig)	Milchzahn	2—5
fehlt noch	fehlt noch	vorhanden	Milchzahn (dreiteilig)	Milchzahn	5—7
fehlt noch	vorhanden	wenig abgenutzt	Milchzahn (dreiteilig)	Milchzahn	6—10
vorhanden	vorhanden	Kaurandwinkel spitz, Kunden-innenrand hoch	Unter den Milchzähnen sind die Dauerzähne sichtbar		10—14
vorhanden	Kaurandwinkel spitz, Kunden-innenrand hoch	Kaurandwinkel spitz bis stumpf, Kundeninnenrand hoch bis niedrig	Milchzähne verschwunden		von 11 an
Noch nicht oder wenig abgenutzt, Kundeninnenrand hoch, Kaurand-dentin strich-förmig	Kaurandwinkel spitz, Kunden-innenrand hoch	Kaurandwinkel spitz bis stumpf, Kundeninnenrand halbh. bis niedrig	Noch nicht oder wenig abgenutzt, vorderer Teil mit scharfer, spitz-winkligerKaurand-spitze, Schmelz-schlingen weit offen	Noch nicht abge-nutzt, bisweilen Spuren v. braunem Zahnbein zu sehen	1 Jahr
Kaurandwinkel spitz, Kunden-innenrand hoch, Kauranddentin strichförmig	Kaurandwinkel spitz, Kunden-innenrand hoch bis halbhoch, Kau-randdentin schmalrhombisch	Kaurandwinkel spitz bis stumpf, Kundeninnenrand niedrig	Vorderer Teil mit scharfer, spitz-winkliger Kau-randspitze	Von der Seite be-trachtet mäßig spitz, giebelförmig, Dentinband deutlich	2 Jahre
Kaurandwinkel spitz bis stumpf, Kundeninnenrand halbh. bis niedrig, Kauranddentin schmalrhombisch	Kaurandwinkel spitz bis stumpf, Kundeninnenrand halbh. bis niedrig Kauranddentin breitrhombisch	Kaurandwinkel stumpf, Kunden eng, z. Teil vorn fort	Vorderer Teil mit stumpfwinkliger Kaurandspitze, Schmelzschlingen verengt	Von der Seite be-trachtet sehr flach giebelförmig, Den-tinband deutlich	3—4 Jahre
Kaurandwinkel spitz bis stumpf, Kundeninnenrand niedrig, Kunden eng, Kaurand-dentin breitrhom-bisch bis oval	Kaurandwinkel stumpf, Kunden eng. Kaurand-dentin oval	Kaurandwinkel stumpf bis flach, Kunden eng bis ganz fort	Vorderer Teil mit stumpfwinkliger Kaurandspitze oder flach, Schmelzschlingen sehr eng	Von der Seite be-trachtet fast flach, Dentin breit	5—6 Jahre
Kaurandwinkel stumpf bis flach, Kunden eng	Reibefläche flach, Kunden eng, z. T. vorn fort	Reibefläche flach, Kunden fort	Wie P II	Reibefläche flach, Schmelzschlingen in Spuren	7—9 Jahre
Reibefläche flach, Kunden meist ganz verschwunden	Reibefläche flach, Kunden fort	Reibefläche flach, Krone bisweilen bis a. d. Wurzeln abgekaut, Kunden fort	Wie P II	Reibefläche flach, Schmelzschlingen meist fort	9—15 Jahre

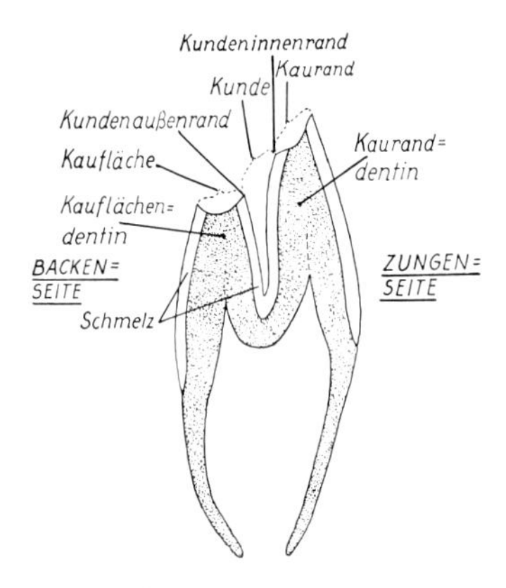

Querschnitt durch einen Backenzahn (Molar)

reihe Abb. S. 22. Für fast alle Altersstufen haben dem Zeichner Original-Wildmarkenkiefer aus der wiedererstandenen Sammlung im Institut für Jagdkunde der Universität Göttingen vorgelegen. In der vorstehend wiedergegebenen Bestimmungstabelle bedeutet M III den letzten, hintersten Mahlzahn (Molaren), der meist dreiteilig ist, M II den vorletzten, M I den ersten. Dieser ist für die Altersbestimmung besonders wichtig, weil er nach dem Zahnwechsel der älteste Zahn der Unterkieferzahnreihe ist und somit am frühesten Abnutzungsspuren aufweist. P III bedeutet den vor ihm liegenden hintersten Praemolaren, sein Vorgänger im Milchgebiß wird als P 3 bezeichnet. Entsprechendes gilt für den zweiten Praemolaren. Den ersten, der der vorderste Zahn der ganzen Reihe ist, zieht man zur Altersbestimmung gewöhnlich nicht heran, weil er häufig mit seinem Gegenüber im Oberkiefer überhaupt nicht mehr „zusammenarbeitet" (occludiert), oft sehr klein und zurückgebildet erscheint und gar nicht so selten von Geburt an fehlt. Das Reh ist gewissermaßen im Begriffe ihn abzuschaffen, wie der Mensch den Weisheitszahn.

Die *Gehörnbildung* des Rehbocks hat in umfassenden Werken, insbesondere von Rau und v. Raesfeld, ihre Darstellung gefunden, so daß auf diese verwiesen werden kann. Der reguläre Ablauf ist der, daß sich beim etwa $^1/_2$jährigen Bockkitz unter zwei symmetrisch gelegenen Hautinseln auf den Stirnbeinen im Laufe des Winters Knochensubstanz anlagert, die zu Stirnzapfen (Rosenstöcken) wird und in ihrem basalen Teil von Knochenhaut, weiter nach oben nur noch von der eigentlichen Haut überzogen ist, die nach einiger Zeit dünner wird und abstirbt. Sie wird dann abgescheuert. Der nackt zutage tretende Knochen (Stange) stirbt gleichfalls ab und wird schließlich abgeworfen. Der ganze Vorgang wird durch ein kompliziertes hormonales System gesteuert.

Das Absterben und Abscheuern *(Fegen)* der Haut erfolgt im Regelfall im Dezember bis Januar. Wir verdanken Rock die wichtige Entdeckung, daß ein sehr großer Teil der Bockkitze mit der Bildung dieses sogenannten Erstlingsgehörns sich weit verspätet, und zwar vor allem schwach entwickelte Kitze. So ist in vielen – allerdings nicht in allen – Fällen das Erstlingsgehörn identisch mit dem sogenannten Knopfgehörn, das sich, in wechselnden Prozentsätzen, im Sommer bei Jährlingen findet. Das ist immer dann der Fall, wenn zwischen Rosenstock und Stange sich keine wulstige Verdickung (Rose) befindet.

Normalerweise aber haben wir ein *winterliches* Abwerfen des Erstlings- oder Kitzgehörns, und allsogleich setzt eine Überwallung des nackt zutage liegenden Knochens der Abwurffläche von der diese ringförmig umgebenden, sehr dünnen Haut her ein. Diese hat schon zuvor, unter reichlicher Blutzufuhr, ein Abräumen von Knochengewebe an der sogenannten Demarkationslinie bewirkt und bringt nun ein kolbenartiges Gebilde hervor. Hierbei wird zunächst der unmittelbar über dem Rosenstock liegende Teil verdickt. Es bildet sich nun die *Rose,* der das Erstlingsgehörn stets ermangelt. Über ihr erhebt sich der Kolben. Bisweilen bilden sich schon bei diesem, als *reguläres Jährlingsgehörn* bezeichneten Stirnaufsatz Sprossen, meist je eine an der Vorderseite *(Gabler),* mitunter gar noch eine weitere an der Rückseite, gewöhnlich dicht unterhalb des Stangenendes *(Sechser);* dieses Jährlingsgehörn wird meist erst Anfang Juni gefegt, und es wird dann bis tief in den folgenden Dezember hinein getragen. In den nächsten Jahren erfolgt der Abwurf und dementsprechend die Neubildung von Jahr zu Jahr früher, so daß der auf der Höhe seines Lebens stehende Bock schon Mitte bis Ende Oktober abwerfen, Ende März das fertig gebildete Gehörn fegen kann. In höherem Alter verbleibt es wohl im allgemeinen bei dem früheren Abwurf-, nicht aber beim Fegetermin, da die Neubildung wiederum langsamer erfolgt.

Aus dem Vorerwähnten ergibt sich, daß der Jährling *vier verschiedene Gehörntypen* tragen kann: Gleichsam nachgeholte Erstlingsspießchen, oder aber das reguläre zweite Gehörn, das wiederum ein Spieß-, Gabel- oder Sechsergehörn sein kann. Diese letztgenannten drei Bildungsformen können in *jeder* folgenden Altersklasse auftreten. Schon mit zwei Jahren kann unter günstigen Bedingungen ein sehr gut entwickeltes Sechsergehörn geschoben werden, und bei den deutschen Jagdausstellungen nach dem Ersten Weltkriege waren immer auch Gehörne dreijähriger Böcke dabei, die in die Preise kamen. Der dreijährige Bock steht nämlich hinsichtlich seiner Gehörnbildung oft schon auf der Höhe seines Lebens, auf der er in etwa bis zum Alter von 7–8 Jahren bleiben kann. Je nach Ernährungs-, Witterungs- und sonstigen Bedingungen (z. B. Gesundheitszustand) ist aber die alljährliche Gehörnbildung auch bei ein und demselben Rehbock sehr verschieden, so daß mitunter ein Gehörn dem des Vorjahres in nichts mehr ähnelt. In höherem Alter verliert das Gehörn an Stärke *(Zurücksetzen)*, und zwar nimmt es an Höhe und Endenzahl ab, während der Rosen- und Stangenumfang oft noch zunimmt. Sehr alte Böcke haben dann häufig über klobigen Rosenstöcken und dicken, schräg nach unten gezogenen Rosen *(Dachrosen)* ein jämmerliches, verbogenes Spießgehörn. Böcke mit überzähligen Enden, also Achter- oder Zehnerböcke, können auf den verschiedensten Altersstufen auftreten. Alle diese Dinge sind durch die Wildmarkenforschung und die Gehörnentwicklung von Gatterböcken eindeutig geklärt.

Abweichungen vom normalen Entwicklungsverlauf sind außerordentlich häufig und haben von jeher ein absonderliches Interesse bei der Jägerei gefunden. Wissenschaftlich sind sie in der hoch überwiegenden Zahl der Fälle von geringem Interesse, denn etwa 90 % der oft so geschätzten Monströsitäten lassen sich mit Sicherheit darauf zurückführen, daß die betreffende Stange während ihrer Entwicklung, als Kolben also, irgendeine äußere Verletzung erlitten hat, als deren Folge eine Stangenteilung, ein oder mehrere Enden an einem ungewohnten Platz, Verkrümmungen, Brüche, Blasen oder dergleichen auftreten. Je früher die Verletzung erfolgt, desto durchgreifender ist naturgemäß die Veränderung, und bei Verletzungen am Rosenstock, z. B. Brüchen, können an der betreffenden Stelle Anomalien Jahre hindurch oder auf Lebenszeit auftreten, die dann oft irrtümlich für ererbt gehalten werden. Über Erbschädigungen am Geweih bzw. Gehörn ist aber in Wirklichkeit so gut wie nichts bekannt, und selbst die „Familienähnlichkeit“ in der Gehörnform mancher Rehbestände dürfte in vielen Fällen auf der Ungunst des langfristig eingehaltenen Standortes beruhen, so etwa die kalkarmen Widdergehörne auf sauren Standorten, z. B. Mooren. Ungeklärt ist das gegendweise gehäufte Vorkommen von Tulpengehörnen (Nienburg an der Weser).

In der Umgebung der Rosenstöcke sitzt beim Bock unter der Haut ein Drüsenfeld, das *Stirnduftorgan* (Schumacher v. Marienfrid). Es produziert ein Sekret, mit dem der Bock beim Fegen und Schlagen (Abb. S. 26) seinen Einstand einwittert, dient also der Standortsmarkierung und -abgrenzung. Hierin liegt der eigentliche Grund des Schlagens, das ja oft auch an Grasbüscheln und Stauden erfolgt.

Alte Ricken bilden oft Rosenstöcke unter der Decke aus, und bisweilen durchstoßen diese auch wohl die Lederhaut, und es kommt zu einer Art Bastgehörn oder gar zu perükkenartigen Wucherungen. Die Anlage zur Geweihbildung ist also auch beim weiblichen Reh vorhanden, sie dürfte nur durch das weibliche Geschlechtshormon normalerweise unterdrückt werden. Dafür sprechen auch die interessanten Feststellungen und Gedanken des Stockholmer Gelehrten Prof. Dr. OTTOW:

Das Reh ist nämlich diejenige Art unter unserem wiederkäuenden Schalenwild, bei dem Zwillingsgeburten am häufigsten sind. – Die Zwillingsembryonen liegen an und für sich im Tragsack getrennt und verfügen dementsprechend auch über getrennte Ernährungsorgane (Mutterkuchen). Es kann jedoch gelegentlich vorkommen, daß sich Verwachsungen der ernährenden Gefäße bilden, die die beiden embryonalen Kreisläufe verbinden. „Bei gleichgeschlechtlichen Zwillingen ist dieser Vorgang bedeutungslos, bei verschiedengeschlechtlichen kann er jedoch zu Störungen in der Ausbildung der Keimdrüsen und Geschlechtswege führen.“ Zwar wird das Geschlecht des Keimlings schon im Augenblick der Befruchtung durch die Chromosomen festgelegt, doch die Ausgestaltung der Geschlechtsorgane unterliegt den Einflüssen der Geschlechts- und Nebennierenrindenhormone, die bereits früh auftreten und im Körper wirksam sind. Handelt es sich nun um verschiedengeschlechtliche Zwillinge, bei denen solche Gefäßverbindungen und

damit ein gemeinsamer Blutkreislauf gegeben sind, so machen sich hier die andersgeschlechtlichen hormonalen Einflüsse störend bemerkbar. Dabei weisen die männlichen Individuen des Zwillingspaares keine Störungen auf, die weiblichen aber wohl: Eierstock und Geschlechtswege werden mangelhaft ausgebildet, der weibliche Zwilling ist später unfruchtbar. Es zeigt sich somit, daß die *männlichen Geschlechtshormone* gewissermaßen ein *Übergewicht* gegenüber den weiblichen haben. Solche Erscheinungen sind schon vor 150 Jahren den Züchtern von Rindern und Ziegen aufgefallen. Uns Jägern sind sie vom Rehwild gut bekannt, und in der großen Mehrzahl dürfte es sich also bei Reh-Zwittern um das ursprünglich weibliche Tier eines Zwillingspaares handeln, bei dem es durch den embryonalen Hormonstoß sogar zur Ausbildung eines regelrechten Gehörnes kommen kann. Da ein solches das kennzeichnende Merkmal des Bockes ist, werden solche Zwitter meist als Bock mit mehr oder weniger ausgebildeten weiblichen Geschlechtsapparat bezeichnet, während es in Wirklichkeit Geißen mit männlichen Charakteren sind – „gehörnte Ricken".

Interessant ist auch, daß beim Elch, der Wildart also, die hinsichtlich der Häufigkeit der Zwillingsgeburten dem nah verwandten Reh am nächsten steht, solche Zwitter gleichfalls nicht selten sind.

Perückenbock

Bei Verlust beider Hoden vor Beginn der Gehörnbildung wird nie ein Gehörn aufgesetzt. Erfolgt ein solcher in der Zeit der Gehörnbildung, geht diese ununterbrochen weiter bis zur Bildung einer sog. Perücke, einer immer wachsenden Knochenwucherung, die nie gefegt oder abgeworfen wird. – Bei beiderseitigem Hodenverlust, während ein gefegtes Gehörn getragen wird, wird dieses außerterminlich abgeworfen; die Neubildung wächst gleichfalls zur Perücke aus. Meist bereitet dann eine an ihr entstehende Infektion dem Leben des Stückes ein Ende. Verlust nur eines Hodens bewirkt keine Perückenbildung und auch keine Mißbildung einer Stange. Eine solche kann aber durch Laufschuß entstehen, weil dieser die Statik des Wildkörpers verändert: Bei Vorderlaufschuß wird oft die gleichseitige Stange, bei Hinterlaufschuß, mit dem ja eine Hodenverletzung häufig gleichzeitig erfolgt, die der anderen Seite in Mitleidenschaft gezogen; oft auch weisen beide Stangen Beeinträchtigungen ihrer Entwicklung und seitliche Verbiegungen auf, vor allem bei umfänglichen Zertrümmerungen des Laufknochens und schiefer Heilung.

In seinen *Fortpflanzungsverhältnissen* weicht das Rehwild von allen anderen in dieser Hinsicht genauer bekannten Huftieren ab. Bekanntlich werden die Ricken im Juli oder August brünstig – eine nähere Schilderung des Verhaltens findet sich im Kapitel über die Blattjagd –, doch erfolgt eine Entwicklung der befruchteten, noch nicht in die Uterusschleimhaut eingebetteten Eier innerhalb der nächsten vier bis fünf Monate nur bis zum Bläschenstadium („Vortragezeit"). Dann erst werden sie in die Schleimhaut des Tragsackes eingebettet, und die Embryonalentwicklung erfolgt in normalem Tempo („Austragezeit"). Daneben aber gibt es eine Nebenbrunst im (Oktober und) November/Dezember, in der der Bock *fruchtbar beschlagen* kann, *obwohl er dann keine befruchtungsfähigen Samenfäden zu bilden vermag,* weil die Hoden zu dieser Zeit in einem Ruhestadium verharren!

Es werden aber im Spätsommer reife Samen in den *Neben*hoden gespeichert und stehen so für einen Winterbeschlag zur Verfügung. Brünstig werden im Spätherbst einmal ausnehmend kräftig entwickelte weibliche Kitze, z. B. frühzeitig gesetzte Einzelkitze oder solche, die bald nach ihrer Geburt ein Geschwisterchen verloren haben und denen nun der mütterliche Nahrungsstrom verdoppelt zufloß. Zum anderen spät entwickelte Schmalrehe, die in der sommerlichen Blattzeit noch nicht geschlechtsreif in weiterem Sinn des Wortes waren, sich aber vielleicht infolge eines ausgesprochen günstigen Spätjahres noch kräftigten, und schließlich Altrehe, die aus irgendwelchen Gründen im Hochsommer nicht aufnahmen und nun entgangene Liebesfreuden nachholen. Rehböcke sind dann beschlagfähig *unabhängig* davon, ob sie ihr Gehörn schon *abgeworfen* haben *oder nicht.* Wohl jeder ältere Jäger hat solch spätherbstliches Brunften schon beobachtet, und die Alten zweifelten nicht daran, daß dies die eigentliche Blattzeit sei. Erst durch die Entdeckungen von POCKELS (1836), ZIEGLER (1843) und BISCHOFF (1854) wurde die sommerliche Blattzeit als die eigentliche Fortpflanzungsperiode erwiesen. Dem Berliner Anatomen STIEVE glückte dann nach jahrzehntelangem Sammeln von Material in unserer Zeit der Nachweis, daß auch die Dezemberblattzeit zu einem fruchtbaren Beschlag führen kann und – vielleicht ist das das Seltsamste an dem ganzen Vorgang – nunmehr in direkter Entwicklung, also ohne Vortragezeit, zum fristgerechten Setzen im Mai/Juni führt.

Die oft überschätzte Jungenzahl beträgt doch in der Mehrzahl der Fälle nur 1, als freilich sehr häufige Ausnahme 2, als seltene 3. Vierlinge wurden einige Male festgestellt, werden aber niemals groß. Infolge der stets hohen Kitzverluste ist der tatsächlich in den Herbst gelangende Zuwachs eines Rehbestandes mit Geschlechterverhältnis 1 : 1 *niedriger,* als diese Zahlen erwarten lassen, nämlich nur etwa 40 % des Gesamtbestandes – männliche Stücke also eingerechnet! – vom 1. April. In dieser Höhe muß sich also, wo nicht eine Winter- oder Verkehrstodreserve zu halten ist, der Abschuß halten; doch sind auf Grund der bevorzugten Bejagung der Böcke die Bestände meist 1 : 1,5 bis 1 : 2 zusammengesetzt, und dann erhöht sich, mit steigendem Rickenanteil, die Vermehrungsquote beträchtlich.

Die meist Mitte Mai bis Mitte Juni gesetzten Kitze machen, ähnlich wie die Junghasen, eine deutliche „Nestlingszeit" durch, über deren Dauer noch keine vollständige Klarheit herrscht. Bei günstiger Entwicklung dürfte sie nur etwa drei Tage währen, schwach entwickelte Kitze liegen länger. Die Unkenntnis dieser artgemäßen Besonderheit bedeutet alljährlich für Tausende von Kitzen den Tod, die als „kranke, verlassene Wesen" vernunfts- und verbotswidrig durch Ausflügler mitgenommen werden und in den meisten Fällen, unsachgemäß ernährt, eingehen. Auch ein Wiederaussetzen der Kleinen führt mitunter nicht zur Wiederannahme durch die Mutter, weil jene durch intensives Betätscheln meist so viel von dem abschreckenden Menschengeruch mitbringen, daß das Altreh eine Annäherung scheut. Sachgemäß mit Wildmarken markierte Kitze werden dagegen, da eine Berührung ja kaum vonnöten ist, in fast allen Fällen wieder angenommen, wie Tausende von großgewordenen und später zurückgemeldeten Rehen beweisen. Zwillingskitze werden gar nicht selten nicht am gleichen Ort, sondern bis zu etwa 150 m voneinander entfernt gesetzt und erst nach etwa einer Woche von der Mutter zusammengeführt – eine interessante Erscheinung, die die Gefährdung der hilflosen Jungtiere etwas verringert.

Dem Kitz ist eine Fortbewegung schon wenige Stunden nach der Geburt an sich möglich, doch bleibt sie verhältnismäßig langsam und führt zu rascher Ermüdung. Ausschließliche Milchnahrung wird nur wenige Tage hindurch aufgenommen. Sehr bald dienen schon Grasspitzen und Kräuter als Beikost. Bis in den Dezember hinein führen erlegte Mutterrehe Milch im Gesäuge, oft allerdings nur in geringer Menge, die darauf hindeutet, daß sie dann für die Jungen keine entscheidende Rolle mehr spielt.

Ein gut entwickeltes Kitz soll in Mitteldeutschland zu Beginn der Jagdzeit mindestens 7 kg, zum Jahresende 10–12 kg aufgebrochen wiegen. Bock und Altreh wiegen im Durchschnitt fast gleichviel, nämlich um 15 kg. Doch schwanken die Gewichte in Abhängigkeit von den unterschiedlichen Lebensbedingungen so, daß fortpflanzungsfähige Stücke die Hälfte, aber auch das Doppelte der angegebenen Gewichtszahl haben können. Die Fortpflanzungsfähigkeit wird im Normalfall mit etwa 14 Monaten erreicht. Knopfböcke sind, sofern es Jährlinge sind, nach den Feststellungen STIEVES noch nicht zeugungsfähig.

Das Rehwild ist in seiner *Nahrungsaufnahme* sehr wählerisch, es ist nicht eigentlich ein „Weidetier“, wie etwa das Muffelwild. Oft spezialisiert es sich kurzfristig auf ganz bestimmte Pflanzen oder Pflanzenteile, wie Laubholzknospen, Pilze, die Blüten des Wiesenschaumkrautes oder gar die des Türkenbundes. Dementsprechend wechselt die Äsung in Anpassung an die Jahreszeit sehr. Im Frühjahr und Sommer spielen Gräser und Klee, Luzerne und Seradella die wichtigste Rolle, im Herbst vielerlei Früchte unter deutlicher Bevorzugung von Bucheln und Eicheln. Die günstige Wirkung vor allem der Eichelmast ist oft und eindeutig festgestellt worden (BIEGER 1939), besonders hinsichtlich der Gehörnbildung der Böcke. So konnte ich einen meiner besten Böcke nach der Eichelvollmast 1962 strecken – auf einem Buntsandsteinstandort ärmster Art. Er hatte seinen Einstand in einer Fichtendickung, die unmittelbar an ausgedehnte Eichenaltbestände grenzte, wo die Mast wie geschüttet lag. Der etwa 5jährige Bock trug über dünnen Rosenstöcken massige, hervorragend geperlte Stangen und hatte den säkular-harten Winter 1962/63 bestens überstanden. Das alte Jägerwort, „Jede Eichel eine Perle“ bewahrheitete sich auch hier.

Im Winter besteht die Äsung, je nach Aufenthalt, aus Knospen und Triebspitzen, junger Saat, bisweilen aber auch aus völlig trockenen Gräsern und Flechten. Den hohen Eiweißgehalt dieser stellten Schweizer Untersucher fest (Schweizerische Jagdzeitung 1952). Von Schadenswirkungen im Felde kann man beim Reh nicht wohl sprechen; es hat „den silbernen Tritt und den goldenen Biß“, d. h. es verfährt bei seiner Nahrungsaufnahme schonend, ja, es bewirkt durch Verbeißen der jungen Getreidepflanzen eine stärkere Bestockung derselben und damit höhere Erträge. Die Nahrungsaufnahme erfolgt zu jeder Tages- und Nachtzeit, doch bevorzugt in der Morgenfrühe, vor den Mittags- und in den Abendstunden; während der langen Nächte vielleicht noch einmal um Mitternacht. Das Reh lebt also in einem drei- bis vierphasigen Tagesrhythmus, wie DAUSTER das auch für das Rotwild festgestellt hat. Salz wird sehr geschätzt, ist ihm aber nicht ganz so unentbehrlich, wie anderen Wiederkäuern. Zur Deckung des Wasserbedarfs genügen im allgemeinen der Tau und die im Grünfutter enthaltene Feuchtigkeit. Wasseraufnahme durch Trinken wird nur selten beobachtet. Bei Kahlfrost dürstet es und geht, wie es heißt, oft zugrunde.

Von besonderer Bedeutung für seine Ernährung sind nach den Untersuchungen E. WIEDEMANNS die Vitamine C und D, von denen das erstgenannte in vielen Revieren nur in geringem Maße in der natürlichen Äsung vorkommt, bzw. vom Reh nicht ausgenutzt werden kann. In gekochten Kartoffeln ist es aber in ausreichender und vom Reh gut verwertbarer Menge und Form vorhanden, so daß diese für die Fütterung, insbesondere von in Gehegen befindlichen Stücken, sehr zu empfehlen sind. Zahme Rehe lassen sich sogar an Fleischkost gewöhnen. Hin und wieder saugen ältere Kitze an weidenden Kühen. Haselnüsse verstehen Rehe zu knacken. An frische Roßkastanien gehen sie ungern, und es ist mehrfach beobachtet, daß sie daran erstickt sind, weil der maximale Öffnungswinkel der Kiefer immer noch zu gering ist, um ein Zerkauen so großer Hartfrüchte zuzulassen. Alt oder zerkleinert werden sie dagegen gern genommen.

Die *Stimme* des Rehes ist ein eigenartiges, tiefes und rauhes Bellen als Schrecklaut, das der Fernerstehende meist wenig geneigt ist, mit dem Reh in Verbindung zu bringen („bö-ö, bau, bau"). Es klingt bei Jungtieren höher als bei erwachsenen Stücken; daß Altböcke tiefer schrecken als *gleichaltrige* Geißen, ist nicht erwiesen. Das Schrecken wird oft von entfernt stehenden Stücken aufgenommen und lange fortgesetzt. Man hat den Eindruck, daß es auch als Stimmfühlung dient. Im Mittwinter, vor allem bei Schnee, hört man es kaum. In der Zeit der sommerlichen Standort-, vor allem aber der Brunftkämpfe, dient es zweifellos auch als Herausforderungslaut bei den Böcken, also als „Kampfschrei". Ungeklärt ist, warum es häufig unterbleibt, gerade auch nach Begegnungen, in denen unser Wild, aus nächster Entfernung überrascht, in wirklich großen Schrecken gerät und Hals über Kopf flüchtet. Andererseits schreckt es bisweilen ohne ersichtlichen Grund. Eine ähnlich vielseitige Verwendung des Stimmlautes werden wir beim Murmeltier kennenlernen. – In höchster Todesnot hört man vom Reh ein markerschütterndes Klagen, das niemand, der es einmal vernehmen mußte, je vergißt. Als Stimmfühlungslaut des Jungtieres vernimmt man ein eigenartiges Fiepen, das – im Gegensatz zum Pfeifen des Gamswildes – zweifellos ein echter Stimmlaut ist, der bei geöffnetem, aber auch bei geschlossenem Äser hervorgebracht werden kann. Ein sehr ähnliches Fiepen läßt die Ricke, vor allem in der Fortpflanzungszeit, hören. Gedehnt wird es als Angstgeschrei bezeichnet, das mit dem oben erwähnten Klagen aber nichts zu tun hat, sondern ein Brunftlaut ist, der nach v. RAESFELD nur dem Bocke zukommt und neuerdings auch als „Sprengruf" bezeichnet wird. Der die Ricke treibende Bock verfügt außerdem noch über ein eigenartiges, schnarchendes Keuchen als Erregungslaut.

Das Reh ist „von Haus aus" *wenig gesellig*. Im Sommer steht es meist einzeln bzw. im kleinsten Mutterfamilienverband, dem – in lockerer Bindung – auch vorjährige Kitze (Jährlingsböcke und Schmalrehe) angehören können, mitunter auch einmal ein Zweijähriger, doch meist nur vorübergehend. Im Winter rudelt sich auch das Waldreh oft (aber nicht immer!) und steht dann in 4 bis 8, selbst bei hoher Siedlungsdichte nur selten mehr Individuen umfassenden Gesellschaften *(Sprüngen)*. Das Reh der deckungsarmen Kultursteppe bildet dagegen winters vielköpfige Gesellschaften von 20, 50, ja, 70 und mehr Stücken, die sich im Oktober/November zusammenfinden und, je nach Witterung, bis in den März bzw. April zusammenbleiben. – Im späteren Frühjahr erfolgt dann die Wahl der Sommereinstände, bei der es unter den Böcken zu harten Kämpfen kommt, deren Höhepunkt der Monat Juni zu sein pflegt (Einstandskämpfe). Sie sind oft heftiger und auch häufiger, als die Kämpfe zur Blattzeit (C. B. LEVERKUS). Der ältere, bisweilen gar schon der Jungbock, duldet oft auch weibliche Artgenossen nicht in seiner Nähe. So erlegte ich einst in Langenselbold, im Revier des verdienstvollen Präsidenten des Allgemeinen Deutschen Jagdschutzvereins, Prinz ISENBURG, einen erst 2jährigen, ganz enggestellten Gabler, der – Ende Mai – schon mehrere Artgenossen mit seinen überspitzen Stangenenden tödlich geforkelt hatte. – Schwache Jährlingsböcke, selten auch Zweijährige, halten aber gelegentlich noch zusammen. *Vergesellschaftung* mit *anderen Arten* wurde nur in seltenen Ausnahmefällen beobachtet, und es muß zweifelhaft bleiben, ob hier eine echte Gemeinschaftsbildung vorliegt. Häufig dagegen ist naturgemäß eine Begegnung mit anderem Wilde auf gleichen Äsungsflächen, bei der das Reh aber fast immer eine neutrale, mitunter sogar ausgesprochen negative Einstellung zu diesem zeigt. Insbesondere gilt das dem Schwarzwild gegenüber, und oft schon hat das Rehwild dem Jäger die Annäherung von Schwarzwild durch Schrecken gemeldet. Doch sah ich erst kürzlich eine Ricke wenige Meter von einer im Gebräche stehenden Überläuferrotte friedlich äsen.

Der Haupt*feind* des Rehwildes ist natürlich der Mensch und der wildernde Hund, im ungestörten Lebensraum Wolf und Luchs. Den Kitzen kann naturgemäß vom Bären bis zum Baummarder herab alles Haarraubwild gefährlich werden. Wildkatze, Edel- und

Steinmarder wurden auch beim Reißen ausgewachsener Stücke beobachtet, ebenso der Fuchs (LÖNS, O. STEINHOFF), und zwar hetzt dieser bei Harschschnee, gelegentlich zu mehreren, das dann durch Einbrechen in den Schnee stark behinderte Wild. Im Sommer reißt er gern Kitze, doch wagt er sich an diese fast nie heran, wenn die Mutter zur Verteidigung bereitsteht. Auch die Wildkatze macht in der Setzzeit dort, wie sie häufiger ist, gelegentlichen Schaden (Olfm. GUSSONE). Weniger bekannt ist, daß auch das Schwarzwild Kitzräuberei betreiben kann. Unter den gefiederten Räubern kommen nach UTTENDÖRFER nur Stein-, Seeadler und Uhu in Frage, das ausgewachsene Habichtsweib raubt ja in der Zeit, da die Kitze gesetzt werden, nicht, sondern wird vom wesentlich kleineren Terzel unterhalten.

Schutz gegen auf Sicht jagende Räuber bietet die Tarnzeichnung der Kitze; ferner das (nicht nur von jüngeren Stücken geübte) Sichdrücken, das vor allem von Feldrehen gern angewandt wird, z. B. von brunftmüden Böcken. Gegen Nasentiere ist neben der Kleinheit bzw. Vereinzelung der Wohnbereiche alleiniges Mittel die Flucht, bei der die hohe Anfangsgeschwindigkeit, gegebenenfalls auch die (durch die hinten überbaute Körperform ge-

förderte) Steigfähigkeit der Art einige Vorteile bietet. Demgemäß erfolgt das Flüchten im Gebirge meist bergauf. Auch Widergänge und Absprünge kommen vor (siehe Hasenkapitel). Bei längerer Fluchtstrecke erfolgt verhältnismäßig rasch sichtliche Ermüdung. In der Flucht behindert, wehrt sich der Bock zwischen Fege- und Abwurfzeit mit dem Gehörn, das zu einer gefährlichen Waffe werden kann, in der übrigen Zeit wie die Geißen durch Schläge mit den Vorderläufen, liegend durch Schnellen auch der Hinterläufe. Schnappende Bewegungen, wie sie, wenn auch selten, beim grandelbewehrten Rotwild noch vorkommen, hat der Herausgeber hier niemals beobachtet, wohl aber Zähneknirschen.

Das Reh ist das *standorttreueste* aller heimischen Huftiere: Von 986 mit Wildmarken bezeichneten und nach Zeichnungs- und Erlegungsort genau bekannten Rehen wurden 665, also mehr als zwei Drittel, in weniger als 1 km Entfernung vom Zeichnungsort erlegt bzw. gefunden, darunter je ein zehnjähriger Bock und eine ebenso alte Ricke, ja, sogar eine sechzehnjährige. Im Umkreis von 5 km waren es beinahe 90 %. Das sind angesichts der Größe und Beweglichkeit dieser Wildart erstaunliche Zahlen! Dies um so mehr, als diese Wildart ja in keiner Weise besondere Ansprüche an ihren Wohnbereich stellt. Unmittelbar benachbarte Populationen, ja, ein und dieselben Stücke leben im quatschnassen Luch und Moor, wo sie sich in Rohrbreiten bergen und, aufgeschreckt, durch das hochaufspritzende Wasser flüchten, wie auf trockensten Diluvialsanden, die nur dürre Kiefern tragen – ebenso aber in Auen von üppiger Fruchtbarkeit, in den waldlosen Kultursteppen der Bördegegenden und im Innern ausgedehnter Forsten. Im Gebirge gehen sie über die Baumgrenze hinaus, in der Ebene hinunter bis in unter Seehöhe liegende Marschflächen. Bevorzugte Aufenthaltsorte sind jedoch Waldränder, für die ersatzweise Remisen, Gehölze, Knicks, Rohrgürtel, Getreidefelder und Kartoffel- oder Rübenschläge eintreten. Die Siedlungsdichte wechselt beträchtlich und kann örtlich bis zu 30 Stück auf 100 ha betragen (Zentgraf 1939), doch sind dann meist Seuchen die Folge. In der Waldrandzone sind 10 Stück je 100 ha nicht selten, im Innern einförmiger Nadelwälder nimmt die Wilddichte ab auf 3–4 Stück je 100 ha und weniger. Katastrophenwinter können größere Verluste bedingen, von denen sich die Art aber meist schnell erholt, da gerade die fortpflanzungstüchtigsten Stücke übrigzubleiben pflegen und eine Störung des Altersaufbaues sich bei dem relativ hohen Lebensalter, das erreicht werden kann, nicht bedenklich auswirkt.

Die Einzelterritorien sind oft erstaunlich klein, bis herunter zu 1 ha. Innerhalb dieser dient meist eine Dickung als Tageseinstand, von der aus regelmäßig begangene, oft stark ausgetretene Wechsel zu den Äsungsplätzen, Ersatzeinständen, Zufluchtsorten und Markierungsstellen führen.

Jahreszeitliche *Wanderungen* sind durch Einstandsverschiebungen, besonders im Mai und Juni, bewirkt, wenn zunächst Böcke und oft auch Schmalrehe den Wald verlassen und in die Getreidefelder ziehen, von wo sie nach der Ernte gern in ausgedehnte Kartoffel- und Rübenschläge hinüberwechseln. Ihnen folgt ein Teil der Altrehe mit den Kitzen, soweit sie nicht überhaupt schon außerhalb des Waldes gesetzt haben, ohne daß jedoch die Wintereinstände nun gänzlich veröden. Während der Getreide-, spätestens während der Hackfruchternte erfolgt gewöhnlich die Rückwanderung. Im Winter bei Frost wird, wo andere Deckung mangelt, gern das Rohr zum Tageseinstand gewählt. Die täglichen Wanderungen zu den Äsungsplätzen führen selten weiter als 2 oder 3 km. Außergewöhnliche Wanderungen kommen so gut wie nie vor, da das Reh selbst bei Hochwasser- und Brandkatastrophen an seinem Einstande festzuhalten sucht und eher zugrunde geht, als abwandert. Als seltene Ausnahme sei ein von Zillikens (W. u. H. 1939) geschildertes, im Frühjahr erfolgtes Zuwandern von Rehen im Kreise *Grevenbroich* über eine Entfernung von etwa 10 km erwähnt.

Im blühenden Ginster *Nach einem Gemälde von W. Buddenberg*

Nur im Gebirge paßt sich das Reh der Schneelage an, und dort kommt es zu regelmäßigen Frühjahrs- und Herbstwanderungen. – Versprengte Stücke finden oft nicht zurück und bleiben dann im neuen Revier.

Unter den *Sinnesorganen* sind die drei Fernsinne hervorragend. Das Wittrungsvermögen reicht nach v. RAESFELDS Versuchen aus, den Menschen auf über 300 m zu wittern. Bei Entfernungen zwischen vier- und fünfhundert Metern konnte eine Reaktion nicht mehr konstatiert werden. Der Gehörsinn ist nicht untersucht, doch sind die Hörleistungen zweifellos sehr gut. Insbesondere werden biotisch wichtige Schalle (z. B. das Knacken trockener Reiser) auf erstaunliche Entfernung beachtet. Doch sind Täuschungen hinsichtlich der Lokalisation eines Schalles nicht ganz selten, werden jedoch bei Wiederholung rasch korrigiert, wenn nicht besondere Echolagen das erschweren. Das Auge ist nach HAMBURGER (1910) im Vergleich zum menschlichen astigmatisch, wie wohl bei allen Wiederkäuern. Es vermittelt also unscharfe Bilder, ist aber zum Erkennen von Bewegungen besonders geeignet. Blinde Rehe zeigen sehr verschiedenes Verhalten, wobei das Tempo und der Umfang der Erblindung zweifellos eine Rolle spielen. – Das Dämmerungssehen ist vorzüglich, worauf die sehr stark erweiterungsfähigen Pupillen schon hinweisen.

In der Fach- und Standessprache der Jäger bezeichnet man das männliche Rehwild als *Rehbock,* weitaus häufiger als *Bock* schlechthin. Nach der Gehörnbildung spricht man von *Knopfspießer, Spießbock, Gabel-, Sechser-, Achterbock* usw., *Kreuzbock,* wenn *Vorder-* und *Rücksproß* auf gleicher Höhe der *Stange* abzweigen, *Perückenbock* – und vom *Plattkopf* bei Fehlen des Gehörns. Nach dem Alter bezeichnet man den Bock als *Kitzbock* oder *Bockkitz* bis zum 31. März des seiner Geburt folgenden Jahres, von diesem Zeitpunkt ab als *Jährling,* später als *Zweijährigen* usw.; nach der Stärke der Trophäe als *geringen* oder aber *guten, starken, braven* Bock. Ein Bock mit einem ganz ungewöhnlich klobigen Gehörn heißt *Kapitalbock.* Das *Gehörn (Krone, Gewicht,* im oberdeutschen Sprachgebiet auch *Geweih* oder *Krickel)* wird *aufgesetzt,* d. h. *geschoben, vereckt, gefegt* und später wieder *abgeworfen.* Die *Stange* hat einen wulstigen unteren Rand, die *Rose* – je nach Ausbildung, *Muschelrose, Dachrose* usw., und im Regelfalle drei *Enden,* den meist tiefersitzenden *Vordersproß,* den hinten sitzenden *Rücksproß* und den *Endsproß* (Stangenende). Kleine oder größere Knochenauswüchse, zumeist am unteren Ende der Stange, nennt man *Perlen,* das Gehörn ist gut oder schlecht *geperlt.* Sind Enden nur angedeutet, so spricht man an ihrer Statt von *Markierleisten* und sagt, das Gehörn *deutet* auf sechs, acht usw. Enden. Bei der Bezeichnung nach der Endenzahl wird stets die der endenreichsten Stange verdoppelt, ein Bock also, der rechts drei, links zwei Enden hat, ist ein *ungerader Sechserbock;* hat er beiderseits drei Enden, so ist das Gehörn ein *Sechsergehörn* schlechthin, die Bezeichnung *gerade* wird üblicherweise fortgelassen. Gehörnanomalien sind *widersinnig,* so z. B. das *Kreuzgehörn,* das *Korkenziehergehörn* mit seinen Verkrümmungen, das *Widdergehörn* mit seiner nach unten gerichteten Windung und das *Tulpengehörn* mit schaufelartig verbreiteten, nach oben gerückten Enden, auch die bei Hodenverlust entstehende *Perücke.* Nach dem Aufenthaltsort spricht man von *Getreideböcken* mit meist hellem Gehörn, *Moorböcken* mit porösen, tief dunkelbraunen Stangen usw., wie man auch sonst das Reh nach dem jeweils bevorzugten Standort als *Waldreh, Feldreh* u. ä. bezeichnet.

Das weibliche Kitz heißt *Ricken-* oder *Geißkitz,* als Jährling *Schmalreh,* später *Altreh, Ricke* oder *Geiß;* führt eine solche, nennt man sie auch wohl *Kitzgeiß,* führt sie nicht, wird sie als *Geltricke* bezeichnet. (Die Bezeichnung *Geiß,* heute mehr in Süddeutschland verbreitet, ist die bei weitem ältere – das bei norddeutschen Jägern übliche *Ricke* kam erst im 18. Jahrhundert auf; doch sind beide Ausdrücke gleichermaßen waidgerecht.)

Eine Gesellschaft von mindestens drei bis zu etwa acht Rehen heißt *Sprung,* bei größeren Vergesellschaftungen redet man, insbesondere bei Feldrehen, auch wohl von *Rudeln.* Je nach der Körperbeschaffenheit spricht man von einem *starken, guten, feisten* Stück oder einem *geringen, abgekommenen, kümmernden.* Man sagt auch, es ist *gut im (von) Wildbret* bzw. *bei Leibe.*

Die Haut ist die *Decke,* das Haar (in Norddeutschland) die *Farbe.* Der Kopf ist das *Haupt,* das Maul das *Geäse,* die Zunge der *Lecker* oder *Waidlöffel,* die Nase der *Windfang,* Luftröhre *Drossel,* Kehlkopf *Drosselkopf* oder, nach FREVERT, *Drosselknopf,* und Speiseröhre *Schlund;* die Augen sind *Lichter,* die Ohren *Lauscher* oder *Luser,* die Beine *Läufe,* die Klauen *Schalen* mit *Ballen* und *Hohle.* Die hinteren Zehen aller Läufe heißen *Oberrücken* oder *Geäfter.* Der Hals des männlichen Stückes heißt vielfach *Träger,* ein Ausdruck, der eigentlich nur dem Rotwilde zukommt. Der vordere Teil des Rumpfes bis zum Schulterblatt ist der *Vorschlag.* Von vorn gesehen spricht man von *Stich,* womit im Grunde aber nur der Zielpunkt am Rumpfe eines spitz zum Schützen stehenden Stückes gemeint ist. Das Schulterblatt heißt kurz *Blatt (Blattschuß),* die Dornfortsätze der Wirbel *Federn.* Die Brusthöhle heißt *Kammer,* ein in sie eindringender Schuß *Kammerschuß,* während ein in die Bauchhöhle treffender *Waidewundschuß* heißt. Die Bauchseiten benennt man als *Dünnungen* oder *Flanken,* auch *Flämen.* Die Geschlechtswerkzeuge des männlichen Stückes sind das *Kurzwildbret* mit *Brunftkugeln* (Hoden) und *Brunftrute* (Glied). An ihrer Mündung befindet sich ein Haarbüschel, der *Pinsel.*

Beim weiblichen Rehwild heißt der Euter *Gesäuge* oder auch, wie beim Rotwilde, *Spinne* – eines der ältesten Wörter der Jägersprache überhaupt. Die Gebärmutter heißt man *Tragsack,* die Frucht die *Tracht.* Die weibliche Geschlechtsöffnung, das *Feuchtblatt,* wird durch ein im Winterkleid sehr deutliches Haarbüschel, die *Schürze,* geschützt. Der After, waidmännisch *Waidloch,* ist bei beiden Geschlechtern von hellen Haaren umgeben, die man *Spiegel* nennt.

Ursprünglich wohl nur die Lungen, heute aber auch Herz, Leber, Milz und Nieren sind das *Geräusch,* der Magen heißt *Waidsack,* auch *Großes Gescheide,* die Därme sind das *Kleine Gescheide,* der Mastdarm *Waiddarm.* Die eßbaren Teile des Geräuschs, bei männlichem Rehwild dazu auch Hirn und *Lecker,* sind das *Jägerrecht,* das auch heute noch, wie vor Jahrhunderten, in allen Ländern deutscher Zunge demjenigen zusteht, der das Ausweiden – *Aufbrechen* – besorgt. Geräusch und Gescheide zusammen heißt man auch *Aufbruch.*

Das Blut heißt *Schweiß,* jedoch nur, wenn es aus dem Wildkörper hervortritt. Die Hauptadern der Hinterläufe werden als *Brandadern* bezeichnet. Das Muskelfleisch ist *Wildbret,* das Fett *Feist,* die das kleine Gescheide umgebenden Fettpolster nennt man auch *Unschlitt.*

Die Verwachsung der beiden Schambeine des Beckens heißt *Schloß,* der bohnchenförmige Kot *Losung.*

Das Rehwild *wechselt,* wenn es von einem Ort zum anderen zieht, es *hat einen Wechsel* (Wildpfad), *zieht,* wenn es im Schritt dahingeht, es *trollt,* wenn es trabt, und ist *flüchtig* bzw. *hochflüchtig,* wenn es galoppiert. Hat es *Wittrung* von einer Gefahr, so *sichert* es, indem es *verhofft,* d. h. seine Bewegung unterbricht, und *aufwirft* (das Haupt emporrichtet). Das Verlassen der Deckung wird als *Austreten* bezeichnet, ist es ungestört, dann ist es *vertraut.* Bringt es sich durch plötzliche *Fluchten* (Sprünge) in Sicherheit, so *springt es ab.* Es *überfällt* oder *überflieht* ein Hindernis, es *durchrinnt* ein Gewässer; wenn es sich *niedergetan* hat, dann *sitzt* es im *Bett,* aus dem es später wieder *hoch wird, sich auftut* oder *aufsteht,* wenn etwa ein Treiber es *hochmacht.* Es hinterläßt eine aus *Tritten* gebildete *Fährte,* die zur *Schweißfährte* wird, wenn es angeschossen, d. i. *angeschweißt, krank-*

geschossen wurde. Werden bei Harschschnee die Läufe wund, so *klagt es an den Läufen,* einen verletzten Lauf *schont* es.

Die Lautäußerungen und ihre Benennung in der Jägersprache erwähnten wir schon im beschreibenden Teil.

Sehen, hören, riechen heißt *äugen, vernehmen* und *winden.* Das Rehwild *nimmt Äsung auf,* es *äst sich,* wobei es oft Knospen und Triebe *verbeißt;* es *schöpft* (trinkt) nur in seltenen Fällen, *löst sich* (setzt seine Losung ab), *näßt* oder *feuchtet* (harnt). Der Bock *schiebt* sein Gehörn, das zunächst als *Kolbengehörn* bezeichnet wird, später, wenn es geschoben und *vereckt* ist, als *Bastgehörn,* das er dann *fegt,* d. h. durch Scheuern und Reiben an Büschen und Stämmchen seiner Haut *(Bast)* entkleidet. Später *schlägt* er, d. h. er markiert mit seinem Stirnduft-Organ unter heftigem Anschlagen des Gehörns seinen engeren Lebensraum, den *Einstand.* Häufig *plätzt* er bei dieser Gelegenheit, er schlägt mit einem Vorderlauf den Boden. Solche Stellen nennt der Jäger *Fege-* bzw. *Plätzstellen,* die letztgenannten im Hochgebirge auch *Schärplatzl.* Der beim Fegen im Gezweig zurückbleibende Bast heißt das *Gefege.* Bei Kämpfen *forkelt* der Bock den Gegner mit seinem Gehörn, wenn er ihn sticht und schlägt.

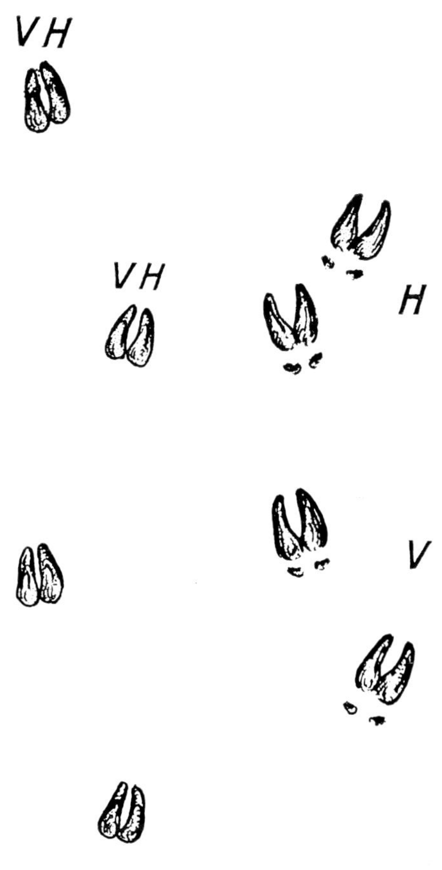

Rehfährten
Links trollend, rechts flüchtig
V = Vorderlauf, H = Hinterlauf

Die Fortpflanzungszeit heißt von alters her *Blattzeit,* weil dann der erfahrene Jäger den Bock durch einen auf einem Buchenblatt nachgeahmten Fieplaut herbeizulocken weiß, in neuerer Zeit auch, waidmännisch weniger gut, Brunft in Anlehnung an *Hirschbrunft.* Das Wort „Brunft" aber kommt von „brummen", sollte also eigentlich auf Rot- und Damwild beschränkt bleiben. *Springt* dann der Bock *aufs Blatt* und bemerkt den Jäger eher als dieser ihn, dann ist er *verblattet,* sofern ein erneutes *Heranblatten* nicht mehr gelingt. In der Blattzeit *treibt* der Bock die Geiß, unmittelbar vor dem *Beschlag,* der Paarung also, erfolgt das Treiben in *Hexenringen,* das sind Kreisbahnen von wenigen Metern Durchmesser, auf denen die Bodenbedeckung niedergetreten ist. Die befruchtete Ricke ist *beschlagen,* kurz vor dem Setzen *hochbeschlagen.* Sie setzt in der *Setzzeit;* ist sie nicht befruchtet, so bleibt sie *gelt,* oder aber sie *brunftet nach.*

Nach dem Schuß sieht man das Reh *zeichnen,* im günstigsten Falle *zusammenbrechen,* worauf es meist *verendend mit den Läufen schlägt, schlegelt.* Beobachtet man das Zusammenbrechen nicht und wird das Stück beim Nachgehen aus dem *Wundbett* flüchtig – *aufgemüdet* –, dann ist eine *Nachsuche* erforderlich, bei der der Hund das Stück *stellt* und *verbellt,* so daß der Jäger den *Fangschuß* anbringen kann oder es *abnickt, abfängt.* Bei *laufkrank* geschossenen Stücken ergibt sich oft eine *Hetze,* zu deren Abschluß der Hund das Stück *niederzieht* und *abwürgt.* Das erbeutete Stück wird *aufgebrochen, gestreckt* und mit dem *Jagdhorn* – nicht etwa Waldhorn![1] – verblasen, später zerwirkt, d. h. *aus der Decke geschlagen* und *zerlegt;* der Rehrücken oder *Ziemer* und die Keulen oder *Schlegel* sind die wertvollsten Bratenstücke; die Filets heißen *Mürbe-* oder *Mörbraten.*

Als Schalenwildart hat das Reh eine *Fährte,* nicht eine *Spur,* wie das Haarniederwild. Wie bei allen Hirscharten erscheint die Fährte des männlichen Tieres runder und geschlossener als die des weiblichen, doch ist der Unterschied weit weniger ins Auge fallend als etwa beim Rotwild. Die häufigsten Fährtenbilder zeigt die Abb. S. 35.

Jagdbetrieblich sind von größter Bedeutung noch die Begriffe *Anschuß, Ein-* und *Ausschuß, Pürschzeichen* und *Schnitthaar.* Unter *Anschuß* versteht der Jäger diejenige Stelle im Gelände, auf der das Wild im Augenblicke des Schusses stand. Er sucht dort *Pürschzeichen,* und das sind in erster Linie die *Eingriffe,* d. h. die ersten Trittsiegel der Fluchtfährte, die oft tief im Boden abgedrückt sind, ferner das abgeschossene Haar *(Schnitthaar),* Deckenteilchen, Wildbretfetzen oder Knochensplitter und Schweiß, auch wohl Feist und Äsungsteilchen. Der Schweiß wird nach seiner Herkunft als *Lungen-, Leber-, Waidewund-* oder *Wildbretschweiß* bezeichnet, ist im ersten Falle hellrot und blasig, im zweiten tief dunkelrot, im dritten wässerig und mit Äsungsteilchen versetzt und im letzten Falle ohne besondere Kennzeichen.

Wenn wir nun zur *Bejagung* des Rehwildes übergehen, so sei vorausgeschickt, daß das, was wir zunächst behandeln wollen, die *Jagd* auf den *Bock* ist. Der im Grunde ungleich schwierigere Rickenabschuß – nicht die nötige Anzahl Ricken zu erlegen ist schwierig, sondern die Auslese – wird an zweiter Stelle behandelt. Daß in Deutschland und Österreich, auch in manchen Kantonen der Schweiz, gesetzlich der Kugelschuß auf Rehwild vorgeschrieben ist, sei noch einmal betont.

Die üblichen Jagdarten auf den Rehbock sind die Pürsch, der Ansitz, das Blatten und, in Ausnahmefällen, das Drücken oder Riegeln. Bei weiblichem Rehwild entfällt die Blattjagd naturgemäß, und es kommt die Treibjagd hinzu. Obwohl der größte Teil der Rehe aus guten Gründen von der Kanzel aus, also mittels der Ansitzmethode, zur Strecke kommt, wollen wir mit der Pürsch beginnen, die wir heute wie einst als die Krone aller Jagdarten ansehen; denn der Pürschjäger ist eben mehr *Jäger,* Handelnder, als der nur aufnehmend eingestellte Beobachter auf hoher Kanzel oder hinter dichtem Schirm. Dieser entzieht sich, in höherem oder geringerem Grade, dem Wahrnehmungsvermögen des Wildes, der Pürschjäger ist, in wörtlichem Sinne, „auf einer Ebene mit ihm". Dadurch hat das Wild mehr Aussichten. Der unleugbare Wert der Kanzelbeobachtung soll dadurch nicht herabgemindert werden.

Auch der durch seine Kleidung vorzüglich getarnte Jäger führt zumeist drei sehr verräterische *Sichtzeichen* mit sich, eine Tatsache, die selbst von ganz erfahrenen Waidmännern oft außer acht gelassen wird: das Gesicht und die beiden Hände, die nur bei unseren hauptberuflichen Waidgenossen jene gut tarnende Bräune anzunehmen pflegen, die der ständige Aufenthalt in frischer Luft und Sonne mit sich bringt. Mag das helle Gesicht des Stadtjägers auch durch einen breitkrempigen Hut, der dann freilich nicht im Nacken getragen werden darf, leidlich beschattet sein, die beiden Blendlaternen, die Hände, bleiben in der Regel unbedeckt. Wie oft noch dazu in lebhafter Bewegung! Da zwickt eine Zecke, krabbelt eine Hirschlaus, kitzelt ein Spinnweb, ein rinnender Schweiß-

[1] In Gegenden, in denen der Gebrauch des Jagdhorns nicht üblich war, sprach man vielfach vom „Waldhorn". Leider ist diese Bezeichnung sogar in amtliche Vorschriften eingedrungen. Das Waldhorn ist ein schwierig zu erlernendes Konzertinstrument, das niemals auf der Jagd Gebrauch findet.

tropfen – dienstbeflissen fahren die Verräter geschwind zu der betreffenden Körperstelle und kratzen, reiben, wischen, räumen weg – und weg ist auch der Bock, der die auffällige Bewegung eräugte.

Ich stecke sie, oder wenigstens die eine, gern in die Tasche, trage die Linke im Winter behandschuht, gehe auch wohl mit bequem über den Rücken gekreuzten Händen. Vor allem aber halte ich sie ruhig und vermeide jede hastige Bewegung, insbesondere beim Hochnehmen des Fernglases.

Wie auffallend, ja förmlich als Warnung, der helle Gesichtsfleck wirken kann, geht daraus hervor, daß man gesenkten Hauptes an sitzende *Krähen* häufig recht gut herankommt; aber schon eine Kopfwendung in der Bewegung genügt oft, um sie zum Abstreichen zu bringen: das Gesicht wird zum optischen Signal für jedes scharf äugende Wild. Nur bei drei Wildarten ist Vorsicht weniger vonnöten: bei Dachs, Iltis und Schwarzwild. Bei Reh- und Rotwild aber ist größte Vorsicht am Platze, und ich habe es oft als zweckmäßig empfunden, den Mantel- oder Rockkragen hochzuschlagen und so die nicht beschattete untere Gesichtshälfte, vor allem das Kinn, zu verdecken.

Über zweckmäßige *Farben* für die Jagdkleidung ist viel geschrieben worden. Der Lodenstoff des Jagdanzugs oder -mantels wird meistens zu dunkel gewählt, das steht fest. Viel zu wenig wird beachtet, daß es außerordentlich zweckmäßig ist, Rock und Hose in verschiedenen Farben zu wählen, weil der große einfarbige Fleck, den der Jägersmann bildet, dann unterteilt und so weniger auffällig wird. Man denke an die Bemalung unserer Kriegsgeräte. Wissenschaftlich nennt man das „Camouflage", d. h. Auflösung der kennzeichnenden Kontur durch mehr oder weniger regellose Flecke. Das Prinzip der Camouflage ist auch in der Tierwelt sehr verbreitet, man denke an die Eier der Waldhühner oder der Schnepfenvögel, die oben beschriebene Kitzfärbung u. ä. – Ob man ein grünes oder gelbbraunes Hemd trägt, ob die Hosen braun oder grau sind, das ist völlig gleichgültig, die Hauptsache ist eine Vielfalt von gedeckten Farben, an der auch die Gamaschen bzw. Strümpfe teilhaben sollen; braune Langschäfter sind besser als schwarze. Auf die Beachtung dieser Regel legt besonders das niedrig über dem Boden stehende Reh Wert!

In Revieren der Ebene, wo der Wind nicht dauernd umspringt, wird man vor Beginn der Pürsch die herrschende *Windrichtung* feststellen und danach den Pürschgang einrichten. Für den Jungjäger sei hervorgehoben, daß man das nicht schon im Ort, sondern erst außerhalb tut, weil in Ortschaften durch die Brechung des Luftstroms an den Häuserfronten die Windrichtung oft ganz anders ist als im Freien.

Diese Brechungen berücksichtigt der Anfänger im Gebirge und im Wald oft nicht genügend. Im Gebirge haben wir am Morgen meist Aufwind, am Abend Talwind. Man muß also den Pürschgang so einrichten, daß man möglichst frühzeitig an eine Stelle gelangt, von der aus man mit Seiten- oder Gegenwind die Äsungsplätze des Wildes erreicht. Im Wald herrscht vielfach Windruhe, doch sie ist meist nur scheinbar, ein leiser Luftstrom kann auch hier den Jäger verraten. Der häufige Wechsel der Windrichtung erfordert dauernde Nachprüfung, die mit zerriebenem Fallaub, Grasblüten, Löwenzahnsamen, Tabaksrauch, Sand oder mit dem nassen Finger vorgenommen wird.

Viele Jäger haben die dumme Angewohnheit, beim *Pürschen* durch hohes Gras die Spitzen, Ähren oder Rispen gedankenlos durch die Finger gleiten zu lassen. Daß sie damit eine geradezu ideale Geruchsspur in bequemster Höhe für den Windfang des Wildes legen, bedenken sie nicht; dabei „steht" eine solche Fährte wegen der Feuchtigkeit der Handinnenflächen bedeutend länger als der flüchtige Tritt des Schuhwerks! Besteigt man während der Pürsch oder zu ihrem Abschluß eine Kanzel, dann empfiehlt sich ein *hoher Griff in die Sprossen* aus dem gleichen Grunde.

Die Berücksichtigung des Wittrungsvermögens unseres Wildes ist also die erste Voraussetzung bei der Pürsch. Es gibt aber auch Ausnahmen: In der Blattzeit kann man ruhig einmal ein treibendes Pärchen mit Nackenwind angehen, und manche Wildarten sind gegen die menschliche Wittrung recht unempfindlich, z. B. die meisten Marderarten; man merkt ihrem Verhalten an, daß sie den Geruch verzeichnen, aber sie nehmen ihn oft wenig übel. Beim Federwild ist jede Rücksicht auf etwaiges Wittrungsvermögen überflüssig. Was das *Vernehmen* des Wildes und die hier zu vermeidenden Fehler angeht, so sei dem Jüngling angeraten, beim Pürschen nun nicht etwa auf Zehenspitzen schleichen zu wollen, sondern den Fuß ganz normal aufzusetzen. Wo es wegen Raschellaub oder Dürreisig sehr schwierig ist, pürscht man mit ganz leicht einknickenden Knien unter Vorsetzen des Hackens, nicht der Zehen, und streicht mit diesem hinderndes Geknäck sacht zurück. Eine Zehenspitzenpürsch würde schon nach 50 Metern unerträglich werden, ist auch sonst nicht zweckmäßig – und nicht „zünftig".

Sinnlos ist es, etwa in Stangenhölzern mit sehr viel Geknäck bei trockenem Wetter pürschen zu wollen. Es gibt Grenzen, jenseits derer es eben nicht mehr geht! Muß man durch solche Bestände hindurch, dann besser laut, wozu man ein fröhliches Lied pfeift! Das Wild nimmt das weniger übel, als langes Herumknistern. Nur nach starken Regenfällen oder unmittelbar nach der Schneeschmelze kann man über derartigen Untergrund einigermaßen geräuschlos hinweg – dann freilich lohnt eine Pürsch hier oft sehr, vor allem am Rande von Schlägen mit junger Begrünung, die zu anderen Zeiten praktisch unbetretbar, vielleicht nicht einmal einzusehen sind. Das gilt bekanntlich nicht nur wegen der Durchfeuchtung und Erweichung des Untergrundes, sondern auch – und vor allem! – deswegen, weil das Wild dann aus den tropfnassen Dickungen herausstrebt und man immer guten Anblick haben wird.

Außerordentlich wichtig bei der Pürsch ist häufiges *Stehenbleiben.* Man tut es, um zu beobachten, und zwar mit Auge *und* Ohr, und man bewirkt damit zugleich, daß etwa mißtrauisch gewordenes Wild sich wieder beruhigt, und das ist gerade im schwierigen Pürschgelände von großem Wert. Aus diesem Grunde spricht man ja scherzhaft auch vom „Pürschen stehen“ statt vom „Pürschen gehen“.

Häufig verursacht auch das Wild selbst Geräusche, die es einmal dem Jäger verraten, zum anderen es ihm ermöglichen, ohne übermäßige Vorsicht heranzukommen. Der Herausgeber schreibt diese Zeilen am Abend eines Pürschtages, an dem er zweimal auf beste Schußweite an brechende Sauen gelangte, die ja anzupürschen wahrhaftig kein Kunststück ist. Ebenso ist es beim Dachs. Aber auch dem plätzenden und schlagenden Bock kann man sich, ohne ängstlich auf Vermeidung jeden Geräusches zu achten, mit leichter Mühe nähern, und wo ein Sprung Rehe laut und hastig die Saat rupft, hat man es bei der Pürsch auch leichter als beim einzelnen, hier und dort ein Hälmchen naschenden Stück. Oft sind auch Böen, die die Blätter der Altholzwipfel aufrauschen oder den Tropfenbehang von den Kronen der Bäume herunterprasseln lassen, Donner, Eisenbahn- oder Wagenlärm, Sprengungen u. a. m. unseren Zwecken dienlich.

Das sind die wichtigsten Gesichtspunkte, die der Pürschjäger beachten muß, um zu vermeiden, daß er vom Wilde eräugt, gewittert oder vernommen wird.

Es mag in Kürze noch einiges folgen, was die Pürsch als solche betrifft.

Es wäre ein Fehler, den Pürschgang immer wieder nach denselben, weil vielleicht besonders aussichtsreich oder bequem gelegenen Punkten zu richten; Pürschsteige verlocken vielleicht dazu; aber die gleichmäßige Bejagung und Beobachtung wird dadurch gestört. Auch in der „Kinderstube“ des Reviers kann ein kümmerndes, abschußnotwendiges Stück stehen, der im Herzen des Jagdbezirks gelegene Hegewinkel Schlingen beherbergen. Gelegentliches Überprüfen solcher Örtlichkeiten stört weniger als die fortwährende Beunruhigung der Hauptäsungsflächen. Ich persönlich pürsche fast nie an zwei aufeinanderfolgenden Tagen im gleichen Revierteil und vermeide sogar nach Möglichkeit den Ansitz in dieser Form, wenn ich nicht durch Beobachtung die Gewißheit erlangt zu haben glaube, nicht gestört zu haben.

Die Frühpürsch ist, das wissen alle alten Jäger (wenn sie auch vielleicht nicht immer danach handeln), fast immer und überall aussichtsreicher als die Abendpürsch. Allein in der Mittsommerzeit kann diese dieselben Aussichten bieten. Über den Zeitpunkt aber, wann die Morgenpürsch anzutreten ist, herrscht erstaunlich oft Unklarheit: Bricht man mit Hellwerden auf, dann ist das häufig zu spät; bei Hellwerden muß man in dem Revierteil sein, wo man pürschen will, und also den Weg dorthin vor Tagesanbruch zurücklegen. Es ist ja auch im Grunde so gleichgültig, ob man beispielsweise um 3 Uhr oder um 4 Uhr aufsteht, normal ist für die meisten Menschen beides nicht. Warum dann also nicht schon um 3 Uhr?

Um die Mittsommerzeit brechen viele Jäger zur Abendpürsch zu früh auf. In der Regel beginnt es erst nach 20 Uhr interessant zu werden, und das Interessanteste kommt nach 21 Uhr – nämlich die alten gewitzten Böcke. Da soll man nicht zu früh sich ihren Einständen nähern, denn sie stehen dann oft in guter Deckung, äugen dem ahnungslosen Jäger übellaunig nach und machen dann schweigend kehrt, um anderwärts auszutreten.

Daß im übrigen jeder Schritt im Revier ein Pürschen sein muß, ist dem wirklichen Jäger in Fleisch und Blut übergegangen, wenn nicht angeboren. Zu „harmlosen Spaziergängen" ist er selbst dann nicht mehr fähig, wenn er als Kurgast mit dem Brunnenglase in der Hand lustwandelt. Diese Pürschfreudigkeit, die so unendlich viel Einblicke in das Leben unserer Tierwelt vermittelt, zu gewinnen, sollte das Ziel eines jeden Jungjägers sein.

Hat man sich einem Stück Rehwild auf eine Entfernung von mindestens 100 m, nach Möglichkeit aber nur 60 m pürschend genähert, dann kommt das Wichtigste bei der ganzen Rehjagd, das *Ansprechen*. Heute ist es nicht mehr wie früher, wo es nur darauf ankam, einen möglichst starken Bock nach Hause zu bringen, sondern der Bock muß bestimmte Merkmale haben, die ihn entweder als *„Abschußbock"* oder als *„jagdbaren Bock"* ausweisen, da der im Kapitel „Hege" näher zu erörternde Abschußplan nicht nur nach Böcken schlechthin, sondern nach diesen beiden Gruppen unterscheidet, ja, in manchen Ländern noch feinere Unterteilungen vorsieht. Wir können kurz und bündig sagen, daß ein Abschußbock jeder Bock ist, der nach Körpergewicht und Gehörnbildung hinter dem Durchschnitt seiner Altersgruppe in dem betreffenden Revierteil, Revier oder größeren Gebiete zurückbleibt; ein jagdbarer Bock hat den Höhepunkt seiner Entwicklung erreicht und entspricht dem Durchschnitt oder übertrifft ihn. In fast allen Fällen ist es dem Jäger, sofern er nicht Revierinhaber ist, *nicht* überlassen, aus welcher der beiden Gruppen er den ihm freigegebenen Bock erlegen darf, zumal ja auch dem Revierinhaber durch den Abschußplan enge Grenzen gesetzt sind. Jeder Jagdgast wird daher bemüht sein, einen eindeutig in die ihm freigegebene Klasse gehörigen Bock zu erlegen, wozu eine gewisse Kenntnis des örtlichen Rehbestandes gehört.

Das *Ansprechen nach dem Alter* richtet sich nach den im beschreibenden Teil gegebenen Färbungs- und Körperbaumerkmalen, zu denen noch die des Verhaltens kommen. Der Jährling tritt meist früh aus, legt ein vertrautes, oft sehr vertrautes Benehmen an den Tag und erscheint, wenn er abgesprungen ist, in vielen Fällen recht bald wieder am alten Platze. So kannte ich ein sehr geringes Böckchen mit wenige Zentimeter langen Spießchen, das ich wegnehmen wollte, weil in dem betreffenden Revierteil eine gute Gehörnbildung zu beobachten war; und als ich mich eines schönen Sommertages entschloß, noch rasch mal eben ins Revier zu gehen, war ich schon ziemlich sicher, bald zurück zu sein. An der Kanzel, die ich mir dort hatte bauen lassen, sah ich den Bock schon draußen stehen, wurde aber von ihm eräugt, und er sprang ab. Kaum fünf Minuten hatte ich gesessen, da war er aber schon wieder da. Ich schoß ihn, brach ihn auf und kehrte mit dem Bock auf dem Rücken aus dem etwa zwei Kilometer entfernten Revierteil zurück. Fünfviertelstunden, nachdem ich das Haus verlassen hatte.

Auch zwei- und dreijährige Böcke sind oft noch recht vertraut, halten auch meist ihren Wechsel mit großer Beständigkeit, sofern sie nicht von einem älteren Artgenossen zu einer Verlegung ihres Einstandes gezwungen werden. Es sind die „Klock-halbig-acht-Böcke", von denen LÖNS erzählt, die Böcke also, die tagelang hintereinander fast auf die Minute austreten und für Jagdgäste ohne besonderes jägerisches Können eine bequeme Beute sind. Wegen ihrer großen Standorttreue spricht man auch scherzhaft von „angebundenen" Böcken. Auch ältere Böcke können, außerhalb der Blattzeit, diese Lebensweise beibehalten, zeigen sich jedoch gewöhnlich mit zunehmendem Alter immer seltener vor dem Schwinden des abendlichen Büchsenlichtes. Eher sind sie auf der Frühpürsch anzutreffen, recht oft auch für kurze Minuten in der Mittagsstunde, wo „der Bock seinen dummen Gang hat“. Der Begriff der Mittagsstunden ist hier freilich weit zu fassen, das meist sehr kurzfristige Verlassen der Deckung kann um 10, kann aber auch erst gegen 13 Uhr erfolgen.

Ein einigermaßen sicheres Zeichen für einen älteren Bock ist neben dem abendlichspäten Verlassen der Deckung das häufige, mißtrauische Aufwerfen und Sichern. Ich habe einmal einen ganz kümmerlichen Spießbock, dessen Gehörn genau aussah wie das eines mäßig veranlagten Jährlings, nur auf sein Benehmen hin geschossen. Der Bock erschien, es war um die Mitte des Juni, außerordentlich spät im Troll aus seiner Laubholzdickung, durchquerte ein Buchenaltholz und verhoffte an dessen Rande lange. Dann ging er in hohen Fluchten auf eine im letzten Büchsenlicht schimmernde, junge Kulturfläche und begann dort, hastig, immer wieder kurz aufwerfend und sichernd, zu äsen. So verhält sich kein Jungbock! Ich war meiner Sache sicher und schoß; die Kugel bannte ihn auf den Fleck, doch bedurfte es noch eines Fangschusses, den ich, wie immer, auf den Hals, nahe dem Haupt und etwa vier Finger breit unterhalb der Nackenlinie abgab. Dann aber war – in diesem Fall! – mein erstes der Griff in den Äser – und siehe da, widerstandslos glitt der Finger über die völlig abgeschliffene Unterkiefer-Zahnreihe – ein sieben- bis neunjähriger Bock, der, wie später die jämmerlich dünnen Rosenstöcke verrieten, wohl kaum jemals eine bessere Trophäe getragen hatte. Das Gewicht betrug 26 Pfund. Es war also einer von jenen Böcken, die sich „durchgelogen“ haben, d. h. immer wieder als Jährlinge angesprochen werden. Ich pflege das Gehörn mit den Worten: „Das ist mein bester Bock!“ interessierten Besuchern vorzuweisen, denn bei keinem war das Ansprechen letzten Endes so schwierig, bei keinem auch der verhältnismäßig weite Schuß in der tiefen Dämmerung. Dieser Bock hatte übrigens den bei recht alten Böcken häufig vorkommenden dünnen Träger – der hatte ja auch nichts zu tragen ... Und dazu hatte er die fahlgelbe Decke, die alte Rehe im Sommer oft kennzeichnet.

Zum *Ansprechen des Gehörns* richtet man sich in erster Linie nach den Lauschern. Jährlinge haben fast nie Gehörne, die lauscherhoch oder darüber sind, und die Stangen sind meist endenlos und dünn. Sind aber Enden vorhanden, dann sind sie in der Mehrzahl der Fälle nur angedeutet oder doch recht kurz. Der normale, gut veranlagte Zweijährige hat auch in Gebieten mit schlechter Gehörnbildung oft über die Lauscher geschoben und zumindest einen gut vereckten Vordersproß, oft auch schon den Rücksproß. Als Dreijähriger ist der Bock gar nicht selten schon auf der Höhe, trägt ein gut verecktes Sechsergehörn, das zumindest zweifingerbreit, unter günstigeren Umständen handbreit die Lauscherspitzen überragt, in seiner Stangenstärke aber meistens noch zu wünschen übrigläßt. Bei älteren Böcken nimmt das Gehörn im Regelfalle an Stärke noch zu, etwa bis zum siebenten, auch achten Lebensjahre, wobei die Endenzahl erhalten bleibt, die Enden selbst sich aber häufig verkürzen, zumindest relativ, d. h. im Verhältnis zur Stangenstärke. Das Gehörn wird „knuffig“. In noch höherem Alter verschwinden Vorder- oder Rücksproß. Trägt ein Bock an langen Stangen nur noch den Rücksproß, so ist das ein ziemlich sicheres Zeichen dafür, daß es sich um einen „älteren Herrn“ handelt, doch hat dieser Satz *nicht* auch in *umgekehrter* Formulierung Gültigkeit: ein regulärer Gabler, der nur Vordersproß und Stangenende aufweist, kann jung, kann aber auch alt sein. Sehr alte Böcke tragen oft nur noch Spieße von oft herrlicher Perlung und Stärke, dazu tief herabgezogene Dachrosen – eine für jeden echten Waidmann höchst begehrenswerte Trophäe!

Der kritische Leser wird aus dem oben Gesagten manches Wenn und Aber herauslesen; und in der Tat ist das Rehgehörn, das in der für unser Wild ungünstigsten Jahreszeit aufgebaut wird, ein außerordentlich variables Gebilde, das in stärkstem Maße von den Lebensbedingungen in der Zeit zwischen Abwerfen und Fegen abhängig ist. Dazu in gleichem Maße vom „Standort", also von den klimatischen, geologischen und den Vegetationsverhältnissen des Reviers. Verpflanzungsversuche von Rehwild aus ungünstigen Standorten in solche mit optimalen Verhältnissen und umgekehrt deuten darauf hin, daß es in erster Linie die Umwelt ist, von der die Gehörnbildung abhängt, und daß es gute und schlechte „Gehörnjahre" gibt, erwähnten wir schon im naturgeschichtlichen Teil. Insbesondere sind es harte, sonnenarme und schneereiche Winter, denen ein mastloser Herbst vorausging, die eine miserable Gehörnbildung, auch bestveranlagter Böcke, nach sich ziehen, und das muß beim Ansprechen berücksichtigt werden. Übrigens sind jugendliche Böcke nach solchen harten Wintern in ihrer Gehörnbildung oft unverhältnismäßig besser als ältere, weil sie mit jener später beginnen und aufhören, ihnen also nach Beendigung der Notzeit ein günstiges Frühjahr noch zugute kommt. – Nach dem harten Kriegswinter 1941/42 schoß ich während eines Genesungsurlaubes, noch mit zwei Stöcken pürschend, einen ungemein knuffigen Sechserbock, der nur dreiviertel lauscherhoch aufhatte und miserabel vereckt war – ein Bock, den man nie hätte schießen dürfen, denn ein Jahr später wäre er vermutlich ein Kapitalbock gewesen. Man soll also mit dem Abschuß der jagdbaren Böcke ein gutes Gehörnjahr abwarten – wenn man das Warten gelernt hat ...

Ungleichmäßige Höhe will bei *Jährlingen* nicht viel besagen, ebensowenig enge Stellung, die bei *älteren* Böcken als Abschußgrund gilt; und wohl mit Recht, denn die Stangenstellung scheint eines der wenigen Merkmale zu sein, das sich bei dem sonst so umweltabhängigen Gehörn konstant erweist, also wahrscheinlich vererbt. Enggestellte Gehörne tragende Böcke werden als „Mörder" bezeichnet, doch ist keineswegs jeder Enggestellte besonders angriffslustig und unverträglich. Die Auslage, der maximale Abstand der Stangen voneinander, nimmt im allgemeinen mit zunehmendem Alter beim Rehbock zu, wenn auch nicht so deutlich, wie das bei Rot- und Damhirsch der Fall zu sein pflegt.

Ist das Ansprechen des angepürschten Rehbocks erfolgt und *entschließt sich der Jäger zum Schuß*, dann muß er warten, bis der Bock breit tritt und frei steht, zumindest aber der Zielpunkt für den Blatt- oder Kammerschuß (s. Abb. gegenüber S. 48) frei wird. Wo angängig, schießt man angestrichen oder kniend aufgelegt. Es ist eine von Grund auf unwaidmännische Einstellung, auf lebendes Wild einen möglichst schwierigen, d. h. weiten und freihändigen Schuß tun zu wollen, mit dem man sich dann hinterher am Stammtisch rühmen kann. Richtig dagegen ist es, durch eine möglichst gute Pürschleistung den Schuß zum Kinderspiel zu machen. Seine Schießfertigkeit kann man auf dem Scheibenstande beweisen, wo man ja gewöhnlich auch ein größeres Publikum findet. Ich habe keinen meiner Böcke, mit der genannten *einen* Ausnahme, auf mehr als etwa 100 m geschossen, den bei weitem größten Teil aber auf Entfernungen von 8–50 m. Auf höhere Entfernungen als 120 m sollen nur sehr sichere Schützen ein Stück Rehwild beschießen.

Von großer Bedeutung für das richtige *Verhalten nach dem Schusse* ist die Beobachtung der *Schußzeichen*. Da ist zunächst der Kugelschlag, der heute m. E. von gar keiner Bedeutung mehr ist, weil bei der hohen Geschoßgeschwindigkeit unserer modernen Patronen das Geschoß das Stück Wild immer erreicht hat, ehe der Hall des Abschusses verklungen ist. Um so größere Bedeutung kommt dem *Zeichnen* des beschossenen Stückes zu. Ist das *Herz* getroffen, dann macht das Stück in vielen Fällen eine hohe Flucht und flüchtet dann, gestreckt und niedrig, in rasendem Tempo davon, um nach einer Strecke von 50–100 m verendend zusammenzubrechen; doch sind Böcke in der Blattzeit sehr hart, d. h. zählebig, und es kann vorkommen, daß die Fluchtstrecke in solchem Fall bedeutend länger ist, als angegeben. Bei *Lungenschüssen* kommt es sehr darauf an, ob nur ein oder beide Lungenflügel vom Geschoß erfaßt sind. Im letzteren Falle, der der häufigere ist, verendet das Wild nach einer kurzen Fluchtstrecke, wobei es, wie beim Herzschuß, in der letzten Phase der Flucht oft Sträucher und dergleichen anflieht. Nach dem Zusammenbrechen hört man in fast allen Fällen ein heftiges Schlegeln und kann dann unbesorgt nähertreten. Auch bei Leberschüssen tut sich das Stück bald nieder, es kann dann aber noch mehrere Stunden am Leben bleiben. In offenem Gelände kann man sich, nach Verlauf einer Stunde etwa, dem Stück vorsichtig nähern, um den erlösenden Halsschuß anzubringen; es hält den Jäger auf eine Entfernung von 40 bis 50 m wohl regelmäßig aus, wofern es ihn überhaupt wahrnimmt. Einmal habe ich es erlebt, daß ein Bock mit Leberschuß wie verendet dalag, so daß mir mein gewohntes Warten unnötig vorkam. Plötzlich aber wurde er hoch und war mit einer Flucht in der Dickung verschwunden. Als ich zum Anschuß ging, sah ich ihn indessen nur wenige Meter davon in der Dickung liegen, und nun war er wirklich verendet.

Ähnliches erlebt man bei den verhaßten Krellschüssen, wenn die Kugel den Schädel oder das Rückgrat, ober- oder unterhalb des Rückenmarks, streift, was zu augenblicklichem Zusammenbrechen führt. Schneller oder langsamer aber erhebt sich das Stück, oft nach vorausgegangenem Schlegeln, steht plötzlich, manchmal noch etwas taumelig, auf den Läufen und wird flüchtig, wobei es zusehends „gesünder", also kräftiger und lebendiger wird. Solche Stücke bekommt man, auch mit dem besten Hunde, bei der Nachsuche nie. Bei blitzartigem Zusammenbrechen wartet man daher entweder mit neu geladener, fertiger Büchse auf dem Fleck, wo man sich bei der Schußabgabe befand, oder man geht mit entsicherter Waffe vorsichtig an das Stück heran, um ihm, bevor es wieder auf die Läufe kommt, den Fangschuß zu geben. Hat man mit Zielfernrohr geschossen, dann darf man auf keinen Fall vergessen, den *Kieker abzuschlagen,* also das Fernrohr von der Waffe zu nehmen, weil man meist auf kürzeste Entfernung schnell schießen muß, wobei das Glas sehr hinderlich ist.

Bei *Waidewundschüssen* zeichnen unsere Hirscharten häufig durch Ausschlagen mit den Hinterläufen. Rehwild strebt dann langsam, mit schwerfälligen Fluchten, der nächsten Deckung zu, oder es zieht krummen Rückens im Schritt dorthin. Nach Möglichkeit schieße man ein zweites Mal, wenn erfolglos, muß man mindestens anderthalb bis zwei Stunden warten, ehe man die Nachsuche mit dem Hunde beginnt. In allen Fällen muß man sich den Anschuß, den man ja für das Auffinden der (im Abschnitt Waidmannssprache geschilderten) Pürschzeichen zuerst aufsucht, genauestens merken, soll ihn aber, ist eine Nachsuche mit dem Hunde erforderlich, tunlichst nicht betreten, um dem Hunde die Arbeit nicht zu erschweren. Wie leicht kommt es vor, daß man die spärlichen Schweißspritzer übersieht, auf sie tritt und nun mit dem zwischen den Gummileisten der Pürschsohle haftenden Tröpfchen eine „Schweißfährte" legt, die den Hund gänzlich irre macht und zum Versagen bringen muß, wenn er nicht große Erfahrung hat.

Bei Vorder*laufschüssen* bricht das Wild vorn, bei Hinter*laufschüssen* hinten zusammen, wird aber auf drei Läufen immer noch flüchtig, sofern nicht die Kugel oder Teile davon den eigentlichen Wildkörper mitfaßten. Hat man den Hund dabei, dann muß man ihn – in diesem einzigen Falle! – *sofort* schnallen und anhetzen, weil sich das Stück in der Regel nur unmittelbar nach Erhalt der geschilderten Verletzung schon nach kurzer Hetze stellt, während es, ist erst einige Zeit verstrichen, oft mit unglaublicher Ausdauer kilometerweit flüchtet. Nach längerem Warten ist also die Nachsuche häufig sehr schwierig und verlangt von Jäger und Hund das Äußerste. Bringt man das Stück nicht zur Strecke, dann ist häufiges Abpürschen der Äsungsflächen um seinen ursprünglichen Einstand waidmännisches Gebot, insbesondere im Sommer, wo sich oft Schmeißfliegen auf Ein- und Ausschuß stürzen, so daß dieser bald von Maden wimmelt, die dem Stück ein jammervolles Ende bereiten können.

Bei *Streifschüssen* findet man am Anschuß meist viel Schnitthaar, aber nur am Anfang der Fluchtfährte Wildbretschweiß. Das Zeichnen ist sehr verschieden, je nachdem, wo die Kugel saß. Ist der Brustkern gestreift, kann das Zeichnen dem bei einem guten Blattschuß gleichen, nur geht die Flucht dann in normaler Weise weiter, das Stück wird nicht schneller und niedriger. *Halsschüsse* sind mit unseren modernen Geschossen meistens tödlich, wenn sie nicht nur ganz oberflächlich streifen oder aber krellen. Das gleiche gilt vom *Kopfschuß*, der ja eigentlich nicht vorkommen sollte, aber doch passieren kann. Hier gibt es eine Ausnahme, und das ist der schlimmste Schuß von allen, der *Schuß durch den Äser*, durch den das Wild in fast allen Fällen einem qualvollen Hungertode preisgegeben wird, wenn nicht ein rasch angebrachter zweiter Schuß es zur Strecke bringt. Der wegen der unvermeidlich großen Wildbretzerstörung zu vermeidende *Rückenschuß* zerschmettert die Wirbelsäule und bannt das geschossene Stück auf dem Fleck, ebenso der *Schuß durchs Becken*, der immer zugleich ein Waidewundschuß ist. Abscheulich ist auch der *Keulenschuß*, und darum ist er als ausgesprochen schlechter Schuß fast sprichwörtlich geworden, aber jedenfalls liefert er das Stück meist zur Strecke.

Wenn oben gesagt wurde, daß man nur auf breitstehende Stücke schießen soll, so ist das *nicht* so zu verstehen, daß die Längsachse des Wildkörpers mit der Geschoßbahn nun unbedingt einen *rechten Winkel* bilden muß. Günstiger ist es, wenn er ein klein wenig schräg von hinten aufs Blatt, genauer gesagt, etwa *eine Handbreit hinter das Blatt* getroffen wird, weil die Kugel dann größere Zerstörungen in der Kammer anrichtet. Halbspitz von vorn aber soll man nicht schießen, denn dann liegt eigentlich immer der Ausschuß waidewund, und das Aufbrechen, das der Leser am Schlusse dieses Kapitels geschildert findet, ist dann wenig angenehm.

Die *Pürschfahrt* unterscheidet sich von dem Pürschgange ganz wesentlich. Während bei diesem alles darauf ankommt, dem Rehbock verborgen zu bleiben, seine Sinne, sein Gesicht, Gehör und sein Wittrungsvermögen zu täuschen, beruht der Erfolg der Pürschfahrt auf dem Umstande, daß das Reh dem mit Zugtieren bespannten Wagen oder Schlitten gegenüber wenig Mißtrauen zeigt, weil ihm, besonders in belebten Gegenden, Fuhrwerke eine gewohnte Erscheinung sind; weiß es doch aus täglicher Erfahrung, daß die Gespanne unbekümmert um seine Gegenwart ihre Bewegung fortzusetzen pflegen. Die Gegenwart der Pferde scheint dem der menschlichen Erscheinung gegenüber mißtrauischen Wilde eine gewisse Gewähr dafür zu sein, daß ihm nichts Feindseliges droht. Genug, das Reh hält die Annäherung eines Fuhrwerks oft auf erstaunlich nahe Entfernungen aus, ohne flüchtig zu werden, wenn die Gangart ruhig ist, wenn die Richtung nicht gerade auf das Wild selbst, sondern an ihm vorüber zielt und sich in seiner Nähe nicht plötzlich ändert. Glaubt es sich gar noch durch Gebüsche oder hohes Gras gedeckt, so läßt es den Wagen zuweilen auf wenige Schritte vorbeifahren. Die auf dieser Erfahrung begründete Jagd besteht darin, daß man sich im Wagen zu den Örtlichkeiten begibt, wo man Rehe vermuten kann, so lange dort umherfährt, bis man eines zum Abschuß geeigneten Bockes ansichtig wird, und versucht, unter allmählicher Annäherung bis auf Schußweite heranzukommen. Der Schütze muß, ohne daß die Pferde angehalten wurden, absteigen und neben dem Wagen hergehen, bis er, in genügender Nähe angelangt, stehenbleibt, während der Führer des Fuhrwerkes weiterfährt. Entweder – wenn er eine Deckung, z. B. einen genügend starken Baum, ein Gebüsch oder einen Holzstoß zwischen sich und dem Wilde hat – wartet der Jäger die Entfernung des Fuhrwerks ab, dem der Bock neugierig nachzuäugen pflegt, um dann den Schuß abzugeben, oder er geht sogleich, wenn der Wagen sich noch neben ihm befindet, in Anschlag und schießt, sobald das Abkommen gefunden ist. Viele lieben es aber – namentlich ältere und beleibte Herren, denen das Absteigen von dem sich bewegenden Wagen

ebenso lästig ist, wie das Schritthalten mit den Pferden – vom Wagen aus den Schuß abzugeben. Dann muß auf ihre Anordnung der Fahrer in dem Augenblicke still halten, wo sie den Bock auf Schußnähe frei haben. Nun muß aber auch der Schuß schnell abgegeben werden, denn nicht immer hält das Wild das Anhalten des Wagens aus, und um so weniger, je näher ihm dieser ist.

Im *Zeitalter der Motorisierung* ist heute fast überall das pferdebespannte Fuhrwerk durch das Auto ersetzt, und die Pürschfahrt in dem von uns geschilderten Sinne ausgestorben. Statt dessen sah man wohl im hierfür geeigneten Gelände die Jäger im Auto umherfahren und, durch das herabgekurbelte Fenster, die Böcke vom Wagen aus schießen. Sie bringen sich durch Anwendung dieser Abschußmethode um nicht mehr und nicht weniger, als um das Jagen selbst ... Darum ist diese Methode jetzt weitgehend als unwaidmännisch verpönt und verboten.

In einem Lehrbuch über Niederjagd können nicht alle Methoden der Jagd auf Schalenwild im einzelnen dargestellt werden, und so müssen wir die der Reviereinrichtung in einem Hochwildrevier dienenden Maßnahmen, wie die Anlage von Pürschsteigen, Krähenfüßen, Kanzeln und dergleichen mehr, deren sich doch der Jäger auch bei der Rehjagd oft mit Erfolg bedient, außer Betracht lassen. – Der *Ansitz* auf einer Kanzel hat auch bei der Rehjagd viel für sich, insbesondere ist er ein vortreffliches Hilfsmittel zum Bestätigen der Böcke vor oder zu Beginn der Jagdzeit.

Es gibt viele Reviere, in denen mit der Pürsch allein der notwendige Abschuß nicht zu erfüllen ist, weil zuviel Deckung da ist, was in Bruch- und Heiderevieren oft der Fall sein wird, auch in der Latschenregion des Hochgebirges. Oder aber man hat ein Hochwildrevier, wo vieles Umherpürschen ganz vom Übel ist, weil man damit sein Wild aus dem Revier *hinauspürscht,* es vergrämt. Das Ansprechen des Rehwildes, vor allem auch der Ricken und Kitze, wird durch den Kanzelansitz sehr erleichtert, in vielen Fällen, z. B. auf ansteigenden, grasigen Kulturflächen, überhaupt erst ermöglicht. So hat die Kanzel gerade beim winterlichen Rickenabschuß, soll er richtig durchgeführt werden, eine große Bedeutung. Ist die Kanzel recht hoch, dann spielt die Windrichtung oft gar keine Rolle, ansonsten bedarf sie der Berücksichtigung. Der Vorteil der Kanzel ist, daß durch den hier geübten Ansitz das Wild außerordentlich wenig beunruhigt wird, sofern man sie nur rechtzeitig bezieht, und das ist etwa eine Stunde vor dem vermuteten Austreten. Von einer richtig gelegenen Kan-

zel mit weitem Ausblick schaut man oft herrliche Bilder und hat Gelegenheit zu den seltensten Beobachtungen, wofür man freilich in Kauf nehmen muß, daß das eigentlich Jagdliche nicht selten ein wenig zu kurz kommt. Bekleidung und Ausrüstung für den Kanzelansitz werden wir im Fuchskapitel eingehend beschreiben. Was das Verhalten des Jägers angeht, so ist Vorsicht bei einer bis zur Sichthöhe geschlossenen Kanzel kaum vonnöten: Nur beim Rotwilde habe ich ein Äugen erfahrener Stücke nach oben bemerkt, beim Reh bisher in vierzig Jägerjahren noch nie, obwohl es vielleicht einmal vorkommen mag. Der Anfänger (und oft auch ein eifriger, junger Berufsjäger) überschätzt häufig die Distanz, auf die das Wild ein Geräusch, wie Flüstern, unterdrücktes Husten, Anstoßen, Knarren usw. von der geschlossenen Kanzel vernimmt. Nur wenn die Möglichkeit besteht, daß Wild sehr nahe bei der Kanzel im Bette sitzt, muß man sich unbedingt ruhig verhalten; vornehmlich sind also bei mit Laubholzverjüngungshorsten bestandene Äsungsflächen, die alle Wildarten sehr lieben, alle Geräusche zu vermeiden. Man unterläßt sie aber auch sonst, weil sie stillos sind.

Bei ganz offenen, unverblendeten Kanzeln oder Leitern ist größere Vorsicht nötig, in erster Linie hinsichtlich der Bewegungen. So muß auch das Anbacken vorsichtig ausgeführt werden. Will man abbaumen, während noch Wild in Schußweite steht, dann geht eine „Lagebeurteilung“ voraus: Hat man einigermaßen Aussicht, unbemerkt fortzukommen, weil erstens die Leitersprossen nicht knarren, zweitens die Leiter wenigstens in ihrem unteren Teil gegen Sicht abschirmt, drittens ein brauchbarer Pürschpfad vorhanden ist und viertens der Wind am Boden nicht küselt, dann versucht man, leise wegzukommen. Ist das nicht möglich, dann spricht man, ohne sich zu zeigen, das Wild mit ruhiger, allmählich sich verstärkender Stimme an, wonach es meist in ruhigem Troll abzieht, ohne vergrämt zu sein.

In vielen Fällen wird, namentlich im Mittsommer, ein Ansitz mit einer anschließenden Pürsch enden oder seinerseits den Abschluß einer solchen bilden. Oder man kann außer Schußweite der Kanzel bestätigtes Wild anpürschen und erlegen. So ist im heutigen Jagdbetrieb die Kanzel unentbehrlich, sie gehört zum deutschen Waidwerk, ja, sie ist geradezu eines seiner Kennzeichen. – Eines aber möchte ich hier festhalten: Den ersten Rehbock seines Lebens sollte jeder Jungjäger sich erpürschen, das gehört sich so, ist eine Sache des Stiles und schafft ihm weit mehr Befriedigung und waidmännische Freude, als ein von der Kanzel geschossener!

Die hohe Zeit des Rehwildes, die *Blattzeit,* ist auch die des Jägers im Rehrevier. Jetzt sind die Rehe fast zu jeder Tageszeit auf den Läufen, mancher noch nie bestätigte Altbock taucht plötzlich im Revier auf, und die Methode des Blattens zaubert bei vollem Schein des Tagesgestirns auch die heimlichsten „alten Herren" herbei und verhilft dem Jäger, bisweilen gänzlich unerwartet, zu einer starken und edlen Trophäe.

Das Blatten kann auf verschiedene *Art* hervorgebracht werden. Die alten Meister üben es auf dem Buchenblatt oder auf einem Grashalm. Man hat Instrumente von Horn oder von Kunststoff mit einer Metallzunge oder den pneumatischen Blatter nach Buttolo oder bläst den Sehnsuchtslaut der Ricke auch durch die geblähten Lippen. Mit Recht sagt Altmeister Diezel: „Es ist nicht wohl möglich, eine Beschreibung dieses Rufes zu geben; einzig allein muß er praktisch gezeigt und erlernt werden; doch ist die Sache so leicht, daß, wer ihn einmal gehört hat, ihn auch sogleich mit den Instrumenten nachzuahmen imstande ist. Diese sind gewöhnlich so eingerichtet, daß sie höher und tiefer gestellt werden können, und gerade dieses Stellen ist das wichtigste. Ist der Ton zu tief, so erscheint selten etwas, und ist er zu hoch, so erhält er zu viel Ähnlichkeit mit dem Rufe der Kitze; die richtige Mitte zu treffen, ist deshalb wichtig, und man kann sie sich nur durch Erfahrung aneignen."

Wichtiger aber noch als das Treffen des Tones ist der richtige *Zeitpunkt.* Viele Jäger denken, man könne die ganze Blattzeit hindurch, also etwa vom 20. Juli bis zum 12. August, mit gleicher Aussicht auf Erfolg blatten. Das stimmt keineswegs, wie aus den langjährigen Aufzeichnungen in manchen Revieren hervorgeht. So war in der Fürstlich Fürstenbergischen Standesherrschaft in den Jahren 1897 bis 1937 der beste Blattag:

12mal der 6. VIII.	8mal der 8. VIII.	2mal der 4. VIII.
10mal der 7. VIII.	7mal der 5. VIII.	1mal der 9. VIII.

und auch in den übrigen Gegenden unseres Vaterlandes blattet man im August, also gegen Ende der Rehbrunft, mit weit mehr Erfolg als im Juli. Die Erklärung liegt auf der Hand. Die Zahl der brunftigen Schmalrehe und Ricken vermindert sich in den ersten Augusttagen fortlaufend, der Liebesdurst der Böcke aber ist noch lange nicht gestillt, und so kann man bis zum letzten Augustdrittel mit Erfolg den Blatter handhaben. Die einzelne Geiß ist nämlich nur sehr kurze Zeit, etwa drei Tage, brunftig und läßt nach dieser Frist den Bock zum Beschlag nicht mehr zu, so daß er dann nach einer anderen sucht, die er sich in oft heftigen Kämpfen von einem Nebenbuhler erobert oder aber zufällig antrifft. In diesem Umstande liegt die Chance des Blattjägers. Hans Wagner (Der Deutsche Jäger, 1958) hat das sehr einprägsam, wenn auch etwas überspitzt, ausgedrückt, indem er sagte: „Geht die Rehbrunft zu Ende, beginnt die Blattzeit." – Der Herausgeber hat am 11., 17., 18. 8. mit Erfolg geblattet, einmal sogar nach dem 20. 8., als vom Brunfttreiben nichts mehr zu spüren war; freilich „springen" die Böcke dann nicht mehr, sondern ziehen langsam und vorsichtig heran, oft erst nach einer halben Stunde.

Die beste *Tageszeit* für das Blatten ist unstreitig der Nachmittag, etwa von 5 Uhr an. Wo man den Stand eines abschußnotwendigen oder als Erntebock begehrenswerten Rehbockes weiß, begibt man sich unter Wind dorthin, sucht Deckung hinter einem Holzstoß, einem Stämmchen oder Buschwerk und läßt, schüchtern zunächst und dann dringlicher, die Fieplaute ertönen. Ist die Deckung gut, dann kann man auch mit einem Stecken in das den Boden bedeckende Raschellaub schlagen und so die „hopsenden" Fluchten treibender Rehe nachahmen. Meist erscheint der Bock, wenn er in seinem Einstand sich aufhält und keine brunftige Geiß bei sich hat, schon nach sehr kurzer Zeit, nach Ablauf also von 2–5 Minuten. Ist er stark abgebrunftet, dann dauert es auch wohl länger, doch hat es meist keinen großen Wert, das Blatten an einer Stelle übermäßig lange Zeit auszudehnen, sondern man versucht es, hat man keinen Erfolg, nach etwa 20 Minuten besser an einer zweiten, dritten und vierten. – Auch von einer nicht zu hohen Kanzel aus kann man blatten.

Nicht immer erscheint der Bock flüchtig. Sehr oft kommt er geschlichen wie ein Fuchs und bleibt hinter einem Busche sichernd stehen. Oft kommt er auch im Rücken des Jägers, weshalb man sich zum Blatten am besten einen Begleiter mitnimmt. Hierfür sei der Jungjäger in empfehlende Erinnerung gebracht. Bleibt der Bock stehen, ohne daß das Blatt frei ist, dann kann man nach kurzer Zeit noch einmal blatten, soll aber nur einen einzigen Stoß und diesen sehr rein tun, sonst ist der Bock verblattet und läßt sich meist so bald nicht wieder verführen.

Von der Nachahmung des *Angstgeschreies,* dessen Urheber ja noch nicht eindeutig geklärt ist, wird man im Regelfalle absehen können. Besser ist, gegen Ende der Blattzeit, der Kitzruf, auch wohl die Kitzklage zu verwenden, auf die hin dann die zuständige Ricke zu erscheinen pflegt, die oft ihren Freier mitbringt. Sehr gern stehen auf diesen Ruf auch Fuchs, Dachs, Schwarzwild, Habicht und Bussard zu, sogar vom Sperber erlebte ich es. Doch soll man ihn nicht allzu häufig in Anwendung bringen, um seinen Rehbestand nicht zu sehr zu beunruhigen. Auch die Vormittagsstunden eignen sich zum Blatten.

Das Pürschen wird in dieser Zeit oftmals zum Kinderspiel. So sah ich einst in Mecklenburg bei der Morgenpürsch treibende Rehe, die sich bald in einem kleinen Weizenschlag niedertaten. Die Geländeausformung zwang mich zum Anpürschen mit Nackenwind, und doch kam ich auf 20 Meter an die beiden heran und konnte dem Bock, einem älteren Gabelbock, nach dem Aufstehen ruhig die Kugel auf den Hals setzen. Wesentlicher aber ist, daß man überhaupt viel Rehwild in Anblick bekommt und so jeder Pürschgang etwas Neues bringt.

Ist es auch in der Blattzeit nicht gelungen, einen bestimmten, wegen eines verheilten Schusses etwa oder hohen Alters ganz besonders heimlichen Bock, dessen Einstand bekannt ist, zu überlisten, dann greift man wohl zu einem verzweifelten Mittel: Man versucht, sich *den Bock zudrücken* zu lassen. Dieser denkt natürlich nicht daran, eine Wiese, eine breite Straße oder dergleichen zu queren, sondern wird immer hübsch in Deckung bleiben, wenn er aus seinem Einstand weichen muß. Aber bisweilen zieht er durch ein Altholz, über ein Gestell oder durch Stangenhölzer und kann bei dieser Gelegenheit zur Strecke kommen. Zum Drücken genügt in beinahe allen Fällen *ein* Begleiter, der allerdings sein Handwerk verstehen und ohne viel Geräusch, nach Art eines Pilz- oder Beerensuchers, den Einstand durchkämmen muß. Der Schütze postiert sich unter Wind, wenn möglich in Nähe des festgestellten Wechsels, und bereitet sich auf einen rasch hingezirkelten Schuß vor.

Auf eine recht originelle Weise habe ich einst im September einen für die dortigen Revierverhältnisse recht guten Sechserbock im Forstamt Gahrenberg bekommen, der mich lange Zeit hindurch genarrt hatte. Der Bock stand in einer sehr dichten und ausgedehnten Laubholzverjüngung, die sich, beiderseits eines tief eingeschnittenen Wildbachs, des „Prin-

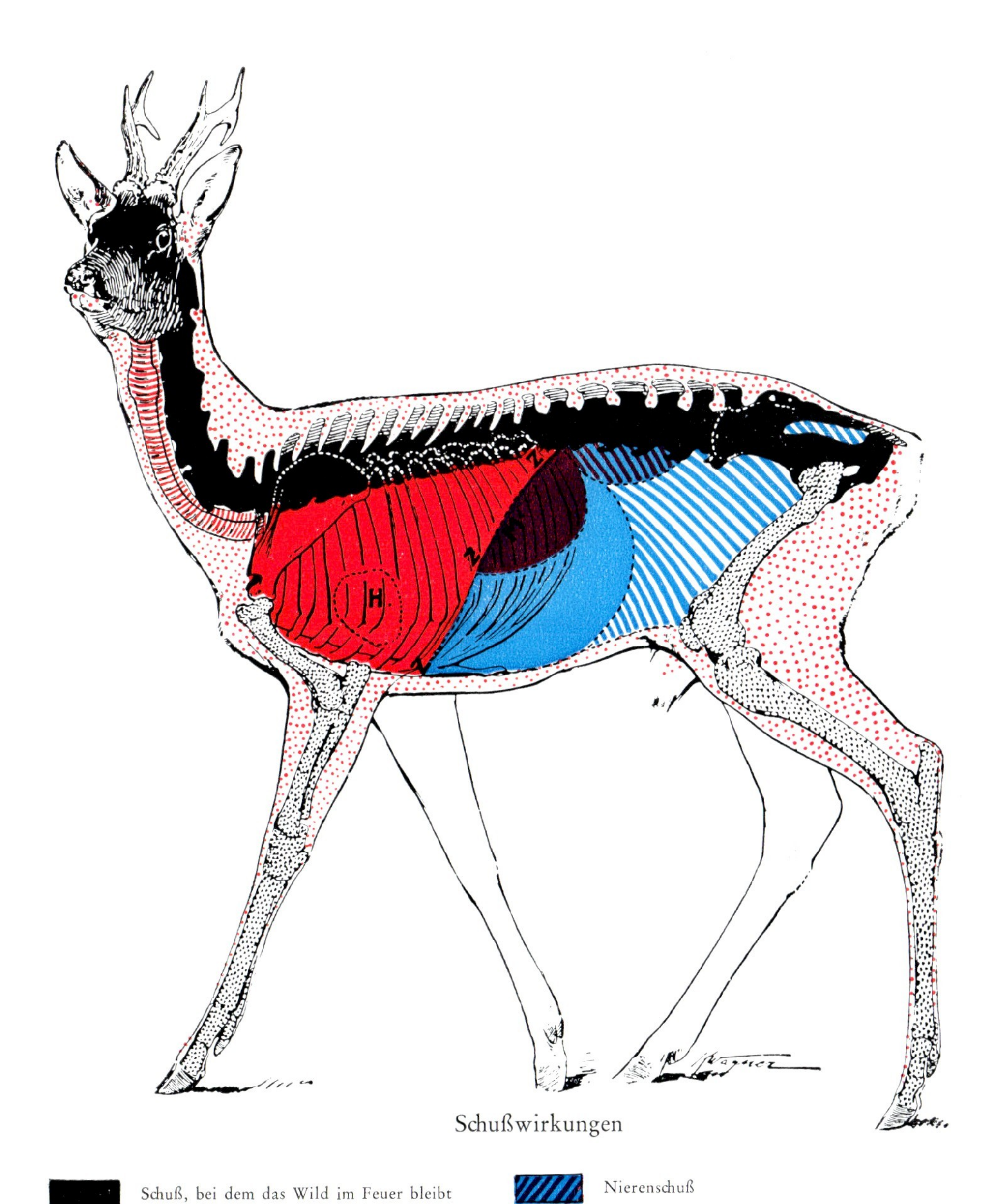

Schußwirkungen

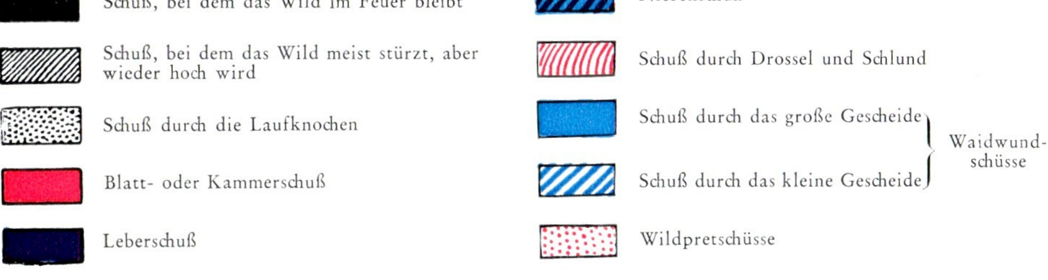

H Herz **Z Z** Mittlere Lage des Zwerchfells **M** Milz

zenhorns", in einer Größe von mindestens 4 ha auf einem Steilhang oberhalb einer Fahrstraße erstreckte. Von den wenigen Blößen in dieser Dickung war nur eine einzusehen, auf der der Bock aber schon seit einigen Wochen nicht mehr erschien. Er zog nämlich, wie ich durch Abfährten feststellte, auf einem schmalen Grasstreifen talwärts, überquerte die Straße und zog dann recht weit fort ins Wesertal. Beim Queren der Straße wurde er des öfteren von Holzfahrern, Spaziergängern oder anderen Straßenbenutzern gestört und sprang dann jedesmal laut schimpfend ab. Darauf baute ich meinen Plan. Ein Ansitz an der Straße hätte, wegen der Behinderung des Schußfeldes durch Passanten, keinen Zweck gehabt. Beim Passen an seinem oberhalb dieser gelegenen Wechsel hätte ich ihn frühestens in einer Entfernung von 8–10 Metern freigehabt. So beschloß ich, ihm den Wechsel zu verwittern mit jener Flüssigkeit, die jedem Jäger zu Gebote steht, auch ohne daß er sie in einer Flasche mit sich führt – und tat das gründlich. Dann zog ich mich zurück und stieg hastig, auf einem Umwege, den Hang empor. Kaum war ich oben angekommen, wo eine Kanzel Einblick auf die so lange von dem Bock gemiedene Blöße gewährte, als mir mörderliches Schrecken das durchaus berechtigte Mißfallen des Gesuchten kundtat – und nach wenigen Minuten schon erschien er, immer noch schmälend, auf der bewußten Blöße, um alsbald nach Empfang der Kugel verendet zusammenzubrechen. Das war ein Kanzelbock, der mir Spaß gemacht hat!

In Revieren, wo das Rehwild die einzige Schalenwildart ist, sollte man mit dem *Abschuß weiblichen Rehwildes* zu dem frühest möglichen Termin, gemeinhin also am 16. September, beginnen. Zu diesem Zeitpunkt sind insbesondere die Schmalrehe als solche, da noch im Sommerhaar, recht gut anzusprechen, was später gar nicht so einfach ist. Man bekommt die nicht führenden Ricken zu Gesicht, kann die wirklich alten an dem fahlgelben Sommerkleide und spätem Verfärben gut ansprechen und dann ausmerzen und erkennt auch die gering gebliebenen Kitze besser, als später, wenn sie das dichte Winterhaar tragen. Man beginnt den Abschuß, indem man einzelne geringe Schmalrehe wegnimmt, und mit diesem Schmalrehabschuß sollte man bis zum Verfärben im wesentlichen fertig sein. Nach diesem Zeitpunkt wendet man sich den nicht führenden Ricken zu. Gewiß, eigentliche Geltricken, d. h. Stücke, die wegen Altersunfruchtbarkeit oder auf Grund pathologischer Erscheinungen dauernd gelt sind, gibt es kaum, mir sind sogar zwei Fälle bekannt, in denen nachweislich 14jährige Ricken noch gesetzt haben bzw. beschlagen gewesen sind. Es gibt aber Ricken, die alljährlich setzen – und alljährlich ihrer Kitze verlustig gehen, weil sie diese gegen den Fuchs nicht verteidigen, den Setzplatz ungünstig wählen oder in der Führung und Betreuung der hilflosen Wesen nachlässig sind, und es schadet daher gar nichts, wenn man grundsätzlich nicht führende Ricken bevorzugt abschießt; denn die Theorie, daß solche „eben nur einmal ein Jahr aussetzten", um dann im nächsten Jahr besonders kräftige Kitze zur Welt zu bringen, ist barer Unsinn. Der Hegeabschuß des weiblichen Rehwildes ist so schwierig, daß man oft Mühe genug hat, geeignete Stücke herauszufinden, und so sollte man den Begriff der Geltricke ruhig etwas weiter fassen, jedes nicht führende Stück darunter verstehen und, wenn nicht besondere Gründe dagegen sprechen, auf den Abschuß setzen.

Wohl zu beachten dabei ist aber, daß in manchen Gegenden, nach den Beobachtungen des Forstmeisters O. STEINHOFF z. B. im *Solling,* die Ricken sich zu Beginn der herbstlichen Schußzeit nicht eben häufig *mit* ihren Kitzen zeigen. Auch mir ist es im Oberweserbergland vorgekommen, daß ich im Herbst, nach langer Beobachtung, eine einzeln austretende, scheinbar nicht führende Ricke erlegte, deren volles Gesäuge mir hinterher verriet, daß doch noch, irgendwo in der Dickung, das oder die Kitze zurückgeblieben waren; und bei einer Lehrjagd im Forstamt Kattenbühl ereignete es sich, daß aus dem linken Teil des Treibens hochflüchtig eine einzelne Ricke vor mir über die Schneise kam, die ich selbstverständlich pardonierte. Als aber die Treiber die Schneise überquert hatten und nun im rechten Teil des Treibens sich befanden, kam die Ricke, wiederum allein, zurück; jetzt schoß ich sie, und als sie zusammengebrochen war, ging im Troll das Kitz, das rechtsseitig der Schneise *einzeln* gesteckt hatte, über die Schneise zurück. Gewiß war der Fall sehr lehrreich, insbesondere, als mir beim Aufbrechen die Milch aus dem prallen Gesäuge über die Hände lief ... Aber das Jagen habe ich hinterher für Wochen aufgegeben!

Aus diesem Grunde sollte auch der Rehabschuß bei *Waldtreiben* nur in Ausnahmefällen geübt werden, und wenn er unerläßlich ist, weil etwa der Abschußplan auf andere Weise nicht erfüllt werden kann, dann sollte das Tagesgesetz lauten: Schmalrehe und geringe Kitze! Alles andere ist vom Übel, um so mehr, als das Rehwild vor den Hunden gar oft in kopfloser Flucht einzeln die Dickung verläßt, die Sprünge also nicht beisammen bleiben und somit ein Ansprechen recht schwierig wird. Teckel scheut übrigens Reh-, auch Rot- und Schwarzwild weniger als andere Hunde und kommt vor diesen oft ganz vertraut. Von disziplinierten Jägern wird bei der empfohlenen Tageslosung dann gewöhnlich nur dieses oder jenes schwache Kitz erlegt und somit auch bei der Treibjagd eine „Hege mit der Büchse" vorgenommen.

Im übrigen wird der Abschuß an weiblichem Rehwild und Kitzen auf Pürsch und Ansitz durchgeführt, und hierbei ist besonders auf geringe Kitze zu achten, in erster Linie auf Mehrlingskitze. Daß man von Drillingskitzen stets mindestens eines fortnimmt, ist fast selbstverständlich. Aber auch bei Zwillingskitzen sollte man, und zwar möglichst frühzeitig, also etwa im Oktober, das geringere schießen. Bei längerer Beobachtung vermag der geübte Jäger bei Zwillingskitzen Gewichtsdifferenzen von etwa 10 Prozent noch anzusprechen – diese meine persönliche Erfahrung wurde bei der Beratung der Abschußrichtlinien für Rehwild im Schalenwildausschuß des Deutschen Jagdschutz-Verbandes von den erfahrenen Jägern dieses Gremiums bestätigt und fand so auch ihren Weg in die Richtlinien selbst. – Gehört zu geringen Kitzen auch ein geringes Altreh, dann soll auch dieses dem Abschuß verfallen, doch selbstverständlich erst *nach* Erlegung des oder der Kitze! Vor Jahrzehnten wurde einmal die Behauptung aufgestellt, Kitz (und Rotwildkalb) kehr-

ten nach Abschuß des Muttertieres mit absoluter Sicherheit binnen einer halben Stunde, meist schon viel früher, zurück und können dann leicht erlegt werden. Daß sie zurückkehrten, stimmt wohl – oft aber erst nach Stunden. Auf besondere Bitte eines jagdbetrieblich speziell interessierten Kollegen unternahm ich damals einen Versuch und schoß ein schwaches Altreh vor dem Abschuß seines gleichfalls geringen Kitzes; dieses sprang ab, kam aber vor Dunkelheit nicht wieder, und ich habe es bis zu Beginn der Schonzeit nicht mehr bekommen! Das mag ein Einzelfall gewesen sein, aber für mich gibt es seitdem kein Abweichen von der oben genannten Regel.

Gegen Ende der Schußzeit richte man sein Augenmerk vor allem auf solche Stücke, die unter den Unbilden des Winters leiden und kümmern. Sie sind vielfach an dem struppig wirkenden Haarkleide zu erkennen. Bei Harschschnee sieht man bisweilen Rehe, die an den Läufen klagen, einen Lauf schonen oder mühsam humpelnd dahinziehen. Sie sind eine sichere Beute des Fuchses. Ein „Gnadentod“ durch eine sauber hingesetzte Kugel bedeutet ein besseres Ende für sie als eine langwierige Hetze durch den roten Freibeuter. Auch wird in wenig pfleglich behandelten Nachbarjagden manches Stück zu Holze geschossen, dem die besondere Aufmerksamkeit des hegenden Jägers zu gelten hat.

Alles erlegte Schalenwild wird vor dem Abtransport aus dem Revier *aufgebrochen.* Dem verendeten Stück hält man gewöhnlich zuvor eine kurze oder längere Totenwacht, dann legt man es auf den Rücken, schärft den Hals vom Drosselknopf bis zum Brustkern auf, legt Drossel und Schlund frei, *schärft* sie oben am Äser *ab* und trennt sie voneinander. Der Schlund wird dann verknotet, nachdem man körperwärts des Knotens die dünne, ihn umgebende Muskelschicht vorsichtig durchtrennt und zurückgestreift hat. Dann sitzt der Knoten auf der von Muskeln befreiten Stelle fest. Bei Böcken und Bockkitzen wird alsdann das Kurzwildbret aufgeschärft. Man ergreift die Brunftkugeln und zieht sie heraus, fährt auf der Brunftrute mit dem Messer entlang nach vorn, löst sie aus und legt sie, mitsamt den Brunftkugeln, links neben das Stück. Hierauf wird die Bauchdecke vorsichtig geöffnet, wobei das mit dem Rücken auf den Zeigefinger gelegte Messer von unten auf der Mittellinie nach vorn bis zum Brustkern schärft. Dann packt man den Pansen, löst ihn vorsichtig von den Verwachsungen, greift nach dem Schlund und zieht ihn nach hinten. Schlund und Waidsack werden herausgenommen und auf die rechte Seite des Stückes gelegt, das kleine Gescheide folgt, nachdem man es vorsichtig vom Netz gelöst hat. Dann wird sehr behutsam das Schloß freigelegt und durch Aufsetzen des Messers auf die beide Schloßhälften verbindende Knorpelschicht aufgebrochen, was bei älteren Stücken nicht ohne Kraftanstrengung vor sich geht. Von entscheidender Bedeutung ist hierbei, daß man beim Sprengen des Schlosses genau auf der Mittellinie bleibt, weil jede Abweichung das Messer in den harten Knochen führt und ein Weiterarbeiten unmöglich macht. In das geöffnete Schloß greifen beide Hände von oben und brechen es auseinander. Blase und Waiddarm liegen dann frei und können leicht herausgelöst werden. Dann werden die Brandadern der Länge nach aufgeschärft, das Zwerchfell mit einem Kreisschnitt ringsherum durchtrennt, die Leber links vom Stück hingelegt und Herz und Lungen dergestalt herausgezogen, daß die Hand von der Bauchhöhle her in den Brustkorb greift und die Drossel zu fassen kriegt. Das Ziehen soll nicht zu forsch erfolgen, weil bei unnötig großer Kraftanwendung das schweißige Geräusch nach hinten schnellend die Kleidung beschmutzt. Als letztes werden die Nieren, bei weiblichem Wilde auch noch Eierstöcke und Tragsack, herausgenommen. Damit ist das Aufbrechen beendet, das Stück wird nunmehr vorn emporgehoben, am besten aufgehängt, um auszuschweißen. Panseninhalt und andere Verunreinigungen werden mit Gras oder Moos ausgewischt. Ein Abwaschen mit Wasser aber ist zu vermeiden, weil es die Haltbarkeit des Wildbrets herabsetzt.

Bevor das Wild steif ist, kommt es, mit dem Rücken voran und miteinander verschränkten Vorder- und Hinterläufen, in den Rucksack, das Jägerrecht getrennt in einen Gummibeutel. Das Haupt des Bockes schaut zwischen den Läufen aus dem Rucksack, mit einem Fichten- oder Laubholzzweiglein im Äser, den das gestreckte Stück zuvor als „letzten Bissen“ erhalten hat. Der Erleger hat seinen Hut mit einem Bruch geschmückt, den er vorher durch den Ausschuß des Stückes gezogen und so mit Schweiß benetzt hat. Über das sonstige Brauchtum bei der Jagd auf Schalenwild unterrichtet das bekannte Werk von FREVERT[2].

Zu Hause angekommen, *versorgt* der Jäger das Stück Rehwild, indem er es in einem kühlen und luftigen Kellerraum, zu dem Fliegen keinen Zutritt haben, aufhängt. Unter die Schloßgegend wird ein Stück Papier oder ein Napf gelegt, da meist noch im Laufe der nächsten Stunden ein Nachschweißen erfolgt.

Das *Abschlagen* des Gehörnes erfolgt, nachdem man die Decke des Hauptes aufgeschärft hat, mit einer Säge, die möglichst weit hinter den Rosenstöcken angesetzt wird.

[2] Ofm. WALTER FREVERT: „Das jagdliche Brauchtum.“ Verlag Paul Parey, Hamburg und Berlin.

Die Schnittführung geht durch die Augenhöhlen, das Nasenbein bleibt am Schädel. Sehr viel praktischer ist eine Methode, die ich in der Steiermark kennenlernte: Eine scharfe Axt wird in der Schnittebene angesetzt, und ein Hieb auf den Axtrücken trennt Oberschädel und Trophäe in Sekundenschnelle vom übrigen Haupt. – Das Gehirn wird mit einem Teelöffel den beiden Schädelhälften entnommen, der Lecker mit dem Messer ausgelöst. Beim Zerwirken *(aus der Decke schlagen)* werden zunächst die schon beim Aufbrechen entstandenen Längsschnitte der Decke durch einen vom Brustkern bis zum Hals geführten Schnitt verbunden. Die Decke wird über den Hinterzehen, den *Oberrücken* ringsum durchgeschärft und auf der Innenseite der Läufe ein Schnitt bis zur Mittellinie geführt. Im übrigen verläuft das Zerwirken ähnlich wie das Streifen beim Haarniederwild, nur wird grundsätzlich von vorn nach hinten gearbeitet wegen der durchweg mit ihrem hinteren Teil an der Decke festgewachsenen Schüttelmuskulatur, die bei umgekehrtem Arbeiten an der Decke verbleiben würde.

Zerlegt man ein Stück Rehwild, dann geschieht das auf der Decke. Man löst zunächst die Vorderläufe, indem man die schmale haltende Muskulatur am Blattoberteil durchtrennt und dieses dann einfach abhebt. Dann trennt man die Dünnungen von der Keule bis zu den Rippen und schlägt diese, parallel der Wirbelsäule, ab. Dann wird die Keule durch einen kreisförmigen Schnitt vom Wildkörper getrennt und der runde Gelenkkopf aus seiner am Becken sitzenden Pfanne herausgedreht, hierauf der Ziemer in einen vorderen und einen hinteren Teil getrennt; die Trennungslinie verläuft zwischen letzter Rippe und Beckenvorderrand, je nachdem, wie große Ziemerstücke man zu haben wünscht. Gleichfalls vom Ziemer getrennt wird der Hals, von dem man zuvor schon den Kopf durch Abschärfen und Abdrehen abgelöst hat. So ergeben sich sieben größere Bratenstücke. Das übrige ist das sogenannte Kochfleisch, das aber auch zu vorzüglichen Rouladen oder Pasteten verwendet werden kann.

In seinem Streckenertragswert lag das Rehwild im Deutschen Reich mit den Grenzen von 1937 unter allen Wildarten an der Spitze: Die deutsche Rehwildstrecke erbrachte damals rund 9 Millionen Mark, die der Hasen allerdings nur um ein geringes weniger. Im Gebiet der Bundesrepublik hat sich der Vorsprung des Ertragswertes der Rehstrecke noch vergrößert, da die Siedlungsdichte hier noch höher ist und größere Gebiete mit optimalen Lebensbedingungen für den Hasen fehlen. Das Reh ist also, wirtschaftlich gesehen, die wichtigste deutsche Wildart überhaupt, die Strecke beläuft sich im Gebiet der heutigen Bundesrepublik auf 550 000 Stück jährlich gegenüber 375 000 Stück vor dem letzten Kriege.

Bei der *Hege* des Rehwildes wollen wir vom Wildbestand als solchem und vom Revier ausgehen, den Jagdschutz also, den wir im Hasenkapitel behandeln werden, außer Betracht lassen. Bei der Übernahme eines Reviers wird sich der Revierinhaber zunächst einen Überblick über den vorhandenen Rehstand verschaffen und darauf seine Maßnahmen aufbauen. Da ist vor allem die Bestandesdichte, die heute (1965) in vielen Revieren das Angemessene weit überschreitet. In abwechslungsreichen Revieren mit guter Feldäsung und durch Feldgehölze oder angrenzende größere, mastspendende Waldungen gegebener Dekkung ist ein Rehwildstand von 10 Stück auf 100 ha meist zu verantworten. Für den jährlichen Zuwachs – und damit das freigegebene Abschußprozent – ist selbstverständlich die Gliederung dieses Bestandes von entscheidender Bedeutung, in erster Linie also das Geschlechterverhältnis. Für dieses wird immer 1 : 1 als erstrebenswert angegeben, doch habe ich in den mehr als vier Jahrzehnten, die ich in Mitteleuropa als Jäger erlebt habe, noch nie ein Revier mit einem derartigen Geschlechterverhältnis kennengelernt, wenn auch nicht wenige Revierinhaber und -verwalter ein solches meldeten. Um das mit einigermaßen gutem Gewissen tun zu können, ließ man in den Staatsforsten fast durchweg die Bockkitze am Leben und erfüllte den notwendigen Kitzabschuß im Winter an weiblichen Kitzen – auf diese Weise hatte man dann zu Beginn des Jagdjahres in der Tat, vorübergehend, ein dem „Idealfall" angenähertes Geschlechterverhältnis.

In Wirklichkeit ist das Geschlechterverhältnis im allgemeinen 1 : 1,5 oder 1 : 2, und damit ist der Zuwachs natürlich beträchtlich höher als in dem vorgenannten Falle. Da das Rehwild als die neben dem Hasen wichtigste Wirtschaftswildart durch seinen Streckenertrag entscheidend an der Herabsetzung der heute so hohen Jagdunkosten beteiligt ist, läßt sich gegen eine derartige Gliederung dann nichts einwenden, wenn sich der Revierinhaber darüber im klaren ist, daß er jagdbare Böcke dann natürlich in geringerer Zahl zur Strecke bringen kann, als das bei 1 : 1 möglich wäre. Auch ist es für den Hegeabschuß, die sogenannte Hege mit der Büchse, kein Fehler, wenn man den Großteil der Bockkitze zum Jährling werden läßt und diesen Jährlingsjahrgang dann stärkstens „durchforstet", weil der Jährling qualitativ ungleich besser anzusprechen ist als das männliche Kitz. Zu welcher Gliederung aber nun auch immer der Revierinhaber sich entschließt, er muß den durch sie gegebenen Zuwachs im Auge haben, und hier rechnet man heute, wie oben gesagt, in Revieren ohne besondere Verlustquellen, wie sie Stadtnähe, Autobahnen, aber auch das Hochgebirge mit sich bringen, mit *einem* in den Herbst gelangenden Kitz je Altgeiß. Hiernach also hat sich der Abschuß zu richten, der, wenn der Rehbestand zahlenmäßig anwachsen soll, nur einzelne Stücke vom Zuwachs nimmt; ist die gewünschte Bestandesstärke erreicht, dann nutzt man diesen Zuwachs, abzüglich einer kleinen Verlustreserve für verunglückende oder der Wintersnot verfallende Stücke, bei einem zu hohen Bestande muß man einen Verminderungsabschuß durchführen, also über den Zuwachs hinausgehen. In allen Fällen bedarf der Abschußplan selbstverständlich der Zustimmung des Kreisjägermeisters bzw. der Jagdbehörde und ihrer Gremien. Je geringer die Bestandesdichte ist, desto stärker ist das Wild. Aus diesem Grunde sei vor einer Überhege gewarnt, die auch nicht im Interesse der Forstwirtschaft liegt, da, wie wir oben sahen, ein zu starker Rehstand erhebliche Verbiß-, auch Fegeschäden verursachen kann. Auf wirklich starke Trophäen kann man zudem in solchen Beständen kaum rechnen. Im Gegenteil, durch die Beobachtungen von Rock und Bettmann ist festgestellt, daß in überhegten Revieren der Anteil der Knopfspießer unter den Jährlingen sehr schnell steigt, ja, daß diese förmlich ein Anzeichen, ein Indikator dafür sind, daß der Wildstand höher ist, als unter den betreffenden Revierverhältnissen zuträglich.

Über die *Durchführung* der Wildstandsregulierung als solcher, also des Abschusses, ist im Kapitel Jagd alles Erforderliche gesagt. Wir wenden uns nunmehr den Hegemaßnahmen zu, die sich auf eine Verbesserung der Lebensbedingungen im Revier beziehen.

Da ist zunächst die Frage der *Deckung.* In den meisten Gegenden liegt hier kein Problem, zum wenigsten nicht im Sommer, wo unsere anspruchslose Wildart auch auf dem Felde genügend Deckung findet, eine Deckung, die ja selbst vom Schwarz-, Rot- und Damwilde bisweilen als ausreichend empfunden wird. Ich kannte aber ein Revier im Rhinluch, in dem der Deckungsfaktor von ausschlaggebender Bedeutung war, weil das Revier größtenteils aus Dauerweiden bestand. Der Jagdpächter hatte dort durch Anlage von Weidenhegern etwas geholfen, die ja sehr schnell heranwachsen und, sind sie groß genug, dem Rehwilde eine ausreichende Deckung auch während des Winters bieten. Noch mehr hatte ein pensionierter Forstmeister bewirkt, der um das Häuschen herum, das er sich erbaut hatte, zahlreiche Ödländereien aufgekauft und aufgeforstet hatte. Mit solchem Vorgehen schlägt man zwei Fliegen mit einer Klappe, man schafft die benötigte Deckung und legt

gleichzeitig eine Sparkasse für die kommende Generation an, die um so reichere Zinsen trägt, wenn der Standort den Anbau raschwüchsiger Wertholzarten, wie sie in den unzähligen Pappelrassen und ihren Kreuzungen zur Verfügung stehen, zuläßt. Als Windschutz empfiehlt sich immer die Fichte. Auch in ausgedehnten Althölzern können eingesprengte Fichtenhorste, selbst wenn sie nur $1/4$ ha oder noch weniger umfassen, für das Rehwild von großem Nutzen sein. Der vor Jahrzehnten so empfohlene Sachalinknöterich ist als Futterpflanze ganz wertlos, schafft aber rasch eine dichte, gern angenommene Dekkung, und in südlicheren Breiten gewährt ein mit Mais bestelltes Ackerstückchen, das unabgeerntet stehenbleibt, neben vielen anderen Wildarten auch dem Reh Deckung und zugleich eine außerordentlich wertvolle Nahrung.

Damit sind wir schon bei der Äsungsverbesserung angelangt und können das über Deckung Gesagte beschließen mit dem Hinweis auf die Behandlung des gleichen Themas beim Rebhuhn (Hegebüsche u. ä.). Die *Äsungsverbesserung* spielt bei Rehen, die Zutritt zu den Feldmarken der Dorfgemeinden haben, keine sehr große Rolle, weil sie dort nährstoffreiche, mit allen Arten von Kunstdüngern versorgte Kulturpflanzen in beliebiger Menge zur Verfügung haben. Auch bei den Rehbeständen der Marschen und Weiden, die, zumeist in dem milden ozeanischen Klimabereich gelegen, nur in Ausnahmefällen infolge hoher Schneedecken dem Rehwilde nicht zur Verfügung stehen, bedarf es einer aus Hegegründen bewirkten Verbesserung der Äsung um so weniger, als in diesen Gebieten die Wintereinstände zumeist in den Wallhecken und Knicks liegen, wo die aus Knospen und Trieben der Laubhölzer bestehende Notäsung ausreichend vorhanden ist. So kommt eine solche eigentlich nur in zwei Fällen in Betracht, einmal im Inneren großer Nadelholzwaldungen, die auf sauren Böden stocken, zum anderen in Gebirgslagen, wo hoher Schnee allwinterlich das Reh von jeder Bodenäsung Wochen hindurch fernhält und die nährstoffreiche Trieb- und Knospenäsung nicht in ausreichendem Maße gegeben ist. Im ersten Falle ist die Kalkung der Gestelle und Wegeränder, auch der Fichtenalthölzer, ein ausgezeichnetes Mittel, das man u. U. sehr billig haben kann, indem man beim Forststraßenbau Kalkschotter verwendet, der, wird die Straße befahren, fortdauernd kleinste Kalkstaubteilchen abgibt, die auf den Rändern sehr rasch ihre Wirkung tun, ja, nach im Forstamt Kaltenbronn angestellten Untersuchungen, viele Meter weit in die Bestände hineinwirken und so dem Forstmann wie dem Jäger gleichermaßen von Nutzen sind. Dazu empfiehlt sich natürlich die Kalkung etwa vorhandener Wiesenflächen oder die Begründung solcher als Wildwiesen, über deren zweckmäßigste Anlage die reiche Spezialliteratur unterrichtet. Dasselbe gilt für Wildäcker, die allermeist mehr um des Hoch- als um des Rehwildes willen angelegt werden.

Der geduldige Leser wird nun, vielleicht mit leichtem Befremden, zur Kenntnis nehmen müssen, daß der Herausgeber *kein* Freund von *Fütterungen* – für das Rehwild! – ist, von den oben skizzierten *Sonderfällen abgesehen.* Schon die Beobachtung, daß in vielen Fällen gerade diese Wildart Fütterungen offenbar nur ungern und mehr gelegentlich annimmt, sollte zu denken geben, mehr noch die Erfahrungen meines Jagdfreundes C. B. LEVERKUS, eines der erfahrensten Rehwildheger, die ich kenne. Er schreibt mir zu unserem Thema:

„Im Laufe der Jahre hatte ich mein Rehwild recht gut an Fütterungen gewöhnt, obwohl die einheimischen Jäger und Forstleute mich zunächst ob meiner Mühewaltung offen und heimlich verlachten; aber ich hatte Erfolg, und das schien mir ja schließlich die Hauptsache zu sein.

In dem furchtbar harten Winter 1941/42 fütterte ich also eifrig gequetschten Hafer, untermengt mit Malzkeimen, in den Raufen lag reichlich Kleeheu und Grummet. Die Rehe nahmen die Fütterungen eifrig an und standen, ja, lagen bei einigen den ganzen Tag herum. Dadurch fehlte ihnen aber die so notwendige Bewegung, und schließlich fand ich, teils unmittelbar an der Fütterung, teils in der Nähe, erst 1, dann 2, dann 5 und schließlich immer mehr verendete Rehe. Beim Aufbrechen stellte ich fest, daß in allen Fällen der Pansen dick mit kaum zerkautem Heu und anderem Futter gefüllt war. Schließlich hatten es bei Nacht wildernde Dorfköter herausbekommen, daß die Rehe bei dem hohen Schnee in der Umgebung der Fütterungen leicht zu greifen waren; und gerade das war m. E. für den Restbestand die Rettung! So verlor nämlich das Wild geradezu schlagartig seine Vertrautheit, die mich als Heger zuvor so erfreut hatte, und wurde gezwungen, wieder mehr umherzuziehen. Was noch kräftig war, womöglich aber doch noch dem viel zu reichlichen Trockenfutter erlegen wäre, das kam nun durch, wozu auch beigetragen haben mag, daß ich nunmehr Futterrüben, die ein- oder zweimal durchgeschlagen waren, mitverfütterte. Es spielt hierbei keine Rolle, daß die Rüben bei starkem Frost gefrieren. Das Wild taut sie mit dem Lecker auf und knabbert sich dann die aufgetauten Stücke ab.

Ich habe in dem schweren Winter damals 60 % meines mit viel Liebe aufgebauten und gehegten Wildbestandes verloren, obwohl ich mir zu seiner Erhaltung alle Mühe gegeben hatte. Aber ich hatte es eben falsch angefangen. Heute rate ich daher, dort, wo eine Fütterung überhaupt notwendig erscheint, dem Rehwilde an vielen Stellen im Revier und *nur in strengen Wintern* kleine Mengen darzureichen und neben dem Trockenfutter die Rüben nicht zu vergessen. Man achte darauf, daß das Futter beste Qualität ist: gewöhnliches Wiesenheu ist wenig geeignet, Klee und Luzerne werden gern genommen. Eine kleine Raufe mit einem darunter liegenden Trog wird das Wild, wenn sie mit Futter gefüllt ist, nach einiger Zeit annehmen; sie muß aber gut gegen Nässe geschützt sein. Bezeichnenderweise war in meinem waldreichen anderen Revier das Rehwild mit einem erheblich günstigeren Prozentsatz durch den Winter gekommen, obwohl ich dort kaum gefüttert hatte."

Besser als mit Fütterungen, und auf eine viel natürlichere Weise, hilft man dem Wilde die Wintersnot zu überstehen dadurch, daß man bei hohem Schnee mit dem Schneepflug die Bodenäsung, vor allem Heidekrautflächen, freilegt, und durch Fällung von *Proßholz*, wobei Aspen und andere Weichhölzer an erster Stelle zu nennen sind. Früher habe ich auch allweihnachtlich einen Sack Eicheln ins Revier gebracht, mußte aber die Erfahrung machen, daß ich damit vor allem den Eichelhähern eine Freude bereitete. Kastanien wiederum bedeuten, wie wir oben sahen, eine Gefahr, wenn man sie unzerkleinert reicht. Dagegen sei noch einmal an gekochte (oder gedämpfte) Kartoffeln erinnert. Auch daran, daß es natürlich, vor allem in Hochlagen und in sehr harten Wintern, Verhältnisse gibt, wo eine Fütterung zweckmäßig, ja unerläßlich erscheint. Tränken und Suhlen braucht das Rehwild, das nur in seltenen Fällen schöpft und nie suhlt, nicht; *Salzlecken*, am besten Stocksulzen, nimmt es gern an, doch müssen diese in größerer Zahl im Revier errichtet werden, weil sonst unerwünschte Konzentrationen entstehen. Keine Wildart infiziert sich so leicht mit Parasiten, insbesondere den oft verheerend wirkenden Magen- und Lungenwürmern, wie unser Rehwild.

So bleibt das A und O der Rehwildhege die Herstellung und Wahrung der örtlich gemäßen Bestandesdichte. Weiß der Heger hier das richtige Maß zu treffen, so dankt es ihm unser Wild in guten Jahren durch das Hervorbringen der besten Trophäen, die auf seinem Standorte möglich sind.

DER FELDHASE

„Im ersten Anblick scheint es allerdings ein ebenso überflüssiges als undankbares Unternehmen zu sein, Unterricht in einer Sache geben zu wollen, die die meisten Jagdinhaber, wenn sie auch nicht hirschgerechte Waidmänner sind, dennoch mehr als zu gut verstehen, und ich würde im vollsten Ernste mich einer Sünde schämen müssen, wenn ich in diesem Kapitel nichts weiter lehren wollte, als wie man sich der Hasen, dieser armen, ohnehin genug verfolgten Tiere, bemächtigen, oder, was dasselbe ist, wie man sie vermindern soll. Aber das ist wirklich meine Absicht nicht; ich gedenke vielmehr, da ich sie als die einträglichste, folglich auch wichtigste in meinem Vaterlande vorkommende Wildgattung betrachte, nicht sowohl die Lehre von der Kunst, sie zu erlegen, in der es ohnehin der Meister genug gibt, hier vorzutragen, als vielmehr die, wie man am zweckmäßigsten ihre Vermehrung befördern kann.

Unentbehrlich ist hierzu die Kenntnis der Naturgeschichte."

Soweit Altmeister Diezel. Und noch heute sehen wir in seinen Worten ein Programm: Aus vertiefter Kenntnis der Lebensbedingungen und des Verhaltens einer Wildart eine sinnvolle Art der Bejagung, aber auch der Hege abzuleiten. Da die *Naturgeschichte* hierfür Voraussetzung ist, muß sie füglich am Anfang der Betrachtungen stehen. Bei einer so engen Verwandtschaft, wie sie zwischen europäischen Feldhasen, Alpenschneehasen und Kaninchen besteht, erscheint es zweckmäßig, das allen drei Arten Gemeinsame vorweg abzuhandeln.

Die moderne Systematik faßt die Hasen heute als eine Ordnungg für sich auf und benennt sie Lagomorpha. Sie unterscheidet sich von der ihr in vielen Merkmalen sehr nahe stehenden Ordnung der Nagetiere vor allem durch das Vorhandensein der sog. Stiftzähne, winziger Gebilde, die hinter den eigentlichen Nagezähnen des Oberkiefers stehen, im Gegensatz aber zu jenen Vorgänger im Milchgebiß haben. Es handelt sich bei diesen Stiftzähnen um die mittleren Schneidezähne des Oberkiefers, während die immerwachsenden Nagezähne die ursprünglich seitlichen Schneidezähne sind, die jene von ihrem angestammten Platze nach hinten verdrängt haben. Schon die ältesten Fossilfunde aus dem frühen Tertiär weisen dieses kennzeichnende Merkmal auf, und gemeinsame Ahnenformen beider Ordnungen sind bisher nicht bekannt.

Das Wachstum der Nagezähne ist sehr bedeutend, und bricht einer ab, so verlängert sich sein Gegenspieler im gegenüberliegenden Kiefer in wenigen Wochen zu einer Spirale, die oft eine volle Kreisrundung umfaßt – sog. *Keilerhasen* bzw. *-kaninchen* (Abb. S. 59).

Die Backenzähne sind wurzellos, mit tiefer Schmelzeinsenkung und Zementfüllung zwischen den querlaufenden Schmelzbändern. Sie wachsen lebenslang, eine Altersbestimmung nach dem Abnutzungsgrad ist daher nicht möglich. Das Kauen findet nicht nur, wie bei den Nagetieren, durch ein Gleiten des Unterkiefers von hinten nach vorn und vorn nach hinten statt, sondern kann, da die Gelenkgrube für den Unterkiefer verhältnismäßig breit ist, auch durch seitliche Verschiebung der Kieferhälften erfolgen – *Mümmeln.* Dementsprechend ist der Abstand der oberen Zahnreihen voneinander größer als der der unteren. Die Unterkieferhälften sind fest miteinander verwachsen, der Unterkieferfortsatz ist einfach. Das äußere Knochenblatt des Oberkiefers erscheint vielfach durchbrochen, vom knöchernen Gaumen steht nur noch eine mehr oder weniger schmale Brücke, so daß Gestalt und Größenverhältnisse der „Gaumenlücke" eines der wichtigsten Unterscheidungsmerkmale zwischen Feld-, Schneehasen- und Kaninchenschädel darstellen (Abb. S. 60). Eine Großzehe fehlt den Hasenartigen; es sind also 5 „Finger", aber nur 4 „Zehen" vorhanden. Die Ordnung ist fast über die ganze Welt verbreitet und fehlt nur in Madagaskar und der australischen Tierregion – die hier lebenden Kaninchen sind künstlich eingebürgert. Sie umfaßt neben den meerschweinchenähnlichen, schwanzlosen und kurzohrigen Pfeifhasen (Ochotonidae), die in der Eiszeit auch in Deutschland lebten, nur noch die Hasen im engeren Sinne (Leporinae). Die Zahnformel ist bei diesen $^{2033}/_{1023}$. Innerhalb der Unterfamilie der echten Hasen (Leporinae) unterscheidet man von altersher nach Körpergröße und Lebensweise Hasen und Kaninchen, doch ist die Zugehörigkeit einiger tropischer Gattungen zu der einen oder anderen Gruppe noch nicht geklärt.

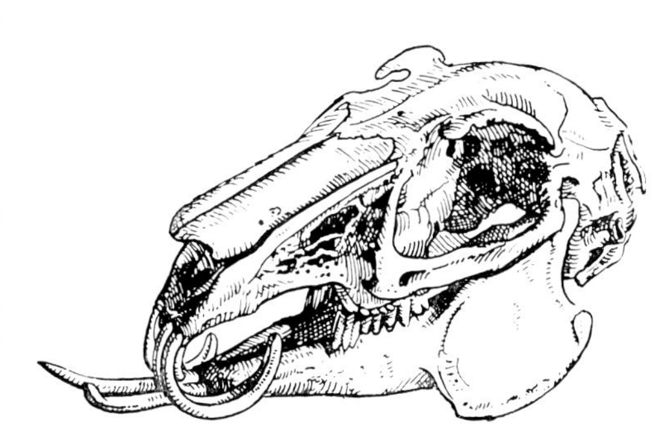

Keilerhase

Das Urbild des Hasen (Gattung Lepus) war für den Schweden Karl v. Linné der damals als einzige Art auf der skandinavischen Halbinsel vorkommende *Schneehase*, den er Lepus timidus benannte, ein Name, der später irrtümlich für den Feldhasen verwandt wurde, was viel Verwirrung schuf.

Der *Europäische Feldhase* (Lepus europaeus Pallas), gewöhnlich (und so auch im folgenden) Hase schlechthin genannt, ist eine der volkstümlichsten Tiergestalten Europas. Wir beschränken uns bei der Beschreibung auf das Notwendigste und gebrauchen hierbei zur Vermeidung von Mißverständnissen zunächst nur die in der Naturwissenschaft üblichen Bezeichnungen. Die der Waidmannssprache werden im Anschluß an die Behandlung der Naturgeschichte unserer Art aufgeführt und in den folgenden Teilen dann ausschließlich gebraucht.

Der Hase ist gekennzeichnet durch seine eigentümlich überbaute Gestalt, d. h. den für ein Säugetier seiner Größe keineswegs besonders kurzen Vorderbeinen stehen Hinterbeine von gewaltiger Länge gegenüber, woraus sich ganz eigentümliche Gangarten ergeben, die weiter unten beschrieben sind. Die Oberseite ist in ihrer vorzüglich tarnenden Färbung schwärzlich, rötlich- und gelbbraun gemischt, an den Seiten entfällt das Schwarz, so daß die Färbung hier stumpf graugelb bis rötlichbraun erscheint; Bauch- und Innenseite der Hinterläufe sind rein weiß, weiß ist auch je ein Fleck an der Kopfunterseite, an den Lefzen, über dem Auge und oberhalb der Ohrenmitte, während Kehle und Brust schön rotbraun gefärbt sind. Die Ohren tragen an der Spitze einen charakteristischen schwarzen Fleck, der auch auf die Innenseite übergreift und beim flüchtigen Hasen von hinten stets zu sehen ist. Weniger deutlich ist er beim breit Vorbeiflüchtenden. Ein kleines Büschel weißer Stirnhaare wurde früher als wichtiges Merkmal für die Altersbestimmung angesehen, ist es aber nicht, sondern kommt auch bei Althasen gelegentlich vor und fehlt bisweilen den „heurigen Hasen". Die Außenseite der Oberschenkel ist im Norden meist licht hellgrau, mitunter fast weiß, in südlicheren Gegenden aschgrau und hellbraun gemischt. Die Vorderläufe sind rötlichbraun mit nach innen verblassender Farbe, die Hinterläufe ebenso mit Ausnahme der schon beschriebenen weißen Innenzeichnung. Die Nägel sind braun bis grauschwarz. Der Schwanz trägt auf der Oberseite einen breiten schwarzen Streifen, im

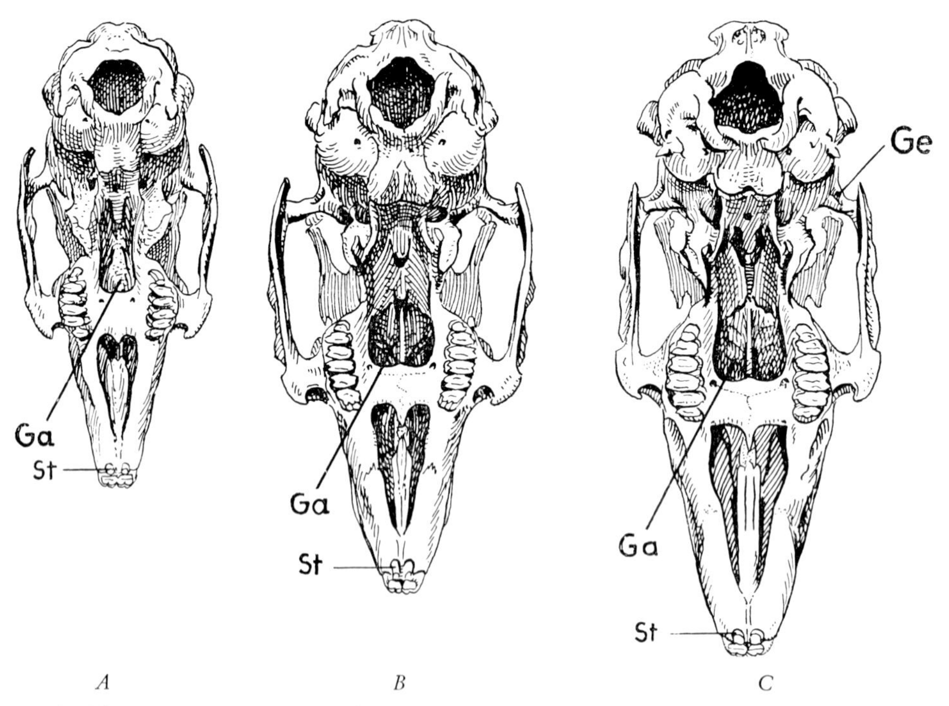

Schädelunterseite, A vom Kaninchen, B vom Schneehasen, C vom Feldhasen (nat. Größe). Ga = Gaumenlücke, Ge = Gelenkpfanne, St = Stiftzähne

übrigen ist er weiß. Die Mehrzahl der Schnurrhaare sind in ihrem körpernahen Abschnitt schwarz, nach den Enden zu weiß. Die Farbe der seitlich stehenden Augen, mit denen ein plastisches Sehen nicht möglich erscheint, ist gelblichbraun, oft beinahe bernsteingelb.

Das Sommerhaar ist etwas heller und leuchtender als das Winterhaar. Auch gibt es örtliche Unterschiede in der Tönung, so sollen Hasen auf roten Sandsteinböden rötlicher sein also solche auf hellen Lehm- oder Sandböden. An der Nordostgrenze seines Verbreitungsgebietes wird der Feldhase im Winter nahezu weiß.

Die Trittfläche aller Läufe ist mit sehr dichtem, meist schmutzig graubraun verfärbtem Haar besetzt, das eine gute Kälteisolierung bewirkt. Die Unterwolle ist rein weiß mit Ausnahme der Nackenregion, was den Jagdkriminalisten viel Ärger verursachte, weil an einer Drahtschlinge befindliche braune Wollhaarreste von Hase und Kanin nur sehr schwer zu unterscheiden sind.

Im Knochengerüst fällt gegenüber dem Wildkaninchen die im Verhältnis wesentlich schwächere Ausbildung der Elle auf: Die Vorderbeine haben ja nicht, wie bei diesem, große Grableistungen zu vollbringen. Die Hausfrau kennt das im Vergleich zum Wildkaninchen dunkle Wildbret, das in gebratenem Zustand nicht weißlich, sondern bräunlich erscheint. Die Muskulatur befähigt durch ihren Reichtum an Sarkoplasma zu Dauerleistungen, der Hase ist also, sportlich ausgedrückt, ein „Steher“, das Kaninchen ein „Flieger“.

Bei schlechter Beleuchtung, auch auf weite Entfernungen, ist der Hase leicht an den ruckartigen Bewegungen, dem fehlenden Schreiten und Traben unter den Gangarten, und der tiefen Lage des Körpers in der umgebenden Vegetation zu erkennen. Die Ohrlänge bietet dagegen, etwa in Gegenüberstellung zu einem Rehkitz, unter den genannten Umständen keinen sicheren Anhalt.

Farbmutationen sind wesentlich seltener als beim Kaninchen, doch kommen schwarze, weiße und scheckige vor; so wird im Forstamt Saupark, Kr. Springe, ein weißer Feldhase aufbewahrt. Auch angorahaarige Hasen wurden beschrieben, ebenso ein teckelbeiniger, bei dem man nicht sagen kann, ob es sich um eine erbliche oder nicht erbliche Mißbildung handelt.

Das Gewicht des voll ausgewachsenen Tieres beträgt in Mitteleuropa meist 4 bis 4,5 kg, sehr alte erreichten 5, ja 6 kg, eine für die von Ostpreußen an ostwärts vorkommende Rasse L. e. hybridus Desm. normale Stärke. Höhere Gewichte sind *sehr* selten, aber zuverlässig bezeugt, auch aus Süddeutschland, wo Hasen von mehr als 7 kg gewogen wurden.

Die geographische Verbreitung des Feldhasen anzugeben ist schwierig, da die Zugehörigkeit so mancher mehr oder weniger abweichenden geographischen Form zum Rassenkreis noch keineswegs geklärt ist. Zudem hat, z. T. vom Menschen gefördert, die Art in Rußland und Skandinavien seit 1825 ein Areal von rund 2,5 Millionen Quadratkilometer hinzugewonnen. Sie wurde auch in Nord- und Südamerika eingeführt und ist in Argentinien im Begriffe, dem dort einheimischen Hasen in gleicher Weise Siedlungsraum abzugewinnen, wie in Europa dem Schneehasen. Und schließlich sind in Mitteleuropa, insbesondere in Deutschland, Frankreich, Dänemark und der Schweiz, fast überall beträchtliche Importe polnischer, böhmischer, ungarischer und jugoslawischer Hasen erfolgt, die sich mit den einheimischen Populationen vermischten. Den Rassenkreis wird man für ganz Europa mit Ausnahme Irlands, wo er zumindest ursprünglich fehlte, sowie für das westliche Asien bis zum Schwarzen Meer, Kaukasus und Ural annehmen dürfen. Künstlich besiedelt sind das südliche Westsibirien, die Ostfriesischen Inseln, und zwar mit größtem Erfolge, ferner die Insel Hven im Öre-Sund und das kontinentale Schweden von Schonen bis etwa zum Mälar-See.

Seine größte *Siedlungsdichte* erreicht der Hase auf im landwirtschaftlichen Großbetrieb genutzten, sommerwarmen und fruchtbaren Kultursteppen mit geringen Niederschlägen und wenig Wald. Solche Gebiete finden sich besonders im mittleren Donauraum, vom Wiener Becken – Marchfeld – über Preßburg und Neutra nach Komorn im nordwestlichen Ungarn. In diesem Gebiet liegt das absolute biologische Optimum, d. h. hier sind die Umweltverhältnisse so günstig, wie nirgends sonst, und dementsprechend ist die Besatzdichte unglaublich hoch. So konnte der bekannte Jäger und Heger Louis Graf Karolyi auf seinem nicht zur Gänze bejagten Niederwildrevier Tot-Megyer nachhaltig Strecken von jährlich etwa 10 000 Hasen auf noch nicht 20 000 ha Jagdfläche erzielen, wobei ein sehr reicher Restbesatz noch blieb. Auch auf der Krim und im nördlichen Jugoslawien finden sich hervorragende Hasenreviere. In Deutschland sind es besonders die im Regenschatten des Harzes liegende Magdeburger Börde und der ebene Teil von Anhalt, ferner die Rheinebene und das Mainzer Becken, in denen der Hase hervorragend gedeiht. Auch Schlesien und das benachbarte Böhmen sowie Mähren verfügen über ausgezeichnete Hasenreviere. Die Voraussetzungen für solche erscheinen auch in weiten Teilen Frankreichs, so am Chemin des Dames und bei Reims, an der Loire und auch anderwärts gegeben, doch ist die Zahl der Jäger dort zu groß, und die gesetzliche Regelung des Jagdwesens ist der Hege nicht günstig.

Der Hase, ursprünglich zweifellos ein Steppentier, hat sich als im höchsten Maße anpassungsfähig erwiesen und bewohnt heute bei uns außer den durch Acker- und Wiesenbau genutzten Kulturlandschaften, wo er seine größte Siedlungsdichte erreicht, allüberall auch den Wald, und zwar selbst das Innere größerer Nadelwaldgebiete, aber ebenso gut Heide und Moor, Marsch und Düne und das Hochgebirge, wo er Höhen von gegen 2000 m vorübergehend erreicht. Er meidet auch nicht die Nähe der Menschen, rückt nachts weit in die Gärten der Städte, ja, er wählt nicht selten sein Tageslager dort. Im Winter kann man ihn in den Rohrbreiten der Flüsse und Seen, ja, sogar in der Gezeitenzone des Meeres, auf schneelosen oder schneebedeckten Eisflächen unter Schollen, im Sommer gar auf kleinen Inseln, die er täglich auf dem Wasserwege aufsuchen und verlassen muß, in seinem Lager erblicken. Ja, er hat dieses mitunter in luftiger Höhe, auf Felsblöcken, Weinbergsmauern und Windwürfen.

Regelmäßige *Wanderungen* werden, stets einzeln, im Gebirge wie in der Ebene vorgenommen. Hier sammeln sich, wenn die Felder leer sind, die Hasen gern in Feldgehölzen und feldnahen Waldteilen, die sie auch bei offenem und stürmischem Wetter im Winter gern aufsuchen. Dort werden die unteren Lagen im Winter aufgesucht, während ein Teil des Besatzes im Frühjahr dem schmelzenden Schnee nachrückt. Von diesen geringen, nur über wenige Kilometer sich erstreckenden, klima- und deckungsbedingten Ortsveränderungen abgesehen, sind Hasen aber höchst standortstreu: Rund 85 % der mit Wildmarken gezeichneten und später zurückgemeldeten Junghasen wurden in einer Entfernung von 0 bis 3 km vom Zeichnungsort gefunden, und nur einer legte eine Strecke von 40 km zurück. Verpflanzte Tiere wandern oft weiter.

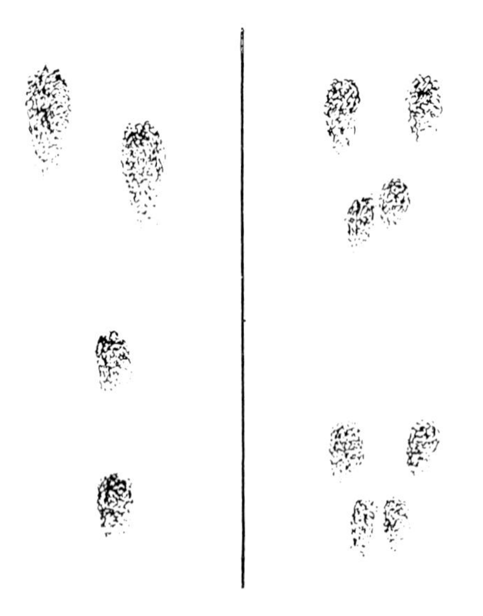

Hasenspur (links) und Kaninchenspur (rechts), im gleichen Maßstab

Die *Gangarten* sind ein ruhiges Hoppeln, bei dem die ganze Sohle der Hinterfüße aufgesetzt wird, und ein eiliges Springen. Bekanntermaßen übergreifen bei beiden Gangarten die Hinterläufe die vordern mehr oder minder weit (siehe Abb.). Der Feldhase vermag sich auch unter voller Streckung der Hinterläufe aufzurichten und so zweibeinig einige Schritte zu tun, wie das der Polarhase häufig macht. Das wußte schon der alte v. THÜNGEN, der 1878 eine Hasenmonographie herausgab, in der es heißt: Wird der Hase von „nicht zu raschen Hunden verfolgt und ist er ein gutes Stück voraus, so stellt er sich nicht nur auf die völlig ausgestreckten Hinterläufe, sondern geht so wohl auch ein paar Schritte fort und sieht sich dabei nach allen Seiten um".

Eine eigentümliche Fortbewegungsart ist das „Rutschen", das so geübt wird, daß das Tier mit den Hinterbeinen unbeweglich bleibt, während es mit den vorderen nach und nach vorrückt, bis es so lang ausgestreckt ist, daß es nicht weiter geht. Dann erst rückt es, mit beiden Hinterbeinen zugleich, nach, um wieder aufs Neue zu beginnen.

Neben dem häufig zu beobachtenden „Männchenmachen" erhebt sich der Feldhase mitunter auch auf allen *vier* Beinen, z. B. wenn er sehr mißtrauisch ist, wobei er mit seiner hinten so stark überbauten Gestalt ein recht seltsames, steif und unproportioniert wirkendes Bild abgibt.

Das ruhige aufrechte Sitzen auf den Keulen, nach Hundeart, darf als Normalstellung außerhalb des Lagers gelten.

Unter den *Sinnen* des Hasen ist der Gesichtssinn keineswegs hervorragend, schlechter wohl noch das optische *Erkennen.* Der Hase vermag die Sinneseindrücke, die ihm sein Gesichtsorgan vermittelt, schlecht zu verwerten, damit hängt zusammen, daß er den stillstehenden Menschen als solchen meist nicht bemerkt. Gegen Feinde schützt ihn ja in erster Linie sein Gehörorgan, das ihm den Gegner oft schon auf sehr weite Entfernung verrät, wie man bei der Hasensuche nicht selten bedauernd feststellt. Das Wittrungsvermögen ist nicht ganz schlecht, denn es wurde beobachtet, daß bei leichtem, günstigem Wind Hasen den Menschen auf eine Entfernung von 15 m zu wittern vermögen. Die Menschenspur bleibt aber meist unbeachtet.

In seiner *Nahrung* ist er wenig wählerisch, sofern sie nur pflanzlicher Herkunft ist, und er äst Salzkräuter in der küstennahen Vegetationszone ebenso wie Almgräser, Gartenfrüchte oder die Rinde von Weichhölzern. Eine besondere Vorliebe scheint er für bitterstoffreiche Pflanzen zu haben. Bekannt ist seine Bevorzugung von Löwenzahn, Schafgarbe und Gartennelke. In Gefangenschaft aufgezogene Hasen nehmen auch tierisches Eiweiß. Die Nahrungsaufnahme unserer überwiegend als Nachttier lebenden Art spielt sich meist in dem zwischen 18 Uhr und 7 Uhr gelegenen Tagesabschnitt ab, mit einer gewissen Anpassung an den Sonnenauf- und -untergang. Bevorstehender Regen läßt aber die Hasen auch 1–1½ Stunden früher rege sein, so daß man sie *dann* schon um 16.30 oder 17 Uhr im Oktober zu Felde hoppeln sieht. Zwar kann der Hase im Mittsommer sich nicht auf die kurzen Nachtstunden beschränken, hat das auch um diese Zeit meist nicht nötig, da er viel Deckung hat. Um den Novemberanfang herum hält er sich jedoch recht genau an die Dämmerungszeiten und sucht sein Lager gern im ersten Morgengrauen auf, um es erst in tiefer Dämmerung zu verlassen. Die Jäger halten das oft für besondere Klugheit, weil gerade um diese Zeit der Jagdaufgang liegt, doch sind die geistigen Fähigkeiten recht gering.

Stimmlaute sind wenig entwickelt. Den Jungen wird ein quiekender Laut zugeschrieben neben den knurrenden Tönen, die auch die Alten, vornehmlich bei sexueller Erregung, hören lassen. Häufiger hört man den gellenden Klagelaut „oh weih, oh weih, oh weih – äh, oh weh!“, der lange als einzige Lautäußerung galt.

Hasen *vergesellschaften* sich auch bei größerer Siedlungsdichte nicht, es lebt jeder für sich, und weder ein gelegentlich behauptetes paarweises Zusammenhalten, noch ein solches der Satzgeschwister nach Ablauf des ersten Lebensvierteljahres findet statt. Ja, es existiert nicht einmal eine echte Mutterfamilie, da die Häsin nach dem Setzen ihre Jungen verläßt, im *Regelfalle* auch zur Verteidigung nicht herbeikommt, und sie nur zwei- bis dreimal nachts für einige Minuten zum Säugen aufsucht.

In freier Wildbahn wurde das *Säugen* nur selten beobachtet. Mein langjähriger Kollege im Mündener Jagdkundeinstitut, Forstmeister DAUSTER, schreibt mir dazu: „In mehr als 30 Jägerjahren hatte ich nur zweimal Gelegenheit, einen säugenden Satzhasen zu beobachten. Das erste Mal war es am 16. Mai 1952 um Mitternacht. Einige Kilometer vor einem Dorf sah ich im Scheinwerfer meines Wagens einen Hasen in den trockenen Gleisen des Sommerweges liegen. Er zeigte so auffallend die weiße Unterseite, daß ich einen ‚Verkehrsunfall‘ vermutete, deshalb abbremste und die Scheinwerfer des Autos auf ihn richtete. Der Hase lag bis zu den Blättern normal, hatte den Kopf erhoben und spielte mit den Löffeln. Die Hinterhand war sehr stark auf die Seite gedreht und davor, also zwischen den Keulen, befanden sich zwei schon recht starke Junghasen, die sicher schon mehr als je ein Pfund wogen. Kurz nachdem ich angehalten hatte, schüttelte der Satzhase die Jungen mit einer Bewegung von sich ab, wie man sie bei einer von ihren Welpen allzu sehr bedrängten

Teckelhündin zu sehen gewöhnt ist. Dieses Abschütteln machte ihm offensichtlich Mühe und seine Bewegungen waren ziemlich energisch. Er wurde dann, wohl von den blendenden Scheinwerfern gestört, feldwärts flüchtig. Die beiden Junghasen, die noch einen Augenblick überrascht in das helle Licht geblinzelt hatten, folgten ihm.

Das zweite Mal war es auch wieder auf dem Rückwege aus dem Wald während der Blattzeit 1953, kaum 500 m von der ersten Beobachtungsstelle entfernt. Dieses Mal ‚saß' der Satzhase aufrecht. Zwischen den Vorderläufen saß der wesentlich geringere, einzelne Junghase, den er säugte. Auch dieses Mal dauerte die Beobachtung nur kurze Zeit, bis der Kraftwagen und seine Scheinwerfer zur Kenntnis genommen und das Idyll beendet wurde. Überraschenderweise folgte der Junghase nicht seiner Mutter, sondern flüchtete in entgegengesetzter Richtung über die Straße weg, um sich an der Straßenböschung sofort in die nächste Deckung zu drücken. Da an beiden Abenden starker Tau gefallen war, sprechen die Beobachtungen beider Fälle dafür, daß der Satzhase zum Säugen bewußt einen sehr trockenen Platz aufgesucht hatte, der außerdem durch die zahlreichen Gleise des Sommerweges wenigstens etwas Deckung bot."

Der Hase ist also *asozial im Extrem,* er wird hierin von keinem anderen deutschen Säugetier erreicht. Doch ist er nicht „kontrasozial", wie manche Raubtiere im ausgewachsenen Zustande; er duldet vielmehr seinesgleichen, und Standortkämpfe kommen kaum vor. Nur muß man sich hüten, das zufällige Beieinander mehrerer, das auf der Gunst des Ortes beruht, für eine echte Gemeinschaft anzusehen. Auch in der *Rammelzeit,* die von Januar bis Mitte Juli währt, bildet sich eine solche nicht. Zwar sieht man allenthalben die Rammler, oft in der Mehrzahl, der Häsin folgen, wobei es Kämpfe gibt, und die Wittrung des weiblichen Tieres veranlaßt die Rammler zu immer erneutem Nachfolgen, so daß beim Übergang zur Ruhe engere Nachbarschaft nicht ausbleibt. Der bestehende Paarungstrieb führt jedoch allenfalls für ein paar Tage zu einer gewissen Annäherung, ohne daß daraus eine echte gesellschaftliche Aufgabe, wie gemeinsame Sicherung oder gegenseitige Warnung erwächst. So fehlt auch das Klopfen mit dem Hinterlauf, das bei den gesellig lebenden Kaninchen als Warnlaut verstanden wird.

Ob das gelegentlich beobachtete Paarungsvorspiel regelmäßig geübt wird, zu dem das beim Kaninchen näher geschilderte Bespritzen mit Harn, unter Hochwerfen des Hinterkörpers, mit nach hinten gerichtetem Strahl, gehört, ist zweifelhaft. Der Begattungsakt erfolgt so, daß die Häsin stillhaltend den Rücken konkav durchbiegt, der aufsteigende Rammler sie am Genick oder Hinterkopf zu fassen sucht und unter raschen Stoßbewegungen immittiert. Wie beim Kaninchen wird die Eireife erst durch die Begattung ausgelöst.

Die *Tragzeit* währt nach den erst kürzlich von HEDIGER getroffenen Feststellungen mit 6 Wochen länger, als man zuvor geglaubt. Der jahrtausende alte Irrtum erklärt sich aus dem häufigen Vorkommen einer „Superfoetation", die schon HERODOT bekannt, später aber wieder in Vergessenheit geraten war: Die tragende Häsin kann vor Beendigung der Tragzeit erneut reife Eier bilden und trägt dann also kurze Zeit zwei Würfe gleichzeitig (in jedem Tragsackhorn einen), so daß diese sich in kürzerem Abstande folgen können.

Die *Satzstärke* beträgt (1–) 2–4 (–6); Fünflinge sind sehr selten. Sechslinge einige wenige Male beobachtet. Die Wurfstärke nimmt mit dem Vorrücken des Jahres ab; Spätsätze haben meist nur 1–2 Junge. Die Satzzahl beläuft sich sicherlich auf nur drei Sätze. Auch HEDIGER erzielte in einem Jahrzehnt seiner Gehegezucht, unter günstigsten Bedingungen, niemals mehr als die genannte Satzzahl. Der verbreitete Glauben an 4 Sätze beruht darauf, daß sich das Setzen, das am Jahresbeginn – beim 1. Satz also – ziemlich einheitlich innerhalb des ganzen Besatzes erfolgt, im Laufe des Jahres nach dem individuellen Schicksal der Häsinnen und ihrer Jungen sehr weit auseinanderzieht. Abweichungen von der normalen Wurfzeit kommen, wie wohl bei allen Landsäugetieren, vor. So erlegte ich an einem 1. November gelegentlich der Hasenkur bei Hann. Münden eine starke Häsin von über 9 Pfund, deren volle, reichlich milchführende Zitzen verrieten, daß sie vor noch nicht 3 Wochen gesetzt haben mußte; und ganz kleine Junghäschen habe ich noch im Oktober gefunden. Ähnliche betrübliche Feststellungen werden öfter gemacht.

Die *Jungtiere* wiegen bei ihrer Geburt rund 130 g, also 3 % des Körpergewichtes der Mutter. Sie sind, als „Nestflüchter", sehr viel weiter entwickelt als neugeborene Kaninchen (2 %), doch ist bei dieser Art die Wurfstärke, wie wir sehen werden, etwa doppelt so hoch: Als Baubewohner kann sie sich eine Herabsetzung ihrer Fluchtfähigkeit durch eine schwere

Tracht offenbar eher leisten, als der zufluchtslose Hase. – Sie kommen vollbehaart, sehend und mit Zähnen zur Welt und werden, ein- bis dreimal binnen 24 Stunden, mit einer, nach russischen Untersuchungen, enorm konzentrierten Milch gesäugt, so daß sie rasch heranwachsen: Nach einer Woche wiegen sie 1/4 kg, nach zwei Monaten 2 kg, nach drei bis vier Monaten 3 kg, im Alter von sechs Monaten können sie mit etwa 3,5 kg als ausgewachsen gelten, doch erhöht sich bei uns normalerweise das Gewicht bis zur meist im Januar einsetzenden Rammelzeit durch Fettbildung fortlaufend bis auf etwa 4 kg.

Frisch gesetzte Junghäschen sind als solche an den Falten und Kniffen der noch kurzen Ohren zu erkennen, die sich erst allmählich versteifen. Sie sind grauer als erwachsene, verhältnismäßig langhaarig und bewegen sich kriechend, nicht hoppelnd. Sie werden sehr oft

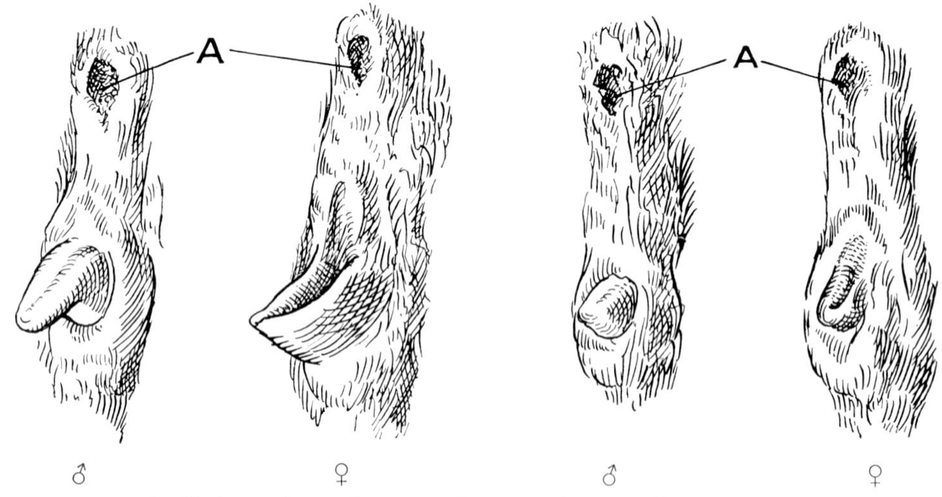

Geschlechtswerkzeuge links erwachsener, rechts jugendlicher Feldhasen
A = After, ♂ = Rammler, ♀ = Häsin (nat. Größe)

ohne Vorbereitung eines Nestes, an trockener und geschützter Stelle, gern unter Reisig, gesetzt, bleiben nur wenige Tage beieinander und setzen sich schwächeren Feinden gegenüber mit knurrenden Tönen und seltsamen, krötenartigen Sprüngen zur Wehr, wobei es zu Beißversuchen kommt. „Nestflüchter“ im *strengsten* Sinne des Wortes, wie etwa die meisten Wiederkäuer, sind sie nicht, da sie eine ganze Anzahl von Tagen an Ort und Stelle bleiben, selbst bei wiederholter Störung. Aber die Feldhasen und ihre nächsten Verwandten haben als ursprüngliche Steppentiere offenbar die Entwicklung zum vollen Nestflüchtertum genommen und im Laufe von Jahrmillionen schon ein gutes Stück Weges in dieser Richtung zurückgelegt.

Fortpflanzungsfähigkeit als solche mag bei frühgesetzten und kräftig entwickelten Häsinnen bisweilen noch im Geburtsjahr gegeben sein, doch hört wohl, wie beim Kanin, die Samenbildung der Rammler im Hochsommer *normalerweise* auf, so daß es zu einer Befruchtung nicht mehr kommt; jedenfalls hat Hediger in keiner seiner durch Jahre beobachteten Zuchten eine solche festgestellt. In dem ihrer Geburt folgenden Kalenderjahr dürften spätgesetzte Junghäsinnen meist nur zwei, wenig kopfstarke, Sätze bringen.

Das Saugen erfolgt nach den ersten Tagen oft in sitzender Haltung, der gleichfalls auf den Keulen sitzenden Häsin zugewandt. Vielleicht steht mit dieser Erscheinung eine offenbar vorzugsweise Benutzung der oberen, bruständigen Zitzenpaare im Zusammenhang. Die Säugezeit dauert nur etwa 3 Wochen. Eine recht lose Gemeinschaft der Wurfgeschwister untereinander, aber nicht mehr eine solche mit der Althäsin, besteht noch ein bis zwei Monate weiter. Man kann dann gelegentlich abendliche Nachlauf- oder Hetzspiele der Geschwister beobachten, die schon getrennt übertagen.

Das *Geschlechterverhältnis* ist, nach mehrfach vorgenommenen Serienuntersuchungen an einem großen Material, 1 : 1. Zur Überprüfung ist eine Kenntnis der Geschlechtsunterschiede nötig, die an dieser Stelle geschildert seien: Auf Grund äußerer Merkmale in Färbung und Körperbau kann man die Geschlechter ebensowenig unterscheiden, wie am Verhalten, jedenfalls nicht in freier Wildbahn. Insbesondere ist die Meinung vom besseren Halten der Häsin als Irrtum erwiesen, ebenso das häufig angeführte „Schnalzen mit der Blume", das der Rammler bevorzugt ausführen soll. DIEZEL schreibt der Häsin einen größeren Kopf zu, andere Jagdschriftsteller dem Rammler, und das ist doch wohl bezeichnend dafür, daß in Wirklichkeit kein Unterschied besteht.

So bleibt nur eine Feststellung des Geschlechtes nach den Geschlechtsorganen selbst, die aber gar nicht so einfach ist, weil einmal die Hoden des Rammlers außerhalb der Rammelzeit in der Bauchhöhle liegen, zum anderen die Häsin über ein dem männlichen Zeugungsglied sehr ähnliches Gebilde, den „Kitzler", verfügt. Doch hat dieser immer eine deutliche Längsspalte, der Penis eine nadelöhrförmige, kurze Öffnung, bei kegelförmiger Gestalt (Abb. S. 66). Die Untersuchung, bei der man durch seitlichen Druck auf den die Geschlechtsteile schützenden, dickbewollten Haarwulst diese herausdrückt, liefert jedoch bei jüngeren Tieren unter 3 kg nicht immer deutliche Bilder. Sicherstes Merkmal sind dann die nach dem Auswerfen sichtbar werdenden oder fehlenden beiden Eierstöcke, die an der Innenseite des Rückens afterwärts der Nieren sitzen.

Nach einer Freilandbeobachtung CH. L. BREHMS kann der Hase mindestens 8 Jahre alt werden, das bislang älteste Wildmarkenstück erreichte 7¹/₂, ein von ERNA MOHR in Gefangenschaft gehaltener 9 Jahre. Doch sind die Abgänge so hoch, daß nur 7 % der zurückgemeldeten Wildmarkenhasen zwei, 6 % drei und 3 % vier und mehr Jahre alt oder, anders ausgedrückt, 84 % der gemeldeten noch nicht 2 Jahre alt wurden! Ein ähnlicher Altersaufbau dürfte sich übrigens bei sehr vielen Wildtieren feststellen lassen und ist für das Reh bereits nachgewiesen. Die mögliche *Lebensdauer* wird also in natürlicher Umwelt kaum je erreicht.

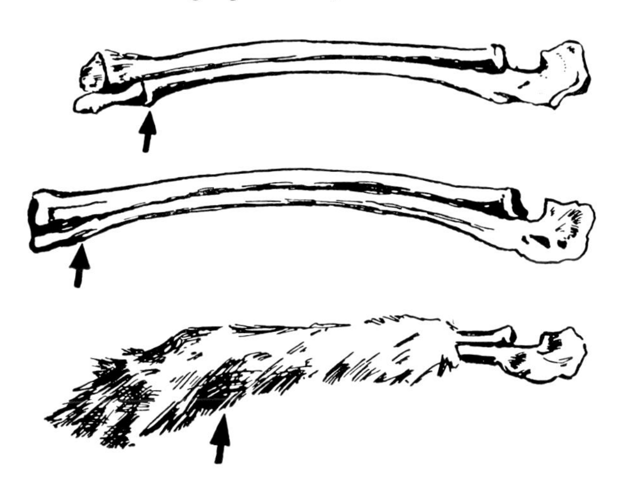

Jugendzeichen nach Stroh am Vorderlauf der Feldhasen. Junghase (oben), Althase (Mitte). Stelle des Knötchens am Vorderlauf (unten)

Die Unterscheidung *vollentwickelter* Junghasen von Althasen ist in der Jagdzeit schwierig, weil sich deren Gewichte überschneiden. Wegen des Unterschiedes im Genußwert sind in Jägerkreisen eine Reihe von Erkennungszeichen für Junghasen bekannt, die mehr oder weniger zuverlässig sind. Erwähnt seien die leichte Einreißbarkeit der Löffel, das Brechen der Unterarmbeine durch das eigene Gewicht, wenn der Hase an den waagerecht stehenden Vorderläufen gehoben wird, die leicht einzudrückenden Nasenbeine und Fortsätze des Tränenbeins (Augendorn), das Sprengen der Verbindung beider Unterkieferäste durch beiderseitigen Druck auf die Kieferwinkel. – Am zuverlässigsten ist das *Strohsche Zeichen*, ein Knötchen an der Außenseite des Vorderlaufs, etwa 1 cm oberhalb des Fußwurzelgelenks, das beim Abtasten durch den Balg zu fühlen ist (Abb. 67). Wenn dieses Jugendknötchen vorhanden ist, handelt es sich zweifellos um einen heurigen Hasen. Im Alter von etwa einem halben Jahr jedoch verschwindet dieses Jugendmerkmal, so daß mit fortschreitender Jagdzeit ein immer größer werdender Anteil des Zuwachses hieran nicht mehr zu erkennen ist.

Um bis zum Ende der Jagdzeit sämtliche jungen von den alten Hasen unterscheiden zu können, benutzt Rieck nach dem Vorbild amerikanischer Wildbiologen (Transakt. V. Congr. Internat. Union of Game Biologists, p. 21–29) das Gewicht der getrockneten Augenlinse. Diese Methode ist allerdings nur für wissenschaftliche Untersuchungen zu verwenden, um die Jungenzahl auf Tagesstrecken zu ermitteln und damit Einblicke in die Zuwachsverhältnisse eines Hasenbesatzes zu gewinnen.

Die *Siedlungsdichte* erreicht in besten Hasenrevieren 1 Stück je Hektar, im Durchschnitt 1–5 Stück je 10 ha *Feld* im Herbst. Eine Verdoppelung des Frühjahrsbesatzes bis zum Beginn der Jagdzeit war in den letzten Jahren, nach Rieck, etwa die Norm, eine Verdreifachung ist schon *sehr* befriedigend, eine noch höhere Vermehrung bedeutet ein ganz besonders gutes Hasenjahr; eine Vervierfachung konnte im Gebiet der Bundesrepublik seit Beginn der Untersuchungen (1953) nicht festgestellt werden. Es kann auch vorkommen, daß der Herbstbesatz unter dem des Frühjahrs liegt. Nach solchen Katastrophen erholen sich aber die Besätze schnell, weil unter den Überlebenden der Anteil zwei- und mehrjähriger Häsinnen mit ihrer günstigen Fortpflanzungsrate, also hohen Fruchtbarkeit, sehr viel höher ist, als in normalen Jahren, und infolge der Besatzverringerung die Auswahl der besten und am meisten geschützten Standorte im Revier für die Aufzucht möglich ist.

Als *Feinde*, zumindest des Junghasen, sind aus unserer Fauna nachgewiesen:

Wildschwein	Dachs	Großmöwen	Roter Milan
Wildkatze	Maulwurf	Uhu	Schwarzer Milan
Luchs	Wanderratte	Waldohreule	Kornweihe
Wolf	Kolkrabe	Habichtkauz	Wiesenweihe
Fuchs	Saatkrähe	Waldkauz	Rohrweihe
Baummarder	Nebel- und	Mäusebussard	Habicht
Steinmarder	Rabenkrähe	Rauhfußbussard	Sperber
Iltis	Elster	Stein- und Schreiadler	Weißer Storch
Hermelin	Fischreiher	Seeadler	Schwarzstorch

Dazu kommen als gefährlichste Feinde Mensch, Haushund und Hauskatze.

Meist rettet sich der erwachsene Hase durch seine hohe *Fluchtgeschwindigkeit*, die auf Autostraßen mit 60 km und mehr festgestellt wurde. Wird er dennoch eingeholt, so vermag er durch Hakenschlagen, wozu ihn die geringe seitliche Versteifung der Wirbelsäule besonders befähigt, den Verfolger oft abzuschütteln. Durch Aufsuchen einer Deckung, z. B. einer Hecke, streift er mitunter einen Raubvogel ab, dessen Fänge schon zugefaßt hatten. *Absprünge* und *Widergänge* sind „instinktive Listen“, die den seine Spur verfolgenden Nasentieren (Makrosmatikern) das Auffinden erschweren: Der Absprung ist ein von der Fluchtrichtung stark abweichender, aus mäßig geschwinder Gangart erfolgender Riesensatz, der die Fluchtspur gleichsam ins Leere endigen läßt; sie kann erst durch zeitraubendes Kreisen des Verfolgers wiedergefunden werden. Der Widergang führt den Hasen auf der eigenen Fluchtspur zurück und wittert so die Spur verdoppelt ein – die dann abzweigende

Einfachspur (vielleicht gar mit einem Absprung beginnend) wird, zumal sie von der bisherigen Richtung stark abweicht, vom eiligen Verfolger meist überschossen. Noch zu gedenken ist der vorzüglichen Schutzfarbe, die den in seine Sasse – eine flache Grube von nur 8 bis 15 cm Tiefe und 40 cm Länge – Geduckten fast unsichtbar macht. Im Winter läßt er sich oft einschneien. – Ein Sichzurwehrsetzen gegen Hund, Katze und Fuchs gelangt nicht ganz selten zur Beobachtung, er greift diese seine Feinde in manchen Fällen sogar an, ohne von ihnen behelligt zu sein. Immer sind es die starken, kräftig bekrallten Hinterläufe, die dann in Aktion treten, während bei Kämpfen mit seinesgleichen vor allem Schlagbewegungen mit den Vorderläufen erfolgen, „daß die Wolle fliegt"; auch Beißereien kommen vor.

Der Hase heißt auch in der Waidmannssprache *Hase*, mehr scherzhaft *Krummer*, *Löffelmann*, *Mümmelmann*; auch der altdeutsche Tiersagename *Meister Lampe* ist viel in Gebrauch. Die Bergjäger sprechen ihn im Unterschied zum Schneehasen als *Wildhasen* an. Hasen und Kaninchen werden auch als *Löffelwild* bezeichnet. Das männliche Tier nennt man *Rammler*, das weibliche *Satzhase* oder *Häsin*. Die Jungen eines Wurfes heißen *Satz*, einzeln *Junghase*, *Quart(als)hase*, später *halb(ge)wachsen* oder *halbwüchsig*, dreiviertelerwachsen nennt man sie *Dreiläufer*. Die Hasen eines Reviers bilden zusammen den *Besatz*, ein Ausdruck, der für alle Niederwildarten gilt im Gegensatz zum *„Bestand"*, der für Hochwild gültigen Bezeichnung.

Die Haut wird *Balg*, die Haare – nicht nur die Unterwolle – stets *Wolle* genannt, auch auf dem *Anschuß* (im Sinne von *Schnitthaar*). Der Hase hat ein *Geäse*, nicht aber einen Windfang, sondern eine Nase, die Augen bezeichnet man als *Seher*, mit denen er *äugt*, die Ohren als *Löffel*, mit denen er *vernimmt*. Wie bei allen Niederwildarten fehlt eine besondere Bezeichnung für die Zunge. Die Beine heißen *Läufe*, die *Hinterläufe* auch *Sprünge*.

Die Schultergegend heißt *Blatt*, der Rücken unverändert *Rücken*, der Schwanz *Blume*, die Zitzen *Gesäuge*, der After *Waidloch*. Der Magen bleibt *Magen*, die Därme nennt man *Gescheide*, den Mastdarm *Waiddarm*, die Hoden *Kurzwildbret*, den Uterus *Tragsack* oder *Tracht*, bei innehabenden *Häsinnen* nur *Tracht*, ein Ausdruck, der auch für die Ungeborenen gilt. Das Fleisch ist das *Wildbret*, das Fett hat keinen besonderen Namen, das Blut soll man bei allem Niederwild als *Farbe* bezeichnen, heute aber hört man oft auch *Schweiß*.

Alles Haarniederwild hinterläßt eine aus *Tritten* gebildete *Spur*. Führt diese durch Getreide oder hohes Wiesengras, in dem sich der Hase durch *Abschneiden* (nicht: Abbeißen oder Abrupfen) der Halme Steige schafft, so spricht man wohl vom *Hexensteig* oder *Bilwisschnitt*, sonst einfach vom *Paß*. Tagsüber liegt oder sitzt der Hase in der *Sasse (Pott)*, aus der er, wenn er *aufgestoßen*, *hochgemacht*, *herausgestoßen*, *aufgetan* wird, *herausrutscht* oder *-fährt* oder auch, wenn nicht oder kaum beunruhigt, *aufsteht*. Ist der Boden nicht grabfähig oder das Ausscharren einer Mulde unnötig, weil Windschutz vorhanden ist, dann duckt sich der Hase ganz flach auf den Boden hin, und man sagt, er *sitzt im Lager*. Das ist stets bei gefrorenem Boden und oft im Walde der Fall. Geschieht das *Herausfahren* erst in unmittelbarer Nähe des Jägers, nach vorhergehendem sich *drücken*, so *hält er gut*, *sitzt* oder *liegt fest*, andernfalls *hält er schlecht*, *sitzt* oder *liegt locker*. *In* manchen Gegenden sagt man dann: der Hase *rennt (läuft)*. Beim *Aufstehen schnalzt* er öfters mit der *Blume* (beide Geschlechter!). Die Hasen des Waldes *rücken* abends ins Feld *(Hasenkur, Hasenauslauf)*, morgens ins *Holz*, *zu Holze (Haseneinlauf)*. Vor dem Verlassen des Waldes *sichern* sie oft. Je nach dem Aufenthaltsort spricht man von *Wald-* oder *Feldhasen*, auch *Moorhasen*, *Stoppelhasen* usw.

Hasen *hoppeln (bockeln)*, wenn sie es nicht eilig haben, machen dann auch hin und wieder einen *Kegel*, wenn sie frei auf den *Hinterläufen* sitzen, stehen oder gar ein Stück-

chen sich fortbewegen, um besser *äugen, vernehmen* und *winden* zu können. Die langsame Fortbewegung beim *Äsen,* wenn der Hase die *Vorderläufe* nach und nach weit vorwärts stellt, heißt *Rutschen.*

Flüchtig *springen* sie – im Gegensatz zu den Schalenwildarten, die *überfliehen* – über ein Hindernis, *schlagen Haken,* führen auch den Verfolger durch *Absprünge* und *Widergänge* irre, notfalls, bisweilen auch freiwillig, *durchrinnen* sie Gewässer. Die Paarungszeit heißt *Rammelzeit (rammeln),* die Zeit, in der die Jungen zur Welt gebracht werden, *Setz-* oder *Satzzeit,* die Häsin *hat* dann *inne* und *setzt* einen *Satz* Junge.

Der Abschuß der Hasen erfolgt auf dem *Ansitz* oder *Anstand* am *Paß,* gelegentlich auf der *Pürsch,* meist aber mittels *Suche* oder *Treibjagd.* Kommen auf einer Jagd viele Hasen in den Schußbereich des Schützen, so sagt man, dieser hat guten *Anlauf,* das Wort gilt für alle Haarwildarten. Die Treibjagd kann als *Böhmische Streife, Vorsteh-* oder *Kesseltreiben* stattfinden. Die eingekreisten Hasen *sitzen im Kessel,* wenn dieser geschlossen ist. Auf den Schuß *schlägt* der gut getroffene Hase *Rad, rouliert, rollt* und *zeigt Weiß,* d. h. die weiße Unterseite, oder aber er *rutscht* nur *zusammen,* schlecht getroffen *ruckt* er und *wird* meist *kürzer* (langsamer), dann leicht vom Hund *gegriffen* (nach vorausgehender *Hetze*) und *gebracht. Anlaufende* Hasen werden durch den Zuruf *„Harro“* dem Schützen angekündigt. In Todesangst *klagt* der Hase. Nach dem Schuß nicht Verendete, die oft heftig mit den *Sprüngen schnellen,* werden durch einen Schlag hinter die *Löffel abgeschla-*

gen (abgeknickt), zum bequemeren Tragen zweckmäßig gleich *geheßt,* später ausgeweidet, *ausgefahren* oder aber *ausgeworfen* (diese beiden Bezeichnungen beziehen sich auf verschiedene Methoden!), schließlich *gestreift* oder *abgebalgt.* Weist der Hase viel *Wildbret* und *Fett* (nicht: Feist) auf, so ist er *gut* oder *stramm,* andernfalls *schlecht* oder *schwach,* nicht *gering.*

Ungeduldig wird nach einer notwendig so gründlichen Einführung in Naturgeschichte und waidmännische Bezeichnungen unserer Wildart vor allem der Jungjäger auf „das Eigentliche", nämlich die *Jagd* auf den Hasen, warten – vielleicht hat er gar vorgegriffen, um dieses ihn am meisten interessierende Kapitel zu lesen. Dem Herausgeber ging es, einige vierzig Jahre zuvor, ja ebenso . . .

Welches Hochgefühl war es, die alte Hahnflinte Kal. 12 über der Schulter, mit dem getreuen Lehrprinzen hinab ins Peenebruch zu ziehen, wo ein Moorhase seinen Paß auf dem Heudamm hatte, der sich vor den Rohrbreiten des Flusses, am Erlenbruch vorbei, zur Wiese zog: Staunend sah ich – es war ja der erste Jagdgang! –, wie der Lehrprinz ein Messer zog und Zweig um Zweig von den Erlen schnitt, um in dem deckungslosen Gelände einen Schirm zu bauen: „Wi moken en Schirm un lurn, un wenn'n Läpelmann kümmt, denn scheit'st em dot"[3], erklärte er und steckte die Zweige in den weichen Moorboden, schmiß ein paar Plaggen zusammen und hieß mich neben sich hinsitzen. – Von uns fort, auf eine Länge von 150 m, erstreckte sich der breite Damm bis an die Rohrwildnis, wo der Hase auf einer Bülte sein Lager haben mochte. Der seidige Himmel gewann im Westen von der sich neigenden Sonne schon einen rötlichen Schein, der bisweilen verdunkelt wurde von den Riesenschwärmen der Stare, die vor dem Einfallen brausend ihre peinlich exakten Manöver ausführten. Reiher ruderten dahin, links in den Bruchwiesen jagten die Sumpfeulen, und aus den Erlen am Stichkanal gockten die Fasanenhähne ihren rauhen Abendschrei, der so gut in die herbe Bruchlandschaft paßt.

Blutrot sank die Sonne. Das langanhaltende Bräten der Altenten ward vernehmlich, folgte sich in immer dichteren Abständen. Wittwittwittwittwitt klingelten jetzt die ersten Schoofe längs des Flusses dahin. Von den fernen Koppeln brüllte ein Jungrind, einmal, zweimal und wieder. Im nahen Graben pisperte, schrillte und plumpste es – die Wasserspitzmaus –, aber das wußte man damals, als Vierzehnjähriger, noch nicht! Den Ruf der Kraniche aber, die auf den höher gelegenen Feldern zur Nacht einfielen, den kannte man. Trompetend drang er in den stillen Abend . . .

Jeden Laut saugte ich in mich hinein. Es war das Abenteuer meines Lebens. Ahnte ich, daß ich mich ihm verschreiben würde für alle Zeit? Nebelstreifen sind plötzlich da. Die ferne Hofglocke läutete 6 Uhr abends. Es wird kalt, empfindlich kalt. Oder ist es die Leidenschaft, die mich zittern macht?

Und plötzlich ist da ein hüpfender Punkt, mitten auf dem grasigen Damm. Wird größer, länglich . . . „Dor kümmt hei!" Ich backe an, werde zur Ruhe gemahnt. Nun ist der Hase heran auf dreißig Schritt. Ein leiser Pfiff meines Lehrprinzen läßt ihn Kegel machen. Schuß! Ein Riesenrückstoß, aber der Hase liegt, und wie ein vom Riemen geschnallter, temperamentvoller Kurzhaarrüde stürze ich mich auf die Beute!

So oder ähnlich haben die meisten Jünger Dianas begonnen: Keine Jagdart eignet sich in gleichem Maße für den Anfänger, wie eben diese, der *Hasenansitz.* Im Regelfalle wird es ein Waldrand, ein Feldgehölz sein, wo der Jungjäger und sein Lehrprinz sich ansetzen, nach alter Art möglichst zu ebener Erde, nicht auf der Kanzel, denn das wäre zu mühelos.

[3] „Wir machen einen Schirm und passen, und wenn ein Löffelmann kommt, dann schießt du ihn!"

Der Jungjäger soll ja lernen, nicht nur laut-, sondern auch regungslos stillsitzen lernen, und das behutsame Inanschlagbringen der Waffe dazu; oben auf der Kanzel ist das zu leicht!

Beim Hasenanstand oder dem heute zumeist ausgeübten -ansitz kommt es auf die Windrichtung weniger an als auf die Windstärke. Wie alle Wildarten geht der Hase nicht gern auf sturmüberwehte Flächen, sondern bleibt dann lieber im Windschutz der Vorhölzer oder geht dorthin, wo er Windschatten hat. Ist solch ein Platz gefunden, dann begibt man sich am besten schon eine Stunde vor Schwinden des Büchsenlichtes dorthin. Wo immer es geht, setzt man sich abends in eine Deckung dem Waldrande gegenüber, das Gesicht diesem zugekehrt, 20 bis 30 Schritte vom Paß entfernt; insbesondere dann, wenn der Wald wegen tiefer Beastung oder dichten Unterholzes nicht eingesehen werden kann oder es sich um eine Dickung handelt. Der Ansitz unmittelbar am Waldrande selbst, mit dem Rücken zu diesem, hat, zumal wenn man allein ist, den Nachteil, daß man unaufhörlich den Kopf nach rechts und nach links drehen muß, und diese Bewegung kann leicht eräugt werden; weiter kann man aber auch beim Auslaufen der Hasen zur Rechten zu einer unbequemen Wendung dorthin gezwungen werden, die nicht immer geräuschlos abgeht. Für den Morgenansitz, wo die Hasen vom Felde her zu erwarten sind, gilt natürlich das Umgekehrte.

Fast alle Hasen verhoffen abends am Waldrande, alte oft viele Minuten lang, und dieser Augenblick ist für den Schuß der günstigte. Ist der Löffelmann durch Ranken- oder Blätterwerk etwas verdeckt, so schadet das nichts, sofern man nur die Umrisse erkennen kann: Die Schrotgarbe schlägt durch! Nur muß sich der Schütze über den genauen Ort des Totgeweihten *durchaus* im klaren sein, d. h. so viel von ihm sehen, daß er weiß, ob er breit – und auch nicht etwa in einer Geländevertiefung – sitzt; nur dann darf geschossen werden, wenn mit Sicherheit die Schrotgarbe den als solchen genau angesprochenen Hasen voll trifft.

Ist die lockende Wiese, das Kohlfeld, der Winterraps, oder wohin immer es den zu Felde rückenden Hasen zieht, durch Stoppel, geschältes oder gepflügtes Land, auch Kartoffelstreifen vom Rande des Gehölzes getrennt, dann hält sich Meister Lampe nach dem Verhoffen am Waldrande selten lange auf, sondern „geht ab wie die Feuerwehr". Althasen bleiben *nach* dem Sichern meist überhaupt nicht lange in der immer bedrohlichen Nähe des Waldrandes. Es empfiehlt sich also ein rascher, nicht aber ein übereilter Schuß. Auch aus *dem* Grunde, weil, wenn dieser frühzeitig fällt, oft noch ein zweiter oder gar dritter Hase erlegt werden kann, was Jungjäger meist nicht glauben. Es ist aber tatsächlich so, daß der Schuß als solcher, von allem Wild mehr als Naturereignis denn als unmittelbar ihm geltende Bedrohung genommen, die Hasen – vor allem zu Beginn der Jagdzeit – vom zeitgerechten Ausrücken zur Äsung kaum abhält. Etwas anderes ist es, wenn der schlecht getroffene Artgenosse die Verwendung des Hundes nötig macht oder gar klagt, dann wird kaum noch auf weitere zu hoffen sein.

Eine günstige Gelegenheit zum Hasenanstand bieten Waldwege, auf die unser Wild oft schon frühzeitig ausrückt, um dort ein Vorgericht zu sich zu nehmen. Heurige Hasen folgen ihnen dann bisweilen, wofern sie zu Felde führen, und kommen so dem am Waldrand harrenden Jäger nahe. Erfahrene tun das kaum, sondern rücken wieder in die Dekkung und in dieser bis zum Waldrande vor.

Dem sicheren Schützen ist bei der *Hasenkur,* wie der alte, gerechte Name für diese Jagdart lautet, der Hund meist entbehrlich. Nimmt er ihn aber mit, dann muß sich dieser verläßlich ablegen lassen, was, wie schon Diezel rät, immer hinter dem Schützen, nie neben ihm, zu erfolgen hat. Doch wird, auf so kurze Distanz zum erwarteten Wilde, der Hund oft stören, sei es, daß er nach einer verspäteten Mücke schnappt, sei es, daß er sich geräuschvoll kratzt, leise winselt, laut gähnt – kurzum, bei dieser Jagdart ist nur ein außergewöhnlich gut erzogener Hund erträglich. Um so nötiger ist er bei der Nachsuche, falls doch einmal eine solche erforderlich wird.

Während der Jagdnutzungsberechtigte einer Feldmark immer, auch wenn er über keinen Wald verfügt, zu seinen Ansitzhasen kommen kann – ihm bleibt ja auch noch die gleich zu besprechende Suche –, sind die Hüter des Waldes mit ihren Küchenhasen oft übel daran, vor allem im Gebirge, wo der Abschuß eines Forstamtes fast regelmäßig ein Vielfaches an Schalenwild gegenüber der Niederwildstrecke aufweist. Meist sind es nur einige wenige Stellen im Revier, wo überhaupt auf den Mümmelmann zu rechnen ist; und auch von hier rücken die Hasen bei den ersten herbstlichen Regenstürmen in die tieferen Lagen, wo das Jagdrecht zumeist mit der Waldgrenze endet. Zudem kommt der Forstbeamte, solange die Brunft im Gange ist, nicht zum Hasenansitz, und ist sie vorbei, dann erscheinen sehr oft die begehrten Krummen gegen oder nach Ende des Büchsenlichtes und sind dann im Walde unter gar keinen Umständen mehr zu schießen. Da hilft die freundnachbarliche Vereinbarung mit dem Inhaber der Feldjagd, der durch Einladungen zu Saujagden, gelegentlichen Abschuß eines Stückes Kahlwild u. ä. reich entschädigt wird und den Mann im grünen Rock gern seinen Küchenhasen im Feldrevier schießen läßt. Wo jedoch der bedauernswerte Grünrock nichts dergleichen zu bieten hat, und selbst der Schnepfenstrich keine Entschädigung liefert, vielleicht auch die Persönlichkeit des Angrenzers solcherlei Tausch verbietet, da gibt es nur ein – merkwürdig unbekanntes – Mittel: Die Benutzung des Zielfernrohres für den Schrotlauf der kombinierten Waffe.

Es war im Kriegsjahr 1944, ich hatte Genesungsurlaub. Der Wunsch nach einem

Hasenbraten war verständlicherweise stark. Ich hatte mir auch, im hasenarmen Reinhardswalde, eines der hier „seltenen Tiere" ausgemacht, das, bevor es zu Felde rückte, einen Altholzbestand queren mußte, bis es das feldnahe Fichtenstangenholz erreichte, das ihm Deckung bis zur Feldgrenze bot. Aber der Hase kam (Mitte Oktober) sehr, sehr spät. So schlug ich das Fernrohr auf den Drilling und setzte mich im Altholz, gut gedeckt, an. Und richtig, beim allerletzten hellen Schimmer kam Lampe, sehr eilig, ein heller Schatten nur, der plötzlich unsichtbar wurde, doch das Zielfernrohr zeigte ihn in voller Deutlichkeit, und im Knall machte er die für den Kopfschuß bezeichnenden meterhohen Sprünge. Beim Streifen bemerkte ich mit einiger Beschämung, daß nur ein einziges Korn ihn getroffen hatte, das im Schädel saß: ich hatte des Hochschusses vergessen, den jedes Schrotrohr haben *muß!* Man soll also bei dieser Jagdart das Fadenkreuz ebenso auf den Unterrand des Wildkörpers richten, wie man beim Schießen über Laufschiene und Korn den in Ruhe befindlichen Hasen am besten „aufsitzen" läßt.

Vom letzten Oktoberdrittel an wird der Abendansitz auf den Hasen schon oft erfolglos sein, und nach dem 1. November habe ich hierbei nur einmal einen geschossen, es freilich auch nur selten versucht. Erfolgreich kann dann noch der Morgenansitz sein, zumal, wenn eine helle Reifdecke im licht gewordenen Laubwald den Hasen sich vom Untergrunde gut abheben läßt. Oft wird man bei dieser Gelegenheit auch auf den vom Felde zurückschürenden Fuchs zu Schusse kommen. Überhaupt ist Frühansitz, möglichst verbunden mit einer sich anschließenden Frühpürsch, mehr zu empfehlen, als der viel häufiger ausgeübte Abendansitz, weil man bei ihm, wie Diezel so hübsch sagt, „die Tiere sozusagen noch im Negligé antrifft und ihr Benehmen im Zustande vollständiger Ruhe und Sorglosigkeit beobachten kann". Man sollte all die Auchjäger, die mit beredten Worten vom Beobachten des Wildes schwärmen, um dessentwillen sie die Jagd überhaupt auszuüben vorgeben, nach der Zahl der im Jahresablauf vollbrachten Frühpürschen fragen – da sondern sich schnellstens die Geister!

Deckt das weiße Leichentuch die winterliche Erde, dann kommen die Hasen erst recht spät bzw. morgens noch in vollständiger Finsternis. Am deutlichsten ist das beim ersten Schneefall des Jahres, der ja überhaupt das Wild oft völlig verstört, immer aber sehr heimlich macht. Die Ansitzjagd bei Mondlicht auf den Hasen sähe ich gern vermieden – Mondscheinjagd ist immer nur ein Notbehelf, oft ein recht schlechter, und bei unserer Wildart, die man auf so vielfältige andere Art und Weise erlangen kann, kaum je angebracht. *Eine* Ausnahme ist das Fuchsreizen, als deren Einleitung, wo die Gelegenheit sich bietet, die Erlegung eines Hasen (mit nachfolgender Klageserie auf der Quäke) sich günstig auswirken kann.

Noch zu gedenken ist einer Art des Ansitzes, der freilich nur im Walde, und auch hier nur unter besonderen Umständen, geübt wird: Des Ansitzes am eben verlassenen Lager, bei Tage. Der tagsüber hochgemachte Hase hat nämlich eine Eigentümlichkeit, über die weiter unten noch Näheres zu sagen sein wird – er kehrt gern in die unmittelbare Nähe seines Lagers zurück; dies um so eher, je jünger er ist und je weniger aufregend die Störung war; und so lohnt sich denn für den Waldjäger in hasenarmer Gegend ein halbes Stündchen Wartezeit, das über eine Stunde auszudehnen freilich kaum rätlich ist. Der Vorteil ist, daß der Hase bei vollem Tageslicht kommt, noch dazu in gemächlichem Tempo herangehoppelt und so in aller Gemütsruhe erlegt werden kann, insbesondere auch in Revieren, wo eine andere Art, seiner habhaft zu werden, kaum in Betracht kommt.

Jüngere Jäger bekommen nach den ersten, verhältnismäßig leichten Erfolgen bei der Hasenkur die Geschichte oft satt. Es setzt die Periode des Schweifens im Wald und Feld, der rastlosen Pürsch und Suche zu jeder Tageszeit – möglichst fast den ganzen Tag über! –

ein, die man in der Entwicklung des rechten Jägers als fast naturgesetzlich ansprechen kann. Der ältere Waidmann, in der Erinnerung an das Glück der Jugendzeit, wendet sich unserer beschaulichen Jagdart wieder zu, auch wohl, weil ihm der geruhsame Abschluß des Tages mehr Bedürfnis ist als dem jungen. Es sind oft die besten Jäger, die, wenn die Blätter gilben, doch wenigstens einmal wieder die Hasenkur erleben möchten! Im hohen Alter ist das dann nicht selten die einzige Art, auf welche der greise Nimrod, dem körperliche Gebrechen nicht mehr uneingeschränkte Jagdausübung gestatten, zu seinem Ehrenhasen kommt, der mit ähnlicher Freude heimgetragen wird, wie voreinst der erste ...

So steht der Hasenansitz im Anfang und am Ende des Jägerlebens.

Eine Lieblingsjagdart vieler Jäger ist die *Suche auf den Hasen*, deren Vorzüge darin bestehen, daß hier die Arbeit des Vorstehhundes ins rechte Licht gerückt wird und, wenn dieser nur einigermaßen arbeitet, kaum ein getroffener Hase verlorengeht. Auch kann man sie allein, zu zweit oder auch zu dritt ausüben. Jungjäger als Begleiter sind nicht nur möglich, sondern als Wildträger und -beobachter sogar sehr nützlich und kommen ihrerseits reichlich auf ihre Kosten durch die immerwährende Spannung, die das Arbeiten des Hundes erregt. Ferner kann man die Jagd, bei gar zu ungünstiger Witterung, jederzeit abbrechen, ohne daß, wie bei der Kesseljagd, das Aufgebot einer großen Schar von Treibern und Schützen umsonst war. Schließlich ist es meist eine bunte Jagd. Selbst in der eintönigsten Kultursteppe kommt zumindest auch das Rebhuhn zu Schuß. Vorbeistreichende Ringeltauben bieten Gelegenheit zu einem Bravourstück mit der Flinte. Ein Wasserloch im Acker bringt einen prächtigen Stockerpel an den Galgen. Von der nassen Wiese gehen überraschend Bekassinen hoch, und aus dem noch ungerodeten Teil des Futterrübenstückes fährt, gänzlich unerwartet, Reineke mit fliegender Standarte heraus, um im Schuß radzuschlagen!

Während man beim Ansitz, ob im Herbst oder Winter, fast nicht warm genug angezogen sein kann, mache man es sich zur Suche möglichst leicht und luftig. Die Bewegung im Gelände sorgt zur Genüge dafür, daß man nicht friert. Bei trockenem Wetter und nicht zu schwerem Boden genügen ein Paar derbe Halbschuhe, wenn nicht der Morgentau zu stark war. Andernfalls sind Schnürschuhe und Ledergamaschen oder ein Paar leichte Gummi-Halbschäfter zu empfehlen, nicht zu dickes Unterzeug und eine Cord- oder Manchesterhose, Pullover und Jacke, dazu im Rucksack ein leichter Regenschutz. Die Jagdtasche wird immer rechts getragen, um leicht von dem dort ruhenden Patronenvorrat nehmen zu können, das Horn, das auch auf der Suche nicht fehlen sollte, hängt links, oder es wird von einem Jungjäger getragen. Ein breitkrempiger Hut oder eine Mütze mit langem Schirm ist notwendig, weil man auch einmal gegen die Sonne jagen muß.

Die beste Tageszeit für die Suche sind die Stunden von 10 bis 15 oder 16 Uhr, die beste Jahreszeit der Oktober, wenn auf den Feldern noch Deckung ist, die auch der Feldhase sehr zu schätzen weiß. Auch halten dann die meist planmäßig mitbejagten Hühner noch ziemlich gut, vor allem an warmen, sonnigen Tagen. Doch auch nach Eintritt des Winterwetters kann die Hasensuche noch lohnend sein. Hören wir Meister DIEZEL:

„Es gibt nach meinen Beobachtungen hauptsächlich zwei Perioden, wo man, wenn nicht alle, doch gewiß die meisten Hasen auf den Feldern antrifft, nämlich:

a. In den ersten schönen Tagen nach lang anhaltendem Regenwetter und auch während desselben, wenn es *stark* regnet, weil ihnen nichts verhaßter ist, als immerwährendes *Tropfen* der Bäume und Gesträuche. – Dagegen habe ich die so allgemein verbreitete Meinung, als ob im Spätjahre bloß das *Fallen* des Laubes sie aus dem Walde vertreibe, nicht in dem Maße bewährt gefunden, daß ich derselben unbedingt beitreten möchte, vielmehr vermute ich, jene Meinung möge wohl hauptsächlich dadurch entstanden sein, daß zur Zeit des Laubabfalles, d. i. gewöhnlich im Monat November[4], zugleich auch jene anhaltenden Herbstregen eintreten, die in der Regel den ersten Frösten vorausgehen.

Ich habe in meinem Leben viele hundert Male den Anstand besucht, in frühester Jugend um Hasen zu schießen, in späteren Jahren, besonders, seitdem ich in den Besitz eigener Jagden kam, der Füchse, Schnepfen und Wilddiebe wegen, allein, nie fand ich Gelegenheit zu bemerken, daß *zur Zeit des Laubabfalles* eine merklich *geringere* Anzahl Hasen abends aus dem Walde heraus- oder in der Morgendämmerung hineingerückt wäre, als sonst gewöhnlich, wohl aber ändern sie zu jener Zeit, wegen der langen Nächte, um ein Beträchtliches die *Zeit* ihres Laufes, kommen später und werden daher oft übersehen.

Überdies tritt ja der Laubabfall nicht auf *einmal* ein, sondern gleichsam *nach* und *nach*, indem schon Anfang Oktober, ja bisweilen sogar schon im September einige Holzarten, z. B. die Linden, Zitterpappeln usw. ihre Blätter fallen zu lassen anfangen, so daß jedes im Walde wohnende Tier sich daran gewöhnt.

Nur dann, wenn nach einem plötzlich eintretenden Plattfroste sich ein starker Wind erhebt, der die mürbe gewordenen Blätter nun gleichsam mit *einem Mal* gewaltsam abschüttelt, so daß sie unaufhörlich und sozusagen *haufenweise* auf die Hasen herabfallen: nur in einem solchen Falle glaube ich, daß diese nicht nur alle den Wald meiden, sondern vielleicht sogar unterm Tage ihre Lager verlassen und sich auf die Felder setzen.

b. Der zweite Fall, wo dieses ganz gewiß geschieht, daß man vielleicht behaupten könnte, es bleibe kein einziger Hase im Walde, *ist der, wenn bei starkem Schneehange plötzlich Tauwetter oder wohl gar Regen eintritt,* so daß ganze Massen des weichen Schnees von den Büschen und Bäumen klumpenweise herabfallen. – Ein solches Tropfen ist den Hasen ganz unausstehlich und das Signal zur allgemeinen Flucht. Dennoch scheinen dies nicht alle Jäger zu wissen, wovon ich aus meinem eigenen Leben ein Beispiel anführen kann. Ich war nämlich einst an einem solchen Tage, wie ich ihn soeben beschrieben, zum Besuch bei meinem Freunde, welcher mir in einem ziemlich entfernten Walde eine Fuchsjagd vorschlug, deren Erfolg mir jedoch um so zweifelhafter erscheinen mußte, als der Fuchs noch gar nicht gekreist, vielweniger eingelappt war, daher beides erst nach unserer Ankunft an Ort und Stelle geschehen sollte. Ich bat daher zurückbleiben und indessen die Dorfmarkung absuchen zu dürfen.

Diese war sehr klein, ringsum von zusammenhängenden Waldungen eingeschlossen, und von jeher dafür bekannt, *daß ein ohne besondere Veranlassung* auf derselben angetroffener Hase unter die großen Seltenheiten gehöre.

Lächelnd erwiderte daher der Förster: „Ich wünsche Glück zu dieser Jagd“, und ging seiner Wege, ich aber wartete die Mittagsstunde ab und begann dann, in Begleitung seines schnellfüßigen Vorstehhundes, mein Tagwerk. Diana war mir günstig! Unfern vom Jägerhause traf ich schon den ersten Hasen an, und nach Verlauf von einer halben Stunde war schon eine Ladung beisammen, die ich alsbald nach Hause transportierte, um nicht im Gehen gehindert zu sein.

Ihr folgte nach und nach die zweite, dritte, vierte und fünfte, so daß ich, als das kleine Feld endlich rein abgetreten war, *elf* Stück beisammen hatte. Ein mir begegnender alter Jagdkumpan brach bei dieser Nachricht in die Worte aus: „Nein, das ist seit Menschengedenken nicht erhört worden!“

Noch andere nützliche Erfahrungen vermittelt uns Diezel: daß man nämlich die Äcker viel zweckmäßiger quer als längs der Pflugfurchen absucht, weil dann der Hase besser hält; daß man, erblickt man einen Hasen außer Schußweite im Lager, nicht stehenbleibt, son-

[4] Trifft für Diezels Heimat, die Maingegend, zu!

dern sich ihm in weitem Kreisbogen so nähert, daß man nach Erreichung der Schußdistanz die Sonne im Rücken hat, ihn aber dabei keine Sekunde aus den Augen läßt. Andererseits muß die Suchengesellschaft beim Durchstreifen einer Deckung, in der die Hasen sehr fest liegen, von Zeit zu Zeit stehenbleiben, um diese locker zu machen, „denn es gehört unter die seltenen Ausnahmen, wenn ein Hase, in dessen Nähe man stehenbleibt, nicht augenblicklich sein Lager verläßt".

Sind die Felder kahl, dann läßt man den zuvor für das *Auf*suchen, jetzt nur noch für die *Nach*suche unentbehrlichen Vorstehhund besser bei Fuß gehen oder angeleint mitführen. Die Hasen sitzen jetzt, vor allem bei Nieselregen oder leichtem Schnee, aber oft auch bei Kahlfrost, locker, oft lockerer, als es dem Jäger lieb ist. Der vor ihm revierende Hund wird ungewollt die meisten herausstoßen.

Für den Jungjäger ist es wichtig zu wissen, daß er den festsitzenden Hasen, nachdem er ihn hochgemacht hat – denn das *Schießen* in der *Sasse* ist *unwaidmännisch!* –, erst ein Stück von sich fortläßt, ehe er schießt; sonst geht die aus naher Entfernung wie ein Flintenlaufgeschoß wirkende Schrotgarbe entweder vorbei – oder zerlegt ihn in zwei Teile! Zudem schlägt der jüngere Hase anfänglich gern Haken; nach etwa 15 m läuft er dann geradeaus und ist nun für die nächsten 20 m in bester Schußweite.

Nicht wenige Jäger, unsere Gebrauchshundmänner voran, sind dem Waidwerk ergeben vor allem um der Feldsuche willen. Und auch der Herausgeber möchte sie als die Krone unter den Jagdarten auf Hasen und Flugwild bezeichnen. In ihr lebt noch etwas von dem ungebundenen Schweifen der Vorzeitjagd, der günstige – oder unglückliche – Zufall spielt die ihm zukommende Rolle und kann doch korrigiert werden durch auf langjähriger Erfahrung beruhende Kenntnis der Lebensgewohnheiten und der bevorzugten Aufenthaltsorte des Wildes: So sitzen fast immer, besonders aber bei Nässe, Hasen in der Langstoppel, dort also, wo das Getreide wegen Lagerbildung nicht mit der Maschine gemäht werden konnte, sondern nach alter Väter Sitte der Sense verfiel. Bei Frost, ob Kahlfrost oder Frost mit leichter Schneedecke, ziehen sie den Sturzacker allem anderen vor. Hat das Gelände eine auch nur leichte Neigung, so wird man an den nach Süden gerichteten Hängen stets ein Vielfaches von dem an Hasen antreffen, was an West- oder Nordhängen zu finden ist. Auch die Bodenart spielt eine große Rolle: Bei offenem Wetter werden leichte, sandige Böden bevorzugt, bei Frost oft die grobscholligen Lehmböden. Ganz besonders gern liegen die Hasen auch dort, wo strohreicher, nicht zu frisch gestreuter Mist ihnen ein warmes und windgeschütztes Lager sichert oder Kartoffelkraut liegenblieb. So kann man, unter Einrechnung vieler anderer Faktoren, wie vorausgegangene Beunruhigung, bevorstehende Wetteränderung (auf die unser Wild oft empfindlich reagiert) und Bestellungsart, im Laufe der Jahre zu einem ziemlich sicheren Urteil darüber kommen, wo Hasen zu erhoffen sind; und ob nun diese Voraussage im Einzelfalle zutrifft oder nicht, wird immer mit Spannung erwartet. Im letzten Grunde ist es nach unserem heutigen Stande des Wissens vor allem eine Frage des örtlichen und zeitlichen Kleinklimas, wo der Hase sitzt. Auch das wußte, lange bevor der Begriff „Kleinklima" geprägt wurde, unser Altmeister schon, denn er sagt, daß die Prognose sich letzten Endes auf die Temperatur des Bodens beziehe, „der durch einen gewissen Grad von Wärme oder Kälte hier den Hasen besonders behagt und anderswo zuwider ist". Damit hat er den Nagel auf den Kopf getroffen.

Die Suche ist es auch, die dem städtischen Jäger am ehesten die so nötige körperliche Bewegung verschafft, „daß der Rost von den Gelenken fliegt", wie Hermann Löns so schön sagt. Denn hier soll ein Graben übersprungen, dort ein Zaun überklettert werden (wobei die Flinte stets entladen werden muß!), dort rüttelt das Queren eines Sturzackers den ganzen Kerl wohltuend durcheinander, und hier ist ein anmooriger Wiesengrund zu überwinden. Da rinnt der Schweiß, und einige höchst überflüssige Pfunde gehen rasch verloren!

Und dennoch hat, vom hegerischen Standpunkt aus betrachtet, zwar nicht die Suche als solche, wohl aber ihre zu *häufige Anwendung* in immer demselben Revierteil *erhebliche Bedenken:* Sie beunruhigt den Niederwildbesatz auf das stärkste und – es wird zuviel dabei geschossen! Wer passionierter Suchjäger ist und kein sehr großes Revier – bei normalem Hasenbesatz mindestens 1000 ha, von denen er gut die Hälfte unbejagt liegen läßt – zur Verfügung hat, der muß entweder auf die winterliche Treibjagd verzichten oder eben die Suchjagd einschränken bzw. sie als Gastschütze bei befreundeten Jägern betreiben, wozu er leicht kommt, wofern er über einen gut arbeitenden Hund verfügt. Sein eigenes Revier richtet er sonst zugrunde. Der Meinung aber so mancher Waldjäger, die in der Suche eine Jagdart minderen Stils sehen und sich über „die Leute, die ihr Revier allwöchentlich ablaufen", nur naserümpfend äußern, können wir, mit der genannten Einschränkung, keineswegs zustimmen. Denn ohne die Suche ist das Führen des Gebrauchshundes sinnlos.

Als eine Abart der Suche, die weniger positiv zu beurteilen ist, erscheint die *Streife,* bei der im Regelfall bis zu fünf Schützen und einige Treiber mitwirken. Der Sinn liegt hier meist mehr im Aufstoßen durch den Treiber oder Schützen als in der Arbeit des Hundes. Kein Wunder, daß sie heute, wo vielen zwar an irdischen Gütern und an Jahren nicht armen, an Erfahrung aber um so ärmeren Jägern der Jagdhund höchst entbehrlich erscheint, weitaus häufiger ausgeübt wird als früher. Neben der untergeordneten Rolle des Hundes ist der Nachteil der Streife der größere Zwang zum Richtunghalten, der notwendig zu einem mehr oder weniger sturen Abklappern aller Felder wird, das wilde Geballer beim Aufstehen jeder armseligen Kreatur durch den verschärften Wettbewerb unter den Jagenden, die doch meist nicht, wie bei der echten Suche, ein gut aufeinander eingespieltes „Team" bilden, und, im Zusammenhang damit, das häufige Vorkommen von Kompanieschüssen, um deren oft traurig zerschossene Opfer dann gar noch ein heftiges Zanken anhebt. Doch soll nicht behauptet werden, es müsse bei jeder Streife so zugehen. Sie hat ihre Berechtigung in besonderen Fällen, so in den oft langgestreckten Revieren der Marsch und des Deichvorlandes an der Meeresküste, wo eine Treibjagd nicht lohnt oder aus jagdbetriebstechnischen Gründen (Unmöglichkeit der Kesselbildung; Wasserstandsänderungen) nicht möglich ist, die Suche aber den Weihnachtshasen nicht zuverlässig erbringt, zumal in dem deckungslosen Gelände die begehrten Krummen dann oft sehr schlecht halten. Da tut's eine Streife am ehesten, und es wäre unrecht, sie in Bausch und Bogen zu verdammen. Auch habe ich es, als Jagdleiter, nach durch Ungunst des Wetters wenig erfolgreicher Kesseljagd schon so gemacht, daß ich den langen Heimweg durch eine Streife nutzte, bei der dann noch einige Löffelmänner zur Strecke kamen.

Es sei noch der *Suche im Walde* gedacht, die, auf den Hasen bezogen, freilich eine recht seltene Ausnahme bilden wird. Denn eine eigentliche Suche ist hier fast nur in Einzeljagd möglich und wird selten ergiebig sein, schon um des schwierigen Schusses willen. Größere, ganz junge Kulturen und licht stehende Althölzer eignen sich noch am ehesten dazu, doch wird bei der meist herrschenden Windruhe der Hund häufig versagen. So ist das, was zum Schluß herauskommt, meist mehr eine Art Pürsch an die am meisten versprechenden Stellen des Forstrevieres, wo man einen Hasen hochzumachen hofft – und dieser nicht mit einem einzigen Satze in einer Deckung ist. Ich erinnere mich nur eines Falles in meinem eigenen Jägerleben, wo das den gewünschten Erfolg brachte: Es war einer von zwei über ein Vierteljahr hindurch beobachteten „Hasenmätzen", die allmorgendlich an bestimmter Stelle auf dem Dienstlande der von mir bewohnten Försterei in der Schorfheide erschienen und in einem benachbarten Kiefernaltholz mit zahlreichen Verjüngungshorsten liegen mußten. Mein Dienst erlaubte mir die Hasenkur nicht, und so ging ich, gar noch ohne Hund, kurz vor Weihnachten mit wenig Hoffnung in das Wäldchen, wo ich dann den einen glücklich heraustrat und erwischte; den anderen ließ ich, das war von vornherein die Absicht, ungesucht und also ungeschoren.

Die merkwürdigerweise so gut wie nie erwähnte, und auch weder von Diezel noch von meinen Vorgängern in der Bearbeitung des klassischen Werkes behandelte *Pürsch auf den Hasen* schließt hier logisch an. Bei der Jagd gibt es ja bekanntlich, wie im Kriege, nichts, was es nicht gibt, es sei denn das als unwaidmännisch Verpönte. Warum sollte es also die Pürsch auf den Löffelmann nicht geben? Ich habe schon manchen Hasen auf der Pürsch, zumeist der morgendlichen Frühpürsch, geschossen, unzählige angepürscht, und schäme mich dessen keineswegs. Ja, ich erinnere mich des letzten, den ich vor wenigen Jahren, nach erfolglosem Passen am Einlauf zu nicht allzu früher Vormittagsstunde mümmelnd im Buchen-Eichen-Altholz antraf, mit besonderer Freude; denn der Hase vernahm mich um einen Sekundenbruchteil später, als ich ihn sah, und war noch einige Meter zu weit zum Schuß. So mußte ich erst unbeweglich warten, bis er sich davon überzeugte, daß ich doch nur ein alter, etwas lang geratener Stubben sei. Und dann mußte ich, während er sich langsam fortäste, 10 m durch eine hohe Schicht Raschellaub, das ich jedesmal erst mit dem Fuße ganz lautlos beiseite zu schieben hatte, um geräuschlos auftreten zu können; schließlich durch eine Riesenpfütze und dann noch über einen gepflasterten Weg. Als es aber soweit war, hoppelte er ahnungslos wieder ein Endchen fort, um dann, schon sehr nahe der Deckung, hinter einer Eiche zu verschwinden, unter der ich ihn nur durch eine schauerhafte Verrenkung meines Körpers zu Schuß bekam. Doch nun lag er, ich war stolz wie ein Spanier und hängte ihn, in Erwartung des bald darauf eintreffenden Besuches des Revierverwalters, recht sichtbarlich an meine primitive Hütte ...

Leichter tut man sich, wenn man auf grasigen Waldwegen die, wie oben beschrieben, ein Vor- oder Nachgericht zu sich nehmenden Hasen anpürscht oder sie auf einer Blöße, einer Waldwiese und dergleichen zu überraschen sucht. In reinen Feldjagden kommt eine Pürsch kaum in Frage, weil da fast immer jede Deckung, insbesondere der deckende Hintergrund, fehlt. Die aus der Hasenperspektive gegen den hellen Himmel schier überdeutlich sich abhebende Gestalt des Jägers ist auch dem schwachsichtigen Meister Lampe unheimlich. Aber eine Ausnahme gibt es auch hier, es gibt eine Hasenpürsch im Felde, die sogar zu einer Pürschfahrt werden kann, und das ist die Schneepürsch. Im Osten unseres Vaterlandes, wo diese – in Ungarn verpönte! – Jagdart, freilich auch dort nicht allgemein und mehr in Ausnahmefällen, geübt wird, sind die winterlichen Schneefälle oft so reichlich, daß die Hasen sich dann einschneien lassen. „Dann bemerkt man nur eine ganz kleine Öffnung im Schnee, unter dessen Decke sie nicht selten eine mehrere Fuß lange Höhle bilden. Anfänglich sieht man meist nur ein schwarzes Fleckchen, welches der Kopf oder vielmehr die Nasenspitze des Hasen ist. Dieses verschwindet bald gänzlich, bald kommt es wieder zum Vorschein, je nachdem der Hase vorrückt, um sich umzuäugen, oder sich, bei Erblickung eines Feindes, in das Innere der Höhlung zurückzuziehen.

In diesem Falle kann man sich ihm unbedenklich bis auf wenige Schritte nähern, ja man sieht bisweilen Hasen, gleichsam unter den Füßen des Jägers, den Schnee durchbrechen und auf ihrem Rücken mehrere Schritte weit ganze Klumpen desselben forttragen.

Es kann jedoch auch in diesem Falle selbst geübten Schützen leicht begegnen, daß sie einen Fehlschuß machen, weil der Hase nicht wie gewöhnlich in wenn auch schnellem, doch gleichem und regelmäßigem Laufe sich fortbewegt, sondern, durch den Schnee gehindert,

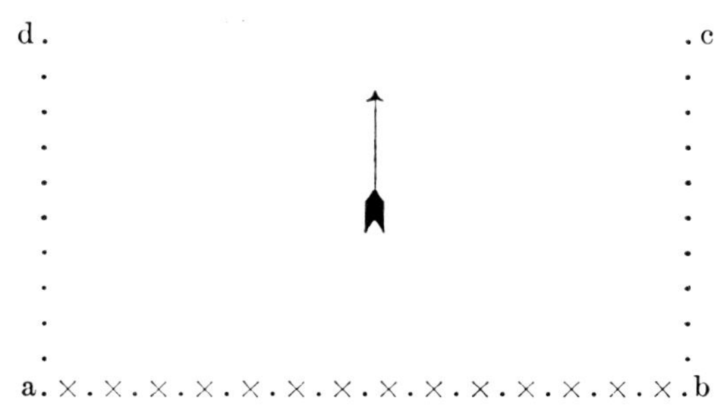

Aufstellung der Schützen und Treiber bei der Böhmischen Streife. × Schützen, . . . Treiber

lauter kurze Bogensprünge macht, während welcher der Schuß leicht zu tief geht, da es sich im Gegenteil ebenso gut ereignen kann, daß, wenn man in dem Moment des Niederspringens, wo der Körper eben tief in den Schnee eingesunken ist, abdrückt, die Schrote zu hoch fahren." So Diezel.

Man macht heute von dieser Jagdart nur Gebrauch, wenn in reinen Feldrevieren ein zu geringer Hasenbesatz das Abhalten einer Treibjagd verbietet, aber doch den Abschuß von einigen Küchenhasen zum Jahresende oder zu einer besonderen Gelegenheit erlaubt. Mein gefallener Freund C. A. Frhr. v. Malchus schoß in Menzlin (Vorpommern) einmal gelegentlich einer Pürschfahrt mit dem Schlitten neun Hasen auf diese Weise.

Und nun zur *Böhmischen Streife,* dem *Streifen,* wie man in Ungarn sagte. Wir behandelten sie nicht im Zusammenhange mit der gewöhnlichen Streife, aus der sie sich entwickelt haben mag, sondern setzen sie gleichsam als Einleitung vor das die Treibjagden umfassende Kapitel, weil sie mit ihrem hohen Aufwand an Personal und Vorbereitungsmühen methodisch mehr zu diesen zu zählen ist.

Der, wenn ich so sagen darf, tierpsychologische Ausgangspunkt für diese Jagdart ist die Tatsache, daß die meisten Niederwildarten sich nur eine gewisse Strecke weit von dem Orte, wo sie hochgemacht werden, forttreiben lassen, dann aber mit erstaunlicher Unbeirrbarkeit dorthin zurückzukehren streben. Dies gilt sowohl für das Feldflugwild, also für Rebhühner und namentlich Fasanen, als auch ganz besonders für den Hasen, der zwar anfangs mit erheblicher Geschwindigkeit dem anrückenden Feinde zu enteilen trachtet, nach einigen hundert Metern aber anhält, sichert, hin- und herrennt und dann „trotz des unaufhaltsam näher kommenden Gegenstandes seiner Furcht selbst in nächster Nähe an diesem vorbei seine engere Heimat wieder zu erreichen sucht".

Dementsprechend besteht der Jagdplan darin, daß eine Schützenlinie von beliebiger Ausdehnung sich in breiter Front ununterbrochen vorwärts bewegt. Zwei Treiberlinien, unter die vielfach auch zwei bis drei Schützen gemischt werden, stehen gleichsam als Senkrechte auf den beiden Endpunkten und bewegten sich in genau dem gleichen Tempo vorwärts, so daß ein nach vorn offenes Rechteck gebildet wird. (Abb. S. 81.)

Die vor der Schützenlinie aufstehenden Hasen rennen entweder seitwärts gegen die Treiberlinien a-d, bzw. c-b, wo sie nun die dort befindlichen Schützen anlaufen und zur Strecke kommen; oder aber sie werden, wenn kein Schütze am Orte des Durchbruchsversuchs sich befindet, von den Treibern abgewehrt, was bekanntlich dann leicht gelingt, wenn der Hase noch nicht ernstlich zum Durchbruchsversuch angesetzt hat, sich also noch in einer Entfernung von etwa 20–30 m von der Treiberwehr befindet und mehr oder weniger parallel mit ihr von dannen strebt. Steuert er dagegen erst einmal pfeilgrad eine Lücke an, dann nützt meist alles Brüllen und Schreien nichts, er läuft hindurch und ist allenfalls zu einigen Haken zu bewegen, wenn ihm ein von kräftiger Faust geschleuderter Treiberknüppel auf den Balg saust. Die andere Möglichkeit ist das Davonlaufen in gerader Richtung, die sich meist auch dann nicht wesentlich ändert, wenn der Hase aus dem geöffneten Viereck herausgelangt ist. Dann wird er also nach dem Vorrücken der Streife wieder hochgemacht und läuft nun meist schon, entgegen der bisherigen Fluchtrichtung, die in der Front gehenden Schützen an; fast mit Sicherheit tut er das beim drittenmal. Demzufolge werden innerhalb der ersten etwa 500 m meist nur flüchtige Hasen spitz oder halbspitz von hinten erlegt, während nach Zurücklegung dieser Strecke die ersten anlaufenden Hasen zu Schuß kommen. Von jetzt ab bleibt die Schützenlinie ziemlich gleichmäßig beschäftigt, bis gegen Ende der Streife, *die zu einem Vorstehtreiben wird,* noch eine ganz wesentliche Steigerung des Anlaufs eintritt: Sobald nämlich die Spitzen c und d der Treiberlinie die vorher festgelegte Endgerade erreichen, schwenken sie auf dieser nach innen zusammen, bis der Kreis geschlossen wird, und drücken nun das Wild auf die in der Front stehenden Schützen zu.

„Die Strecke zweier Feldstreifen an einem Jagdtage schwankte zwischen 2000 und 3000 Stück, und der einzelne Schütze konnte 200 bis 600 Stück Wild, wovon die Hälfte Flugwild war, auf sich verbuchen", so berichtet der erfolgreichste Niederwildheger der Welt, Graf Louis Karolyi, in seinem sehr lesenswerten Erinnerungsbuche[5].

Wir haben dem nur hinzuzufügen, daß die Böhmische oder Flügelstreife sich nach dem Vorstehenden nur für ausgedehnte, hervorragend besetzte Reviere eignet, wo ein geschultes Personal und Treiber in beliebiger Zahl zur Verfügung stehen. In Deutschland waren diese Bedingungen schon vor dem letzten Kriege kaum mehr gegeben. Doch kommen jetzt deutsche Jäger in zunehmendem Maße wieder ins Ausland und mögen im österreichischen Burgenland oder in Niederösterreich, vielleicht auch in Jugoslawien Gelegenheit zur Ausübung dieser interessanten Jagd finden. Darum darf sie in einem Lehrbuch der Niederjagd nicht fehlen.

Eine andere Form der *Treibjagd,* das *Vorstehtreiben,* wurde soeben schon erwähnt, als Endphase der Böhmischen Streife. Wie der Name sagt, sind hier die Schützen nicht in Bewegung, sondern stehen, und das Wild wird von einer Treiberwehr gegen die Front der Schützen getrieben. Diese wird gern um die sogenannten Flügel oder Haken verlängert, so daß die Schützen ein nach der Treiberwehr hin offenes Viereck bilden. Sehr zweckmäßig ist es, sie auf einer Anhöhe mit einer Hecke, einem Waldrande oder dergleichen als deckendem Hintergrund aufzustellen, weil der gern bergauf flüchtende Hase die Schützen so

[5] „Waidwerk ohne Gleichen." Verlag Paul Parey, Hamburg und Berlin.

nicht erspäht; nie aber dürfen diese mit dem Rücken unmittelbar an einem die Reviergrenze bildenden Walde stehen, denn sonst geht eine Unzahl krankgeschossener Hasen dort zugrunde oder kommt dem Nachbarn zugute.

Der Abstand der Schützen beträgt bis zu 80 m, die besten Stände sind meist die beiden Eckposten (Flügelposten), und zwar gilt nicht mit Unrecht der linke als der günstigere, weil der betreffende Schütze die seitlich vor ihm ausbrechenden Hasen mit Fluchtrichtung von rechts nach links schießen kann, was bei Rechtsanschlag immer sehr viel günstiger ist als die umgekehrte Fluchtrichtung. Kriegsversehrte und andere Linksschützen gehören daher auf den rechten Flügel, weil für sie der Schuß auf das von links nach rechts sich bewegende Wild einfacher ist. Das wird von den meisten Jagdleitern zu wenig beachtet.

Beim Vorstehtreiben im Felde entkommt bei den heute meist geringen Treiberzahlen häufig ein hoher Prozentsatz des Wildes. Zudem ist das lange Stehen, womöglich bei kaltem Winde, im deckungslosen Gelände nicht angenehm und kann leicht einen Rheumatismus zur Folge haben. So ist diese Jagdart im Walde mehr zu empfehlen, wo sie durch die vom Forstamt bewirkte Aufgliederung des Geländes in längliche Rechtecke, mit der Schneise (Gestell) als Schußfeld, sich ja fast zwangsläufig ergibt.

Hier wird das Treiben meist zu einem *Standtreiben,* d. h. man umstellt die getriebene Fläche von drei oder gar von allen vier Seiten mit Schützen. Oder aber man umstellt nur die Front und jeweils die Hälfte der langen Seiten, während man am Rande der Treiberwehr, die an der der Front gegenüberliegenden Schmalseite Aufstellung genommen hat, rechts und links je einen Schützen mitgehen läßt, bis das offene Rechteck der Schützen erreicht ist. Je nach dem Gelände, dem Besatz und den Absichten der Jagdleitung sind weitere Abänderungen möglich, wie z. B. das Abstellen nur einer Schmal- und einer Lang-

seite, wenn mit Sicherheit zu erwarten ist, daß die Hasen die beiden anderen Seiten meiden werden wegen dort befindlicher Verkehrswege, bergabführender Hanglage oder dergleichen.

Bei *Standtreiben* auf Niederwild *im Walde* ist für Schützen wie Treiber manches sehr anders als im Felde. Zunächst entfällt oder wird doch erträglicher der kältende Wind, der Vorstehtreiben im Felde oft so unangenehm macht. Die Kleidung des Schützen braucht also nicht gar so polarforschermäßig zu sein wie bei diesem. Als Waffe empfiehlt sich durchaus nicht die langrohrige Flinte, die mit ihrem besseren Zusammenhalt der Schrotgarbe im Felde so zweckmäßig sein kann, sondern in erster Linie ein Drilling, noch besser ein Kurzdrilling: denn immer ist viel Deckung vorhanden, die ein Schießen nur auf kürzere Entfernungen erlaubt. Aus diesem Grunde sind auch zylindrisch gebohrte Läufe empfehlenswerter als solche mit Würgebohrung, eine Notwendigkeit, der unsere Waffenfabrikanten heute freilich nur ungern Rechnung tragen, so daß eine Munitionsfirma unlängst eine „Streupatrone“ geschaffen hat, die den Nachteil der Würgebohrung aufhebt. Sie wirkt auf 15–25 m besser als die Normalpatrone, darf aber auf weitere Entfernung keinesfalls verschossen werden. Das zu starke Zusammenhalten der Schrotgarbe bei den meisten modernen Flinten kann man auch in etwa ausgleichen durch die Wahl einer feineren Schrotsorte. Man wählt also 2½ mm für den rechten, 3 mm für den linken Lauf. Sind Kaninchen in größerer Menge zu erwarten, dann vor allem führe man eine ausreichende Anzahl von Schrotpatronen mit 2½ mm Schrot mit, die auch auf Schnepfe und etwa aufstehende Fasanenhähne gute Dienste leisten. Übrigens liegt noch auf 25, sicher aber auf 20 Schritt, *jeder* Hase, ja selbst jeder Fuchs, der die volle Garbe Nr. 7 (2½ mm) erhalten hat, im Knall.

Ganz besonders verwende man nur feineres Schrot, wenn man als Schütze auf schmalen Schneisen zu stehen kommt, weil hier ja ausschließlich Schüsse auf kurze Entfernungen möglich sind. In vielen Fällen wird übrigens, zumal bei hoher Schützen- und geringer Treiberzahl, der Jagdleiter auf solchen ein Schießen nur nach *einer* Seite anordnen, und das ist dann, aus den beim Vorstehtreiben erörterten Gründen, selbstverständlich immer nur die *linke,* von dem dem Treiben zugewandten Schützen aus gesehen. Ebenso selbstverständlich ist es, daß alle Schützen sich auf der dem *Treiben zugewandten Seite der Schneise* anstellen, und zwar bei Dickungen und älteren Kulturen sowie bei tiefbemantelten Stangenhölzern immer mit dem Rücken zu diesem, bei älteren, schon etwas lichten Stangenhölzern und bei Althölzern dem Treiben zugekehrt. Es ist aber strengstens zu beachten, ob der Jagdherr bei der Waldjagd den Schrotschuß in das Treiben hinein gestattet oder nicht. In vielen Fällen wird er das unbedenklich tun, in anderen erzwingt das Gelände größere Vorsicht. Erfahrenen und als vorsichtig bewährten Schützen wird mitunter die verantwortliche Entscheidung überlassen.

Dem Nachbarschützen macht man sich bei jedem Waldtreiben grundsätzlich bemerklich, selbst dann, wenn man im dunkelsten Lodenzeug bei Schnee fast deckungslos an einer nur meterhohen Kiefernkultur steht. Das ist einfach waidmännischer Brauch und gehört sich so. Zudem ist es für eventuelle Regreßansprüche im Falle eines Jagdunfalles oft von entscheidender Bedeutung. Anlaufendes oder anstreichendes Wild darf man beschießen, wenn der Schuß nach menschlichem Ermessen den Nachbarn (oder die Treiberwehr) nicht gefährden kann, die betreffende Schußrichtung vom Jagdherrn freigegeben ist und das Wild sich dem Schützen selbst näher befindet als seinen Nachbarn.

Beim Standtreiben ist ein Verlassen des Standes vor Beendigung des Treibens strengstens untersagt. Eine Ausnahme hiervon ist nur bei reinen Schrottreiben möglich, wenn beide Nachbarschützen verständigt sind und die bekundete Absicht des Schützen an jeweils ihre Nachbarn weitergegeben haben. Auch dann wird es sehr, sehr ungern gesehen und darf nur in dringlichsten Fällen erfolgen, etwa, wenn ein schon fast außer Schußbereich befindlicher Hase schwer angeschossen wurde und nun langsam fortkröpelt, ein Hund aber nicht zur Verfügung steht, der die arme Kreatur von ihren Leiden erlösen könnte. Ich führe für solche Fälle auch bei Waldjagden meist eine Schrotpatrone mit ganz grobem Schrot (4 mm) mit, die bei raschem Nachladen den ja meist leichten Fangschuß auf weite Entfernung, selbst durch eine nicht zu dichte Deckung hindurch, ermöglicht.

Auch die Treiber müssen sich bei Waldjagden anders verhalten als im Feld, was schon für die Bekleidung gilt, die freilich der dann meist treibende Waldarbeiter ohnehin richtig zu wählen weiß: Bei nassem Wetter oder Schnee bindet er sich einen Sack nach Art einer Schürze um den Leib, der Knie und Oberrand der Schaftstiefel schützt, einen zweiten über Schultern, Nacken und Mütze, der ihn von oben vor allzu starker Nässe bewahrt. Haben die Treiber dann noch einen langen Stecken oder, falls Schwarzwild zu erwarten ist, gar eine Saufeder in der Rechten, dann schauen sie so aus, wie sich „der kleine Moritz“ die alten Germanen vorstellt.

Die Treiberwehr neigt im Walde sehr dazu, den Ort des geringsten Widerstandes zu suchen, d. h. möglichst auf lückigen Stellen vorzugehen und jeden dichteren Verjüngungshorst zu vermeiden. Aus diesem Grunde geht der Führer der Treiberwehr zweckmäßig nicht in deren Mitte, sondern einige Schritte hinter ihr. Die Treiber sollten – ich sagte: *sollten,* denn in Wirklichkeit ist das meist nur ein frommer Wunsch – auch bei einer Hasenjagd im Walde ruhig durchgehen, ohne mehr zu tun, als mit ihrer Klappe hin und wieder anzuschlagen oder einen Dürrast im Vorbeigehen zu knicken. Sind viele Hasen vorhanden, dann ist es zweckmäßig, wenn die ganze Wehr ab und zu stehenbleibt, sich ausrichtet und, falls Hasen gegen die Treiber zurücklaufen wollen, mit dem Stecken auf den Boden klopft.

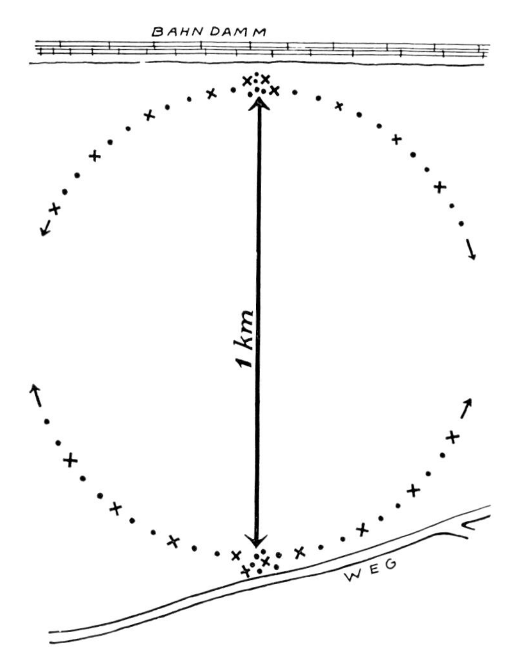

Anlage eines Kesseltreibens im Felde
× = Schützen, . . . = Treiber

Jeder Treiber muß Anweisung haben, auch bei großen Strecken alles Wild, das ihm ein Schütze zuweist oder das er selber findet, aufzunehmen und an einen vorbestimmten Platz zu tragen. Ist es sehr viel, dann hilft ihm selbstverständlich ein anderer Treiber oder der Schütze, der die Zahl des von ihm erlegten Wildes natürlich im Kopf haben muß. Auch stehen bei großen Standtreiben auf Niederwild dem Schützen meist Helfer aus dem Jagd- bzw. Forstpersonal zur Verfügung. Leider hat es sich immer noch nicht so recht eingebürgert, Jungjäger als „Assistenten“ zu laden, die doch in der jetzigen „treiberarmen“ Zeit von höchstem Nutzen sind, weil sie auf Grund ihrer Passion gern die Treiberwehr verstärken (und dann meist auch vor dichtestem Gestrüpp sich nicht scheuen), auch als Helfer des Schützen, Flintenspanner und Wildbeobachter die besten Dienste leisten. Gerade bei solcher Gelegenheit wird es oftmals möglich sein, einen Jungjäger seinen ersten Schuß auf einer Gesellschaftsjagd tun zu lassen, so war das vor Jahrzehnten bei mir und später bei meinem Sohn auch . . .

Die Krone aller Jagdarten auf den Hasen ist für sehr viele Jäger das *Kesseltreiben* oder die Kesseljagd, die ja meist nicht nur eine jagdliche, sondern zugleich auch eine gesellschaftliche Veranstaltung ist und im Leben vieler Waidmänner eine bedeutende Rolle spielt. So hat sie auch hervorragende Schilderer gefunden, es sei nur an Hermann Löns' „Mümmelmann" und an Walter Hulverscheidt erinnert. In der Tat kann ein gut geleitetes Kesseltreiben, wenn nur auch wirklich Hasen da sind, etwas sehr Nettes sein, und mancher Jungjäger zieht wohl Geschmacksfäden, wenn er von Strecken hört, die 600, 800 oder gar 1000 Hasen umfassen. Doch geht es so manchem Jäger hier wie mit anderen Vergnügungen auch, man macht hin und wieder mal sehr gern mit, verzichtet aber lieber auf eine allzu häufige Wiederholung.

Bei der Kesseljagd hat der Jagdleiter, wie bei jeder Gesellschaftsjagd, ein Stückchen „Generalstabsarbeit" hinter sich, wenn das Horn zur Begrüßung klingt. Als erstes muß er den zu wählenden Zeitpunkt bedenken und sich, in hasenreichen Gegenden, zu diesem Zwecke mit seinen Nachbarn verständigen, damit nicht mehrere Jagden auf einen Tag fallen und die erwünschten Schützen knapp werden. Die meist gewählten Termine sind die vierzehn Tage vor Weihnachten und die Zeit nach dem Fest bis zum Ende der Schußzeit, die in Deutschland fast allgemein am 15. Januar schließt. Für einen so späten Termin der Kesseljagd spricht die Tatsache, daß, wie Eickhoff festgestellt hat, der Hase sein Gewicht bis zum Januar fortlaufend erhöht, man also von der letzten Dezemberhälfte ab auch dann ganz überwiegend schwere Hasen auf der Strecke hat, wenn, wie das in guten Jahren immer der Fall ist, *mehr* als die Hälfte der Strecke aus $^1/_2$- bis $^3/_4$jährigen Löffelmännern besteht. Auch ist dann mit einiger Sicherheit auf Frost zu rechnen, und leichter Frost, möglichst auch eine ganz leichte Schneedecke, gehören nun einmal dazu: Der Hase liegt dann nicht zu fest, Treiber und Schützen kommen im Gelände weit besser voran als bei offenem Wetter, und die Nachsuche ist ein Kinderspiel. Für einen Termin „zwischen den Jahren" spricht der gewichtige Umstand, daß dann die jagdliche Jugend, ob sie nun Primanerbänke drückt, an den Brüsten der Alma mater saugt oder sich in einer anderen Berufsausbildung befindet, verfügbar ist, und keinem Jagdherrn mit heranwachsenden Söhnen ist wohl der Begriff der „Jugendjagd" fremd, Abschluß und Krönung des Jagdjahres alter Art.

Nächst dem Termin ist die Lage und Anzahl der Kessel zu bedenken, von denen im allgemeinen zwei bis drei am Vormittage, ein bis zwei am Nachmittage genommen zu werden pflegen. Naturgemäß richtet sich die Zahl nach der Größe der abzutreibenden Fläche, und das beides steht wieder im Zusammenhang mit der zur Verfügung stehenden Treiber- und Schützenzahl. Früher war es oft schwieriger, Schützen zu bekommen als Treiber, heute ist es, fast im Extrem, umgekehrt, wenn man nicht 3 bis 5 blanke Fünfmarkstücke je Treiber, ohne mit der Wimper zu zucken, ausgeben kann. Auch aus diesem Grunde empfiehlt sich die Zeit zwischen Weihnachten und Dreikönigstag, weil dann die dörfliche Jugend zur Verfügung steht, für die das Treibendürfen noch ein Fest bedeutet.

In der alten Zeit rechnete man mindestens zwei bis vier Treiber je Schützen, heute bestenfalls zwei. Man teilt das Ganze meist in zwei Parteien, die voneinander gegenüberliegenden Punkten der Kesselperipherie jeweils nach beiden Seiten auslaufen (Abb.), wobei die zuerst auslaufenden solange auf dem imaginären Kreisbogen voranschreiten, bis sie sich den ersten der anderen Partei auf fünfzig bis sechzig Schritt genähert haben. Die Reihenfolge der Treiber und Schützen muß genau überlegt und geregelt sein, sind notorisch schlechte Schützen dabei, so muß man ihnen sichere Schützen zu Nachbarn geben, und lässige Treiber kommen zweckmäßig in die väterliche Obhut der altbewährten und oft weitberühmten *Obertreiber*, die heute oft an einer hübschen, vom DJV gestifteten Stockplakette jedem Jagdteilnehmer kenntlich sind.

Ob man den zuerst auslaufenden Schützen gestattet, etwa aufstehende Hasen zu schießen, hängt von den örtlichen Verhältnissen und Bräuchen ab. Ist bei mäßigem Besatz, kleinen Kesseln und vielen Schützen, an einem Tage, an dem gar noch die spärlichen Hasen äußerst locker liegen, eine absolut geringe Strecke zu erwarten, die aber das, was überhaupt in den Kessel gerät, mit einiger Wahrscheinlichkeit restlos erfaßt, dann sollte man das Schießen erst nach Schließung des Kessels gestatten. Zumeist aber wird die Sache so gehandhabt, daß jüngere, passionierte Schützen die Spitze bekommen und, gleichsam als Entschädigung für die oft langen Wege, die sie zurückzulegen haben, beim Auslaufen hochgehende Hasen erlegen dürfen. Ich selber habe mich immer gern als „Spitzenreiter" zur Verfügung gestellt und manchen Mümmelmann dabei geschossen.

Schon an diesem Beispiel sieht man, wie notwendig es ist, daß der Jagdleiter vor Beginn der Jagd Treibern und Schützen Anweisungen gibt, das sogenannte „Tagesjagdgesetz" verkündet. Nach der Begrüßung erfolgt zumeist ein sinniger Hinweis auf die Wetterlage. Dann wird bekanntgegeben, was geschossen werden darf. Bei reinen Feldkesseln kommen da meist nur Hasen und Hühner in Betracht, allenfalls der Fuchs, seltener, eigentlich nur dann, wenn Feldgehölze, Weidenheger, kleine Aufforstungsflächen und ähnliches im Kessel liegen, Fasanen und Kaninchen. Fuchs, Hase und Kaninchen werden wohl immer freizugeben sein, die Freigabe von Fasanen richtet sich nach den Hegezielen der Jagdleitung, die der Rebhühner dazu auch noch nach Sicherheitserwägungen, da oft recht leichtsinnig – und noch dazu mit grobem Schrot – auf sie geschossen wird, sowie nach den Schonzeitbestimmungen.

Unerläßlich ist, daß der Jagdherr auf die Sicherheitsbestimmungen hinweist, wozu er durch das Gesetz sogar verpflichtet ist. Diese Sicherheitsbestimmungen, wie sie sich seit Jahrzehnten von der Rückseite des Jagdscheines ablesen lassen, lauten, in bezug auf die Kesseljagd, wie folgt:

„Die Gewehre sind außerhalb eines Treibens stets mit der Mündung nach oben zu tragen.

Das Gewehr darf nur während der tatsächlichen Jagdausübung (des Treibens, der Suche usw.) geladen sein, ist aber nach Beendigung der Jagdausübung sofort zu entladen. Ist das Entladen nicht möglich, so ist dies dem Jagdleiter alsbald mitzuteilen.

Wenn sich Schützen oder Treiber in gefahrbringender Nähe befinden, darf in die Richtung dieser Personen weder geschossen, noch angeschlagen werden. Das Durchziehen durch die Schützen- oder Treiberlinie mit angeschlagenem Gewehr ist verboten.

Das Schießen mit der Kugel in das Treiben hinein ist nur mit ausdrücklicher Genehmigung des Jagdleiters erlaubt.

Bei Kesseltreiben darf auf das Signal „Treiber 'rein" nicht mehr in den Kessel geschossen werden.

Niemand darf einen Schuß abgeben, bevor er das betreffende Stück Wild genau angesprochen (erkannt) hat.

In allen besonderen Gefahrenfällen, z. B. vor dem Überschreiten vom Geländehindernissen (Gräben, Zäunen) sowie vor Rückkehr zum Versammlungsplatz oder zu den Wagen usw. ist das Gewehr zu entladen."

Der Jagdherr ist berechtigt, bei Nichtbefolgung dieser und der von ihm gegebenen besonderen Bestimmungen – also z. B. Erlegung eines nicht freigegebenen Stückes Wild – den betreffenden Schützen von der weiteren Teilnahme an der Jagd auszuschließen oder eine Geldstrafe anzudrohen, die zugunsten eines gemeinnützigen Vereins[6] verwendet wird. Leider wird in unserer Zeit von beiden Möglichkeiten viel zu wenig Gebrauch gemacht, weil niemand dem anderen „auf den Schlips treten“ möchte. Jeder wirkliche Waidmann wird sich freuen, wenn der Jagdherr streng vorgeht, wo die Jagdmoral gesunken ist. Dem Betroffenen aber wird es eine Lehre sein, die er nicht so bald vergißt! Leichtere Verstöße können auf dem beim oder nach dem „Schüsseltreiben“ stattfindenden Jagdgericht geahndet werden.

Zu den Unarten vieler Schützen gehört es, durch allerlei Mätzchen ihre persönliche Strecke oder doch wenigstens ihren Anlauf während des Kessels verbessern zu wollen. Die berühmteste dieser Unarten ist das sogenannte *Sackmachen*, d. h. der betreffende Schütze bleibt unauffällig mehr und mehr zurück, so daß der in etwa kreisrunde Kessel eine Ausbuchtung erhält, in der viele Hasen die einzige Rettung sehen, zumal durch dieses Verfahren sich der Abstand zu den Nachbarschützen und zu den nächsten Treibern automatisch erhöht. Oder aber ein Schütze, der diese auffällige Verbesserung seiner persönlichen Aussichten nicht riskiert, versucht es auf andere Art: Er gibt den beiden benachbarten Treibern ein Trinkgeld mit der Weisung, sich ihm während des ganzen Treibens nicht auf weniger als vierzig Meter zu nähern. Manche Schützen begrüßen auch den anlaufenden Hasen durch einen Kniefall: Sie machen sich klein und schießen dann im knienden Anschlag, ein törichtes Verfahren, weil sie dann für den etwa notwendig werdenden zweiten Schuß nicht mehr über die erforderliche Beweglichkeit verfügen. Wo es angebracht erscheint, muß also der Jagdherr auch solche Unkorrektheiten ausdrücklich verbieten und möglichst unter Strafe stellen. Verläßliche Jäger übernehmen gern die Überwachung unsicherer Kantonisten, werden gar für solche als Nachbarschützen eingeteilt, um insbesondere einen Sackmacher „abzuwürgen“, d. h. durch rasches Vorwärtsgehen und seitliches Aufschließen ihn hinter die Treiber- und Schützenlinie zu bringen.

Wie zu jeder Treibjagd, so gehört auch zum Kesseltreiben das *Horn!* Nichts ist abscheulicher, als wenn eine mehr oder weniger mißtönende Hupe die Schließung des Kessels oder das Stehenbleiben der Schützen anzeigt, und auch das oft geübte „Durchrufen“ ist keineswegs so verläßlich wie das flotte Signal „Treiber ’rein!“ Erfreulicherweise sind wir heute fast überall wieder so weit, daß gute Hornbläser bevorzugt eingeladen werden – ein ausgezeichneter Ansporn für eifrige Jungjäger.

Doch setzen wir nun die zuvor unterbrochene Schilderung des Jagdverlaufes fort: Der Kessel hat sich also geschlossen, jeder Teilnehmer macht eine Schwenkung zum Kreismittelpunkt hin und steuert diesen langsamen Schrittes an. Die ersten Hasen gehen hoch und streben, oft noch ohne große Aufregung, dem Kesselinnern zu oder nehmen gleich die Treiber- und Schützenwehr an, um nach außen durchzubrechen. *Wie* und vor allen Dingen *wann* sie abzuwehren sind, wurde oben schon bei Behandlung der Böhmischen Streife geschildert. Kommt ein Hase einem Schützen und erliegt nicht gleich dem tödlichen Hagel, dann darf jener mit dem zweiten Schuß nicht sparen, auch wenn der Hase nicht sichtbarlich krank ist. Und selbstverständlich ist jedem, auch dem vermeintlich gefehlten Hasen nachzublicken, denn überraschend oft kommt es vor, daß ein solcher nach einer Strecke von etwa 150 m plötzlich kürzer wird, sich auf die Seite legt und verendet. Das ist besonders dann der Fall, wenn ein Schrot eines der großen Gefäße im Körperinnern, zumal in der Brusthöhle, angeschlagen hat. – Die Treiber bedürfen zum Herbeiholen eines so weit vom

[6] In Deutschland z. B. an die „Hilfsgemeinschaft Grüne Brücke“ in Göttingen, Herzberger Landstraße 37, an die „Neue Jägerhilfe“, die Unterstützungen an Hinterbliebene von Berufsjägern gibt, oder den „Hilfsfond für Försterwitwen und -waisen“.

In der Sasse *Nach einem Gemälde von Prof. G. Löbenberg*

Kessel verendeten Hasen oft einer besonderen Aufmunterung, die am besten in Gestalt einer guten Zigarre erfolgt.

Haben zwei Schützen denselben Hasen beschossen, so gilt der letzte Schuß, der vor dem Verenden desselben auf ihn abgegeben wurde, und diese Regel hat Gültigkeit bei den meisten Niederwildarten. Es gibt Jäger, die sich zur Aufbesserung ihrer mäßigen Strecke das zunutze machen und auch noch den verendend mit den Läufen schnellenden Hasen mit ihren Schroten zersieben, um ihn ja für sich buchen zu können. Das ist eine Schweinerei, aber noch nicht ganz so schlimm wie das Geizen mit Patronen, das manche Schützen üben, um mit hohen Trefferprozenten prunken zu können; denn dieses Verfahren führt zu den abscheulichsten Bildern, wenn, wie das in unserem Treibjagdbild angedeutet ist, eine johlende Treiberschar mit Knüppeln hinter dem oft noch recht flüchtigen Häslein her ist, das Haken um Haken schlägt, um schließlich doch zu erliegen ...

Zu den Aufgaben des Schützen gehört es demzufolge auch, das *Abschlagen* des tödlich getroffenen, aber noch lebenden Hasen zu überwachen: Der Hase wird an den Hinterläufen emporgehoben und mit einem kräftigen, etwa im Winkel von 45°, *schräg von oben,* hinter die Löffel geführten Knüppelschlage getötet. Beim Kaninchen tut es die Handkante.

Fällt ein Hase unter den *gleichzeitig* von zwei verschiedenen Schützen abgegebenen Schüssen, so ist das ein „Kompaniehase". Der feine Mann beeilt sich in solchem Falle, dem Nachbarschützen zu versichern, daß es *dessen* Hase sei, doch wird man in diesem Punkte zum feinen Mann gewöhnlich erst so etwa vom tausendsten Hasen an aufwärts ... Auf *jeden* Fall aber ist jeder Streit zu vermeiden, vielleicht ergibt sich später ein Ausknobeln oder eine ähnliche Lösung.

Der gut getroffene Hase schlägt im Schusse Rad, er macht dadurch dem Schützen sein Kompliment. Mir ist es allerdings

einmal begegnet, daß auch ein gar nicht gut, nämlich überhaupt nicht von mir getroffener Hase ganz vorschriftsmäßig Rad schlug, weil er sich im Augenblick der Schußabgabe in eine Brombeerranke verwickelte. Ich war so verblüfft, daß ich den weiten Schuß nicht mehr loswurde! Doch wird so etwas bei winterlichen Feldkesseln kaum je vorkommen. Dagegen beobachtet man, wenn sich auf dem Acker gefrorene Wasserflächen, die vielleicht gar leicht überschneit sind, befinden, daß das Radschlagen nicht enden will und der verendete Hase zum Schluß gar noch zehn Meter weit auf der Eisfläche entlangrutscht – ein besonders wirkungsvoller Effekt, der den Schützen freilich zu größter Vorsicht mahnen sollte, denn von solchen Eisflächen prallen die Schrote, wenn das Unglück es will, nach beinahe jeder Richtung ab!

Ist der Hase nicht tödlich getroffen, hat aber immerhin eine Anzahl Schrote bekommen, dann verrät das die oft sehr deutlich fliegende Wolle und ein kurzes Zusammenrucken des Hasen, meist verbunden mit einer leichten Richtungsänderung. Häufig wird dann ein Lauf schlenkern, der zerschossen wurde. Der Hase wird damit für jeden firmen Gebrauchshund erreichbar. Befindet sich ein solcher beim Schützen oder in seiner Nähe, so darf er nur geschnallt werden, wenn der Hase den Kessel verlassen hat.

Die im waffentechnischen Teil der Jagdpresse häufig erörterte Frage, welche Schrotsorten bei winterlichen Feldtreiben zu bevorzugen seien, wird sehr verschieden beantwortet. In der alten Zeit tat man gern einen recht weiten Schuß, ohne sich viel Gedanken über die Angst und die Schmerzen zu machen, die man damit dem Wilde zufügte. Vor allem galt ein Schuß *in* den Kessel hinein auch auf Entfernungen von 60 m und mehr für erlaubt. Unsere Auffassungen über diesen Punkt haben sich glücklicherweise geändert, und ausgesprochen weite Schüsse können nur dann als gerechtfertigt angesehen werden, wenn sie sichtlich krankem Wilde gelten. Infolgedessen ist man von den früher geführten 4-mm-Schroten fast ganz abgekommen. Man macht gegen sie geltend, daß bei ihrer Verwendung sich eine zu geringe Deckung ergebe, und das trifft für Flinten mit engem Kaliber zweifellos auch zu. Bei Verwendung aber des Flintenkalibers 12 hat sich nach meinen Erfahrungen das 4-mm-Schrot doch sehr gut bewährt, zumal bei nassem Wetter, wenn der Balg durch das zusammenklebende Oberhaar sehr dicht und filzig ist und den auftreffenden Schroten einen stärkeren Widerstand entgegensetzt als sonst. Es ist auch gewiß ein Unterschied, ob man die starken Hasen Nordostdeutschlands vor sich hat oder die geringeren der Rheinebene. So möchte ich einer gänzlichen Aufgabe der – im linken Lauf geführten – 4-mm-Schrote nicht das Wort reden. Im allgemeinen aber wird man mit $3^1/_2$ mm gut auskommen, wenn man es sich zum Grundsatze macht, gesunde Hasen auf allerhöchstens 35–40 m – nicht weiter! – zu beschießen.

Die alten Jäger waren der felsenfesten Überzeugung, daß der Satzhase bei Suche und Treiben besser halte als der Rammler. Sie kamen vermutlich zu dieser Ansicht, weil, wie wir gesehen haben, die Geschlechtsorgane eines jungen Rammlers nur bei größter Sachkenntnis von denen einer Häsin mit Sicherheit unterschieden werden können, und *junge Hasen* in der Tat *besser halten* als *ältere*. So ist es noch heute in vielen Revieren üblich, bei Treibjagden die hinter der Treiber- und Schützenkette aufstehenden und nach hinten laufenden Hasen schonen zu lassen. Trifft auch die voreinst gegebene Begründung nicht zu, so ist es diese Maßnahme dennoch wert, beibehalten zu werden. Denn heute ist fast überall der abgetriebene Flächenanteil im Verhältnis zur Reviergröße zu hoch, so daß zu wenig „Samenhasen", die ja den nächstjährigen Besatz bringen müssen, übrigbleiben. *Jeder* bei der Kesseljagd geschonte Hase ist also wichtig.

Im Kessel etwa eingeschlossenes Rehwild (Feldrehe) wird meist bald flüchtig werden und, mehr und mehr von panischem Schrecken erfüllt, an der inneren Kesselfront entlangflüchten, wobei die unvernünftige Treiberschar oft genug jeden Durchbruchsversuch zu vereiteln bemüht ist. Pflicht des Schützen ist es, in solchen Fällen, wenn nötig mit einem harten Wort, auf die Treiber einzuwirken, daß sie sich regungslos verhalten, oder auch vorsorglich durch Heranzitieren der beiden nächsten Treiber eine Lücke zu bilden, die das geängstigte Wild sofort annimmt.

Haben sich Treiber und Schützen dem ihnen gegenüber befindlichen Teile des Kreisbogens so genähert, daß ein gegen den Kesselmittelpunkt gerichteter Schuß jenen gefährden könnte, dann erfolgt das Signal „Treiber 'rein!", auf das hin die Schützen stehenbleiben. Es darf dann nur noch nach außen geschossen werden. Die meisten Jagdleiter sind sich nicht darüber im klaren, daß diese Entfernung durch die Entscheidungen höchster Gerichte sehr klar festgelegt ist: Es ist der Durchmesser der üblicherweise verwandten Schrotsorte, multipliziert mit 100 m, was bei 3$^1/_2$-mm-Schrot einem Kesseldurchmesser von 350 m entspricht! Bei der geringen Reviergröße in Westdeutschland wird diese Entfernung meist unterschritten, ja, viele Kessel beginnen mit einem Durchmesser, der kaum mehr als die genannten 350 m aufweist. In solchen Fällen täten die Revierinhaber weit besser, sich zu mehreren zusammenzutun und *eine* richtige Kesseljagd zustande zu bringen, als solche Zwergjagden zu veranstalten.

Sind die Treiber in der Mitte des Kessels zusammengekommen, muß abgeblasen werden. Die Schützen haben zu entladen! Dann wird die Strecke festgestellt, darauf werden die Hasen *ausgedrückt,* indem die Hand den Körper des Hasen von der Seite her so ergreift, daß der Daumen an der Wirbelsäule, der Zeigefinger mit den übrigen Fingern auf der Bauchseite zufaßt. Unter festem Druck schiebt sich die Hand langsam in Richtung auf die Blume, während die andere Hand den Hasen an den Vorderläufen festhält. Das dem Drucke ausweichende Gescheide preßt auf diese Weise die Harnblase zusammen, so daß der Harn entleert wird. – Anschließend werden die Hasen *geheßt,* d. h. der Hinterlauf der einen Seite wird durch einen an der Innenseite der Hauptstreckersehne („Achillessehne") des anderen Laufes angebrachten Schlitz gesteckt, wodurch sich der Hase gut tragen und aufhängen läßt. So wird die gezählte Strecke zum Wildwagen transportiert, zehnstückweise auf Stöcke aufgereiht und abgefahren. Bei weichem Wetter geschossene Hasen werden ausgeworfen oder ausgefahren, indem man die Bauchdecke öffnet, das Gescheide lokkert und dann Magen und kleines Gescheide – nicht aber die Leber – herausreißt. Die Brusthöhle wird nicht eröffnet, Herz und Lunge bleiben also im Hasen. Enddarm und Blase werden abgeschärft. Um die Bauchhöhle wieder zu verschließen, kann man einen Fingerbreit über dem Einschnitt in den Balg einen zweiten machen, durch den man die Blume hindurchzwängt. Damit ist ein sicherer Verschluß hergestellt. – Auf diese Weise hält sich das Wildpret wesentlich frischer als beim nicht ausgeworfenen Hasen und ist von höherem Wohlgeschmack. „Wer gewohnt ist, nur ausgeschleuderte Hasen auf seiner Tafel zu sehen, schmeckt einen nicht ausgeworfenen durch zwölf Gänge hindurch!" schreibt F. K. Lippert in seinem trefflichen Buch „Vom Schuß an". Leider berücksichtigt der Wildhandel diese Tatsache in seiner Einkaufspraxis nicht genügend.

Der Jagdleiter muß baldmöglichst diejenige Partei, die die größere Wegstrecke zum Auslaufpunkt des nächsten Treibens zu bewältigen hat, in Marsch setzen, damit nicht unnötig Zeit vertan wird, die dann gegen Abend oft fehlt. Sogenannte „Mondscheinjagden" sind unwaidmännisch und dazu nur selten ergiebig, weil die Hasen oft nicht mehr halten und in der Dämmerung meist überschossen werden. – Am Ende des Jagdtages wird Strecke gelegt, wobei zur besseren Übersicht jeder zehnte Hase ein Stück vorgezogen wird, und diese verblasen, den Schützen und Treibern gedankt und der Dank seitens eingeladener Jäger abgestattet, wenn sich nicht hierzu eine bessere Gelegenheit bei dem meist anschließenden geselligen Teil, dem Schüsseltreiben (Knödelbogen oder Aser) findet. In jüngstvergangener Zeit hat man versucht, auch einen der letzten Könige noch von seinem Thron zu stoßen, den *Jagdkönig*. Die deutsche Jägerei hat sich jedoch um die diesbezügliche Propaganda nicht gekümmert, und so wird nach altem Brauch und alter Sitte vom Jagdherrn der Jagdkönig bekanntgegeben, im Regelfall derjenige Schütze, der die höchste persönliche Strecke aufzuweisen hat. Doch gibt es da allerlei Variationsmöglichkeiten, der Erleger eines Fuchses wird vielfach höher eingestuft, oder es gelten auch die Trefferprozente Wie es auch werden mag, Aufgabe des Jagdkönigs oder, wenn ihm die Kunst der Rede nicht in die Wiege gelegt wurde, eines von ihm Bestimmten ist es, den Dank an den Jagdherrn auszubringen, wobei gemeinhin wieder vom Wetter ausgegangen wird ...

Das *Brackieren* des Hasen, die Jagd also mit Jagenden Hunden, wird heute in Deutschland nur noch wenig ausgeübt. Diese Jagdart kam früher vielfach in Anwendung in Mittel- und Hochgebirgswaldungen mit sehr geringem Hasenbesatz, der den Aufwand einer Treiberschar nicht lohnt. Es werden dazu Bracken verschiedener Rassen verwendet, im Hochgebirge gelegentlich interessanterweise auch der Gebirgsschweißhund, der ja viel Brackenblut führt. Man benutzt auch Teckel und Teckelkreuzungen.

Der Jäger begibt sich gewöhnlich allein oder in Gesellschaft einiger weniger ins Revier, wo er an geeigneten Orten die Bracke schnallt, die nun nach einer frischen Hasenspur sucht, dieser mit tiefer Nase folgt und den Hasen aufstößt. Sie jagt ihn dann laut in nicht übereiltem Tempo, der Jäger läuft vor auf eine übersichtliche Stelle, wo er die Rückkehr des in weitem Bogen flüchtenden Hasen erwartet, der meist nicht allzu eilig herankommt und ihm so eine bequeme Beute wird, vorausgesetzt, daß er seinen Platz richtig gewählt hat. Ist das nicht der Fall, so vermag eine gute Bracke den Hasen noch ein zweites oder gar drittes Mal in die Nähe des Schützen zu bringen.

Bis zur Rückkehr des Hasen vergeht oft eine lange Zeit, und scherzhaft hat man gesagt, daß drei zum Brackieren gehende Jäger nach dem Aufstoßen des Hasen in aller Ruhe erst einmal einige Runden Skat spielen könnten, um, wenn sich das Geläut der Bracke nähert, gemächlich abzurechnen, den Spielgewinn auszuzahlen und im Schrittempo sich anzustellen. Nun, ganz so geruhsam geht es nicht zu, aber der Scherz kennzeichnet doch in etwa Zeitabläufe und Wesensart dieser Methode.

Brackenjagd wird aber auch in größerer Gesellschaft ausgeübt, so in der Schweiz und im Sauerlande, wo eine eigene Brackenrasse, die Olper Bracke, ein dreifarbenes, zierliches Hündchen, zur Verfügung steht. Sehr anschaulich schildert SNETHLAGE eine solche Veranstaltung:

„So sammelten sich dann an einem 15. November bei schönstem Jagdwetter, nachdem es über Nacht noch tüchtig geregnet hatte, die Olper Brackenjäger und ihre zahlreichen Gäste vor dem ‚Goldenen Löwen' am Markt, ihrem alten Stammlokal. Ein buntes und stimmungsvolles Bild, die markanten Gestalten der Jäger, das Gewimmel der eifrigen Hunde und dazwischen die fremdartige Melodie des Brackenhornrufes: ‚Aufbruch zur Jagd', geblasen auf dem altertümlich anmutenden Sauerländer Halbmond, in die die Bracken vielstimmig einfielen.

In schneller Fahrt ging es dann in langer Wagenkolonne zum Treffpunkt im Revier, wo uns der Jagdherr und eine weitere Anzahl von Jägern und Hunden erwartete. Und dann ging es nach der Ansprache des Beständers zu Fuß zum ersten Treiben, und wir Neulinge sahen mit Spannung den kommenden Ereignissen entgegen. Es dauerte eine Zeitlang, ehe das sehr große Treiben umstellt war, und dann tönte von weither der Hornruf ‚Es ist angestellt', dem gleich darauf das Signal ‚Hunde los' folgte. Wir wußten, daß jetzt die Brakkenführer, zwischen den übrigen Schützen verteilt, ihre Hunde schnallten, und daß die

Bracken die nächste Nachtspur von Fuchs oder Hasen anfallen sollten, um das Wild zu heben und es, laut auf der warmen Spur jagend, vor die Schützen zu bringen. Es ist ja das Prinzip dieser uralten Jagdart, daß die Hunde in dem schwierigen, bergigen Gelände und bei dem verhältnismäßig dünnen Wildbesatz die Treiber vollkommen ersetzen.

Bald hörten wir auch das vielstimmige Geläut einiger Hunde, die auf derselben Spur jagten, hörten die Jagd näherkommen, sich wieder wenden, bis ein Schuß in der Ferne das Geläut abschnitt. Und wieder kommt die Jagd auf uns zu, die helleren und die dunkleren, schnelleren und langsameren Stimmen der Bracken klingen wirklich wie ein Geläut von Glocken zusammen, schon faßt die Hand die Waffe fester, die Spannung ist auf dem Höhepunkt, da bricht es durch die Büsche des Lohschlages, und eine Ricke überfällt mit eleganter Flucht den Weg, 60, 80 Schritt dahinter die Hunde, auf und neben der Fährte, die Nase am Boden, in fast gemütlichem, gar nicht schnellem Tempo.

Von Rechts wegen sollen die Bracken ja nur an Hase und Fuchs jagen, aber in diesem Treiben hetzten sie zuerst einmal die Rehe. Die Brackenjäger entschuldigten das damit, daß seit dem Kriege infolge der Beschlagnahme der Reviere nicht mehr ordnungsgemäß mit Bracken gejagt worden wäre und behaupteten, daß die Hunde mit der Zeit von selbst rehrein würden, wenn kein Reh vor ihnen geschossen würde, wie dies in früheren Zeiten vielfach üblich gewesen sei.

Die Beunruhigung des Rehstandes ist ja auch eines der Hauptargumente, weswegen die Brackenjagd von vielen Jägern abgelehnt wird. Mir erscheint die Gefahr nicht so groß, sofern die Reviere nur eine entsprechende Größe haben, denn laute Hunde beunruhigen das Wild erfahrungsgemäß viel weniger als stumme Hetzer. Das Rehwild hört stets, woher die Gefahr kommt, spielt zum Teil mit den Hunden, indem es Widergänge macht und sie an sich vorbeiläßt, man hat jedenfalls keineswegs den Eindruck, daß es in Angst und Schrecken versetzt wird, und ich habe auf der ganzen Jagd kein abgehetztes Reh gesehen, dem die Flanken schlugen oder der Äser offen stand, wie man es öfters im Kesseltreiben beobachten kann. Ich glaube auch nicht, daß den Rehen die Bewegung einer gelegentlichen Hetze schadet. In Revieren, wo Rotwild steht, ist die Brackenjagd allerdings nicht am Platze: denn dieses nimmt öftere Beunruhigung sehr übel und meidet solche Gegenden. Auch Sauen werden nicht gern dort stecken, wo viel mit Bracken gejagt wird, da sie die Ruhe über alles lieben.

Doch zurück zu unserer Jagd. Nachdem man noch mehrmals in Aufregung gekommen war, ertönte endlich der Hornruf: ‚Sammeln' und ‚Hunde aufkoppeln', und alles eilte zum Sammelpunkt, wo sich mit der Zeit auch die letzten Bracken einfanden und von ihren Herren aufgekoppelt wurden. Nach einer kurzen Stärkung aus der Jagdtasche ging es weiter zum nächsten Treiben und so fort, bis der kurze Herbsttag sich neigte.

Wer große Strecken erzielen will, wird bei der Brackenjagd nicht auf seine Kosten kommen. Die Beschwerlichkeit der Wege im bergigen Gelände, die langen Treiben auf zugigen, kalten Ständen stehen für den schießlustigen Jäger in keinem Verhältnis zum Erfolg. Er soll auf Karnickeljagden gehen, wo es lustig knallt. Aber für den naturverbundenen Waidmann und den Hundeliebhaber ist das vielstimmige Geläut der Hunde, das Beobachten ihres Spurwillens und ihrer eleganten Bewegungen, der weiche Schall der melodischen Hornrufe, die von Berg zu Berg widerhallen, die wilde Landschaft im Herbstlaub ein Genuß, der das Jägerherz höher schlagen läßt. – Nachdem der letzte Hornruf Jäger und Hunde zusammengerufen hatte, wurde Strecke gelegt. Ein Fuchs und fünf Hasen wurden auf dem Halbmond mit dem schönen Signal ‚Wild tot' verblasen. Dann ging es nach *Olpe* zurück, wo ein gemeinsames Schüsseltreiben und Umtrunk Brackenjäger und Gäste vereinigte."

Die letzte der Jagdarten auf den Hasen, die hier genannt werden soll, ist die *Hasenhetze mit Windhunden.* Wir tun ihrer aus zwei Gründen Erwähnung: Einmal hat sie, wie die Parforcejagd auf Hirsch und Sau, in Deutschland, von der bayerischen Hochebene bis nach Ostpreußen, eine bedeutende Rolle gespielt, eine Rolle, die so groß war, daß kein Geringerer als DETLEV VON LILIENCRON sie zum Vorwurf einer seiner Balladen nahm, die neben BÜRGERS „Der wilde Jäger" und MÜNCHHAUSENS „Le Ralli" zu den Gipfelpunkten deutscher jagdlicher Dichtung gehört: „Der Tod". So groß auch, daß bekannte Maler, wie der in München lebende HAMILTON, sie im Bilde zeigten. – Zum anderen wird sie in einigen Gegenden Europas noch ausgeübt. In Deutschland ist sie heute verboten.

Der fröhliche Fortschrittsglaube des vorigen Jahrhunderts, der auf jagdlichem Gebiet bis in unsere Tage fortwirkt, ließ bei den alten Jägern die Meinung aufkommen, man brauche nur recht tüchtig das „Raubzeug" zu bekämpfen – zu dem auch alle Raub*wild*- und Greifvogelarten gerechnet wurden –, den Wilderern auf die Finger zu sehen und im Winter Fütterungen anzulegen, um jede Wildart sich in nahezu beliebiger Menge vermehren zu lassen. Das trifft ja nun in der Tat für einige Wildarten so einigermaßen zu, z. B. für Rot-, Dam- und Schwarzwild; auch, bis zu einem gewissen Grade, für Rehwild und Fasan, nicht aber für den Hasen, den uns die Untersuchungen BIEGERS, RIECKS und einiger Amerikaner als in besonderem Maße abhängig von Klima und Boden kennenlehrten.

Wir haben im naturgeschichtlichen Teil die Bedingungen genannt, die reiche Hasenbesätze ermöglichen: Kontinentales Klima, d. h. trockene, warme Sommer, denen harte Winter entsprechen können, die dem Hasen nicht schaden, wenn sie nur nicht feuchte Kälte bringen. Weite, waldlose Ebenen mit warmen Sand-, Löß- oder Schwarzerdeböden, die es unserem Wild gestatten, von seinem Hauptsinnesorgan und seinen Fluchtmöglichkeiten den besten Gebrauch zu machen und starke Sätze hochzubringen, sowie geringe Besiedlung durch Mensch und Raubwild. Wo diese Bedingungen nicht voll zutreffen, richtet sich der Besatz logischerweise nach dem jeweils ungünstigsten Faktor.

Da wir in Deutschland nur wenige Gebiete haben, die den genannten Voraussetzungen entsprechen, müssen wir uns damit abfinden, daß der *Frühjahrsbesatz* in Deutschland, auf die *gesamte* Jagdfläche bezogen, nur etwa 3 Stück je 100 ha beträgt. Der Abschuß belief sich in den Jahren 1936–1939 auf etwa das Doppelte, also 6 Stück je 100 ha. In vielen Gebieten lag er noch erheblich darunter, so im waldreichen, gebirgigen Kurhessen, das nur knapp die Hälfte erbrachte. Wenn auch diese Zahlen für große Areale von Regierungsbezirks- oder Provinzgröße gelten, so sollte sie sich doch jeder Jäger vor Augen halten. Denn jedes Revier könnte seinen reviereigenen Normalbesatz haben, der im *Felde* gemeinhin *über* den genannten Ziffern liegt, wenn nicht fast überall unsere Hasenbesätze, auch von sonst guten Jägern, *maßlos überschätzt* und damit *übernutzt* würden.

Der bei *weitem wichtigste Hegefaktor* ist demnach die *Abschußgestaltung,* die sich, jährlich wechselnd, den örtlich und zeitlich gegebenen Besatzverhältnissen anpassen muß. Habe ich ein Revier von beispielsweise 500 ha, Wald und Feld gemischt, so kann ich, bei einem nach Ende der Jagdzeit geschätzten Besatz von etwa 25 Hasen, die Hoffnung hegen, im Herbst 50 erlegen zu können, wenn einigermaßen günstige Verhältnisse herrschen. Die meisten Jäger aber meinen, daß „der Hase im Lenz selbander zu Felde ziehe und im Herbst selbsechzehnt zurückkomme", wie das verwirrende Sprichwort heißt, daß so viel Schaden angerichtet hat. Das hieße Verachtfachung (!) des Frühjahrsbesatzes – was *noch niemals und nirgends beobachtet worden ist!* Das höchste Vermehrungsprozent, das *je* festgestellt wurde – auf einer bis dahin hasenfreien Insel, ohne jedes Haarraubwild, bei ihrer *Erst*besieddung – ist eine Versechsfachung!

Ist das Jahr *ausnehmend* günstig, dann kann man in Deutschland mit 5 bis 6 in den Herbst gelangenden Junghasen pro Häsin, also allenfalls mit einer Vervierfachung des Frühjahrsbesatzes rechnen. Dieser selbst muß das allermindeste sein, was man übrig läßt, wenn man sehr optimistisch ist und keine Verlustreserve vom Ende der Jagdzeit bis zum Erscheinen des ersten Satzes einrechnet. In guten Jahren hoffe man, wie aus Gesagtem ersichtlich, auf eine knappe Verdreifachung, in schlechten Jahren – und etwa jedes *fünfte Jahr ist ein schlechtes* – darf noch nicht mit einer Verdoppelung gerechnet werden.

Ich glaube, die wenigsten Jäger haben ein solches Rechenexempel bislang angestellt. Zumeist wurde mit jagdlichem Götterblick im Hochsommer festgestellt, daß „enorm viele Hasen da sind", und bis zum Ende der Schußzeit alles totgeschossen, was sich bekommen läßt. Daß damit in die Substanz eingegriffen, der reviergemäße Normalbesatz für die Hege ganz erheblich vermindert wird, will niemand wahrhaben. Oft werden „die Wälder" als unerschöpfliche Reserve angesehen, die aber zur Jagdzeit vielfach hasenarm sind, so daß durch solch rücksichtsloses Schießen auch der Waldjagdbesitzer seine Hasen los wird. Wir *könnten* in Deutschland wahrscheinlich nachhaltig fast das *Doppelte* an Hasen zur Strecke bringen, wenn es, auf freiwilliger Basis, auch bei dieser Wildart so etwas wie eine Abschußregelung gäbe, wie sie mein Freund GIEPPNER in dem von ihm jagdlich betreuten Kreise *Hünfeld* auf großer Fläche durchgeführt hatte. Vivant sequentes!

Der aufmerksame Leser wird sich fragen, wie wir zu den genannten Schätzungen kamen, die den Ausgangspunkt unserer Betrachtungen bilden? Sie beruhen auf dreierlei Feststellungen: Einmal auf den Zählungen VAN GÜLPENS für die erwähnte Insel, wo sich, nach der vollständigen Besiedlung, der Besatz rasch auf einen jährlichen *Zuwachs* von der doppelten bis dreifachen Höhe des Frühjahrsbesatzes einspielte. Zum anderen auf Streckenuntersuchungen, bei denen eben derselbe Prozentsatz an Jungtieren gefunden wurde, und zum dritten auf den Rückmeldungen von Wildmarkenhasen, bei denen an einem Material aus fast ganz Deutschland, das im Laufe vieler Jahre zusammenkam, fast dasselbe Verhältnis von Jung- zu Althasen, nämlich 62 % : 38 %, sich herausstellte, wie wir es eingangs erwähnten. Die Zahlen, die durch erfahrene Niederwildheger bestätigt wurden, dürfen also als verläßliche Durchschnittszahlen gelten. Die übliche Überschätzung des jährlichen Zuwachses findet *eine* Erklärung in der irrigen Annahme, daß junge Satzhasen des ersten Satzes im Herbst ihres Geburtsjahres selber schon Nachwuchs brächten, was in Deutschland sicher nicht der Fall ist. Zudem sieht man im Hochsommer nach und nach auf Pürsch und Ansitz so ziemlich den ganzen Besatz, einschließlich *der* Junghasen, die den alljährlichen Herbstregen, den in ihrem Gefolge nachweislich oft auftretenden Seuchen und menschlichen und tierischen Feinden bis zur Jagdzeit noch erliegen. Wie leicht sind da Fehlschätzungen!

Nach dem Gesagten kann man also den jährlichen Zuwachs im Hasenrevier nur steigern, indem man für einen ausreichenden Frühjahrsbesatz sorgt. *Das ist das A und O der Hasenhege!* Doch wäre es ein Irrtum zu glauben, daß das unbegrenzt ginge. Vielmehr sind der Siedlungsdichte, der Wohndichte der Hasen also in den verschiedenen Reviertypen, Schranken gesetzt, die sich aus den jeweils herrschenden örtlichen Verhältnissen ergeben. Letztlich spielen die vorhandene Deckung und die jeweils herrschende Witterung, vor allem für den ersten und zweiten Satz, wohl die ausschlaggebende Rolle. Daneben ist es die verfügbare Äsungsmenge in der ungünstigsten Jahreszeit, die den Ausschlag gibt. Was nützen 100 Satzhasen, wenn die Deckung so gering ist, daß mit Sicherheit alljährlich vier Fünftel der Sätze zugrunde gehen? Unter „Deckung" ist hier durchaus auch „Raumweite" zu verstehen, die für Hase und Feldhuhn ein ausschlaggebender Faktor ist. Wir werden ihn weiter unten besprechen.

Nächst dem Revierinhaber selbst, dessen jagdbetriebliche Erwägungen bei der Hasenhege am Anfang stehen, ist es der Mensch in seinen sonstigen Erscheinungsformen, der für den Hasenbesatz eine wichtige Rolle spielt. Vor allem der Landwirt, dem die zum Revier gehörigen Felder und Wiesen eignen. Je weniger Besitzer in Frage kommen, desto günstiger ist es, weil man es dann mit weniger Verhandlungspartnern zu tun hat. Natürlich kann der Revierinhaber nicht auf Bestellungspläne Einfluß nehmen, aber er kann mancherlei tun, um für Deckung zu sorgen. Wir gehen im Rebhuhnkapitel hierauf ein.

Von großer Bedeutung ist auch die Einstellung der Schuljugend zum Wilde, und diese ist von der der Landlehrer und der Leiter der örtlichen Jugendorganisationen weitgehend abhängig. Sie haben oft Vortreffliches geleistet, insbesondere, wenn man ihnen durch Überlassen alter Jagdzeitschriften, DJV-Merkblätter u. a. ein Material in die Hand gibt, das sich vielfältig auswerten läßt. So mancher Revierinhaber hat auch selber sich vor die Jugend hingestellt und ihr einen leicht verständlichen Vortrag gehalten, der immer mehr bewirkt, als die bekannten Strafmittel bei ertappten Übeltätern.

Zu wichtigen Helfern des Hegers können auch die Bewohner abseits gelegener Weiler und Gehöfte werden. Ich denke da an die Besitzer von Einzelhöfen, wie sie in Nordwestdeutschland noch häufig sind, und die Bewohner der Forsthäuser, Waldarbeitergehöfte und Bahnwärtereien. Gerade mit Bahnwärtern habe ich viele Erfahrungen – und nur gute. Dieser in unserem Zusammenhang selten erwähnte, naturnahe Berufsstand (heute meist Schwerkriegsbeschädigte) kann dem Jäger von hohem Nutzen sein und hat schon manches Revier durch genaues Beobachten und rechtzeitiges Melden in die Höhe bringen helfen.

Es würde den Rahmen des „Diezel“ sprengen, wollten wir auf alle Einwirkungen – positive und negative – eingehen, die den Faktor „Mensch“ bei der Niederwildhege ausmachen. Einiges wird bei der Behandlung anderer Wildarten noch zu sagen sein. Deutlich ist wohl geworden, daß der Mensch mit seinen landschaftsgestaltenden Einwirkungen der

„ökologische Faktor Nr. 1" ist, daß von ihm und seinem Tun Gedeih oder Verderb der Wildbahn in erster Linie abhängt.

Der *Bekämpfung* unberechtigt mitjagender Zeitgenossen, also der *Wilddiebe,* sind Spezialwerke gewidmet, die vorkommendenfalls zu Rate gezogen werden können. Das Schlingenunwesen hat neuerdings sehr zugenommen, und so muß man immer ein wachsames Auge haben, besonders an Zaunlücken der Dorfgärten, an dichten Hecken, die nur wenig Durchlässe haben, in kleinen Feldgehölzen und Brüchen, jungen Kulturen usw., besonders dort, wo viel Fremdarbeiter in der Gegend sind. Regelmäßiges Revidieren mit Entfernen der Schlingen hilft zumeist, falls nicht, ist Ansitz – u. U. Daueransitz mit Ablösungen – an einem in der Schlinge aufgefundenen, noch frischen Stück Wild (man kann auch einen geschossenen Hasen in die Schlinge hängen) am Platze. Doch muß man zur Überführung des Wilddiebs das Wiederfängischstellen der Schlingen abwarten. Der beste Helfer ist auch hier der Berufsjäger oder die Polizei, die eigene Wilddiebsdezernate eingerichtet hat.

Auch die *Besatzschädigungen durch menschliche Haustiere* sind letzten Endes sekundäre Einwirkungen des Menschen. Da ihre Anzahl bei steigender Besiedlung zunimmt, haben es die Revierinhaber in der Nähe von Städten besonders schwer. Die Anstellung eines Berufsjägers ist, das ist mehrfach bewiesen, das beste Mittel gegen wildernde Hunde und Katzen, die vor allem in der Satzzeit oft gewaltigen Schaden tun. Ich kenne ein im Leinetal gelegenes Revier, dessen Strecken, nachdem ein Berufsjäger dort Dienst tat (dessen Einkommen, wie vielfach üblich, zum größeren Teil aus den sehr hohen Abschußprämien für Hunde und Katzen bestand), sich nahezu verdoppelten. Wo ein solcher nicht vorhanden ist und der Jagdherr nicht im Revier wohnt, muß ein vertrauenswürdiger Jagdaufseher gewonnen werden. Sehr gute Erfahrungen sind auch mit Jungjägern nach bestandener Jägerprüfung gemacht worden, denen das Begehen des Revieres mit einer Kleinkaliberbüchse gestattet wurde. Auch von dieser Möglichkeit sollte mehr Gebrauch gemacht werden, als das bisher geschieht.

Hunde bekommt man, außer bei mehr zufälligen Begegnungen auf Pürsch und Ansitz, vor allem durch *Vorpaß,* also durch Ansitz an einem von ihnen mehrfach benutzten Wege, Feldrain oder dergleichen, am besten in der Frühe, wenn sie vertraut heimwärts bummeln. Gelingt es auf diese Weise nicht, dann hilft oft die Hasenklage oder der Kitzruf, deren Gebrauch wir im Fuchskapitel besprechen. In äußersten Fällen Ansitz an einem eigens hergerichteten Luderplatz oder der freilich immer etwas problematische Fang im Eisen, vielleicht auch das Anbinden einer läufigen Hündin in Kanzelnähe. *Katzen* werden nach meinen vielfach bestätigten Erfahrungen häufiger abends als morgens geschossen, da sie den kalten Morgentau scheuen. Hier ist, wie beim wildernden Hunde, auch der Schuß im Scheinwerferlicht des Autos statthaft, da das Verbot der Benutzung künstlicher Lichtquellen sich nicht auf Raubzeug bezieht, sondern nur auf jagdbares Wild. Und schließlich ist die Kastenfalle ein erprobtes Mittel, zu deren Beköderung es mancherlei wirksame Dinge gibt. Den besten Dienst leistet jedoch ein scharfer Gebrauchshund, der jede in seinen Bereich gelangende wildernde Katze ohne viel Federlesens abwürgt oder zu Baume hetzt, wo sie dann leicht heruntergeschossen werden kann.

Über die *Bekämpfung* der in Frage kommenden *Raubwildarten* und der Krähen ist in den diese behandelnden Kapiteln das Nötige gesagt.

Eine Hegemaßnahme, die in früheren Zeiten in ihrer Bedeutung überschätzt wurde, ist die *Winterfütterung* der Hasen. In den meisten Gegenden bedürfen bei normalem Wetter die Hasen einer Fütterung nicht. Nur wenn Harschschnee Wochen hindurch währt oder abnorm hohe Schneedecken lange Zeit bleiben, ist Fütterung nützlich, auch um die dann stets einsetzenden Schäden an Wald- und Obstbäumen, Weinstöcken usw. aufzufangen. Dann darf aber nicht der so gern gemachte Fehler einsetzen, daß man durch Anlage *einer* Fütterung eine unangebrachte Konzentration des Besatzes herbeiführt (Abb. S. 96) und damit zwei- und vierbeinigen Hasenbratenliebhabern den Weg zur bequemen Erbeutung weist. Es müssen vielmehr, je 100 ha an mindestens drei bis fünf Stellen, kleine, unauffällige Futterplätze angelegt werden, die am besten in einem Pfahl bestehen, auf den man ein beiderseits angespritztes Querholz nagelt, das die Futterbündel trägt. Verabreicht werden Kleeheu, Hafergarben, Lupinen- oder Erbsenstroh. Einige Futterrüben, Topinamburknollen oder Kartoffeln kann man einfach in den niedergetretenen Schnee werfen, sie werden immer gefunden.

Sehr nützlich ist in Vorhölzern oder Feldgehölzen sowie in Baumgärten (Obstbaumstücken) das Fällen von Proßholz und das Ausasten. Als Proßholz eignen sich neben Obstbäumen besonders Aspen, Weiden, Pappeln, Akazien, aber auch viele andere Laubhölzer. Die Hasen werden dadurch in der Deckung gehalten und haben ein durchaus artgemäßes Futter. Auch das Freipflügen der Äsung mit dem Schneepflug kommt, wie allen Wildarten, den Hasen zugute.

Der beste Ort für die Erstellung der oben geschilderten Futterpfähle sind Blößen und Randgehölze, auch Remisen und Hegebüsche, wenn diese in größerer Anzahl im Revier vorhanden sind. Hecken, die an sich geeignet wären, möchte ich nicht empfehlen, weil sie zu oft von zwei- und vierbeinigen Interessenten abgesucht werden; dagegen sind feldnahe Stangenhölzer brauchbar. Günstig sind auch kleine Bestände des Besenginsters, die eine gute Deckung bieten und von den Hasen ohnehin gern angenommen werden.

Auch wenn die Notzeit vorbei ist, werden, wenn man weiter füttert, die Hasen gern noch zur Fütterung kommen. Und gerade das ist zu vermeiden! Das Füttern muß bei Eintreten besseren Wetters sofort eingestellt wrden, man verwöhnt sonst die Tiere und hält sie unnötig zusammen. Winterfütterung ist also beim Hasen eine nur in besonderen Fällen zu gewährende „Notstandsbeihilfe“.

Die Anlage von Remisen und Hegebüschen besprechen wir beim Feldflugwild, für das diese Revierverbesserungen von ganz besonderer Bedeutung sind. Der Wildäcker, die auch den Hasen von Nutzen sein können, wurde beim Rehwild gedacht. So sei anschließend hier noch eine Hegemaßnahme erörtert, die uns HEDIGER unter neuem Gesichtswinkel sehen lehrte, das *Hasenaussetzen.*

Zu den aus der landwirtschaftlichen Leistungszucht, an der ja in etwa der hundezüchtende Jäger teilhat, übernommenen Begriffen gehört die Vorstellung von der Notwendigkeit einer ab und zu vorzunehmenden *„Blutauffrischung“*. Wie vollständig unnötig eine solche bei Wildtieren wie dem Hasen ist, lehren immer wieder die mit Hasen besiedelten Inseln, auf denen sich ein fast immer aus engster Inzucht oder gar Inzestzucht entstandener Besatz seit Jahrzehnten, z. T. seit Jahrhunderten hält und hervorragend gedeiht. Das Aussetzen von Hasen ist vielmehr, wenn es geübt wird, eine einfache Addition, d. h. man führt einem zu geringen Besatz eine Verstärkung zu. In der Regel werden aber Hasen aus anderen Breiten angeboten, die nicht an unsere hiesigen Verhältnisse gewöhnt sind und oft den ungünstigen Klimawirkungen rasch erliegen. So haben führende Jagdwissenschaftler lange Zeit hindurch jedem Aussetzen widerraten.

Aber es fehlte der Beweis. Dieser ist inzwischen durch Prof. RIECK erbracht, der nach der großen Sturmflut 1962 Hasenstrecken in küstennahen Gebieten untersuchte, wo ein Jagdverband eine erhebliche Anzahl polnischer Hasen ausgesetzt hatte, und sie mit den Strecken aus Nachbarrevieren verglich, wo keine Aussetzung erfolgt war. Irgendein Vorsprung hinsichtlich Streckenzahl, Vermehrungsrate, Stärke hat sich in den Aussetzungsrevieren *nicht* ergeben. Das gleiche stellte der polnische Wildbiologe Mag. Pielowski nach massiven Aussetzungen in Polen fest.

Die *Krankheiten des Hasen* spielen wohl jagdwirtschaftlich und z. T. auch seuchenpolitisch eine große Rolle, haben aber für die Praxis insofern eine verhältnismäßig geringe Bedeutung, als ja der Jäger im Regelfalle keine Diagnose bei einem eingegangenen Hasen wird stellen können. Es hat auch m. E. keinen Sinn, hier mit diagnostischen Winken aufzuwarten und etwa die blaurote Färbung der Luftröhre als Kennzeichen der „hämorrhagischen Septikämie" zu schildern, denn in allen Fällen bedarf es eingehender Vorkenntnisse und einer mikroskopischen oder gar bakteriellen Untersuchung, um entscheiden zu

Einklappige Kastenfalle

können, welche Krankheit vorliegt. Hiervon hängen dann die weiteren Maßnahmen ab. Den speziell Interessierten seien die ausgezeichneten Werke von Dr. med. vet. Jakob Krembs, „Krankheiten des Wildes und ihre Bekämpfung", F. C. Mayer-Verlag, München, und Wetzel-Rieck, „Krankheiten des Wildes", Parey-Verlag, Hamburg, empfohlen. Nur einiges Allgemeine soll hier Platz finden.

Fallwild, das noch nicht in Fäulnis übergegangen ist, muß raschestmöglich einem Tierarzt oder Tierseucheninstitut, einem Veterinäruntersuchungsamt oder dem Institut für Jagdkunde zu Hann. Münden zugeführt werden, damit die vorliegende Erkrankung festgestellt werden kann. Das ist wichtig, nicht nur um des Hasenbesatzes willen, hinsichtlich der freilich spärlichen Bekämpfungsmaßnahmen und jagdbetrieblicher Entscheidungen, sondern auch deswegen, weil eine Reihe von Hasenkrankheiten auch andere Wildarten, vor allem aber auch Haustiere gefährden, einige sogar den Menschen. Von der untersuchenden Stelle werden zumeist Bekämpfungsmaßnahmen angegeben, z. B. (in der Schonzeit) das Revierenlassen guter Jagdhunde, die die von der Seuche befallenen Hasen greifen und kurzerhand abwürgen. In sehr ernsten Fällen, etwa bei der auch den Menschen bedrohenden Nagerpest (Tularämie), wird, wenn die Seuche bedeutenden Umfang angenommen hat, eine Aufhebung der Schonzeit und Abschuß auch gesunder Stücke mitunter nicht zu umgehen sein, doch kann das nur, im Einvernehmen mit der zuständigen Veterinärverwaltung, durch die Jagdbehörde angeordnet werden.

Leider geht ein großer Teil unserer Wildbesätze auch an mehr oder weniger vermeidbaren Unglücksfällen zugrunde. An erster Stelle stehen wohl die Verluste auf Autobahnen und anderen Verkehrswegen, gegen die der Revierinhaber praktisch machtlos ist. Selbst den Jagdbehörden gelingt es nur in seltenen Fällen, darauf Einfluß zu nehmen, daß etwa die die Fahrbahn trennenden Grünstreifen nicht gerade mit bevorzugten Äsungspflanzen des Wildes eingesät oder zu dichten Hecken werden, die sich die Häsin zur Kinderstube aussucht. Was die Autostraßenbenutzer angeht, so scheint es, als ob das Bemühen, ein Überfahren von Wild zu vermeiden, jetzt stärker verbreitet ist, als vor etwa 20 Jahren. Das dürfte, neben der Aufklärungstätigkeit der jagdlichen und motorsportlichen Organisationen, dem Umstande zuzuschreiben sein, daß heute die stark gesteigerten Reisegeschwindigkeiten einen Zusammenprall auch mit Kleinwild zu einer beträchtlichen Gefahr machen. Ein unbeabsichtigtes Überfahren freilich ist nicht zu vermeiden und nicht einzuschränken, da es in der Praxis kein Mittel gibt, das Wild für die Dauer vom Überqueren der Verkehrswege abzuhalten. Findet sich doch sogar die Bewohnerin entlegener Wälder, die heimliche Wildkatze, auf der Verlustliste der Autostraßen.

Zu Wildfallen entwickeln sich oft steilwandig angelegte Kunstteiche und Abzugsgräben, und hier kann der Revierinhaber häufig auf ein Entgegenkommen der Verantwortlichen rechnen. Ähnlich ist es in der Setzzeit, wenn Walzen oder Schleppen über die Äcker gehen: Kein Bauer wird absichtlich Junghasen dem Traktor oder Gerät verfallen lassen, wenn der Jagdnutzungsberechtigte sich nur etwas darum kümmert.

Eine immer bedenklichere Rolle für unsere Wildbahnen spielen die in zunehmendem Maße nicht nur von der Giftindustrie, sondern auch von landwirtschaftlichen Beratungsstellen empfohlenen Bekämpfungsgifte, und zwar sowohl die bei Massenvermehrung von Mäusen angewandten Giftweizenpräparate, denen nachweislich auch Hasen zum Opfer gefallen sind, als auch das zur Kartoffelkäferbekämpfung verwendete Kalkarsen, das heute freilich wohl nur noch in geringem Umfang zur Anwendung kommt. Auch hier müssen die Jäger ein wachsames Auge haben, denn es werden unablässig neue Gifte in den Hexenküchen der Industrie angerührt und oft ohne die erforderliche Erprobung auf den Markt geworfen. Nach neueren Untersuchungen scheint es so, daß bei einigen Präparaten zwar eine unmittelbare Schädigung erwachsener Tiere nicht eintritt, die Widerstandsfähigkeit von Jungtieren nun aber so stark herabgesetzt wird, daß diese leicht einer Infektionskrankheit erliegen. – Gerade in solchen Fällen, wo nur der *Verdacht* einer Giftschädigung des Niederwildes besteht, sollte man mit besonderer Sorgfalt verfahren und eingegangene Stücke unter Darlegung des Sachverhaltes umgehend an ein Institut einsenden. Daß das bisher nicht in erforderlichem Umfang geschehen ist, hat in einer Reihe von Fällen ein Vorgehen gegen die betreffende Firma unmöglich gemacht. Von besonderer Wichtigkeit ist es, herauszubekommen, *welches* Giftpräparat die mutmaßliche Schuld an dem Eingehen der aufgefundenen Stücke trägt, weil nur dann die Analyse des Magen- oder Darminhaltes mit einiger Sicherheit zum Erfolg führen kann; ein Durchprobieren *aller* in Betracht kommenden Giftarten würde riesige Kosten verursachen und auch dann in vielen Fällen nicht zum Ziele führen.

Ein Blick auf die volkswirtschaftliche Bedeutung und die Stellung des Menschen zu dieser Wildart möge das Kapitel beschließen.

Der Nutzen des Hasen besteht in dem Braten, den er liefert, und in seinem für die Filzfabrikation sehr geschätzten, feinhaarigen Balg. In Deutschland (mit den Grenzen von 1937) wurden im Durchschnitt der Jahre 1935 bis 1939 etwa 2,5 Millionen Hasen alljährlich zur Strecke gebracht, die *damals* einem Geldwert von etwa 8 bis 9 Millionen RM entsprachen. Auf das Gebiet der Bundesrepublik entfiel damals genau die Hälfte, 1,25 Millionen Stück, mit einem *heutigen* Geldwert von 10 bis 15 Millionen DM. In dem genannten Zeitraum von fünf Jahren ist, da Deutschland verschiedene Klimaräume mit oft sehr unterschiedlichem Wetterverhalten umfaßt, auf so großer Fläche keine sehr beträchtliche Schwankung festzustellen: Die schlechteste Strecke betrug 2 Millionen, die beste 3 Millionen Stück. Für große Räume ist also offenbar ein gewisser Ausgleich der im einzelnen oft starken Schwankungen unterliegenden Jagderträge gegeben.

Im Durchschnitt der Jagdjahre 1957–63 wurden in der Bundesrepublik jährlich etwa 1,2 Millionen Hasen erlegt. Der bayerische Streckenanteil wurde nach der Flächengröße dieses einzigen Bundeslandes, in dem keine Niederwildstatistik geführt wurde, geschätzt und ist in der genannten Ziffer mitenthalten. Das gleiche Verfahren wurde für die übrigen, in diesem Werk aufgeführten Niederwildstrecken angewandt. – Im mehrjährigen Durchschnitt liegt also heute die westdeutsche Hasenstrecke nur unbedeutend unter der der Vorkriegszeit.

Hasenschäden werden, da sie sich meist über eine große Fläche verteilen, selten empfindlich, meist nur in Spezialkulturen (Spargelanlagen, Samenzuchten, Gärtnereien, Weinberge); Obst- und Alleebäume können durch Eindrahten oder Einpflocken, auch durch Anstrichmittel, wirksam geschützt werden, wobei die winterliche Schneedeckenhöhe berücksichtigt werden muß. Schlimmer können die Schäden in Pflanzgärten, Baumschulen und Kulturen, auch in Laubholznaturverjüngungen sein. Wo angängig, hilft man sich mit Abgattern (Gatterhöhe 1,5 m über der Schneedecke, Tiefe 0,2 m im Erdboden, mit schräg nach außen gewinkeltem Drahtgeflecht; Maschenweite nicht über 2,5 cm). Streich- und Spritzmittel ergeben stammweisen Schutz, gegen Gipfelknospenverbiß ist wenig zu machen. Angesichts der oft sehr geringen Dichte des Hasenbesatzes im Walde habe ich erlebt, daß der Einzelabschuß *eines* „Schadhasen“ beste Wirkung tat. –

Es kann nicht wunder nehmen, daß über ein so allgemein verbreitetes, häufiges und volkstümliches Tier, wie es „Meister Lampe“ ist, unzählige unzutreffende Ansichten bestehen, insbesondere, wie wir sahen, über seine Vermehrung. Die Bewertung seiner „geistigen und charakterlichen Anlagen“ wechselt von Volk zu Volk und Jahrhundert zu Jahrhundert: Im niederdeutschen Tierepos vom „Reineke Fuchs“ gilt er als armer Schlukker, im 18. Jahrhundert als Narr (nicht etwa als Feigling!), so zwar, daß sein Name zum kränkenden Schimpfwort für Dumme wurde. In manchen Ländern als Verkörperung der Geilheit angesehen, genießt das asoziale Fluchttier als „Osterhase“ bei uns den Ruf eines gemütvollen Familienfreundes, der in unzähligen Kinderbüchern als solcher verherrlicht wird, wozu, wie oft schon die Abbildungen zeigen, das besser bekannte Kaninchen das meiste beigesteuert hat. Sprichwörtlich geworden ist die Mär vom Schlafen mit offenen Augen, zu deren Begründung ihm sogar eine Lidverkürzung angedichtet wurde. Als „Angsthase“ oder „Hasenfuß“ wird heute ein feiger oder schreckhafter Mensch bezeichnet. Eigenschaften, die dem Feldhasen mit seiner relativ geringen Fluchtdistanz nicht eigentlich zukommen.

Uns europäischen Jägern ist er *der* Wildbretlieferant schlechthin, eines der beliebtesten und uns am meisten beschäftigenden Jagdtiere überhaupt, in manchen Gegenden die einzige Haarwildart von Bedeutung und in den meisten neben dem Reh die wichtigste.

DER NORDISCHE SCHNEEHASE UND DER ALPENSCHNEEHASE

Schneehasen bewohnen in mehreren Arten mit vielen Unterarten die nördliche Erdhalbkugel, vorzugsweise dort, wo ein arktisches bzw. subarktisches Klima herrscht; vereinzelt aber auch als Eiszeitrelikte einige Inseln und Hochgebirge wärmerer Regionen, so Irland und die Alpen mit einigen Randgebirgen. Die irische und einige nordamerikanische Formen werden im Winter nicht weiß. Die große Mehrzahl der Arten und Unterarten aber legt ein bis auf die Spitzen der Ohren reinweißes Winterkleid an, und der grönländische Schneehase ist gar auch im kurzen arktischen Sommer weiß. Die von LINNÉ beschriebene Form, der Nordische Schneehase (Lepus timidus L.), war im nordöstlichsten Ostpreußen bis um die letzte Jahrhundertwende Standwild, kam aber später nur noch als gelegentlicher Zuwanderer auf der Kurischen Nehrung vor (Letzterlegung 1932). Wir beschränken daher unsere Darstellung auf den Alpenschneehasen (Lepus timidus varronis Mill.), der im gesamten Alpengebiet und einigen benachbarten Gebirgen von etwa 1500 m an aufwärts lebt, aber, wie die nordische Form, z. Z. auf Grund der selbst unsere Alpengletscher zum Abschmelzen bringenden Klimamilderung in kühlere, d. h. hier *höhere Regionen* zurückweicht.

Alpenschneehasen, auch Alpen- oder Berghasen genannt, sind kleiner als Feldhasen, haben kürzere Ohren, die, nach vorn gelegt, mit ihren schwarzen Spitzen das Schnauzenende wenig (bei den nordischen Formen gar nicht) überragen, aber absolut längere und breitere, auch stärker spreizbare Hinterläufe. Das Winterkleid ist bis auf die erwähnten Ohrenspitzen schneeweiß, bei Jungtieren oberseits grau gesprenkelt. Der Sommerbalg zeigt Bauch, Kinn und Kehle hell grauweiß, die Oberseite in einem recht einheitlichen, düsteren Graubraun, das nur an den Seiten heller wird. Ein weißer Ring um das tief braunschwarze Auge fällt sehr auf. Sommer- wie Winterfärbung kommen durch vollständigen Haarwechsel zustande, der im Herbst an den Gliedern, im Lenz am Rücken beginnt. Das richtige Ansprechen des Schneehasen im Sommerhaar gegenüber dem Feldhasen, der die unteren Regionen seines Verbreitungsgebietes mit ihm teilt, wird bei unserer Art durch das Fehlen der rostroten Haartönung und der Sprenkellung im Rückenhaar möglich. Der Schneehase wirkt also einfarbiger; zudem fehlt ihm jede Schwarzzeichnung auf der Oberseite des Schwanzes. Schädelmerkmale s. Abb. S. 60. Das Gewicht beträgt mit 2–3 kg nur wenig mehr, als das eines starken Wildkaninchens, die Länge und Dichte der Haare täuscht jedoch eine weit beträchtlichere Größe vor. Trotz aller Unterschiede wurde Bastardierung mit dem Feldhasen mit Sicherheit festgestellt, auch bei der nordischen Form.

Der Lebensraum der Alpenhasen, deren Siedlungsdichte stets wesentlich geringer als die der Feldhasen ist, reicht im Sommer von der obersten Wald- über die Krummholz- und Almenregion bis zur Grenze des ewigen Schnees. Im Winter wandert die Art in den Wald, kommt in die Täler herab, u. U. bis auf unter 600 m, bleibt aber auch dort, wie ihr nordischer Vetter, mehr Waldtier als der Feldhase: So auch in ihrer Ernährung, für die Rinden und Triebe der Holzarten von noch erheblich größerer Bedeutung sind als bei diesem. Die Rammelzeit beginnt im März/April. Die nordische Form läßt dann einen eigentümlichen, lauten, wie „hu, hu, hu, hu, hu" klingenden Paarungsruf erschallen, der wohl das Auffinden der Geschlechter erleichtert. Für den Alpenhasen ist er unseres Wissens noch nicht bestätigt. Nach fast siebenwöchiger Tragzeit werden (1–) 2–4 (–5) Junge geboren. Ein zweiter und letzter Satz fällt in den Hochsommer. Niemals bringen Häsinnen in ihrem Geburtsjahr noch Junge, ja, nach den gründlichen Untersuchungen *Notinis* am Nordischen Schneehasen scheint es, als ob sie in dem ihrer Geburt folgenden Jahre nur erst einmal setzen und dieser Satz dann meist nur 2 Junge zählt. Sie sind – wie im Regelfall die Feldhasen auch – durch einen weißen Stirnfleck gekennzeichnet und scheinen sich langsamer als diese zu entwickeln.

Die Lebensdauer soll etwa 10 Jahre betragen. Unter den Feinden stehen Fuchs, Marder und Hermelin voran, in ursprünglichen Verhältnissen wäre der Luchs gewiß nicht an letzter Stelle zu nennen: Russische Forscher haben ihn als Hauptfeind des Schneehasen erkannt, mit dessen Besatz auch der Luchsbestand schwankt. Uhu, Steinadler und Habicht sind die gefährlichsten Gegner aus dem Reich der Gefiederten, wobei dem Uhu, im Gegensatz zu früheren Auffassungen, eine besondere Bedeutung zukommt. Er ist ja Nachtjäger, und der Schneehase ein Tier mit ganz vorwiegend nächtlicher Lebensweise. So verzeichnet UTTENDÖRFER wesentlich mehr Uhu- als Steinadlerrupfungen von unserer Art.

Seine Schutzfarbe mag den Alpenhasen oft genug vor seinen Feinden bewahren. Hinzu kommt ein sehr vorsichtiges Verhalten, das sich durch häufiges Sichern kundtut, wobei er sich oft auf die vorderen Zehenglieder der Hinterläufe stellt und also aufgerichtet gar umherläuft. Im Winter läßt er sich manchmal zur Gänze einschneien, lebt tagelang unter dem lockeren Schnee und ist dann in der Tat unangreifbar. Daß die sehr kräftigen Hinterläufe mit den gewaltigen Nägeln, die doch eine höchst wirksame Waffe abgeben könnten, ihn zum erfolgreichen Widerstand gegen ein Raubtier befähigten, wurde bislang nicht beobachtet.

Die *jagdliche Bedeutung* des Alpenschneehasen ist sehr gering, da nie große Strecken erzielt werden und das Wildbret dem des Feldhasen so weit nachsteht, daß manche Berufsjäger bei irgendeiner Gelegenheit geschossene Tiere als Köder für ihre Raubwildfallen verwandten. Der hübsche Winterbalg ist wenig haltbar. So ist es zu begrüßen, daß für die Art in Bayern, wo allein sie innerhalb Deutschlands vorkommt, ganzjährige Jagdruhe verordnet ist. Den unaufhaltsamen Rückzug in höher gelegene Gebiete wird aber auch diese Maßnahme nicht beeinflussen können.

Die waidmännischen Bezeichnungen sind die gleichen wie beim Feldhasen.

Die Jagd ist schwierig, meist ist es mehr eine Zufallserlegung, die einem Hochgebirgsjäger zu unserer Wildart verhilft. Planmäßig wird in Österreich und vor allem in der Schweiz das Brackieren ausgeübt, zumal der Schneehase offenbar noch regelmäßiger als der Feldhase zu seinem Lager zurückstrebt. Auch gelegentlich von Vorstehtreiben wird er manchmal geschossen.

DAS WILDKANINCHEN

Von den Hasenarten der Erde gehören bei weitem die meisten nach Körperbau und Lebensweise in die engere Verwandtschaft jener kleinen und, Feld- und Schneehasen gegenüber, verhältnismäßig kurzbeinigen Formen, die in Europa durch unser Wildkaninchen (Oryctolagus cuniculus [L.]), in Nordamerika durch das „Baumwollschwänzchen" und zahlreiche Verwandte repräsentiert werden.

Unser Wildkaninchen unterscheidet sich vom Feldhasen äußerlich, neben dem eben erwähnten Merkmal, vor allem durch das Grau der Oberseite und das Fehlen einer scharf abgesetzten Schwarzzeichnung an Löffelspitzen und Blume. Obwohl die Hinterläufe wesentlich kürzer als bei diesem sind, übt auch das Wildkaninchen in der Fortbewegung fast ausschließlich das für den Feldhasen kennzeichnende „Übergreifen" der Vorderläufe, so daß die Abdrücke der Hinterläufe in der Spur *vor* denen der Vorderläufe stehen, aber meist dicht an sie herangedrückt sind (Abb. S. 62).

Die Oberseite ist, wie gesagt, grau, mit gelblichen und bräunlichen Tönen überflogen, die Rumpf und Schenkelseiten mehr einfarbig grau, der Nacken lebhaft rostrot. Bauch, Kehle und Innenseite der Hinterläufe sind weiß, das Auge von einem schmalen, gelblichweißen Ring umgeben. Im übrigen ist die Kopfzeichnung mehr oder weniger einfarbig, nicht so bunt, wie beim Feldhasen. Die Blumenoberseite ist tief dunkelschiefergrau, die Unterseite leuchtend weiß, was deshalb wichtig ist, weil das davoneilende Kanin die Blume stets hoch, besser gesagt, nach oben umgeschlagen trägt, während der Hase sie nach hinten streckt, so daß man bei ihm die schwarzweiße Oberseite, beim Kaninchen stets die leuchtend weiße Unterseite sieht – ein wichtiges Ansprechmerkmal! Zwischen dem Grau der Ober- und dem Weiß der Unterseite des Körpers ist eine schmale, gelbrote Zone. Die Farbe der Iris ist dunkelbraun, die der Nägel grauweiß, im Gegensatz zum Feldhasen, der dunkle Nägel hat.

Farbabänderungen, insbesondere Schwärzlinge, kommen oft und gegendweise häufig vor. Weißlinge, vor allem Vollalbinos, sind merkwürdigerweise seltener, worauf schon Schäff aufmerksam machte. Auch die Haarform ändert sich bisweilen. Das Institut für Jagdkunde bewahrt den Balg eines bei Paderborn erlegten Wildkaninchens mit zwar nicht übermäßig langer, aber deutlich angoraartiger Oberwolle auf. Die Unterwolle ist bei diesem Stück, wie bei allen normalgefärbten Tieren, dunkel blaugrau, ein sicheres Unterscheidungsmerkmal gegenüber der weißen des Hasen für alle diejenigen, die sich für die oft spärlichen Reste einer Rupfung oder eines Raubwildrisses interessieren.

Das Durchschnittsgewicht des ausgewachsenen Tieres beträgt 1,7 kg, nicht allzu häufig mehr (Maximalgewicht bis etwa 2,6 kg).

Im Schädelbau besteht ein kennzeichnender Unterschied zu den Hasen der Gattung Lepus in der beim Kaninchen nicht nur absolut, sondern auch relativ sehr viel geringeren Breite der Gaumenlücke (Abb. S. 60). Dieses Unterscheidungsmerkmal wird in der Jagdkriminalistik oft von Bedeutung, wenn ein Verdächtiger angibt, in seinem Haushalt nur

Stallkaninchen verwandt zu haben, der schneidige Berufsjäger oder Polizist aber den Schädel des in der Pfanne schmorenden Corpus delicti sicherzustellen vermochte. So konnte ich einmal einen bayerischen Wilddieb überführen, in dessen Anwesen der Gendarm den fortgeworfenen Schädel aus der Jauchegrube gefischt hatte! Die Beschlagnahme eines Vorder- oder Hinterlaufes wäre übrigens für alle Beteiligten einfacher gewesen, denn auch hier ist die Unterscheidung ganz gut möglich.

Ursprünglich nur im westlichen Nordafrika und im südlichen Spanien heimisch – Spanien verdankt seinen Namen dem phönizischen Wort für unsere Art –, wurde das Kaninchen schon im Altertum nach Italien und auf manche Mittelmeerinsel gebracht, vermutlich sogar bis ins östliche Mittelmeerbecken, wo es noch heute auf einigen Inseln zu Hause ist. Die erste bekanntgewordene Einführung – oder doch der Versuch hierzu – erfolgte 1149: Der Abt des Klosters Corvey a. d. Weser bat einen französischen Abt um Übersendung von 2 Paar Kaninchen, wohl Hauskaninchen. Später finden wir es als Spieltier auf Ritterburgen in sogenannten Kunigleingärten, und schon damals mag die rasch verwildernde Art sich an manchen Stellen Mitteleuropas festgesetzt haben. Ihre bewußte Verbreitung zu jagdlichen Zwecken ist für Deutschland zuerst belegt im 13. Jahrhundert (Insel Amrum) und endete mit dem im Reichsjagdgesetz von 1934 ausgesprochenen Aussetzungsverbot, da häufig Massenvermehrung auftritt und die Schäden dann in keinem Verhältnis zum Wildbretwert stehen. Doch ist inzwischen ganz Deutschland besiedelt, Kaninchen fehlen in keiner der alten Provinzen, in keinem Bundesland, sind freilich weniger gleichmäßig verbreitet als der Feldhase: Die Art meidet die Gebirge und das Innere großer Waldgebiete. Grabfähiger, rasch trocknender Sandboden behagt ihr besonders, doch ist sie auch auf schweren Böden zu finden.

Im übrigen Europa sind Kaninchen in allen west- und mitteleuropäischen Ländern anzutreffen. In Osteuropa verläuft die gegenwärtige Verbreitungsgrenze von Mittelschweden über das westliche Ostpreußen durch Polen, die Tschechoslowakei und Ungarn zur Donau und nach Istrien. Im östlichen Mittelmeer bewohnt es nur einige Inseln, Griechenland und die Balkanländer sind kaninchenfrei, ein Teil Jugoslawiens, ganz Italien mit Sizilien besiedelt. Außerhalb dieses Verbreitungsgebietes ist das Kaninchen auf vielen Inseln des Atlantik und der Südsee ausgesetzt. Selbst auf den der Antarktis benachbarten Kerguelen hat es sich seit 1875 gehalten und lebt dort vornehmlich von angeschwemmtem Tang! In Australien und Neuseeland richtete es nach seiner Einführung um die Mitte des vorigen Jahrhunderts Milliardenschäden an, da dort natürliche Feinde kaum vorhanden sind. Ähnlich schwerwiegende Schäden sind in Feuerland und Chile aufgetreten, wo das Tier gleichfalls ausgesetzt wurde.

Unter den Sinnen spielt das Wittrungsvermögen, wie auch beim Feldhasen, als Fernsinn angeblich nicht ganz die Rolle, die angesichts der mächtigen Entwicklung von Riechwülsten und -hirn erwartet werden könnte, und auch das optische Erkennen versagt bisweilen, wenn auch nach meinen Beobachtungen sehr viel seltener als beim Feldhasen: Das Tier ist Bewegungsseher, wie viele Fluchttiere. Als solcher aber übertrifft es den Hasen m. E. weit, und es *vernimmt* so ausgezeichnet, daß auch gewandte Jäger die schwierige Pürsch grundsätzlich zugunsten der wesentlich aussichtsreicheren Ansitz- oder der Baujagd verwerfen.

Die Nahrung besteht aus Pflanzen aller Art. In Feldern und Gärten wirkt es oft verderblich, ebenso in Forstkulturen durch Benagen der Rinde und Abbeißen von jungen Sämlingen. Eine merkwürdige Besonderheit in das Fressen des eigenen Kotes. Bis zu 90 % der Fäkalien passieren nach K. Zimmermanns schönen Untersuchungen den Magen-Darmkanal zweimal (Vitaminversorgung).

Inzwischen hat die Forschung solches auch vom Feldhasen und einer großen Anzahl Nagetieren festgestellt: Nicht der Normalkot wird wiederaufgenommen, sondern eine besondere Art, die breiige Blinddarmlosung.

Die Nahrungsaufnahme erfolgt bevorzugt in den frühen Morgen- und Abendstunden; sind die Tage kurz, *vor* Hell- bzw. Dunkelwerden. Doch wird auch um Mitternacht und über Tag geäst. Hierbei ist bisweilen das beim Feldhasen erwähnte „Rutschen" zu beobachten.

Kaninchen leben gesellig, doch halten sich die Tiere, wenn sie außerhalb der Baue leben (was regelmäßig im Spätsommer und Herbst, bisweilen auch in trockenen Wintern, bei einem Teil des Besatzes der Fall ist), meist einzeln. Man hat vermutet, daß die Art sich im Übergange zum Freilandleben befindet, wie das für das amerikanische Baumwollschwanz-Kaninchen wohl feststeht. Einzeln erfolgt anfänglich zumeist auch die Aufzucht der Würfe, doch trifft man die Jungen schon bald in den großen Gesellschaftsbauen an, in denen dann alt und jung, Rammler und Häsinnen miteinander hausen. Als gesellig erweist sich die Art auch durch das häufig zu hörende Klopfen mit dem Hinterbein auf den Erdboden, das als Ausdruck der Erregung bei Beunruhigung durch einen möglichen Feind (aber auch bei solcher durch Artgenossen) dient und die ganze Sippe in Alarmzustand versetzt, gar auch wohl von artfremden Tieren beachtet wird. Dagegen sind Stimmlaute

wenig entwickelt, am bekanntesten sind ein grunzender Ton bei der Werbung und Aggression und vor allem die Klage, die der des Hasen ähnelt, aber feiner und höher klingt.

In der im Februar/März beginnenden Rammelzeit üben die Rammler ein als Werbung gedeutetes „Imponiergehabe“, indem sie die Häsinnen überspringen und steifbeinig vor ihnen herlaufen, wobei sie die weiße „Schwanzunterseite“ zur Schau stellen; ferner ein eigenartiges Besprengen der Häsinnen, auch wohl rivalisierender Rammler mit bis zu 1 m weit nach hinten gespritzten Harn. Die Paarung erfolgt in der bei Säugern meistverbreiteten Stellung durch Umklammerung von hinten. Ein erst während des zweiten Weltkrieges durch englichse Forscher entdeckter Vorgang ist das häufig vorkommende Einschmelzen der Keimlinge (Embryonen). Diese „Embryolyse“ kann bis zum 20. Tag der Trächtigkeit stattfinden, meist erfolgt sie um den 12. Tag herum. Da Kopulation ohne Rücksicht auf Hitze oder Trächtigkeit jederzeit möglich ist (die Eireife wird, wie beim Hasen, durch den Deckakt ausgelöst und tritt etwa 12 Stunden nach diesem ein), sind die Häsinnen oft schon 14 Tage nach der Aufnahme und dann erfolgter Embryolyse erneut trächtig.

Bei eintretendem Witterungsrückschlag werden oft Trachten zurückgebildet; auch die Rückbildung nur eines Teiles der Keimlinge ist beobachtet, das ist sogar die Regel. Die normale Tragzeit beträgt 28 bis 31 Tage, die Zahl der Würfe in Deutschland 4 (–5), die Wurfstärke, jahreszeitlich schwankend und in Abhängigkeit vom Gewicht des Muttertieres (1–) 4–5 (–9), doch werden in freier Wildbahn selten mehr als jeweils 3 oder 4 Junge groß, d. h. selbständig. Sie werden in abseits der Großbaue angelegten, etwa 1½ m langen und nur 40 cm tiefen, einfachen Satzröhren geboren, die das Muttertier nur 1–2mal täglich zum Säugen aufsucht und beim Verlassen mit Erde zuwirft, die sorgfältig geglättet wird. Das Geburtsgewicht beträgt im Mittel 40 bis 45 g. Schon Tiere von rund 700 g Gewicht können trächtig sein. Doch werfen die jungen, zu Beginn des Jahres gesetzten Häsinnen im Gegensatz zum Hauskaninchen meist nicht mehr im Jahre ihrer Geburt, oder die Jungen werden nicht groß. Superfötation kommt vor, wenn auch sehr viel seltener als beim Feldhasen. Als Lebensdauer werden 5 bis 9 Jahre angegeben. Ein Wildmarkenstück aus freier Wildbahn erreichte jedoch mehr als zehn Jahre, aber nur 2 % aller Tiere erreichen das 4. Lebensjahr.

Feinde des Kaninchens sind bei uns in erster Linie die Stinkmarder, von denen eine gezähmte Art, das Frettchen, schon im Altertum zu seiner Bekämpfung verwendet wurde. Auch der Fuchs reißt manches Kaninchen. Unter den Raubvögeln stehen Habicht und Sperber, von den Eulen Uhu, Waldkauz und Waldohreule an erster Stelle. Dem Bussard glückt das Schlagen, nach englischen Berichten, häufiger, als man denken sollte. Den besten Schutz gewährt die hohe Anfangsgeschwindigkeit, die ein blitzartiges Verschwinden im Bau gestattet. NIETHAMMER ermittelte eine Höchstgeschwindigkeit von gegen 40 km auf kurzer Strecke und im Gelände, nicht auf der Straße. Ein Hakenschlagen, wie beim Hasen, wird vor allem im gedeckten Gelände geübt. Fern von den Bauen verlassen sich Kaninchen gern auf ihre Schutzfarbe und drücken sich.

Die waidmännischen Bezeichnungen stimmen mit den beim Hasen gebrauchten weitgehend überein, doch führte der biologische und damit auch jagdliche Unterschied zu Besonderheiten. Der Jäger bezeichnet das Kaninchen meist als *Karnickel,* vor Zeiten und in Österreich *Kunigl(ein), Kanin,* in Westdeutschland überflüssigerweise auch mit dem französischen Wort *Lapin,* manchmal auch im Spaß als *Lamprette, Lapuz* oder (im Osten) *Krullik.* Der *Rammler* wird scherzhaft auch Karnickelbock genannt, ein an sich waidmännisch nicht zulässiger Ausdruck. Das weibliche Tier heißt Kaninchenhäsin oder *Häsin* schlechtweg, niemals „Zibbe“, wie das weibliche Hauskanin.

Auf Grund biologischer Besonderheiten kommen beim Kaninchen hinzu: *Baue* als Be-

zeichnung für die von ihm angelegten Erdhöhlen, die fast immer eine Vielzahl *Röhren,* Haupt- und Nebenröhren, und einen, oft auch mehrere *Kessel* haben. Das Kaninchen *fährt zu* oder *aus dem Bau.* Es gräbt, es warnt durch *Klopfen.* Die Jungen werden in besonderen, meist flach verlaufenden *Satzbauen* (Setzbauen, Satz- oder Setzröhren), die nur aus einer einfachen Röhre bestehen, zur Welt gebracht, *gesetzt.* Angefangene oder kleine Baue heißen auch *Notbaue, Notröhren.* Man bejagt Kaninchen außer mittels der beim Hasen üblichen Jagdarten auch durch Herausjagen aus den Bauen, wozu man Kaninchenteckel, besonders aber Frettchen verwendet *(Frettieren).* Hierbei werden gelegentlich *Hauben* (Netze) über den Einfahrten der Röhren befestigt, in denen sich die Kaninchen verfangen.

Die wichtigsten *Jagdarten* auf das Kaninchen sind der Ansitz, das Frettieren, das Treiben. Von geringerer Bedeutung sind Pürsch und Suche.

Der *Ansitz* ähnelt im Grundsatz dem auf den Hasen, doch muß man ungleich mehr Vorsicht anwenden, insbesondere auch hinsichtlich der Deckung und dort, wo eine Kolonie der grauen Gesellen mittels dieser Methode schon scharf bejagt wurde. Es ist oft erstaunlich, wie lange die Tiere es in der Deckung aushalten, ehe sie sich auf die lockende Saat oder sonstige Äsungsplätze hinaustrauen, und es scheint mir fast, als beachten sie, ist ihr Mißtrauen erst geweckt, schon geringfügige Bewegungen aus fünfzig und mehr Metern Entfernung. Sicher ist, daß in diesem Falle der deckungslos sitzende Jäger fast immer der Gefoppte ist. Eher wird ihm ein Hase oder gar Fuchs vor die Flinte kommen, als das erwartete Kaninchen. Viele erfahrene Kaninchenjäger meinen auch, der Wind sei bei dieser Wildart von ungleich höherer Bedeutung als beim Hasen, und ich bin sehr geneigt, mich ihnen anzuschließen. Mein Lehrprinz gab viel auf die Windrichtung beim Kaninchenanstand, und so habe ich mich gewöhnt, es ihm nachzutun und bin dabei sicherlich nicht schlecht gefahren.

Neben der Deckung ist gleich wichtig ein absolut lautloses Verhalten, und in einer früheren Auflage dieses Buches heißt es gar, es sei eine „so vollständige Bewegungslosigkeit erforderlich, daß der Zwang, den man sich dabei antun muß, im Vergleich zu der Beute, die man im glücklichsten Falle zu erhoffen hat, als ein fast zu großes Opfer erscheint!“

Nun, darüber kann man wohl verschiedener Meinung sein. Dem einen macht die nur durch harte jägerische Selbstzucht zu erlangende Beute besondere Freude, dem anderen nicht. Was ein rechter Jungjäger ist, der, meine ich, sollte die vorzügliche Gelegenheit, sich in allen für die Ansitzjagd notwendigen Tugenden zu üben, niemals vorübergehen lassen. Im übrigen gibt es in jedem Kaninchenrevier Ecken, wo der Ansitz keineswegs auf übermäßige Schwierigkeiten stößt, insbesondere dann, wenn der dortige Besatz einige Wochen nicht beunruhigt wurde.

Das gleiche gilt auch von der *Pürsch,* der voreinst die alten Lehrmeister der Niederjagd widerrieten, weil sie sich nicht lohne. Ich habe sie immer gern ausgeübt, und für mich war sie eine sehr gute Vorübung für die Pürsch auf den Bock. Im allgemeinen dürfte die Frühpürsch günstiger sein, doch habe ich gelegentlich auch von der Abendpürsch eine gute Strecke nach Hause gebracht. Für den Ansitz scheinen mir indessen die Abendstunden geeigneter.

Wo Bau an Bau eine Großsippe von Kaninchen haust, kann man Pürsch und Ansitz unbedenklich das ganze Jahr hindurch ausüben. In vielen Fällen ist das sogar notwendig, um einer allzu großen Vermehrung der Lapuze vorzubeugen. Man wird dann beim Abschuß auswählen und schwächere, d. h. jüngere Tiere abschießen, die sich ja gewöhnlich auch zuerst aus dem Bau hervorwagen oder als letzte flüchten. Wie wir im naturgeschichtlichen Teil sahen, hält sich die säugende Häsin fast immer abseits der Großbaue und siedelt erst dann dorthin über, wenn die früh selbständigen, also oft noch sehr kleinen Jungen ihrer nicht mehr bedürfen. Ich erinnere mich nicht, gelegentlich einer der genannten Jagdarten eine säugende Häsin erlegt zu haben, und es war, soweit ich die von mir erlegten Stücke zu untersuchen Gelegenheit hatte, auch niemals eine innehabende darunter. Suche, Bau- und Treibjagd auf Kaninchen kann man waidmännisch von September bis Ende Februar betreiben, und diesen beiden Jagdarten wollen wir uns nunmehr zuwenden.

Die *Suche* auf Karnickel ist meist eine Suche *auch* auf Karnickel, d. h. das Kaninchen *kann* hierbei vorkommen, ist aber in der Regel nicht das Wild, dem das Unternehmen in erster Linie gilt. Dazu verhält sich das Kaninchen denn doch zu unberechenbar. Liegt es weit abseits vom Bau in einer kleinen Deckung, einem Heckenstreifen etwa oder einem Brombeergebüsch, dann liegt es auch meist ganz außerordentlich fest und wird wohl in vielen Fällen übergangen. Ja, ich habe des öfteren beobachtet, daß es sich, wenn es sich entdeckt fühlte, ganz langsam wegzustehlen suchte, wie mir schien, in einer sonst nicht angewandten, schreitend-kriechenden Gangart, und viele Jäger könnten wohl ein Gleiches melden. Hat es dagegen Deckung bis zum Bau oder in dessen unmittelbarer Nähe, dann liegt es wiederum meist zu locker, um ein brauchbares Objekt für die Suchjagd abzugeben, und bestenfalls sieht man die wippende Blume für Sekundenbruchteile zwischen den Reihen der Jungkiefern oder im Rübenfeld auftauchen. Am günstigsten ist es noch, wenn ein festliegendes Kanin, herausgetreten, den beliebten halben Bogen in das deckungslose Gelände macht und hierbei vor Erreichen der Deckung *ge-* oder *be*schossen werden kann. Denn der Schuß auf die grauen Flitzer ist schwieriger als der auf alles andere Haarwild.

Was die hierbei zu verwendende Schrotsorte angeht, so sind 2½ mm – 3 mm Schrote bei allen Jagdarten auf unser Wild – mit einer unten zu besprechenden Ausnahme – jeder anderen Sorte vorzuziehen. Selbstverständlich tut auch die vollsitzende Garbe mit 3½ mm Schrot ihr Werk, aber meist zerschießt man das kleine Wild damit zu sehr – die Knochensplitter im Ragout sind keine angenehme Zugabe! – oder aber das beschossene Wild fährt

noch zu Bau und ist dann dem Jäger verloren. Nur in seltenen Fällen, zumeist wohl bei Lungenschuß, verläßt es diesen wieder, um draußen zu verenden. Allerdings sollte man sich, wo irgend es angeht, nach einigen Stunden *stets* davon überzeugen, ob vor der Ausfahrt nicht doch das Kaninchen liegt, das man krank im Bau verschwinden sah. Ich selbst habe gelegentlich auf diese Weise einen späten Erfolg gehabt.

Hat der Hase noch keine Schußzeit, wenn man auf Kaninchen sucht, dann muß sich vor allem der Anfänger sehr vor einer Verwechslung mit einem Dreiläufer hüten, wie sie mir als Jungjäger zu meiner tiefen Beschämung einmal – und nicht wieder! – passiert ist. Aus diesem Grunde sei auf die oben eingehend geschilderten Ansprechmerkmale noch einmal hingewiesen und noch hinzugefügt, daß der Hase meist geradeaus aus der Deckung flüchtet, während das Kaninchen Haken schlägt oder im Bogen flüchtet; auch „wippt" es mehr als der größere Vetter, der gestreckten Laufes davoneilt.

Das *Frettieren* übt man, vorzüglich an trüben, aber milden Tagen, von September bis Ende Februar. Das Wetter spielt bei dieser Jagd ja insofern eine Rolle, als bei klarem

Wetter in dieser Jahreszeit doch eine sehr große Anzahl von Kaninchen außerhalb der Baue ist. Wo allerdings starke Besätze sind, wird man auch *in* diesen noch genügend antreffen.

Das *Frettchen,* neben dem Farmnerz oder Mink die einzige domestizierte Marderart, galt auf Grund einiger Merkmale im Knochenbau und seiner Tragzeit fast allgemein als ein Abkömmling des *Steppeniltis,* über den sich im Kapitel über die Stinkmarder das Nähere findet; heute ist diese Ansicht aufgegeben, unser gemeiner Iltis ist der Stammvater (vgl. auch HEPTNER, Z. f. Säugetierkunde 1964).

Man züchtet das Frettchen gewöhnlich in einer albinotischen Form, in der es sich uns gelbweißlich, mit roten Augen, präsentiert. Die sogenannten Iltisfrettchen verdanken ihre der der Wildform fast gleiche Färbung der Einkreuzung unseres europäischen Iltis, der sich mit dem Frettchen ohne jede Schwierigkeit paart. Die Kreuzungen sind meist vitaler, aber oft schwieriger einzujagen. Es bedarf nämlich einer gewissen Gewöhnung oder Dressur, bis das Frettchen voll gebrauchsfähig wird, und diese Dressur bezieht sich in erster Linie auf die Rückkehr aus dem Bau.

Um diese zu bewirken, muß das an sich wenig anschlußbedürftige Tier ein gewisses Verhältnis zum Pfleger haben, das sich am besten dadurch erreichen läßt, daß stets dieser und keine andere Person die Fütterung vornimmt. Zu Baue läßt man ein gut handzahmes Frettchen nach Möglichkeit erstmalig mit einem eingejagten Tier zusammen, und bei jedem Auftauchen aus einer Röhre bekommen beide oder wenigstens doch der Neuling ein winziges Stückchen Fleisch oder einen anderen Leckerbissen. Dann bleibt er nicht übermäßig lange im Bau, das Hauptärgernis bei allen Frettierjagden. Kritisch wird es freilich, wenn das Frettchen in einer blind endenden Röhre ein Kaninchen in die Enge treibt und reißt, weil es dann fast immer für Stunden unten bleibt. Nur einzelne „Wundertiere" zerren das gerissene Kaninchen ans Tageslicht.

Um jenen Nachteil zu vermeiden, kniff oder feilte man früher den Frettchen recht barbarisch die Fangzähne ab oder brach sie gar aus, später ging man dazu über, ihnen einen Maulkorb vor dem Einschliefen umzubinden. An das Tragen eines solchen muß man die Frettchen einige Wochen vor Jagdbeginn gewöhnen, was, nach anfänglichem Rebellieren, meist nicht allzu schwierig ist. Man hat aber Bedenken gegen das Maulkorbtragen erhoben aus dem Grunde, weil gelegentlich in den Kaninchenbauen ein wilder Iltis sich findet, dem das Frettchen dann wehrlos ausgeliefert sei. Gewiß ist das mitunter der Fall, aber erstens ist es, aufs Ganze gesehen, doch ziemlich selten, und zweitens springt der Wildling gewöhnlich vor dem die menschliche Wittrung mit sich tragenden Artgenossen, wie man das auch bei anderen, noch unglaublich stärkeren Gelegenheitsbewohnern der Baue beobachtet hat, selbst beim Fischotter und bei der Wildkatze. So ist der Maulkorb kein schlechter Behelf, zumindest für die Anfangszeit.

Von großem Nutzen ist beim Frettieren ein feinnasiger Hund, der mit einiger Sicherheit anzuzeigen vermag, ob der vorzunehmende Bau befahren ist oder nicht. Sind die Bewohner „zu Hause", dann werden die Schützen so angestellt, daß sie möglichst alle Ausfahrten bestreichen können, ohne sich gegenseitig zu hindern oder gar zu gefährden. Das Frettchen wird hineingelassen, und bald zeigt ein unterirdisches Rumpeln die Panik der grauen Flitzer an. Wie aus der Pistole geschossen verlassen sie dann den Bau, um alsbald dem tödlichen Hagel zu erliegen – oder aber, ein gerade bei dieser Jagd keineswegs seltener Fall, nach einem Fehlschuß den billigen Balg zu retten. Oft tauchen sie auch nur für Sekunden auf, um in einer anderen Röhre zu verschwinden. Ungleich seltener und nur, wenn die Schützen etwas abseits des Baues stehen, verhoffen sie nach dem Ausfahren.

Will man sich der lebenden Kaninchen bemächtigen, dann werden die Ausfahrten, insbesondere die schwierig zu beschießenden, mit sogenannten Kaninchenhauben abgedeckt, engmaschigem Netzwerk, das mit einer Schnur eingefaßt ist, an der Bleikugeln hängen. Die ausfahrenden Kaninchen nehmen das Netz mit, verwickeln sich darin und sind dann leicht zu greifen. Versteckt mündende Röhren kann man auch mit Reisig verstopfen. Gerät ein Kaninchen in eine solche Sackgasse, und das Frettchen folgt ihm, so wird es alsbald klagen, und man kann ihm dann durch Wegreißen des Reisigs den Paß freigeben oder aber es fangen.

Manche Jäger hängen ihrem Frettchen ein Glöckchen um in der doppelten Absicht, die Kaninchen durch das Klingeln noch leichter zum Springen zu veranlassen und den Standort des Frettchens, zumal wenn dieses in der Nähe einer Ausfahrt sich befindet, rascher zu erkunden. Zeigt sich das Tier nicht geneigt herauszukommen, dann kann man es mit einem an eine Stange gebundenen frischtoten Kaninchen locken. Diese Methode glückt bei Frettchen ohne Maulkorb meist sofort, weil diese sich dann in das Kaninchen verbeißen und so mit ihm herausgezogen werden können.

Bei den meist sehr kurzen Schußentfernungen gelegentlich der Frettierjagd empfiehlt sich für eng schießende Flinten ein Schrotdurchmesser von nur 2 mm, zumindest im rechten Lauf, oder eine Streupatrone.

Kaninchentreiben haben vollen Erfolg nur an heiteren, sonnigen Tagen, weil ansonsten sich die meisten Tiere im Bau aufhalten. Man kann allerdings durch Verwittern der Röhren oder Verstopfen bzw. Zutreten in der dem Treiben vorausgehenden Nacht unserem Wild einen Zwangsaufenthalt im Freien aufnötigen, doch wird von dieser etwas umständlichen Maßnahme heute nur noch selten Gebrauch gemacht.

Werden Buschhölzer oder Nadelholzdickungen getrieben, in denen viele Karnickel zu erwarten sind, dann ordnet man das schon beim Hasen besprochene Schießen nach nur *einer* Seite, der linken, an und verringert die Entfernung zwischen den Schützen auf vierzig Gänge. Auch in diesem Falle ist 2-mm-Schrot (Nr. 9) zu empfehlen. In Stangenhölzern, wo man das Wild schon von weitem kommen sieht, ist enge Aufstellung der Schützen meist nicht nötig. Hier empfiehlt sich sehr ein Treiben bei Schnee, von dem sich die Kaninchen gut abheben. Sie verlassen dann den deckenden Bestand nur ungern, sondern flüchten am Bestandesrande hin und her, verhoffen des öfteren und geben so auch dem weniger gewandten Schützen Gelegenheit, Strecke zu machen. Bei keiner Wildart ist das schon beim Hasen geschilderte Stehenbleiben, Ausrichten und Aufderstelletrampeln der Treiberwehr so wichtig wie beim Kaninchen.

Die volkswirtschaftliche Bedeutung dieser Wildart ist recht beträchtlich, auch wenn wir von der zum Haustier gewordenen Form absehen. Die durchschnittliche Jahresstrecke in der Bundesrepublik beläuft sich auf etwa 500 000 Stück – trotz des Einbruchs der Myxomatose. Der Streckenwert betrug 1963 etwa 1,25 Millionen DM. Das Wildkaninchen spielte also jagdwirtschaftlich eine bedeutende Rolle, obwohl das Wildbret von vielen Jägern nicht geschätzt wird. In der Tat hat es einen etwas weichen, süßlichen Geschmack, weswegen man es am besten zu einem kräftig gewürzten Ragout verwendet. Der Balg ist wenig wert und steht dem des Hasen beträchtlich nach.

Viel eindrucksvoller ist aber die negative Seite der Bilanz, nämlich die volkswirtschaftlichen *Schäden,* die das Wildkaninchen anrichtet. Sie übertreffen den Nutzungswert der Strecke um ein Vielfaches, wie man in karnickelreichen Revieren sehen kann, wo oft die Felder in unmittelbarer Nähe der Baue „Kahlfraß“ aufweisen. So kann man einer Hege des Kaninchens das Wort nicht reden, wohl aber einer immerdar *waidmännischen Bejagung,* die im Normalfall zu der wünschenswerten Beschränkung des Besatzes ausreicht.

Durch die Kaninchensterbe (Myxomatose) schien das Kaninchenproblem ein völlig neues Gesicht zu bekommen: 99 % der Tiere gingen ein. Heute ist die Sterblichkeit bei den Seuchengängen nur noch 90 %, sie führen also kaum noch zu örtlicher Ausrottung. So bleibt diese Wildart, die kein Revierinhaber wird missen wollen, mit Sicherheit uns erhalten.

DAS MURMELTIER

Was hätten wohl die Zeitgenossen des alten Diezel gesagt, wenn sie in seiner „Niederjagd“ das Alpenmurmeltier behandelt gefunden hätten? Es wäre auch wahrlich fehl am Platze gewesen, denn die Alpen waren damals noch fast unerschlossen, und das Murmeltier kam dort nur in einigen wenigen Gebieten vor, so daß eine Schilderung dieser Art und ihrer Bejagung sich erübrigte. Heute kann man von fast jeder norddeutschen Stadt abends abfahren und am nächsten Mittag im Murmeltierrevier sein, und selbst in kleineren Orten des Flachlandes lebt eigentlich immer irgendein Jäger, der dieses interessante alpine Wild wenn nicht bejagt, so doch mit Interesse beobachtet hat. So erscheint uns eine – nicht allzu ausführliche – Behandlung gerechtfertigt.

Der Name leitet sich vom lat. *Mus montis,* Bergmaus, her, und in der Tat sieht das Tier einer ins Riesenhafte vergrößerten Wühlmaus nicht unähnlich. Dennoch gehört es innerhalb der Ordnung der Nagetiere nicht in die Verwandtschaft der Mäuse, sondern, dem Bau der inneren Organe, insbesondere aber der Zähne entsprechend, zu der großen Gruppe der *Eichhörnchenverwandten,* innerhalb derer es mit den ihm nahestehenden Präriehund und den Zieseln einen eigenen Zweig bildet.

Bei der *Färbung* des Körpers überwiegen Brauntöne. Der Kopf weist eine dunkelschiefergraue Stirnplatte auf, die sich mit zunehmendem Alter, unter Aussparung der Nackenregion, nach hinten verlängert, so daß alte Tiere oft über den ganzen Rücken schiefergrau gefärbt sind. Der Schwanz ist im letzten Drittel schwarz. Sehr charakteristisch ist ein vom Nasenrücken über die Lefzen sich erstreckender grauweißer Fleck, der beim lebenden Tier lebhaft in einem deutlichen Goldschimmer glänzt. Vom hinteren Teil der Oberlippe bis hinter das sehr kleine, helle Ohr zieht sich ein hellgrauer Streifen, dessen oberer Rand, unmittelbar vor der Ohrmuschel, beim Kugelschuß anzuvisieren ist, sofern die Büchse auf die in Frage kommende Entfernung Fleck schießt.

Das Auge ist tief dunkelbraun, die Zehen, es sind vorn 4, hinten 5, sowie die Krallen sind schwarz, ebenso die Schnurrhaare. Die Unterwolle ist gleichfalls sehr dunkel, schwärzlich-schieferfarben.

Ein Färbungsunterschied zwischen männlichen und weiblichen Tieren besteht allenfalls im höheren Alter, so daß das Ansprechen der Geschlechter außerordentlich schwierig ist. Defner, ein vorzüglicher Kenner der Art, schreibt hierüber (Österreichs Weidwerk, 1949): „Der geübte Kenner spricht das Geschlecht nach der Gesamtfärbung und Stärke an. Der Bär, insbesondere der ältere, ist wesentlich stärker als die Katze und im Gesamteindruck dunkler, über dem Rücken grau, fast schwärzlich. Die Katze dagegen erscheint heller gefärbt und ist geringer im Wildbret. Ein hundertprozentig sicheres Ansprechen der Geschlechter ist wohl nicht möglich.“

Sommer- und Winterkleid sind nur wenig voneinander verschieden. Jungtiere sind in ihrem Geburtsjahr bis zum Anlegen des Winterkleides weniger kräftig gefärbt als Alte, sie wirken mehr grau.

Das *Gewicht* erwachsener Stücke beträgt in den Nordalpen im Herbst unaufgebrochen 5–6 kg. Im Süden scheinen sie bedeutend schwerer zu werden, denn DEFNER gibt für ein von ihm erlegtes männliches Tier ein Gewicht von 8,4 kg an. Im Frühjahr, nach Winterschlaf und Ranz, wiegen sie nur wenig mehr als die Hälfte.

Das Alpenmurmeltier kommt heute nahezu im *gesamten Alpengebiet* vor, von den italienischen Provinzen Venetien, Lombardei und Piemont bis zu den französischen Seealpen, in allen alpinen Kantonen der Schweiz, in Liechtenstein, Vorarlberg, Tirol, Salzburg, Kärnten und Steiermark und in den Hochgebirgsregionen Ober- und Niederösterreichs. Davon sind Kärnten und Steiermark erst um die Jahrhundertwende wieder besiedelt. Das Murmeltier fehlte dort, wohl infolge einer vor Zeiten betriebenen übermäßigen Bejagung, Jahrhunderte hindurch gänzlich. Heute zählt allein der Besatz an der Kreuzeckgruppe in Kärnten, wo 1906/07 von dem späteren österreichischen Bundespräsidenten Prof. HAINISCH 3 Paare ausgesetzt worden waren, mehrere tausend Stück, und in beiden Ländern zusammen mögen wohl an die 10 000 Stück gezählt werden.

In den *Bayerischen Alpen* gibt es seit altersher Murmeltiere nur im äußersten Osten und Westen, im Berchtesgadener Land und im West-Allgäu, doch sind die Besätze sehr verschieden stark: hier wohl 3000–4000 Stück, dort, nach einer sorgfältigen Zählung meines Schülers G. PLATE, 1964, nur etwa 800. Seit den 80er Jahren sind auch in dem dazwischenliegenden Raum Murmeltiere eingebürgert, so durch den FREIHERRN VON CRAMER-KLETT in der Umgebung von Hohenaschau im *Chiemgau,* wo sich heute ein Besatz von etwa 100 Stück vornehmlich in den Forstämtern Hohenaschau und Marquartstein-West befindet; ferner bei Reichenhall. Ein natürliches Vorkommen hegt Of. ERWIN MÜLLER in seinem Dienstbezirk auf der Südseite des Zugspitzmassivs, hart an der Tiroler Grenze bei Garmisch. Neuerdings erfolgte im Schwarzwald eine Aussetzung, wo sie, im Feldberggebiet, gut gedeihen.

Außerhalb des geschilderten Verbreitungsgebietes befindet sich noch ein kleinerer, wohl zweifellos urheimischer Besatz in der Hohen Tatra, beiderseits der polnisch-tschechischen Grenze. In der Niederen Tatra wurden Murmeltiere vor rund 90 Jahren ausgesetzt, und auch einige Kolonien in den Karpathen selbst gehen auf Aussetzungen zurück.

Der bevorzugte *Aufenthaltsort* der Murmeltiere ist die Hochalmregion oberhalb der

Waldgrenze, doch gibt es auch Kolonien in der Talregion, in Höhen von weniger als 1000 m, und andererseits findet man das Tier, zumindest als Sommergast, in Steinspalten hausend, oft auch auf den spärlichen Grasplätzen der Felsregion, wo es schon in Deutschland auf Höhen von mehr als 2000 m, in der Schweiz gar auf 3000 m geht.

Die *Nahrung* des Murmeltieres besteht vor allem aus Gräsern jeder Art, die es nicht nur in frischem Zustande zu sich nimmt, sondern angeblich auch zu Heu herzurichten weiß, indem es an heißen Spätsommertagen in der Frühe die Halme abbeißt und liegen läßt, um sie dann am Nachmittag einzutragen. Daneben nimmt es Kräuter aller Art, auch Wurzeln, vor allem in der nahrungsarmen Frühjahrszeit.

Die *Paarung* findet in der zweiten April- und ersten Maihälfte statt, je nach dem Freiwerden der Baue, das wiederum von Höhenlage und Hangrichtung abhängt. Die Tiere jagen sich dann oft auf weite Strecken und noch im Schnee, wobei ein merkwürdiger, an das Miauen der Katze erinnernder Laut zu vernehmen ist, der wohl nur den Weibchen zukommt, die davon auch ihre waidmännische Bezeichnung „Katze" haben mögen; sie sind nur etwa 1 Tag brünstig und werden dann nacheinander von allen Männchen der Kolonie begattet, ohne daß es zu ernsthaften Kämpfen kommt.

Das Weibchen hält sich, wenn es trächtig ist, gern ein wenig abseits der Kolonie, indem es entweder seine Artgenossen aus dem Überwinterungsbau vertreibt – diese ziehen dann in die meist höher gelegenen Sommerbaue – oder sich einen unweit der Kolonie gelegenen Mutterbau anlegt, in dem es nach knapp 5wöchiger Tragzeit 2–4 Junge zur Welt bringt. Diese sind nackt und blind, haben ein Gewicht von nur gegen 30 g, wachsen aber rasch heran und verlassen im Alter von 5–6 Wochen erstmalig den Bau. Es scheint übrigens, als ob im Süden die Jungenzahl höher ist als bei uns, denn die französische und italienische Literatur gibt übereinstimmend 4–6 Junge an, was ich nie beobachtet habe. Nur einmal fand ich bei einem aus dem Funtensee-Gebiet stammenden Weibchen 5 Embryonen, und PSENNER, dem die Zucht in Gefangenschaft gelang, erzielte sogar einen Wurf mit 7 Jungen.

Beim ersten Verlassen des Baues haben die Jungen die Größe eines noch nicht ganz erwachsenen Meerschweinchens, doch wachsen sie bis zur herbstlichen Einwinterung zu mehr als Wildkaninchengröße heran und sind in dem ihrer Geburt folgenden Jahre nicht immer leicht vom Muttertier zu unterscheiden, mit dem sie weiter die Behausung teilen. Das alte Weibchen wirft nämlich in freier Wildbahn wohl niemals in zwei aufeinanderfolgenden Jahren, sondern vollendet im zweiten Jahre die durch den Winterschlaf unterbrochene Aufzucht, säugt freilich die Jungen dann nicht mehr. Ihre Fortpflanzungsfähigkeit erreichen die Jungtiere frühestens im dritten Kalenderjahr, doch dürften normalerweise junge Männchen in diesem Alter noch nicht zur Paarung gelangen, sondern erst 1–2 Jahre später.

Reizend sind die Spiele der Jungen, die oft stundenlang währen. Sie richten sich gegeneinander auf, teilen mit den kurzen Pfötchen Hiebe aus und tragen regelrechte Ringkämpfe aus, um zwischenhinein hintereinander herzutollen.

Der *Winterschlaf,* der jeweils eine ganze Sippe vereinigt, so daß die Tiere zu sechst, zu zehnt oder gar in noch höherer Zahl beieinander liegen, beginnt in den meisten Gegenden um den 1. Oktober. Es wird angenommen, daß der erste Schneefall sie in die Baue treibe, und ich war sehr ärgerlich, als ich einmal im September, soeben zur Beobachtung unserer Art in das etwas beschwerlich zu erreichende Funtenseegebiet aufgestiegen, dort von einem die halbe Nacht währenden Schneesturm überrascht wurde. Die Murmeltiere aber wußten es besser, sie kamen, sobald die Sonne wieder schien, aus ihren Bauen hervor und zeigten noch manches interessante Bild. In der Steiermark wiederum erlebte ich es, daß die „Murmandl" trotz herrlichsten, tagsüber sommerlich warmen Herbstwetters sich

Anfang Oktober schon in ihre Baue zurückgezogen hatten, aus denen sie gewöhnlich erst im April wieder herauskommen. Ihr langer Winterschlaf, bei dem die Bluttemperatur stark herabgesetzt wird, die Atemfrequenz auf einen Atemzug je Minute und die Herzschläge auf 3–4 heruntergehen, ist ja sprichwörtlich geworden, und selbst in England sagt man: „Er schläft wie ein Murmeltier!" Und doch kommen, bei Föhn, mehrtägige Unterbrechungen vor, über die GRAFENAUER in „Österreichs Weidwerk" (1952) berichtet.

Der Wärmehaushalt der Murmeltiere wird im Winter selbstverständlich von dem riesigen Fettvorrat bestritten, den das Tier während des Sommers in seinem Körper gespeichert hat. Doch wird dieser Vorrat keineswegs zur Gänze verbraucht, sondern es bleibt noch so viel übrig, daß die Tiere im Frühjahr recht wohlgenährt den Bau verlassen und nicht nur die äsungsarmen Aprilwochen, sondern gleichzeitig die Anstrengungen der Fortpflanzung („Bärzeit") davon bestreiten können. Erst wenn diese zu Ende ist, erscheinen sie sichtlich abgemagert und wiegen dann in der Tat oft nur 2–3 kg.

Unser Murmeltier ist wohl das ausgesprochenste Tag- und Sonnentier, das es unter dem heimischen Haarwild gibt. Gern liegt es, oft viele Stunden lang, platt wie ein Fladen vor dem Bau und sonnt sich. In den Vorabendstunden sind die „Mankei" meist recht munter mit Fressen, Spielen und Graben, gehen dann auch ziemlich weit vom Bau fort, um diesen, wenn die Schatten lang werden, oft in vollem Galopp wieder aufzusuchen. Hier sind sie, wie ich an einem unter meiner Jagdhütte liegenden Bau feststellen konnte, mitunter auch mitten in der Nacht munter mit Graben beschäftigt.

Der *Gesichtssinn* der Mumeltiere ist vortrefflich und steht in der biologischen Rangfolge der Sinnesorgane wohl an erster Stelle, aber auch das Gehör ist fein, und beim Ansitz ist auch das Wittrungsvermögen zu berücksichtigen.

Die bekannteste *Lautäußerung* des Murmeltieres ist der weithin dringende, vogelartige Schrei, der ein echter Stimmlaut, kein Pfeifen ist, wie das schon vor 40 Jahren der Berchtesgadener Oberforstmeister HAUBER festgestellt und veröffentlicht hat. Dieser Schrei ist ein Schreck- und Stimmfühlungslaut, der von den Artgenossen verstanden, sehr häufig auch aufgenommen wird und sie in Alarmzustand versetzt. Auch andere Wildarten reagieren darauf. Etwas dünner und höher klingt der Klageton, der mich an Jungkaninchenklage erinnerte. Des miauenden Paarungsrufes gedachten wir schon.

Feinde des Murmeltieres sind unter dem Haaraubwild selten. Der Fuchs reißt ab und zu einmal ein Junges, vielleicht tut das auch das gerade im Lebensraum des Murmeltiers nicht seltene Hermelin, das ich Baue abrevieren sah. So möchte ich ihm einen gelegentlichen Raub sehr kleiner Jungtiere wohl zutrauen. Der Hauptfeind ist ohne Zweifel der *Steinadler,* der ihm wohl mehr Schaden zufügt, als jede andere Tierart es vermag. Auch der Habicht, der sich im Gebiet tiefer gelegener Kolonien gern umhertreibt, dürfte manches Jungtier schlagen, das gleiche ist vom Kolkraben beobachtet. Das ausgewachsene Murmeltier ist übrigens recht streitbar und setzt sich sogar gegen den Fuchs, Hunde, bisweilen selbst gegen Adler erfolgreich zur Wehr. Auch der Uhu schlägt Jungtiere.

Verheerende Wirkung hatte das heute wohl in allen Ländern verbotene Graben der Baue zu Beginn des Winters, das oft auch dann, wenn man im harten, steinigen Boden die Schläfer nicht erreichte, zum Untergang ganzer Kolonien führte, weil die durch die eröffneten Gänge eindringende Kälte diese zum Erfrieren brachte.

Bei einer aufs Ganze gesehen so geringen Anzahl von Feinden erreicht das Murmeltier mit seiner langsamen Entwicklung wohl ein verhältnismäßig hohes Alter, wie aus dem Überleben einzelner Stücke nach nicht geglückten Aussetzungen und aus Gefangenschaftsbeobachtungen zu schließen ist. Ich möchte die erreichbare *Lebensdauer* auf ungefähr 15 Jahre beziffern.

Als *waidmännische Bezeichnungen* werden, mit den in der Natur des Tieres begründeten Abänderungen, dieselben gebraucht, wie beim übrigen Niederwild, etwa beim Dachs, auch. Darüber hinaus notierte ich folgende Bezeichnungen: Die Art selbst heißt im Allgäu *Murmele* oder *Murbele,* in Oberbayern und in angrenzenden Gebieten Salzburgs *Mankei,* eine dialektische Form von „Männchen", in Voralberg *Boomenta,* im übrigen Österreich meist *Murmel(e), Murmanndl, Murmentl* oder ähnlich. In manchen Teilen der Schweiz ist die Bezeichnung *Mungg* gebräuchlich.

Das männliche Tier wird im deutschsprachigen Gebiet überall *Bär,* das weibliche *Katz* genannt. Ein ursprünglich wohl nur in Teilen Tirols gebräuchlicher Ausdruck „Aff" für das Jungtier ist von manchen Jagdschriftstellern übernommen worden und heute verbreitet – freilich mehr im Schrifttum, als bei den Jägern selbst. Die Gliedmaßen heißen *Branten,* für die Fortpflanzungszeit gebrauchen manche Jäger auch den Ausdruck *Bärzeit.* Vom Wildbret sagt man, es *erdelt,* wenn es, wie meist, einen etwas strengen Beigeschmack hat. Das Fett heißt in ausgelassenem Zustande, in dem es flüssig bleibt, *Murmelöl.*

Die *Jagd* auf das Murmeltier gestaltet sich, je nachdem ob die Tiere an den Menschen gewöhnt sind oder nicht, außerordentlich verschieden. In vom Fremdenverkehr voll erfaßten Gebieten lassen die Tiere den Menschen auf 40, 20, ja 10 m heran und nehmen oft nicht einmal sichernd die Pfahlstellung ein, die für sie so charakteristisch ist. Wo sie dagegen scharf bejagt werden, kann es recht schwierig sein, zum Erfolg zu kommen.

Die einzige in Betracht kommende Jagdart ist dort der Ansitz am Bau, der sich besonders in den frühen Morgenstunden empfiehlt, wenn man einen alten Bären – der sich nach glücklichem Abschuß freilich nicht immer als ein solcher erweist – ausgemacht hat.

Murmeltierzähne in Silberfassung (Alt-Salzburger Arbeit)

In ganz Österreich und in manchen Kantonen der Schweiz ist für unser Wild, das mancherorts gar zur Hohen Jagd gerechnet wurde, der Kugelschuß vorgeschrieben, während es in Bayern als nicht unwaidmännisch gilt, sich der Schrotflinte zu bedienen, wobei man aber nicht aus Entfernungen von mehr als 20 m schießen darf ($3^1/_2$-mm-Schrot). Beim Kugelschuß gilt in Österreich nur der Kopfschuß als waidmännisch, für den man, hat man das Tier von der Seite, den im beschreibenden Teil erwähnten Haltepunkt anvisiert, während man von vorn auf den weißen Fleck auf der Nase oder etwas darüber, von hinten auf die Scheitelmitte hält. Der größte Fehler ist beim aufrecht sitzenden Murmel ein Schuß auf Brustmitte oder Blattgegend, weil die Tiere auch beim tödlichen Schuß immer noch zu Bau eilen und selbst mit zerschmettertem Rückgrat sich bisweilen zur oft sehr steilen Fallröhre schleppen und dann meist für den Jäger verloren sind. Vor einigen Jahren wurde im „Anblick" von einem „Jäger" berichtet, der hintereinander drei Murmeltiere mit einer Büchse vom Kaliber 5,6 mm beschoß. In allen drei Fällen fand sich Lungenschweiß – keines kam zur Strecke!

Erlegte Murmeltiere kann man in einer Gesteinsspalte, am Gletscherrand oder im Schnee selbst unaufgebrochen Tage hindurch aufbewahren, wenn nur ein Auffinden durch Adler oder Fuchs ausgeschlossen ist. Auch die schweißdichte Rucksackeinlage, in einen eisigen Gebirgsbach gehängt, hat sich mir für diesen Zweck bewährt. Als Trophäe gelten die orange- bis braunroten Schneidezähne, zumal die *oberen* mit ihren breiten Meißelenden, während die unteren, meist etwas zugespitzt erscheinenden, weniger begehrt sind. Früher trug man sie an der Uhrkette oder verarbeitete sie zu allerlei Schmuck, wie Haar- und Hutnadeln, Anhängern für Kettchen oder dergleichen. Ich besitze eine ungewöhnlich hübsche Silberbrosche, Alt-Salzburger Arbeit, die ein Paar Mankeizähne in Perlgitterfassung zeigt (Abb.). Auch die Vorderbranten wurden gelegentlich gefaßt und als Anhänger, „Berlocken", getragen.

Hat man Aussicht eine größere Menge Murmeltiere binnen weniger Jahre zu erlegen, dann sammle man die Bälge von in der zweiten Septemberhälfte geschossenen Tieren zu einem sehr haltbaren Pelzfutter für den Mantel. Andernfalls eignet sich der gegerbte Balg als Fußteppich oder auch als Wandtrophäe.

Die Leber ist gut und schmackhaft. Das Wildbret ist etwas erdig und besser erst nach einigem Wässern oder Beizen zu nutzen.

Das Murmelöl wird in allen Alpenländern zu medizinischen Zwecken äußerlich und innerlich benutzt und hat sich als vorzügliches Massagemittel bewährt. Es ist allgemein üblich, daß der Schütze es dem ihn führenden Jäger überläßt, der es mit Nutzen verkauft, wobei der erzielte Preis für das Öl eines herbstfeisten Stückes sich auf gegen 30 DM beläuft.

Die *wirtschaftliche Bedeutung* des Murmeltiers ist nicht ganz so gering, wie es bei flüchtigem Überdenken den Anschein haben könnte. Die jährlichen Strecken belaufen sich allein in der Schweiz auf 8000–16 000, im Durchschnitt meist auf etwa 10 000 Stück, und der „Munggenbraten" spielt vor allem im Bündener Land noch heute eine große Rolle. Sie war so groß, daß vor Zeiten, als man das Ausgraben noch übte, in manchen Gegenden der Schweiz eigene *Murmeltiergenossenschaften* bestanden, die den Zweck hatten, eine Übernutzung auf einer mehreren Besitzern gehörigen Hochalm zu verhindern. Überall hat, wie wir sahen, das Murmelöl noch heute seine Bedeutung, und eine Septemberstrecke von 5 oder 6 Stück, in murmeltierreichen Gebieten, vermag dem kargen Barlohn eines Berufsjägers ein Monatsgehalt hinzuzufügen. In Österreich dürfte sich die Bedeutung des Murmeltieres voraussichtlich noch steigern, da die Jahresstrecke, die sich 1963 auf über 2500 belief (1885–89: 475 i. D.), sich wohl noch weiter erhöhen wird.

In Bayern hat man aus mir unbegreiflichen Gründen den Murmeltieren eine ganzjährige Schonzeit zugebilligt. Ich halte eine vollständige Jagdruhe weder für nötig noch für nützlich, da ich im Osten wie im Westen des Landes übervölkerte Kolonien kenne; die Tiere sind dort stark parasitiert, insbesondere von einer Bandwurmart befallen, die Jungenzahl geht zurück. Eine Besatzregulierung durch den Menschen – anstelle des ausgerotteten Luchses und stark reduzierten Steinadlers – ist unbedingt erforderlich.

Damit kommen wir zu den notwendigen *Hegemaßnahmen*. Ich möchte hier auf ein für *die* Wildart, auf die es einst gemünzt war, längst nicht mehr zutreffendes Wort zurückgreifen, das aber für viele Murmeltierbesätze heute Gültigkeit besitzt: „Murmeltiere müssen beschossen werden!" Ich sehe förmlich die entsetzten Gesichter der naturfrohen Menschen, die den reizenden braunen Gesellen, den sie auf ihren Bergfahrten lieben gelernt haben, nun dem Bedürfnis irgendwelcher Jäger nach Massenstrecken zum Opfer fallen wähnen. So ist's natürlich nicht gemeint! Wer aber die trägen, mit Bandwürmern bis zum Platzen vollgestopften Murmele eines überhegten Besatzes einmal gesehen hat, die keine Scheu vor dem Menschen mehr kennen, der wird mir darin recht geben, daß man der Art durch einen mißverstandenen Naturschutz nicht dient. Natürlich muß man in Einwanderungs- und Aussetzungsgebieten erst einen gewissen Besatz beisammen haben, ehe ein Abschuß stattfinden kann. Ist aber eine Kolonie erst auf 15–20 Köpfe angewachsen, dann setzt zweckmäßig ein gelinder Abschuß ein, den man, je nachdem, was man will, steigert oder nur als Gelegenheitsabschuß fortbestehen läßt. Die Tiere bleiben dann „wild", und das ist ihnen auf jeden Fall dienlicher, als wenn sie zu halben Haustieren werden.

Sonstige Hegemaßnahmen sind mir nicht bekannt geworden, mit alleiniger Ausnahme des Aussetzens zur Neubegründung von Besätzen, was ja vor allem in Österreich viel geübt wird. Hierzu benutzt man in der Regel Tiere, die Ende Oktober oder Anfang November mit behördlicher Genehmigung gegraben und in einem frostfreien Keller überwintert werden, um nach dem Winterschlaf an geeigneten Örtlichkeiten in die Freiheit der Berge entlassen zu werden. Es ist besonders wichtig, daß sie dann einige rasch aus Steinen zusammengebaute Schlupfwinkel vorfinden, um sich gegen Adler bergen zu können; vor allem aber gut grabfähigen Boden und gehaltvolle Äsung. Besser noch ist ein Aussetzen mit umwickeltem Tellereisen gefangener Tiere im Juni/Juli.

Will man ein übriges tun, so mag man den Mankei nach sehr langen Wintern, wenn die schon verlassenen Baue noch inmitten weiter Schneefelder liegen, einen Rest Heu von der Rotwildfütterung hinwerfen. Das hilft Verluste durch den Steinadler vermeiden, dem sie sonst beim Überqueren der Schneefelder leicht zum Opfer fallen.

Das Murmeltier spielt im Denken, Singen und in Sagen des Volkes eine viel größere Rolle, als man bei seiner beschränkten Verbreitung annehmen sollte. Selbst in Berlin war in meiner Kindheit noch das Lied vom „Kleinen Murmeltier" in Gebrauch, und das kommt wohl von den wandernden Savoyardenknaben, die mit einem zahmen Murmeltier, das in aufrechter Stellung auf einem Kasten sich tanzend drehte, bis weit nach Norden und Osten zogen, um sich durch ihre Vorführungen ein paar Groschen zu verdienen. Schon die Generation unserer Väter hat sie nicht mehr erlebt, GOETHE aber ihnen ein „Marmottenlied" gewidmet, das LUDWIG VAN BEETHOVEN sehr reizend vertonte. Heute kennen Hunderttausende von Menschen das Murmeltier aus seiner Bergwelt, wo es durch seinen Schrei die Aufmerksamkeit auf sich lenkt und durch sein oft so anziehendes Verhalten als „Familientier" fesselt. Die aufrechte Stellung beim Sichern führt zudem noch unmittelbar zu Vergleichen mit dem Menschen selbst, und das kommt ja auch in den Lokalnamen *„Mankei"* und *„Murmandl"* zum Ausdruck.

Hat es nicht etwas Versöhnliches, daß der „böse Jäger", der vor Zeiten wohl am Rückgang der Art nicht unschuldig war, heute das meiste zu seiner Wiederausbreitung getan hat?

DER BIBER

Hätten wir bei der Bearbeitung der hier vorliegenden Auflage der „Niederjagd" nur innerdeutsche Verhältnisse im Auge, so müßte eine Aufnahme des Bibers in das Buch fast als Anachronismus gelten: Es ist sehr fraglich, ob die letzten Reste dieser Tierart, der Elbebiber mit einer gegenwärtigen Verbreitung etwa zwischen Dessau und Magdeburg, in Deutschland zu erhalten sein werden. Nachdem die Art seit der Jahrhundertwende unter Schutz stand und sich, vor allem nach dem Inkrafttreten des Reichsjagdgesetzes, vom Zeitpunkt der Unterschutzstellung an bis 1945 von rund 200 auf etwa 400 Stück vermehrt hatte, wird der gegenwärtige Bestand auf nur noch auf etwa 200 Tiere geschätzt, deren Vermehrung zudem wegen dauernder Störung, rücksichtsloser Eingriffe in ihr Lebensgebiet und Verseuchung des Wassers völlig unzureichend ist. Aus diesen Gründen ist eine Umsiedlung in das Gebiet des Müritzsees geplant.

Bei solcher Seltenheit besteht keine Aussicht auf eine später einmal erfolgende Freigabe der Bejagung in Deutschland. In einem Lehrbuch der Niederjagd kann somit auch auf die so besonders interessante Naturgeschichte der Art nicht eingegangen werden. Es sei auf die vortreffliche Monographie von G. HINZE verwiesen (Der Biber. Akademie-Verlag, Berlin 1950).

Ein Blick über Deutschlands Grenzen hinaus zeigt indessen ein recht anderes Bild. In *Norwegen* haben wir heute, nach dem 1899 einsetzenden behördlichen Schutze, einen Besatz, der auf 12 000 bis 14 000 Stück beziffert wird, so daß im Kerngebiet in beschränktem Umfange schon wieder ein Abschuß zugelassen werden konnte, während man in den Randzonen die Tiere ganz unbehelligt läßt, die sich von dort aus immer weiter verbreiten. In *Schweden* ist durch Aussetzung norwegischer Biber die Wiederbesiedlung mehrerer Reviere Mittelschwedens möglich geworden und läuft weiter. Gleichfalls aus Norwegen stammende Biber wurden in *Lettland* an der Stende und an der Livländischen Aa ausge-

setzt, ebenso in *Finnland.* Auch in *Rußland* sind Aussetzungen mehrfach von Erfolg gekrönt worden, ebenso in *Polen.* Dagegen hat sich in *Frankreich* der Biber nur im Mündungsgebiet der Rhone und an ihren dortigen Nebenflüssen, in einer Zahl von etwa 400 Stück, gehalten, ist aber gegenwärtig in so erfreulicher Ausbreitung und Vermehrung begriffen, daß schon Stücke gefangen und zur Aussetzung an die Schweiz abgegeben werden konnten. Drei solcher Aussetzungsversuche sind gelungen.

Die *Jagd* auf den Biber erfolgte zumeist mittels Fallen, die so aufgestellt waren, daß sie nach dem Zuschlagen den Biber unter Wasser halten und ertränken. Wo er geschossen wird, verwendet man wohl ausschließlich den Schrotschuß mit recht grobem Schrot, den man beim Ansitz am Bau oder an den Äsungsplätzen anzubringen sucht. Einen schwimmenden Biber im tiefen Wasser zu schießen ist Aasjägerei, weil er, verendet, wie alles Haarwild versinkt.

Zu den *Hegemaßnahmen* gehören neben scharfer Aufsicht in den Biberschutzgebieten das Verbot des Fischens und Angelns und ein Verbot des Reusenfangs. Auch die Bejagung des Fischotters muß dort unterbleiben, etwaiger Bisamrattenfang auf die staatlichen Fänger beschränkt werden. Im mitteldeutschen Bibergebiet haben sich dort, wo die Flußufer und Buhnen gepflastert oder gar betoniert sind, sogenannte Biberrettungshügel oberhalb befahrener Biberbaue bewährt, die den Tieren bei Hochwasser sichere Zufluchtsmöglichkeiten geben.

Der Biber, der in vergangenen Jahrhunderten von hauptberuflichen Spezialisten bejagt wurde, die es von der Zeit Karl des Großen bis zur Herrschaft des Deutschen Ritterordens im Osten unseres Vaterlandes und vereinzelt auch noch später gegeben hat, ist heute bei uns zu einem einzigartigen Naturdenkmal geworden. In der Raumenge unseres Vaterlandes kommen nur wenige Gebiete für eine Wiederbesiedlung in Frage. Sie zu suchen und zu finden stellt eine lohnende Aufgabe auch für die waidgerechte deutsche Jägerei dar, die sich seit den Zeiten unseres HERMANN LÖNS dem Naturschutz eng verschrieben und schon so manche Tierart vor dem Aussterben bewahrt hat.

Mehr als ein Jahrzehnt mußte vergehen, ehe der vorstehende Vorschlag Aussicht auf Verwirklichung erfuhr: 1964 begannen Vorbesprechungen für die Begründung eines Biberschutzgebietes in der Bundesrepublik, die, so steht zu hoffen, im Laufe der nächsten Jahre zu einer Biberaussetzung führen werden!

DIE BISAMRATTE UND IHRE VERWANDTEN

Als der Fürst von Colloredo-Mannsfeld im Frühjahr 1905 einige von einer Jagdreise nach Alaska mitgebrachte „Muskrats“ in seiner Besitzung Dobrisch bei Prag aussetzte, ahnte er nicht, daß dieser Aussetzung Fluch und Segen zugleich folgen würden. Er wußte nicht, daß kein Tier dieser Größe über eine ähnliche Vermehrungsfreudigkeit verfügt, eine „biotische Aktivität“, die die Wasserhaltungs- und Verkehrseinrichtungen ganzer Landstriche gefährdet. Und daß andererseits aus den notwendigen Bekämpfungseinrichtungen schon nach zwei Jahrzehnten sich für viele Familien Arbeit und Brot ergeben werde, in einer Zeit der Arbeitslosigkeit, wie sie in solchem Ausmaße nie zuvor sich ereignet hatte ...

Die *Bisamratte* (Ondatra zibethica L.) gehört zu den Wühlmäusen und ist ein naher Verwandter unserer Wasserratte oder Schermaus, von der sie sich durch ihre bedeutende Körpergröße – 1,5 kg bei einer Länge (mit Schwanz) von 55 cm – durch die dunkel- bis kastanienbraune Färbung des Haarkleides, vor allem aber durch den *seitlich abgeplatteten, langen Ruderschwanz* (Abb. S. 125) unterscheidet, das beste Kennzeichen überhaupt, das sie gegenüber allen ihren Verwandten, auch der noch zu besprechenden Nutria, spielend leicht ansprechen läßt.

Ihren *Namen* hat die Art von zwei Geilsäcken (Praeputialdrüsen), die in der Ranzzeit um das Drei- bis Vierfache ihrer Größe anschwellen und einen zibethartigen Geruch ausströmen, der in der Fortpflanzungszeit eine Rolle spielt als Anlockungsmittel für das weibliche Tier, vielleicht auch zur Revierabgrenzung.

„Der *Hauptaufenthaltsort* der Bisamratte“, so schildert Ulbrich, einer der besten Kenner unserer Art, „ist das Wasser. Ihr Vorkommen ist an das Vorhandensein von Flüssen, Seen oder Teichen gebunden. In Amerika fehlt sie daher auf den wasserfreien Flächen der Hochebenen. Für dauernden Aufenthalt zieht sie stets ruhige Gewässer, verschilfte, verwachsene, verschlammte Teiche und Seen dem unruhig fließenden Wasser vor. Nur in Gegenden, in denen es an Teichen mangelt, z. B. in der Sächsischen Schweiz, dem Erzgebirge und den Hochlagen des Vogtlandes, siedelt sie sich alljährlich schon im zeitigen Frühjahr in Mühlgräben, in toten Armen oder besonders ruhigen Teilen der Gebirgsflüsse an, schreitet auch hier regelmäßig zur Fortpflanzung, wandert aber im Spätherbst wieder ab.“

In der *Anlage ihrer Baue* gleicht sie sehr dem Biber. Erdbaue mit unter Wasser liegender Einfahrt, zu der dann im Laufe der Zeit weitere, meist in die erste Röhre mündende Unterwassergänge kommen, sind der Ausgangspunkt ihrer Bauanlagen, die dort, wo starker Wechsel des Wasserstandes auftritt, zu Etagenbauen erweitert werden. Mit zunehmender Populationsdichte werden die Familienbaue häufig untereinander verbunden, so daß ganze Bausysteme entstehen, die dann oft die Ursache der gefürchteten Uferabbrüche, Damm- und Deichbrüche werden. Die Röhren haben eine lichte Weite von 8–10 cm,

ihre Länge kann gegen 10 m betragen. An den Kreuzungspunkten der Röhren oder am Röhrenende werden elliptische Kessel von 20 bis 30 cm Höhe bei einer Grundfläche von etwa 35 mal 50 cm angelegt und mit Binsenstücken und dergleichen ausgepolstert.

Wo an ihrem Wohngewässer im Winter Nahrungsmangel auftritt, legt die Bisamratte Winterburgen an, die im Prinzip denen des Bibers gleichen. Nur werden nicht Stammstücke, sondern Schilfstengel, Kalmus- und Irisstauden, Seerosenwurzeln und andere nicht verholzte Pflanzenteile verwandt.

„Mit dem Bau der Winterburg", sagt Ulbrich, „erreicht die Bisamratte dreierlei, erstens einen geschützten Aufenthaltsort, zweitens ein Luftreservoir und drittens eine Vorratskammer für die vegetationslose, kalte Jahreszeit. Denn ihre Erdbauten werden durch Einfrieren häufig unbrauchbar, und in ihrer Burg ist sie vor kaltem Luftzug, gegen den sie außerordentlich empfindlich ist, und vor großer Kälte vollkommen geschützt.

Durch allmähliches Ausfressen der Kessel und Gänge gehen nun dauernd Veränderungen innerhalb der Burg vor sich. Oft findet man schon Anfang Februar beim Öffnen derselben tief im Innern nur noch einen einzigen großen, trockenen, völlig ausgefressenen Hohlraum. Mit dem Fortschreiten der warmen Witterung fällt die Winterwohnung der Bisamratte nach und nach völlig in sich zusammen. Nach Beendigung der Frühjahrswanderung ist sie vollkommen verwaist. Einzelne zurückbleibende oder neu zugewanderte Tiere beziehen ihre Erdbauten wieder und benutzen die Burg nur noch gelegentlich als Unterschlupfstelle und Fraßsasse. Nechleba nennt die Burgen ‚natürliche Silos', eine Bezeichnung, die wohl den Hauptzweck der Burg richtig kennzeichnet. Die Untersuchungen auf die Haltbarkeit der zusammengetragenen Pflanzen haben ergeben, daß die Silierfähigkeit der gewählten Teichvegetation, insbesondere der Schachtelhalme, Kalmus-, Iris- und Rohrkolbenwurzeln infolge ihres hohen Stärkegehaltes sehr groß ist. Ende Februar, Anfang März dem Burginnern wiederholt entnommene Pflanzenteile zeigten noch keine Zersetzungsspuren."

In ihrer *Ernährung* erweist sich also die Bisamratte als fast ausschließlicher Pflanzenfresser. Ihre Fischereischädlichkeit ist eine Legende. Selbst bei großem Hunger nimmt sie normalerweise Fleisch, Fische oder Eier nur ungern an. Von hungernden Tieren wurde ein ihnen vorgelegter frischgeschlachteter Karpfen erst am dritten Tage angefressen. Bei gemeldeten Schäden am Niederwild oder Hausgeflügel handelt es sich um Verwechslung mit Fischotter – mehrfach nachgewiesen! – oder Wanderratte (s. u.). Dagegen tut sie an Gartenerzeugnissen und Feldfrüchten Schaden, doch fällt *dieser* Schaden wenig ins Gewicht. Die Hauptnahrung bleiben Wasserpflanzen und ihre Wurzeln. Als Notnahrung kommen Wasserschnecken gelegentlich in Betracht.

Die *Fortpflanzungsperiode* beginnt im Februar oder März. Durch Schwimmspiele wirbt das Männchen um das Weibchen, wobei man helle Stimmlaute vernimmt, die wohl irrtümlich als Pfeifen bezeichnet wurden. Die Tragzeit beträgt nur 27 Tage, die Zahl der Jungen beträgt (2–) 7–8 (–14), die der Würfe je nach dem Klima des Wohngebietes 3–5; in milden Wintern kommen auch Winterwürfe vor. Eine Vermehrung der Jungen im Jahre ihrer Geburt findet im Regelfalle nicht statt.

Der geschützte, nur durch gelegentliche Hochwasser in der Zeit des ersten Wurfes gefährdete Aufzuchtort, die geringe Anzahl natürlicher *Feinde*[7] und die Tatsache, daß Bisamratten wenig von Krankheiten geplagt werden, bedingen eine hohe Aufzuchtrate. Mehr hierin als in der hohen Fruchtbarkeit, die die Art mit manchen Verwandten gemeinsam hat, erblicke ich die Hauptursache der Massenvermehrung und raschen Ausbreitung. Denn unter dem deutschen Haarraubwild kommen als *Feinde* des wehrhaften Nagers nur Fuchs, Otter und Iltis, bei Jungtieren allenfalls auch noch das Hermelin in Frage; von Greifvögeln und Eulen kennt UTTENDÖRFER nur Waldkauz und Uhu als Feinde unserer Art, doch wurden auch in Gewöllen der Waldohr- und der Sumpfeule mehrfach Reste sehr junger Bisamratten gefunden, und der Jagdaufseher WEITZ fand im Vogtlande das Hinterteil eines voll ausgewachsenen Tieres in einem Habichtshorst.

Was die *Bejagung* der Bisamratte angeht, so muß zwischen den Bekämpfungsmethoden der hauptberuflich arbeitenden Fänger und dem mehr gelegentlich geübten Abschuß durch den Jagdberechtigten unterschieden werden. Jagdrechtlich gehören die Bisamratte und ihre im folgenden kurz zu erwähnenden Verwandten zu *den* Tieren, die dem „freien Tierfang“ unterliegen, also von jedermann erlegt werden dürfen – mit der Schußwaffe aber nur von Jagdberechtigten, was hier besonders erwähnt sei.

Über die Bekämpfungsmethoden berichtet KLEMM: „Im Laufe der Zeit haben sich in den einzelnen Gegenden verschiedene Verfahren zum Bisamrattenfang herausgebildet, die eine Verwertung des Pelzes ermöglichen. Aus diesen Gründen ist man von der Verwendung solcher wirksamen Mittel wie Giftköder und Giftgase abgekommen, da die vergifteten Tiere sich unauffindbar verkriechen. Mit dem Fallenfang hat der Bisamjäger die Möglichkeit, jedes Gewässer in kurzer Zeit von Tieren zu säubern. Die Fischer fangen die Bisamratten in Fischreusen, die in den Wasserwechsel der Tiere eingelegt werden. Besonders verbreitet sind in den letzten Jahren die drei folgenden Fangverfahren: Zuverlässig und zeitersparend ist der sogenannte Stöberfang nach ROITH, bei dem die Tiere durch Schreck-Gaspatronen gezwungen werden, ihren Bau zu verlassen, und sich in den vorgelegten Haargreiffallen fangen. Den Vorzügen – keine Beschädigung des Ufers, sicherer Abfang aller erwachsenen Tiere und kein Diebstahl an Geräten, die nach dem Arbeitsgang mitgenommen werden – steht die mit Aufsuchen und Abstechen der Baue verbundene starke körperliche Anstrengung des Jägers entgegen. Aus diesen Gründen arbeitet man mehr mit Aufstellen der Haargreiffallen vor den Bauten der Bisamratten. Beim dritten Fangverfahren sperrt man die Wanderstraßen der Tiere durch Drahtzäune mit eingebauten, reusenähnlichen Fallen.“

Die *Jagd mit der Schußwaffe,* insbesondere mit der Flinte unter Verwendung von 2½–3 mm Schrot, hält ULBRICH für ein äußerst wirksames Bekämpfungsmittel, vor allem von einem in Baunähe zu errichtenden Hochsitz aus. Ein Abschuß mit dem Kleinkalibergewehr empfiehlt sich nicht, da hierbei viel verlorengeht. Ansitzjagd ist die beste Bekämpfung dort, wo „durch hohe, dicht verwachsene, versteinte Uferböschungen und durch hohen Wasserstand andere sichere Bekämpfungsmittel versagen oder ihre Anwendung viel Zeit in Anspruch nehmen würde“.

[7] In Nordamerika ist der dort häufige Nerz (Mink) Hauptfeind der Bisamratte.

Dem pflichtet auch H. U. Kamlah bei, der über gewisse Erfahrungen auf dem Gebiete der Bisamrattenjagd verfügt: „Als Jagdart kommt nach meiner Erfahrung nur der Ansitz in Frage. Pürschen auf den Dämmen war gänzlich erfolglos. Da die Bisamratte sehr gut windet, muß der Wind unbedingt berücksichtigt werden. Um in der Dämmerung einen sicheren Schuß abgeben zu können, empfiehlt es sich sehr, ein Zielfernrohr – für den Schrotschuß! – zu benutzen. Jagen sich zwei Bisamratten, so ist in den meisten Fällen das vordere Tier das Weibchen. Dieses muß man zuerst abschießen, da das Männchen häufig auf der Suche nach dem Weibchen zurückkehrt und man kurze Zeit später auch auf dieses noch zu Schuß kommt."

Zum Abschluß noch ein Wort über die Ausbreitung der Bisamratte, die heute in keinem mitteleuropäischen Lande, insbesondere auch in keinem Lande der Bundesrepublik mehr fehlt. 1914 zeigte sie sich in Bayern (Oberpfalz), 1917 wurden die ersten in Sachsen, 1919 in Thüringen erbeutet, von wo aus bald die damalige Provinz Sachsen erreicht wurde (1922). 1924 wurde sie in Schlesien, 1928 in Brandenburg, 1931 in Niedersachsen festgestellt, doch blieb das damals bei Celle erlegte Tier vorerst Einzelgänger. 1938 aber kam sie im Kreise Dannenberg zur Beobachtung, wo in den folgenden Jahren jeweils schon 50 bis 60 Stück erlegt wurden, und erreichte 1943 das Gebiet der Stadt Hamburg (Strecke 1952: etwa 80 Stück, darunter einige von der *Tollwut* befallene). Seit 1949 wurden allein in Niedersachsen, Gersdorf zufolge, jährlich 1500 bis 2000 Stück gefangen.

Im gleichen Jahre 1931 wurde auch Baden, im folgenden Jahre Württemberg befallen; 1934 Hessen, seit 1946 Mecklenburg. Auch Schleswig-Holstein weist, besonders in den Kreisen Lauenburg und Pinneberg, Bisamrattenbesätze auf. Durch Entkommen aus elsässischen Zuchtfarmen, vielleicht auch von der schon seit 1928 auf die gleiche Weise besiedelten Nordschweiz her, bildete sich gegen Ende des Zweiten Weltkrieges in Südbaden ein starkes Befallsgebiet, das sich rheinabwärts ausdehnte. Ein neues Vorkommen der Art bei Malmedy dürfte von Belgien her entstanden sein, wo sie, wie auch in Holland, wild vorkommt.

Die bei uns so gefährliche Art ist in Finnland und in der Sowjetunion als geschätztes Pelztier künstlich eingebürgert und hat dort seit 1927 ein Areal von Millionen von Quadratkilometern erobert. Die Behauptung, daß in Deutschland der Pelz minderwertig sei, trifft keineswegs zu. Sie geht auf die im Zuge der Bekämpfungsaktionen vielfach

notwendigen Sommer- und Jungtierfänge zurück. Winterbälge erwachsener Stücke sind auch bei uns hochwertig. So sind wir zwar als Staatsbürger, nicht aber als Jäger über die Einwanderung dieser Tierart betrübt, deren Bekämpfung insbesondere dort, wo ein erstes Auftreten beobachtet und kein staatlicher Fänger zur Stelle ist, unser Recht, aber auch unsere jägerische Pflicht ist und bleiben wird.

Zu vielfältigen Verwechslungen mit der Bisamratte führte das gelegentliche Auftreten eines Pelztieres, das in bedeutender Anzahl bei uns in Farmzucht gehalten wurde und gelegentlich in die freie Wildbahn entkommt, auch – verbotswidrig! – mancherorts schon ausgesetzt wurde: die *Nutria* oder *Biberratte* (Myocastor coypus Mol.), auch Sumpfbiber genannt. Zoologisch betrachtet hat das große, plumpe Tier (mit drehrundem Schwanz), das voll erwachsen ein Gewicht von 8 bis 10 kg erreicht, ja übertrifft, mit dem Biber ebensowenig zu tun wie mit den Ratten. Sie ist eine Verwandte der Stachelschweine, der Agutis, Chinchillas und Meerschweinchen, und stammt, wie die drei letztgenannten, aus Südamerika (Brasilien bis Patagonien). Aus der Naturgeschichte der Art sei nur erwähnt, daß sie meist zweimal jährlich etwa 4–6 Junge wirft, die so rasch heranwachsen, daß sie, in Gefangenschaft, noch im Geburtsjahr fortpflanzungsfähig werden können. Die Tragzeit ist mit gegen 128 Tagen relativ langdauernd. Die Jungen werden indessen vollständig behaart und sehr entwickelt geboren und können allsogleich schwimmen und sogar tauchen (ZANKER, 1940). Eine eigenartige Besonderheit dieser Tierart und ihrer nächsten Verwandten ist die Lage der Zitzen, die verhältnismäßig hoch am Rücken liegen.

Mir gingen nach dem letzten Kriege Stücke aus dem Lech, der Fulda und der Sieg zu, und auch in Weser und Leine sind sie des öfteren beobachtet, ebenso in Schleswig-Holstein. Eine kleine Kolonie lebte einige Jahre im Gebiet von Ülzen/Bez. Hannover in der Gerdau, eine weitere in der Schwalm, Reg.-Bez. Kassel, größere im Elbegebiet und in den Rheinzuflüssen und Altarmen bei Speyer und Germersheim. Nach dem harten Winter 1962/63 sind nahezu alle diese Besätze vernichtet, vereinzelte Restpopulationen leben noch in Bayern, bei Freiburg und in Nordrhein-Westfalen. Man sollte bemüht sein, auch diese auszurotten.

„Waidwerk auf Ratten und Mäuse!" wird der entrüstete Jäger ausrufen, wenn er die *Wanderratte* (Rattus norvegicus Erxl.) im „Diezel" findet, und er wird sich ironischer Schilderungen erinnern, die, als düstere Zukunftsprophezeihungen, die „Jagd auf die Kapitalratte" als letzten Höhepunkt eines verlöschenden Jagdbetriebes zum Gegenstand hatten. Vielleicht aber wird mancher Graukopf auch schmunzelnd der in Jugendtagen betriebenen Rattenjagd mit dem Tesching, am väterlichen Schweinestall, gedenken, wenn mit den Langschwänzen Strecke gelegt und diese in klingender Münze belohnt wurde.

Es soll jedoch mit der Aufnahme dieses Schädlings in ein Lehrbuch der Niederjagd weniger dem „Waidwerk auf die edle Ratte" das Wort geredet, als auf einen gefährlichen Feind unseres Niederwildes hingewiesen werden, der gerade in jüngster Zeit durch eine Änderung seiner Lebensgewohnheiten als solcher von sich reden macht. So sehr, daß es der Niederwild-Ausschuß des Deutschen Jagdverbandes für notwendig erachtete, ein eigenes Merkblatt über ihn herauszubringen, das von dem besten Kenner der Art, Prof. Dr. STEINIGER, verfaßt wurde.

„Die in der Umgebung des Menschen lebenden Wanderratten", sagt der Genannte, „führen zum großen Teil oder sogar der Mehrzahl nach jährlich zweimalige Wanderungen durch. Sie verlassen die Gebäude im Frühjahr, wenn etwa der Grasbewuchs des Bodens hoch genug ist, um einer Ratte Deckung zu geben. Im Freien besiedeln sie Anlagen, Bach- und Grabenränder und vor allem die großen Rohr- und Schilfgelege an Seen, Bächen und Flüssen, an der Nordseeküste auch die Deiche und sog. Knicks. Hier bleiben die Ratten während des Sommers. Sie ernähren sich von Pflanzen und Pflanzensamen (z. B. Strandhafer, Melde, unterirdische Wurzelstöcke vieler Pflanzen), ferner von Insekten, von Vögeln und Vogeleiern. Für die Niederjagd sind sie in dieser Zeit besonders schädlich. Nach starker Vermehrung während des Sommers wandern sie im späten Herbst, etwa zu einer Zeit, in der die letzten Feldfrüchte abgeerntet sind, wieder in die Nähe des Menschen zurück."

In welchem Ausmaße sie Schaden unter dem Wilde anrichten, geht daraus hervor, daß sie nach der Invasion der Hallig Norderoog gegen 7000 Brutvögel und den gesamten Wildkaninchenbesatz der Insel vernichteten. Verschärft wird die von dieser Art bewirkte Gefahr für unser Niederwild durch das erst neuerdings beobachtete *ganzjährige* Freilandleben, zu dem einzelne Populationen übergegangen sind: auch die Eigentümlichkeit, stärkeres Wild, das ein Einzeltier nicht zu bewältigen vermag, rudelweise anzugreifen, erhöht ihre Schadenswirkungen.

Einiges von diesem Leben im Rudel zu wissen, ist auch für den Heger wichtig, da es Hinweise für die Bekämpfung gibt. Das Rudel umfaßt stets eine Großsippe untereinander eng verwandter Tiere, die von *einem* Elternpaar abstammen. So ist es je nach den Geschicken, die die Nachkommenschaft eines Elternpaares hatte, sehr verschieden groß, oft nur einige wenige, oft 20–30 Stück, bisweilen mehrere 100. Alle diese Tiere kennen sich untereinander am Geruch und vertragen sich gut. Fremde Artgenossen aber, die in das engere Gebiet des Rudels, das mehrere Hektar umfassen kann, eindringen, werden rücksichtslos abgebissen oder sogar getötet. – Über das „Revier" hinaus reicht der „Aktionsraum", der mehrere Kilometer im Umkreis betragen kann.

Im Revier legen die Ratten oft sehr ausgedehnte Wohnbaue an, die auch Vorratskessel aufweisen und durch Röhren miteinander verbunden sind. Blind endigende, oft enge Röhren dienen als Zufluchtsort bei Gefahr, und es wird die Meinung vertreten, daß Ratten in ihnen auch mehrstündige Überflutungen ihre Bausystems, ja, Vergasungen überdauern können, da sie mit ihrem Körper die Blindgänge dicht abzuschließen vermögen.

Unabhängig von den Wohnbauen legen die Ratten auch Vorratsbaue – in der Nähe ergiebiger Nahrungsquellen – und Deckungslöcher an, so daß sie beim Aufsuchen jener vor Raubvögeln usw. Schutz suchen können.

Die Rudel leben untereinander nicht nur friedlich, sondern auch in engster Gemeinschaft, die sich u. a. darin kundtut, daß die stets im Überfluß eingetragenen Vorräte allen Rudelmitgliedern zugänglich sind. Tierpsychologisch interessant ist das Fehlen von Paarungskämpfen innerhalb des Rudels, wo jedes Männchen jedes Weibchen während der kurzen Hitzeperiode begattet oder es doch versucht, ähnlich wie beim Murmeltier. So werden auch die Nahrungsquellen gemeinsam aufgesucht, und das geschieht oft auf „Rattensteigen" oder „Rattenpässen", auf denen dann, in kurzen Abständen, die Tiere gegen Abend einzeln erscheinen. Hiermit ist eine sehr wirksame Bekämpfungsmöglichkeit gegeben: STEINIGER erbeutete in einem stark befallenen Revier an *einem* Abend 37 Stück mittels Einzelabschusses durch Kleinkaliber!

Merkwürdigerweise ist die Wanderratte im Schuß sehr weich. Zum Abschuß genügt ein gutes Luftgewehr. Getroffene Ratten zeichnen mit hohem Luftsprung, lautem Quieken oder Sichwälzen. Entkommen sie, ehe ein zweiter Schuß anzubringen ist, sind sie dennoch verloren, weil sie unter diesen Umständen von ihren Artgenossen getötet und aufgefressen werden.

Wo das Gelände es erlaubt, empfiehlt sich das Ausgraben der Erdbaue, die gewöhnlich nur zwei Spatenstich tief in den Boden hineingehen. Wichtig ist hierzu ein scharfer Hund, der die Ratten nicht scheut.

Mit Fallen erzielt man meist nur Anfangserfolge, sie wirken, wenn nur erst *ein* Paar sich angesiedelt hat, weil nach dem Fortfangen des Partners der andere abzuwandern pflegt. Im Rohr nehmen die Ratten gern für sie aufgestellte Holzkästen an, die auf einem Pfahlbrett stehen. In ihnen kann man durch Verschließen der Zugangstür ganze Familien fangen, die man kurzerhand ertränkt. Sind kleine Inseln vorhanden, dann bewähren sich dort aufgestellte Reusenfallen, die freilich erst einige Zeit stehen müssen, damit sich die sehr mißtrauischen Tiere an sie gewöhnen.

Vergiftungsmethoden, die grundsätzlich in diesem Werk keine Behandlung finden, mögen in dem genannten Merkblatt nachgelesen werden, in dem sich dankenswerterweise auch eine Zusammenstellung aller Gifte findet, die nach dem Verenden im Körper der Ratte ihre Giftwirkung behalten und nagetierfressendes Haarraubwild, Greifvögel und Eulen gefährden, wodurch schon sehr viel Unheil angerichtet wurde. Denn dem *Waldkauz* allein konnte UTTENDÖRFER gegen 600 Wanderratten nachweisen, der Schleiereule über 200, dem Uhu 126 – was bei der Seltenheit dieser Art wohl zu beachten ist – und der Waldohreule immerhin 42.

Unter den Tagraubvögeln finden sich keine großen Wanderrattenfänger. Der Rote Milan wurde in sieben Fällen als Erbeuter bestätigt.

Wanderratte (und Schermaus) haben aber erbitterte Feinde in den Stinkmardern, insbesondere im Hermelin, das ihnen in ihre Gänge folgt, und im Iltis, der sie des Nachts belauert. Auch das Mauswiesel wurde bei siegreichen Kämpfen gegen den um ein Vielfaches überlegenen Gegner – 120 g gegenüber 300 g, dem durchschnittlichen Gewicht einer ausgewachsenen Wanderratte – mehrfach beobachtet. Diese drei Arten sind in rattenverseuchten Revieren unbedingt zu schonen.

DER FUCHS

Der Fuchs ist, neben dem Hasen, wohl *die* Niederwildart, die den Jäger am meisten beschäftigt. Und nicht nur diesen, sondern das ganze deutsche Volk, das „Meister Reineke" zum Helden eines unsterblichen Tierepos erhob, wie zuvor ihn schon die Antike zum Helden ihrer Fabeln machte. Wenn wir auch, vom naturwissenschaftlichen Standpunkt aus, ihn heute nicht mehr als das in menschlichem Sinne klügste unserer heimischen Tiere ansehen – das ist wohl das Wildschwein –, so ist er doch auch keineswegs dumm, und namentlich der Altfuchs reizt durch seine Vorsicht und die Fähigkeit, einmal gemachte Erfahrungen zu verwerten, den Jäger immer wieder, ihn zu überlisten. So wird auch in unserer Zeit, die ihn in seinem materiellen *Wert* hinter den Hasen stellt, seine *Erlegung* höher bewertet, als die des Löffelmanns; er steht in der Rangordnung dem meisten Niederwild voran, nach FREVERT sogar auf der Strecke, wo er früher vielfach hinter dem Nutzwild seinen Platz hatte.

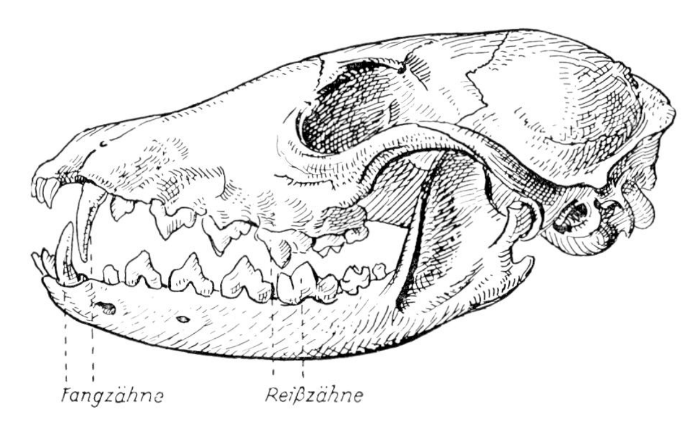

Fuchsschädel (2/3 nat. Größe)

Unser in ganz Europa und dem größten Teile Asiens und, in einer nur wenig unterschiedenen Rasse, auch in Nordamerika heimischer Rotfuchs (Vulpes vulpes [L.]) gehört bekanntermaßen zu den Hunden, steht aber den Wölfen und Schakalen, und damit unseren Haushunden, nicht so nahe, daß Kreuzungen möglich wären, wenn sie auch vielfach behauptet wurden. Zahnformel $^{3142}/_{3143}$. Die Schädelmerkmale verdeutlicht die Abbildung besser als eine lange Beschreibung, die wir uns, bei der Bekanntheit der Art, auch hinsichtlich des Körperbaues fast schenken können. Es sei nur auf einige bezeichnende *Merkmale* hingewiesen, die im praktischen Jagdbetrieb das Ansprechen erleichtern und die unverständlicherweise immer wieder vorkommenden Verwechslungen mit dem roten Langhaarteckel oder ähnlichen Rassen vermeiden helfen.

Zunächst ist der Fuchs, wie alle Wildtiere, stehohrig, und die Ohren – daß diese *Gehöre* heißen, erfahren wir in dem Kapitel über die waidmännischen Bezeichnungen – sind außen schwarz gefärbt. Ebenso die Zehen der Gliedmaßen, so daß er, vorn mehr als hinten, schwarz gestiefelt erscheint. Die Lippen sind, soweit sie behaart sind, weißlichgrau, und diese (unterschiedlich helle) Färbung zieht sich über die ganze Kehle und Vorderbrust, um dann in ein trübes, oft dunkles Grau überzugehen. Das bekannte Fuchsrot der Oberseite ist am reinsten bis etwa zur Rückenmitte und wird dann durch das Auftreten weißer Haarspitzen „gestichelt", um an den Hinterläufen von der Ferse ab wieder lebhafter rot zu werden. Die überaus lange, buschig behaarte „Standarte" erscheint rötlich mit schwarzen, gelben und grauen Schattierungen und weißer oder schwarzer Spitze *(Blume)*, die Unterwolle schiefergrau, oft beinah schwarz. – Bestes *Kennzeichen* gegenüber anderem Wild und gleichgroßen Hunden ist die riesenhaft erscheinende Lunte und die helle Vorderbrust. Auch steht der Fuchs oft aufallend niedrig über dem Boden trotz keineswegs kurzer Läufe, weil er sich, selber jagend oder als Gejagter, gestreckt-schleichend dahinbewegt. So sollte eine Verwechslung kaum möglich sein.

Die Standarte des Fuchses trägt auf ihrem *Rücken*, etwa 6–8 cm von der Wurzel entfernt, eine nicht immer deutliche, einer schwarzen Triangel ähnliche Zeichnung. Hier münden die Talg- und Duftdrüsen auf die Haut, die der Jäger „Viole" nennt. Sie produzieren ein gelbliches Sekret, das in der Ranzzeit eine Rolle spielt, weniger wohl als Markierungsmittel, wie v. SCHUMACHER meint, als zum unmittelbaren Auffinden der Geschlechter und als sexuelles Erregungsmittel. (Näheres bei F. SCHMIDT, Wild und Hund 1952, S. 257.)

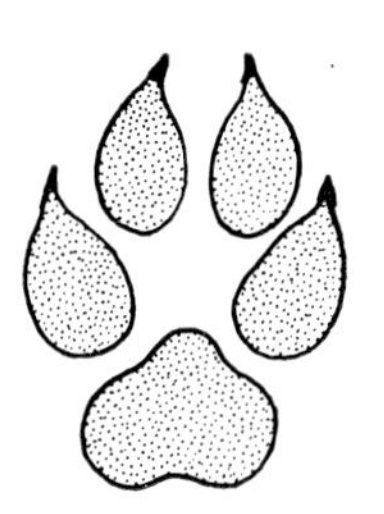
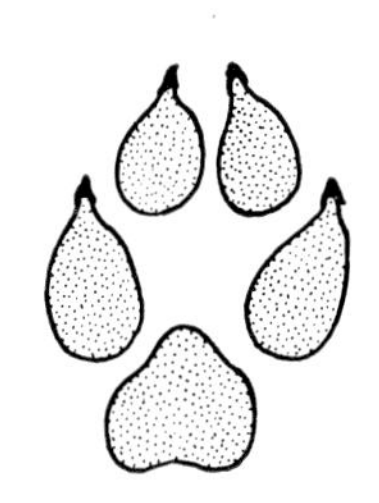

Trittsiegel, links Haushund, rechts Fuchs

In jedem Revier gibt es hellere und dunklere Tiere, die als Birk- bzw. Brandfüchse bezeichnet werden und als „Rassen" gelten. Wir bezeichnen sie lieber als individuelle Varianten, da wir wissen, daß die Färbung bei vielen Tierarten auch im gleichen Gebiet verschieden ausgeprägt sein kann – es sei nur an Mäusebussard und Waldkauz erinnert. Doch scheint es so, als überwögen in trockenen Gegenden die Birk-, in niederschlagsreichen die Brandfüchse, deren Luntenende dunkel gefärbt ist, während das der Birkfüchse eine grauweiße *Blume* aufweist. Wie bei fast allem Haarwild gibt es auch beim Fuchs Albinos, zwei fast weiße Füchse wurden im Jagdjahr 1937/38 im *Vogelsberg* erlegt. Schwärzlinge sind als „Silberfüchse" vor allem aus Nordamerika bekannt, kommen aber auch bei der heimischen Form, allerdings außerordentlich selten, vor. Die ersten Versuche, solche Füchse künstlich zu vermehren, sind übrigens von einem baltischen Landedelmann, einem Herrn v. AUREP, schon in der Mitte des vorigen Jahrhunderts gemacht worden. – Nach der kurzen Blüte, die die Silberfuchszucht in Deutschland zwischen den beiden Weltkriegen erreicht hatte, ließen Jagdfreunde mehrfach Silberfüchse in die freie Wildbahn, doch gelang die erwähnte Einkreuzung nicht überall oder blieb, in günstigeren Fällen, doch nur von sehr vorübergehender Wirkung. Ich möchte meinen, daß das an der körperlichen Unterlegenheit der Farmfüchse gegenüber unseren Waldfüchsen gelegen hat und an dem Unvermögen jener, sich auf das Freilandleben umzustellen; dazu vererbt sich der Melanismus rezessiv: Kreuzungen sind mehr gelb als schwarz. Der eigentliche Kreuzfuchs, mit dunklem Schulterkreuz, braucht, das sei am Rande bemerkt, nicht unbedingt aus einer Bastardierung hervorgegangen zu sein.

Die *Länge* des Fuchses beträgt bei erwachsenen Rüden Mitteldeutschlands rd. 130 cm, bei der Fähe 110–120 cm, wovon 35–40 (30–35) cm auf die Lunte kommen. SCHMOOK maß bei einem besonders starken Exemplar 175 cm Gesamtlänge, das Institut für Jagdkunde in Hann. Münden besitzt den Balg eines alten Rüden, der 147 cm mißt. Die Schulterhöhe erreicht beim Rüden über 40 cm, bei der Fähe gegen 35 cm (BEHRENDT, Z. Jagdwiss. I [195]).

Das *Gewicht* des Fuchses wird sehr verschieden angegeben, je nachdem man Durchschnittsgewichte einer größeren Anzahl oder Spitzengewichte im Auge hat, und hier wiederum kommt es auf die Gegend an; im Nordosten ist der Fuchs schwerer als im Westen, eine Regel, die wohl für alle deutschen Säugetiere gilt. Der voll ausgewachsene mehrjährige Rüde dürfte im größten Teil unseres Vaterlandes 7–8 kg haben, die Fähe wiegt 10–20 % weniger. 9 kg sind schon sehr selten, das in *Ausnahmefällen* von sehr starken, älteren Tieren bei uns erreichte Spitzengewicht liegt über 11 kg, in einem Falle soll ein solches von 13 kg erreicht worden sein, wobei aber an einen hohen Füllungsgrad des Magens gedacht werden muß. Im ersten Winter ihres Lebens sind Füchse wesentlich schwächer, sie wiegen dann nur 3–5 kg. Da solche Füchse fast immer den größten Teil der Strecke ausmachen, erklärt sich das mitunter irrtümlich genannte Gewicht von 4–6 kg, das eben *nicht* das Gewicht des *voll erwachsenen* Tieres ist.

Die *Spur* des Fuchses unterscheidet sich von gleichgroßen Hundespuren durch dasselbe Merkmal wie die Wolfsspur von diesen: Nur die Nagelung, nicht der jeweilige Balleneindruck der Außenzehen umschließt den der Innenzehen, wie das die Abbildung veranschaulicht. Der ganze Tritt ist schmaler, schlanker, „eleganter" als der des Hundes. Die gewöhnliche Gangart ist ein ruhiger, aber fördernder Trab, bei dem, wie beim vorsichtigen Schleichen auch, die Läufe in eine Reihe gesetzt werden, die somit die Tritte perlschnurartig hintereinanderliegend zeigt – ein unverkennbares Merkmal! Auch bei kurzen Fluchten sind die Seitenabweichungen von der gedachten Mittellinie noch nicht groß, erst in voller Flucht wird das anders. Dann kann die Fluchtspur mitunter der des Hasen ähneln, denn selbstverständlich übergreifen die Hinterläufe die vorderen beim Galopp – auch hierin gibt es kaum Ausnahmen unter dem Haarwild, worauf die Autoren der Fährten- und Spurenkunde absonderlich wenig Gewicht legen; denn sie erwähnen das gewöhnlich nur beim Hasen.

Fuchsspur
a = *schnürend*, *b* = *flüchtig*,
c = *flüchtig im Pulverschnee*

An Dickungsrändern und auf Gestellen sind bei länger währendem Schnee die Fuchspässe oft zu regelrechten „Trampelpfaden" ausgetreten, die auch für den Jäger gute Pürschpfade sind. Ebenso kann sich dieser bei Neueis und im Moor in Notfällen auf die (frische!) Fuchsspur so ziemlich verlassen: Trägt's den Fuchs, so trägt's den Jäger; das gleiche gilt, wie hier nachgetragen sei, gemeinhin für die Hasenspur, die mir aus dem Schwingmoor einmal gut und sicher hinaushalf, wohinein ich mich einst gegen Abend, um einen von mir geschossenen Fasanenhahn zu holen, etwas leichtsinnig begeben hatte.

Im lockeren Neuschnee ist der Luntenabdruck, meist nur ein Wischer in der Schneedecke, zuweilen deutlich; daß aber Meister Reineke seine Spur absichtlich verwische, ist natürlich ein Märchen.

Füchse gibt es überall, in unmittelbarer Nähe der Großstadt, z. B. im Berliner Grunewald, ebenso wie im einsamen Hochgebirge, wo – in den bayerischen Alpen – ein Mutterbau sich in 1800 m Höhe befand; ein einzelner Fuchs wurde längere Zeit hindurch am Münchner Haus auf der Zugspitze beobachtet! Er kommt im Moor und auf den sandigsten

Truppenübungsplätzen vor, auf waldlosen Inseln (z. B. Langeoog) und im Innern ausgedehnter Wälder; nur in Gegenden mit sehr hohem Grundwasserstand, wo er keine Baue anlegen kann, ist er selten oder fehlt ganz. In der Wissenschaft bezeichnet man diese Eigenschaften als Eurytopie. Der Fuchs ist also eurytop, er stellt keine spezialisierten Ansprüche an seine Umwelt.

Seinen *Bau* legt der Fuchs am liebsten im Walde, auf bindigen, tiefgründigen, aber nicht zu festen Böden an. Gern benutzt er Dachsbaue, bewohnte oder unbewohnte, die er erweitert oder benutzt, wie er sie vorfindet; bisweilen auch Karnickelburgen. Wo hügeliges Gelände vorhanden ist, liegen nach den Untersuchungen von BEHRENDT[8] etwa zwei Drittel der Baue nach Südwesten, Süden oder Südosten – die Sonnenseite ist also deutlich bevorzugt. Im Walde ist die Lage der Baue sehr wechselnd, was mit dem Wechsel der Bestockung wohl mehr zusammenhängt als mit der Laune des Erbauers; Dickungen oder junge Stangenhölzer dürfte die Fähe kaum zur *Anlage* eines Baues wählen, wohl aber werden dort gelegene Baue, die meist aus der Zeit stammen, da die vorhergehende Baumgeneration sich im Altholzstadium befand, mitunter *beibehalten*, wenn sie an sich günstig liegen und nur irgendein Sonnenfleck in der Nähe den Kleinen Wärme gibt.

Die maximale *Siedlungsdichte* beträgt knapp 1 bis zu beinahe 10 Bauen auf 100 ha Waldfläche, wobei Dachsbaue eingeschlossen sind (M. STUBBE, Z. Jagdwiss. XI [1965]). Unter günstigsten Umständen umfaßt die Reviergröße nur 5–12 qkm, unter weniger günstigen 20–50 qkm.

Das Alter größerer Bauanlagen, die aber, wie erwähnt, häufig auf den Dachs zurückgehen, ist oft beträchtlich. Im einfachsten Falle besteht der Bau aus zwei Röhren mit einem Kessel, bald aber kommt noch die eine oder andere Röhre hinzu, so daß selten weniger als 4–5 Ausfahrten vorhanden sind. Große Baue haben deren 20 und mehr, die oft die gleiche Anzahl Meter auseinanderliegen; meist sind alle Röhren miteinander verbunden, auch wenn, was häufig vorkommt, die eine oder andere Ausfahrt vorübergehend nicht benutzt wird. Doch macht der Fuchs in der Not manchmal von solchen verborgenen, oft mit Falllaub gefüllten Ausfahrten Gebrauch, so daß es sich empfiehlt, bei der Baujagd auch auf diese zu achten.

Neben einer Baugemeinschaft des Fuchses mit dem Dachse hat man Iltis, Wild- und Hauskatze, merkwürdigerweise auch, und sogar mehrfach, Kaninchen und an der Nordsee die Brandgans in bewohnten Fuchsbauten angetroffen. Vielleicht gilt hier auch das Gesetz vom „Burgfrieden“, das ja von anderen Raubwildarten her bekannt ist.

Wiederfunde markierter Füchse gaben folgendes Bild:

44 %	wurden in einer Entfernung von weniger als	5 km
14 %	wurden in einer Entfernung von	5–10 km
18 %	wurden in einer Entfernung von	10–20 km
6 %	wurden in einer Entfernung von	20–30 km
6 %	wurden in einer Entfernung von über	30 km

gefangen oder geschossen. Die größte Entfernung betrug 70 km.

Die bekanntesten *Stimmlaute* des Fuchses sind ein heftiges Keckern im Kampfe oder bei unausweichlicher Bedrohung, leise Winsel-, Kläff- und Knurrlaute als Verständigungsmittel zwischen Mutter und Jungen, ein kurzes „(w)au . . . h“ als Warn- und ein meist nur in größeren Zeitabständen wiederholtes, wie „hau“ klingendes weithallendes Bellen als Sehnsuchts- oder Verlassenheitsruf, das man oft von Jungfüchsen im Frühwinter, noch öfter zur Paarungszeit hört. Auch der an Tollwut erkrankte Fuchs läßt diesen Laut ver-

[8] Z. Jagdwiss. I (1955).

nehmen, der dann oft etwas heiserer klingt. In der Ranzzeit und vom schmerzhaft Angeschossenen hört man auch ein lautes Kreischen.

Seit altersher gibt es in der Jagdliteratur Schilderungen der Funde an Niederwild, die an einem Mutterbau gemacht worden sind. Wir nennen hier nur ein Beispiel aus neuester Zeit: KÖSTER, ein unbedingt zuverlässiger Beobachter, fand in zwei Fuchsbauten im Moor die Reste von 3 Erpeln, 21 Enten, 9 Rehkitzen, 7 Hasen, 4 Fasanen- und 2 Birkhennen, 1 Birkhahn, 3 Haushühnern und 1 Pute (Die Pirsch VI, 1954). Das sind böse Zahlen – und dennoch können sie nicht darüber hinwegtäuschen, daß die Hauptnahrung des Fuchses aus Mäusen, insbesondere Wühlmäusen, besteht, von denen maximal 48 Stück in einem Magen gefunden wurden (D. J. 1938). Der Mageninhalt kann, wie USINGER mitteilt, ein Gewicht von mehr als 2 kg erreichen, und SCHOOP hat in einem Falle sogar Magenüberfüllung als Todesursache festgestellt. Da Reineke ein sehr vielseitiger Jäger ist, nimmt er alles, was er bewältigen kann, sofern ihn der Hunger dazu treibt. An Stelle einer langen Liste sei nur erwähnt, daß sich unter seinen *Beutetieren*, wie mehrfach beobachtet wurde, gelegentlich selbst der Höckerschwan, auch der Auerhahn befindet, den er bei der Bodenbalz überlistet, auch Frischlinge, die er aus dem Wurfkessel holt, wenn die Bache abwesend ist. Über das Reh als Fuchsbeute in allen Altersstadien lese man im Rehkapitel nach. Aller Wahrscheinlichkeit nach raubt er auch, bei günstiger Gelegenheit, frisch gesetzte Rot- und Damwildkälber. Sein *Speisezettel* ist noch bedeutend vielseitiger, er umfaßt Regenwürmer und Schnecken, Insekten aller Art, insbesondere Heuschrecken, Maikäfer und deren Larven, Mistkäfer, Wespenlarven, die er ausgräbt und mitsamt dem Neste verzehrt, Raupen,

Fliegenmaden und vieles andere aus dem Reiche der Kerfe. Gern nimmt er auch Fische, weniger gern Frösche, die er wohl nur in der Not verzehrt, lieber Reptilien, von denen ich einmal eine ganze Anzahl Waldeidechsen (Lacerta vivipara Jacq.) in seinem Magen fand. Neben Vögeln, die er nach BREHM und neueren Beobachtern auch durch Sichtotstellen zu überlisten versteht, nimmt er auch deren Eier, dazu jede Art Aas, besonders gern Schlachtabfälle, die er sich nachts von den Dörfern holt. Da er, wie alle Hunde, ein „Schlinger" ist, seine Beute also, soweit sie nicht größere Knochen enthält, fast ohne Kauen hinunterschlingt, irrt er sich bisweilen auch, und so fand ich einst im Magen eines Fuchses eine ganze Anzahl gebrauchter Weckringe, deren verführerischer Duft ihn wohl zum hastigen Hinunterwürgen veranlaßt hatte. In einem anderen Fall – eine kaum glaubliche Schlingleistung! – den fast unversehrten Kopf eines zumindest mehrere Tage, wenn nicht zwei Wochen alten Ferkels, den er auf irgendeinem Misthaufen aufgelesen haben mochte.

Seine Vorliebe für das bequem zu erlangende Hausgeflügel ist sprichwörtlich, gerade die Gans allerdings bewältigt er nur in doch recht seltenen Ausnahmefällen, von Junggänsen abgesehen, und er läßt sich bisweilen auch von einem angriffslustigen Haushahn vertreiben. Eine große Rolle spielen Vegetabilien; in der Blaubeerzeit ist die Losung regelmäßig schwarz von Blaubeeren. Ich habe ihn aber auch beim Himbeerpflücken beobachtet, wo er, bei geschürzten Lippen, fein säuberlich die reifen Beeren von den weißen Fruchtträgern abzog. Auch Edelobst und Weintrauben verschmäht er keineswegs, eine besondere Vorliebe scheint er für Spargelbeeren und reife Pflaumen zu haben. – Im Augenblick nicht benötigte Nahrung wird wohl immer vergraben, Spitzmäuse werden meist liegengelassen.

Die *Ranzzeit* liegt im Januar/Februar, häufiger wohl im letztgenannten Monat, doch kann u. U. der Ranzbeginn auch in die letzten Dezembertage fallen. Oft sind die Füchse dann fast den ganzen Tag auf den Läufen, was freilich auch damit zusammenhängen mag, daß in den wärmeren Tagesstunden ihr Hauptwild, die Wühlmäuse, rege werden; oft stecken sie aber auch – zu mehreren – im Bau, meist eine Fähe und mehrere Rüden. Die Paarung, nach Hundeart, wird verhältnismäßig selten beobachtet, dennoch glaube ich nicht, daß sie normalerweise im Bau stattfindet. Die Fähe trägt $7^1/_2$ Wochen, nach deren Verlauf sie drei bis fünf, selbst sechs und mehr Junge wirft. Die höchste Embryonenzahl, die festgestellt wurde, beträgt 11, doch sind solche Zahlen bekanntlich für die Wurfstärke nicht beweisend. Immerhin kommt es vor, daß zehn, ja dreizehn Junge aus einem Mutterbau gegraben werden, das sind dann aber stets die Jungen zweier Gehecke, denn die Benutzung eines großen Baues durch zwei Fähen ist eine nicht allzu seltene Ausnahme. Die maulwurfsgroßen Jungfüchse haben ein nußbraunes bis schiefergraues, wolliges Erstlingskleid mit weißer Luntenspitze, weißem Brustfleck und gelbweißen Stirnbinden und wiegen, frisch geworfen, nach BEHRENDTS Feststellungen 80–150 g bei einer Körperlänge von 10–15 cm. Sie werden 3–4 Wochen ausschließlich mit Muttermilch ernährt, öffnen die – dann bläulichen – Augen mit 12 bis 14 Tagen und bekommen die Milcheckzähne nach 10 bis 15, die Reißzähne nach 15 bis 20 Tagen. Das Säugen hört etwa mit der 8. Lebenswoche auf. Vor dem Bau erscheinen die Jungfüchse im Alter von etwa 1 Monat.

Die erste tierische Nahrung, die die Jungfüchse erhalten, ist wohl immer im Magen der Fähe vorverdaut und wird ihnen vorgewürgt. Erst wenn sie ihr zweites, nunmehr rotes Jugendkleid tragen und dann oft schon stundenlang vor dem Bau spielen, trägt ihnen die Fähe den Raub im Fang zu, gegen Ende der Aufzuchtzeit oft sogar lebend. An den unglücklichen Opfern üben sich die kleinen Schelme spielend, mit anderen Worten: Sie werden, oft viertelstundenlang, mählich zu Tode gequält.

Wird der Bau von Menschen gestört, dann zieht die Fähe mit den Jungen um, und zwar meist in den Abendstunden. Die noch kleinen Jungen werden hierbei im Fang trans-

portiert, mitunter zwei oder gar drei auf einmal (Steigerwald, D. J. 1939). Als Ersatzbau werden häufig einfache Notröhren angelegt oder angenommen, ich fand einmal einen solchen in einem Durchlaß unter einer Wegekreuzung.

Fast jedes Gehecke erleidet während der Aufzucht Verluste, und es sind verhältnismäßig selten mehr als drei oder vier Junge, die groß werden; auch von ihnen dürfte ein Teil während der kritischen Wochen beginnender Selbständigkeit zugrunde gehen. Ich glaube nicht, daß im Durchschnitt der Jahre mit mehr als einer Verdoppelung des Frühjahrsbesatzes zu rechnen ist, so daß es, wo ein Sommerabschuß stattfindet, nicht gerade schwer ist, den Besatz in den gewollten Schranken zu halten.

Schon vor über 100 Jahren berichtete Diezel auf Grund eigener Beobachtungen, daß nach dem Abschuß der Fähe von einem (älteren) Geheck der Rüde die Versorgung der Jungen übernahm. Nach Beobachtungen zunächst an Silber-, später auch – durch Seitz und Tembrock – an Rotfüchsen in Gehegen, die Sielmann für die freie Wildbahn bestätigte und z. T. sogar photographisch belegte, fängt der Rüde schon bald nach dem Werfen an, die Fähe mit Beute zu versorgen, die er jedoch nicht zum Bau bringt, sondern 100–200 m von diesem entfernt der Fähe überbringt. Gelegentlich bleibt er – nach Stubbe – auch im Wurfbau wohnen. In der Regel kommt er erst später – nicht immer – unmittelbar zum Bau, beteiligt sich auch mitunter an der Führung der Jungen. Diese Ausflüge „en famille“ währen meist nur kurze Zeit, höchstens wohl zwei Wochen. Der Zusammenhalt dürfte individuell verschieden stark sein, denn ich sah schon erstaunlich kleine und schwache Füchslein im Juni mutterseelenallein durch den Wald spazieren, andererseits traf Doepner (W. u. H. 1952) eine Alt- und fünf Jungfähen noch im Januar in *einem* nicht einmal großen Bau an, und der vielerfahrene Usinger glaubt an einen Zusammenhalt bis Ende August, wo ich nie mehr Fähen mit Jungen sah. Daß es der mütterlichen Führung keineswegs immer bedarf, um die Jungfüchse das Rauben zu lehren, dafür bringt Behrendt einen hochinteressanten Beleg: Fünf im Alter von wenigen Wochen einem Bau entnommene Jungfüchse wurden von ihm nach vier Monaten freigelassen, zwei davon wurden nach vier Wochen erlegt. Der Ernährungszustand war bei diesen normal, im Magen befanden sich Mäuse sowie Singvogel-, Hühner- und Hasenreste. Den Jungen ist, obwohl ihnen jede mütterliche Anleitung fehlte, der Übergang zum Freileben geglückt, das arteigene Beutemachen erfolgte rein triebhaft; es ging auch ohne vorausgegangene Lehre.

Füchse verhären nur einmal im Jahr, doch währt nach der Untersuchung BEHRENDTS das Wachstum der Rückengrannen noch bis tief in den Dezember hinein, so daß von Oktober an noch eine Längenzunahme von mehreren Zentimetern erfolgt. Der Balg ist also erst in der zweiten Dezemberhälfte vollreif. Im Frühling, aber nur dann, sind Fähe und Rüde gut auseinanderzuerkennen, weil die Fähe, wofern sie ein Gehecke hat, sehr viel später den Haarwechsel beginnt und beendet als der Rüde: Noch um die Junimitte zeigt sie gemeinhin deutliche Reste des Winterhaares. – Auch die Lunte der Altfüchse wird nach TOLDT nur einmal, im Frühjahr, verhärt, und ich glaube, daß dieser vorzügliche Kenner recht hat; denn beim Eichhörnchen ist es ebenso, und eigentlich ist bei Altfüchsen die Lunte immer schon im Sommer vollhaarig.

Der Fuchs hat wenig *Feinde,* zumindest sind diese im mitteleuropäischen Raum überwiegend ausgerottet oder doch selten geworden. Stein- und Seeadler sind des öfteren beim Schlagen des Fuchses oder doch bei dem Versuch hierzu beobachtet worden. Insbesondere scheint der gewandtere Steinadler hierbei oft Erfolg zu haben: In einem Horst fanden sich 15 Fuchsschädel (D. J. Z. 1954), Jungfüchse wurden dem Habicht und dem Uhu nachgewiesen. Von Säugetieren soll ihm der Wolf gern nachstellen, was mir, außer etwa für hohen Neuschnee, nicht so recht glaubhaft erscheint, denn ansonsten dürfte der gewandte Rotrock meist in der Lage sein, sich seinem grauen Vetter zu entziehen, der von ihm ja auch in der Tiersage immer wieder übertölpelt wird. Die Wildkatze wurde von Dr. H. G. ZIMMERMANN im Mai 1955 bei einem heftigen und erfolgreichen Angriff auf eine Fähe beobachtet, die in unmittelbarer Nähe des Kampfplatzes ihren Bau mit Jungen hatte. Auch in Kämpfen mit der Hauskatze, über die oft berichtet wird, bleibt der Fuchs keineswegs immer Sieger. Vielleicht bestattet auch der Dachs gelegentlich ein ihm unbequemes Gehecke kurzerhand in seinem Magen. Schutz gegen seine Feinde gewährt dem Altfuchs seine Sinnenschärfe, seine Beweglichkeit, die gewandte Ausnutzung der Deckung, der Bau und schließlich das starke Gebiß.

Isoliert aufgezogene Jungfüchse werden sehr zahm und lassen sich sogar an die Leine gewöhnen (C. HESSE, W. u. H. 1938, S. 494 ff.). Sie leisten dann Vorzügliches in der Schweißarbeit. Doch sind sie immer verhältnismäßig schreckhaft und, wegen ihres Gestankes, als Stubengenossen nicht zu empfehlen.

In der Waidmannssprache heißt der männliche Fuchs *Rüde,* der weibliche *Fäh(e),* seltener *Betze* (LÖNS); scherzhaft wird der Fuchs *Langschwanz* oder *Rotrock,* gern auch nach dem Tiersagennamen *(Meister) Reinicke* oder, in der niederdeutschen Form, *Reineke* genannt.

Die nachstehenden Ausdrücke gelten, soweit nicht auf Abweichungen jeweils besonders hingewiesen wird, für alles Haarraubwild: *Fang* für Maul, *Fangzähne* für die Eckzähne, die man auch *(Fuchs-)Haken* nennen hört; *Seher* für Augen, *Gehöre,* auch *Lauscher* oder *Luser* für *Ohren* –, doch sähe ich – mit FREVERT – die beiden Letztgenannten lieber dem wiederkäuenden Schalenwild vorbehalten. *Läufe* gilt für Beine, *Branten* für Zehen. Den abgebalgten Rumpf nennt man bei allem Raubwild *Kern.* Der Schwanz heißt *Lunte,* speziell beim Fuchs auch *Standarte,* bei anderem Raubwild auch *Rute.* Die *Blume* und die *Viole* sind nur dem Fuchs eigen, wir erwähnten sie schon bei der Artbeschreibung. Die Geschlechtsorgane heißen *Rute* (Glied) und *Geschrött* (Hoden), die Scheide der Fähe *Schnalle.*

Die Paarungszeit heißt *Ranzzeit,* die Jungen zusammen *Geheck,* einzeln *Welpen.* Das trächtige Tier *geht dick* und *wirft* dann. Die Nahrung nennt man bei allem Haarraubwild den *Raub,* der *gerissen* wird, während Raubvögel *schlagen.* Demzufolge heißen Nahrungsreste, die vom Haarraubwild stammen, auch *Riß.*

In der gleichen Bedeutung wie beim übrigen Haarniederwild (vgl. Hase und Kanin) gelten die Bezeichnungen *Balg, Wolle, Blatt, Gesäuge, Gescheide, Waidloch, Tragsack, Wildbret* (z. B. beim Dachs), *Fett* und das allmählich aus dem Sprachgebrauch verschwindende *Farbe* (statt dessen heute meist *Schweiß,* wie beim Hochwild). Ebenso gebraucht man die Bezeichnungen *Tritt* und *Spur, Paß, hochmachen, auftun, herausfahren, sich drücken, halten, festliegen, laufen* und *rennen* im gleichen Sinne wie beim Löffelwild, und auch *äugen, vernehmen* und *winden, durchrinnen, anlaufen* sowie *radschlagen, roulieren, zusammenrutschen, kürzer werden,* schließlich *streifen* und *abbalgen* werden so verwendet. Für den Fuchsbau gelten dieselben Ausdrücke wie für den des Kaninchens.

„Bringt der Fuchs im Bau zwischen sich und den vorliegenden Hund Erde, so daß dieser nicht mehr an ihn heran kann, so *verklüftet* oder *versetzt* er sich; er *springt,* wenn er ihn vor dem Hunde verläßt“ (Frevert).

Unter den *Jagdarten* auf den Fuchs räumen wir, wie es Diezel schon in der ersten Auflage seines Buches tat, der *Ansitzjagd* den ersten Platz ein. Denn ich glaube, daß, aufs Ganze gesehen, diese Jagdart mit ihren mancherlei Abwandlungen doch die erfolgreichste ist; ich selber habe etwa die Hälfte meiner Fuchsstrecke ihr zu verdanken.

Normalerweise übt man den Ansitz, wie überhaupt die Bejagung des Fuchses, erst dann aus, wenn der Balg einigermaßen brauchbar ist, und das ist frühestens vom Hubertustage an der Fall; doch nehmen, wie erwähnt, die Grannenhaare bis in den Dezember hinein an Länge noch zu. Der Ansitz wird also in der kältesten Jahreszeit vor sich gehen, und dementsprechend muß die Kleidung sein. Ich bin kein Freund der „komfortablen“ Kanzel, die Meister Geilfus mit seinem Zeichenstift so humorvoll zu ironisieren wußte, sondern meine, ein wenig Abhärtung gehört zum Waidwerk. Im übrigen tun zwei Paar wollene Strümpfe in weiten Langschäftern, wollene Unterwäsche, Ärmelweste, Jacke und Mantel und allenfalls ein Kopfschützer bis zu Temperaturen von – 10 Grad ausreichend gute Dienste. Ich nehme mir auch gern eine Decke mit, die, nicht zu fest, damit es keine Behinderung gibt, um den Unterkörper gewickelt wird. Künstliche Wärmequellen – zu denen ich ein *kleines* Fläschchen Korn nicht unbedingt rechne – sollte dagegen ein rechter Jäger vermeiden: „Elektro-Handwärmer“ sind nicht „unwaidmännisch“, aber stilwidrig.

Im Hochgebirge ist, wohl von der Sportausrüstung der Skiläufer her, die sich auch bei Gebirgstruppen aller Art durchgesetzt hat, der Anorak in siegreichem Vormarsch, und ich könnte mir denken, daß er auch in tieferen Lagen bei der Winterjagd sich durchsetzt. Dagegen ist gewiß nichts einzuwenden, denn er bringt vor allem Windschutz, und das ist das Kernproblem des Kälteschutzes.

Die *beste* Waffe für die Fuchsjagd, und zwar für jede Fuchsjagd, ist Drilling oder Büchsflinte, wo nötig, mit Zielfernrohr. Dieses ist von Nutzen weniger wegen des erhöhten Aktionsradius', den es dem Schützen gibt, als zur besseren Ausnutzung der Dämmerstunde. Denn der Fuchs läßt sich, auch wenn er weit außer Schußweite vorbeischnürt, in der Mehrzahl der Fälle heranreizen, wovon weiter unten die Rede ist.

Beim Gebrauch des *Kugellaufs* hat sich mir das H-Mantelgeschoß bewährt, dessen Zerstörung im Wildkörper sich doch in sehr vielen Fällen nach der Stärke des Wildes richtet; zu diesem Zwecke wurde es ja geschaffen. Man erzielt mit diesem Geschoß, wenn es nicht gerade die Wirbelsäule oder einen anderen größeren Knochen faßt, oft Ausschüsse, deren

Durchmesser wenig über dem des Einschusses liegt, und gleichwohl liegen Fuchs (und Katze) auf dem Anschuß oder ein paar Schritt davon. – Gilt es dem Fuchs allein, dann ist zur Schonung des Balges die Schonzeitlaborierung der 7 × 57 oder ähnlicher Kaliber von Vorteil. Als Schrot empfiehlt sich Nr. 3 (3½ mm), beim großkalibrigen Schrotrohr, dessen Patrone eine genügende Anzahl auch grober Schrote faßt, durchaus auch Nr. 1 (4 mm), insbesondere beim starken Winterfuchs.

Heute, wo Kanzeln so sehr viel häufiger errichtet werden, als in den Zeiten Diezels, der sie nur für den Ansitz am Bau empfahl, wird man zumeist auf einer solchen den Fuchs erwarten. Wo das nicht der Fall ist, stellt oder setzt man sich in der Nähe eines guten Fuchspasses an, wo angängig, diesem, d. h. seiner Ausmündung aus der Deckung ins freie Gelände, gegenüber, ansonsten in nicht zu geringem Seitenabstand davon. Es wäre Unsinn, bei einem so vorsichtigen Wilde, wie es der scharfäugige Fuchs ist, diesen Abstand geringer zu bemessen als etwa 30 m, ja, man kann ihn bedeutend größer wählen, wenn man sich zum Kugelschuß entschlossen hat und seiner Kugel sicher ist, oder aber den Mausepfiff versteht.

Wichtig ist, daß man wirklich *gut Deckung nimmt* und auch einen *bequemen* Stand oder Sitz hat, der *ruhiges Passen* ohne viel Gewichtsverlagerung erlaubt. Naturgemäß muß die Kleidung dem Vorhaben angepaßt sein, d. h. gedeckte Farben aufweisen; und ruhiges Herz und ruhige Hand müssen dazukommen: Beim Jungjäger zuckt die Waffe oft voreilig in die Höhe oder sie wackelt wie ein Lämmerschwanz, wenn der Erwartete den spitzen Fang aus der Deckung steckt. Später wird man ruhiger und wartet ab, bis er ganz heraus ist und nun die Mausejagd beginnt oder ruhig vondannenschnürt. Will man mit der Kugel schießen, so läßt man nach dem unbemerkten Anschlagen der Waffe einen leisen Pfiff oder sonstigen Laut ertönen, der den Fuchs zum sofortigen Verhoffen bringt; reizt man, dann muß man, sofern sich nicht ein toter Winkel, ein Buschstreifen oder eine andere Deckung zwischen Fuchs und Jäger befindet, die Waffe vorher angeschlagen haben, um den Roten nach Passieren der 35-m-Grenze in die Schrotgarbe laufen zu lassen.

Beim breitstehenden Fuchs ist der günstigste Haltepunkt *hinter* dem Blatt (beim Schrotschuß *unter* dem Blatt), beim heranschnürenden schießt man, aber nur auf nahe Distanz, mit Schrot vor den Fang, mit der Kugel – überhaupt nicht. Denn Reineke strebt ja dem Bereich der Schrotgarbe zu, und dem Kürschner ist ein Schrotfuchs wohl meist lieber als ein Kugelfuchs. – Oft kommt es vor, daß ein herangereizter Fuchs sich außerhalb des Bereiches der Schrote auf die Keulen setzt und zu überlegen scheint, ob er den Weg fortsetzen solle. Dann ist die Mitte des weißen Brustlatzes der gegebene Haltepunkt für die Kugel.

Über die Schußzeichen des Fuchses berichtet uns Diezel aus seinen reichen Erfahrungen: „Das allerbeste Zeichen ist ein gewisses, schnelles, lautloses Zusammensinken. Ein Fuchs, der sich auf diese Weise still und bewegungslos niederlegt, steht nur selten oder nie wieder auf; es ist daher nicht nötig, einen solchen aufzunehmen oder durch den Hund beibringen zu lassen. Nicht nötig ist es, weil bei solchen Kennzeichen absolut tödlicher Verwundung kein Davonlaufen denkbar ist; nicht ratsam, weil in dem Augenblicke, wo man selbst oder wo der Hund mit dem soeben geschossenen Fuchs sich beschäftigt, vielleicht ein zweiter im Anlaufe begriffen sein und dadurch zur Flucht veranlaßt werden könnte."

Es sei hinzugefügt, daß auch der im Feuer augenblicklich verendende Fuchs fast immer – und sei es nur ein einziges Mal noch – mit der Lunte zuckt.

„Ein Fuchs, welcher im Schusse laut schreit und keckert, ist gewöhnlich auf einen Knochen getroffen; fährt er dabei schnell herum und beißt sich in den verwundeten Teil, so ist dieser meist der hohle Leib, die Keule oder der Hinterlauf.

Allein auch diese längst bekannte Regel leidet ihre Ausnahmen. So schoß ich z. B. einst

beim Treiben auf einen Fuchs, welcher sogleich äußerst heftig zu schreien anfing. Meiner Überzeugung nach mußte derselbe durchaus tödlich getroffen sein, denn ich hatte ziemlich nah und auf das Blatt geschossen; ich zögerte daher, meinen Stand zu verlassen, bis meine beiden Nachbarn, aus Besorgnis, er möge sich davonmachen, durch lautes Zurufen mich gleichsam dazu nötigen. Nun eilte ich hinzu, allein der Fuchs war, wie ich es vorausgesehen, schon verendet – und doch hatte man, seinem Schreien nach, durchaus nur auf eine leichte Verwundung schließen müssen.

In allen zweifelhaften Fällen darf man jedoch mit dem Anbringen des Hundes oder eines zweiten, tödlicheren Schusses nicht einen Augenblick zögern, denn hier ist periculum in mora.

Stürzt der Fuchs im Feuer zusammen, rafft sich aber alsbald wieder auf und geht flüchtig fort, so ist dies in der Regel ein Zeichen, daß er am Vorderteil, aber meist nur leicht, verletzt ist. Man suche daher möglichst schnell noch einen zweiten Schuß anzubringen, denn auf den Hund ist unter solchen Umständen nicht mit Sicherheit zu rechnen.

Weit weniger brauchte man wegen des Erfolges in Sorgen zu sein, wenn der Fuchs, nachdem man überzeugt war, gut abgekommen zu sein, ohne zu schreien oder sich zu überschlagen, mit der Nase tief am Boden oder auch wohl damit aufstoßend und die Standarte gerade aufwärts gestreckt, alle seine Lebenskräfte aufbietend, sich fortbewegt, denn gewöhnlich stürzt er dann schon in den nächsten hundert Schritten nieder.

Wird dagegen im Moment des Schusses die Standarte einige Male im Kreise herumgeschwenkt, so deutet dies in der Regel auf einen Fehlschuß, wie denn überhaupt jeder Fuchs, der dem Schützen sehr schnell aus den Augen verschwindet, nachdem er doch zuvor nicht flüchtig gewesen war, schon fast so gut als verloren betrachtet werden darf.“

Hierbei ist wohl zu beachten, daß der Fuchs, wenn er vertraut kommend plötzlich beschossen wird, meist so heftig erschreckt, daß er zu zeichnen scheint, auch wenn er nicht getroffen ist.

„Wenn man ihn dagegen auf der Stelle des Anschusses noch merklich zögern und verweilen sieht, so ist dies immer ein Zeichen, daß man ihn getroffen hat, und diese Regel gilt besonders in jenen Fällen, wo die Dunkelheit den Erfolg des Schusses nicht genau beurteilen läßt; sie ist daher für jeden Liebhaber des Morgen-, Abend- und Nachtanstandes sehr beherzigenswert.

Die Fähigkeit, sich von Verletzungen, die auf den ersten Anblick höchst gefährlich, ja selbst als wirklich tödlich erscheinen, zu erholen, ist vielleicht unter allen bei uns vorkommenden Tieren keinem in so hohem Grade eigen wie dem Fuchse." Hierzu kann wohl jeder alte Jäger ein Erlebnis beisteuern, vom nach dem Verblasen der Strecke in den Rucksack eingeschnürten Rotrock, der durch dessen Schlitz entschlüpft, bis zu dem im Keller an den zusammengebundenen Hinterläufen Aufgehängten, der am nächsten Morgen seinem „Erleger" beim Öffnen der Tür zwischen den Beinen hindurch entwischt...

Bei solcher Lebenszähigkeit des Fuchses ist es notwendig, mit dem Zweitschuß nicht zu sparen, wenn der erste nicht augenblicklich tötet. Ist der Fuchs auf den Platz gebannt, so kann man ihn auch mit einem Stockhieb von seinen Leiden erlösen, der aber anders geführt werden muß als beim Hasen: Entweder auf die Nase, den empfindlichsten Körperteil, wobei die tödliche Wirkung wahrscheinlich in einem Schock liegt, der durch den Hieb verursacht wird, oder aber durch einige sehr starke Hiebe auf die Drossel. Die etwas barbarische Methode der alten Zeit, ihn an der Standarte im Kreise zu schwingen und ihn dann auf den Boden oder gegen einen Baum zu schlagen, können wir heute nicht mehr gelten lassen. Das beste ist und bleibt der Fangschuß, zumal in einer Zeit, in der die dadurch bewirkte Wertminderung des Balges ohnehin keine Rolle spielt.

Den Ansitz, der nicht mit Lockjagd im engeren Sinne des Wortes verbunden ist, übt man mit ungleich größerem Erfolge morgens als abends aus, und zwar sowohl zu Beginn der üblichen Jagdzeit, im November/Dezember also, als auch gegen ihr Ende hin, also im Februar.

Fast ist es eine Ausnahme, wenn der Fuchs *nicht* durch das Ticken des Rotkehlchens, das Schnerren des Zaunkönigs, durch das Zetern einer Drossel oder Meise, Häherrätschen oder das Hassen der Krähe *angekündigt* wird. Fast immer wird das der Fall sein, wenn er aus einer Laubholzverjüngung oder dergleichen zusteht, während ihm eine sehr dichte Nadelholzdickung natürlich öfter einen unbeobachteten Anmarsch erlaubt. Es ist zweckmäßig, schon bei solcher Ankündigung zu entsichern oder die Hähne aufzuziehen, denn ist er erst da, dann geht es oft sehr rasch und nicht ganz so geräuschlos, und es ist erstaunlich, auf *wie* weite Entfernung der Fuchs den leistesten metallischen Laut vernimmt. – Ob man auch schon in Anschlag geht, kommt ganz auf die Situation an, ein Daueranschlag ist, wenn keine Auflage für die Waffe vorhanden ist, oft mißlich. – Ein Hund, den man zum Bodenansitz auf den Fuchs mitnimmt, muß außerordentlich gut sich ablegen lassen und dann absolut lautlos verharren.

In den meisten Fällen wird man den Ansitz auf den Fuchs mit der *Lockjagd* verbinden, also das Erscheinen dieser Wildart nicht dem Zufall überlassen wollen, sondern sich aktiv um sie bemühen. Hierzu gibt es drei sehr bekannte Mittel, das Reizen mit der *Hasenklage*, die Anwendung des *Kitzrufes* und das *Mäuseln.* Alle haben ihre Berechtigung je nach Jahreszeit und Distanz.

Das Mäuseln ist die häufigste der Listen, und es wirkt auf Entfernungen bis zu 100, in günstigen Fällen sogar 150 Schritt und darüber. Ich glaube auch, daß es die absolut wirksamste Art ist, den Fuchs zur Annäherung an den Jäger zu veranlassen, denn es ist zu jeder

Jahreszeit anwendbar und hat, selbst wenn man es nur mäßig beherrscht, in fast allen Fällen Erfolg. Das hängt wohl damit zusammen, daß ein mißglücktes Mäuseln doch einem Kleinvogel-Angstlaut nahekommen kann und, so verstanden, die gleiche Wirkung auf Meister Reineke ausübt, wie das Schrillen der Maus. Man bringt es hervor, indem man, bei festgeschlossenen Zahnreihen, unter kurzem Öffnen der stark angespannten Lippen Luft ansaugt, und lernt es dadurch, daß man es sich von einem erfahrenen Jäger vormachen läßt und im Garten oder auf freiem Gelände zunächst einmal an streunenden Katzen ausprobiert. Im Gegensatz zu den beiden anderen Methoden übt man es nur angesichts der Beute, ob das nun Fuchs oder Dachs, Katze oder Iltis, Marder oder Wiesel ist; seine zauberhafte *Wirkung* wird es *nie verfehlen.* Nur muß man sich vor unnötig häufiger Wiederholung hüten, in den meisten Fällen genügt die einmalige Anwendung und der *Jungjäger* soll froh sein, wenn er das so „hingekriegt" hat, daß die betreffende Raubwildart zusteht. Hierbei wird man immer wieder erstaunen über das unglaublich feine Lokalisationsvermögen, das insbesondere den Fuchs meist auf den Meter genau die Schallquelle anstreben läßt. – Eine Wiederholung des Mäuselns ist nur dann notwendig, wenn der Fuchs durch irgend etwas abgelenkt wird und etwa eine kleine Privatjagd auf sein Lieblingswild einlegt. Dann lasse man ihn ruhig gewähren und warte nach deren Beendigung ab, ob er nicht, sich des zuvor vernommenen Klanges erinnernd, seinen Weg zum Jäger hin fortsetzt; nur wenn das nicht der Fall ist, ist erneutes Mäuseln angezeigt.

Nicht ganz selten aber setzt sich zumal der ältere Fuchs auf die Keulen und wartet ab. Dann muß man die Geduld aufbringen, dieses Abwarten seinerseits abzuwarten! Dreht er, nachdem er sich wieder in Bewegung gesetzt hat, ab, dann wiederholt man das Mäuseln. Mir persönlich glückt es jedoch keineswegs immer, dann *genau* die gleiche Klangfarbe zu treffen, und der erfahrene Fuchs nimmt das oft übel. Eine Hilfe ist es, wenn man Zähne und gespannte Lippen nach dem ersten Mäuseln möglichst in genau gleicher Stellung beläßt – dann trifft man den Laut schon eher. Wir müssen uns nämlich vor Augen halten, daß der Mausepfiff für den Fuchs ein Ton von allergrößter biotischer Bedeutung ist, und daß Reineke wahrscheinlich auch die vielen, für ihn in Betracht kommenden Mäusearten am Ton sehr genau zu unterscheiden weiß, um dann seine Jagdweise danach einzurichten, die sicherlich bei der außerordentlich flüchtigen Waldmaus, die zu weiten Sprüngen befähigt ist, anders vor sich geht, als bei einer Erdmaus oder einer Wühlratte.

Trotzdem möchte ich den Gebrauch eines Maus*pfeifchens* nicht empfehlen, es ist *ein Gerät mehr* – und *etwas* von der natürlichen Kunstfertigkeit früherer Waidmannsgeschlechter sollte sich doch jeder Jäger erhalten!

Der Gebrauch der *Hasenklage* vermag den Fuchs *aus weiter Entfernung* zum Zustehen zu bringen. Ich möchte annehmen, daß er, wenn es windstill ist und keine störenden Geräusche zu hören sind, im Walde die Klage auf 400 bis 500 m Entfernung vernimmt, im Felde mögen es, unter günstigen Voraussetzungen, 1000 m und mehr sein.

Hierzu berichtet Olberg (W. u. H. 1952): „Auf einem großen Luzerneschlag unweit meines Hauses war regelmäßig Stelldichein der Rotröcke, ohne daß ich Zeit gefunden hätte, mich dazu einzuladen. Eines Mittags, als ich vom Büro nach Hause pilgerte, und Park und See im Reif ein entzückendes Bild boten, hielt es mich doch nicht länger im Zimmer. Mit Fernrohrbüchse und Quäke bewaffnet, ging's zur Luzerne und zum Schilfrand des Sees. Von einem mit Eichenstockausschlägen locker bestandenen kleinen Hügel wird die Landschaft gemustert. Weit in der Ferne äst sich ein Rudel Damhirsche in der Luzerne. Als ich sie mir mit dem Glase betrachte, fällt mir mitten in dem weitauseinandergezogenen Rudel ein unbeweglicher dunkler Punkt auf, der sich allmählich als ein tief im Schnee sitzender Reineke entpuppte. Entfernung über 1000 m.

Nur zum Scherz setzte ich die Quäke an den Mund, aber kaum hat der Ton die Entfernung durcheilt, als sich der Fuchs umwendet, scharf in meine Richtung äugt und sich dann langsam auf mich zu in Bewegung setzt. Mir sollte es recht sein. Ich hatte Zeit, eine mir günstig erscheinende Stellung am Vorderhang der Ausschläge zu beziehen, empfand es aber von vornherein als etwas ungemütlich, daß das Terrain kurz vor mir ein Bruch aufwies, das den Einblick in den Anmarschweg des Fuchses zwischen etwa 20 und 100 Schritt verwehrte.

Reineke mochte etwa 200 Schritt zurückgelegt haben, als er einen Hasen herausstieß, dessen Verfolgung er sofort in langen Fluchten aufnahm. Es war hübsch anzusehen, wie der Krumme mit jedem Satz an Vorsprung gewann, aber doch recht ärgerlich, denn das im Scherz von mir Begonnene hatte sich doch in bitteren Ernst zu verwandeln begonnen. Der Fuchs spielte aber glücklicherweise nur 100 Meter mit und gab sich dann geschlagen. Er setzte sich auf die Keulen und freute sich wohl nur darüber, daß ihm bei diesem Geschäft etwas warm geworden war. Ich überlegte auch und sah nicht ein, warum ich nicht noch einmal ein Tönchen riskieren sollte. *So* war der Fuchs ja bestimmt auch nicht zu kriegen.

Die Wirkung blieb wieder nicht aus. Zwar ließ sich Reineke mehr Zeit, als mir auf meinem zügigen Pöstchen lieb war, aber er kam, scheinbar gar nicht so ‚zielstrebig', aber doch hatte er, wie sich gleich zeigen wird, den Ursprungsort der Klage haarscharf erfaßt, obwohl ich ihn wohlweislich jetzt nicht nochmal in Erinnerung brachte. War ihm der gesunde Lampe davongespurtet, so schien ihm der klagende augenscheinlich sicher, denn er trödelte so richtig dahin, setzte sich sogar noch einmal nachdenklich auf die Keulen, Front allerdings zu mir. Nachdem er im toten Winkel verschwunden war, und ich mich bei dem harten Schnee nicht rühren konnte, stand ich wie auf Kohlen, des Angriffs von allen Seiten gewärtig, die Büchse gestochen in den allmählich verklammenden Händen.

Plötzlich erscheint Reineke 15 Schritt vor mir zwischen den Stockausschlägen, um im nächsten Augenblick die Kugel wie abgezirkelt mitten zwischen die Vorderläufe in den Schnee zu bekommen – seine zweite große Enttäuschung auf dieser mittäglichen Hasenjagd, und meine erste, aber nicht minder große. Ich schalt mich natürlich vergeblich einen Esel. Der Fuchs hatte die Schrecksekunde überwunden und strebte dicht an mir vorbei in höchster Eile vondannen, auf das dort ganz ebene Feld hinaus. Natürlich sofort repetiert, aber den an sich leichten Schuß von hinten wollte ich mit Rücksicht auf den Balg nicht riskieren. Vielleicht siebzig Schritt ließ ich ihn laufen, das Fadenkreuz ihm immer aufs Genick gerichtet. Nur aus Ärger ein Griff in die Tasche, die Quäke an den Mund, und schon sitzt mein Fuchs auf den Keulen, nun natürlich wie eine Scheibe umzupusten. Törichter hatte ich noch keinen Fuchs sein Leben lassen sehen."

Das Klagen wird meistens mit einem beim Waffenhändler erhältlichen Instrument geübt. Alte Meister der Kunst können es auch ohne ein solches, nur mit hohler Faust und Mund oder auch mit dem Mund allein, doch dringen die so hervorgebrachten Laute wohl nicht so weit wie das Klagen mit der „Quäke".

Das Quäken pflegt erst im November oder Dezember lohnend zu sein, besonders bei Schnee, und die beste Strecke macht man in mäusearmen Jahren. Die geeignete Tageszeit ist der Morgen, wenn der Fuchs nach erfolgloser Nachtjagd mißmutig und mit knurrendem Magen im Walde herumschnürt, oder ein sonniger, windstiller Januarmittag mit funkelnder Schneedecke, wenn die Sonne die spärlichen Mäuse hervorlockt, und damit die Füchse. Auch am Spätnachmittag kann man mit Erfolg die Hasenklage gebrauchen, und schließlich in mondhellen Nächten, die für diese Jagdart sogar besonders geeignet sind.

Hat man keine Kanzel zur Verfügung, dann sucht man sich unweit eines größeren Dickungskomplexes eine geeignete Deckung, einen Holzstoß, einen Windbruch, eine Anflugfichte oder dergleichen. Der „beste" Wind ist keineswegs der beste, es ist also nicht günstig, wenn der Wind von dort, wo man den Fuchs erwartet, pfeilgerade zum Schützen weht, weil nur sehr unerfahrene Füchslein blindlings den lockenden Tönen vertrauen und *mit dem Winde* zustehen. Viel günstiger ist halber Wind, wie das die Skizze S. 146 veranschaulicht. Hat man seinen Stand eingenommen, dann wartet man eine Viertelstunde und läßt dann Lampes Todesschrei erklingen, den man in unmittelbarem Anschluß zwei- bis dreimal wiederholt, um mit einem ersterbenden „wä–eh" zu enden. Ist nach einer viertel bis halben Stunde kein Fuchs erschienen, so versucht man sein Heil noch einmal oder, besser, an einer anderen Dickung usw. Beim Erscheinen des Fuchses gelten dieselben Regeln wie beim Ansitz, also vorsichtiges Verhalten, insbesondere äußerste Vorsicht beim Hochnehmen des Gewehrs. Zur Tarnung des Jägers ist bei Schnee ein Schneehemd mit weiter, weißer Kapuze sehr zu empfehlen. Verläßt der Fuchs die Dickung in Sicht des Jägers, ohne zuzustehen, dann will er diesen umschlagen, um sich Wind zu holen. Das ist, wenn er seinen Bogen außer Schußweite schlägt, eine mißliche Sache. Falsch wäre es, nun erneut von der Klage vollen Gebrauch zu machen, allenfalls ein leise ersterbendes Anstoßen auf der Quäke vermag zu helfen, oder auch kurzes Mäuseln.

Ein Nachtansitz bei Schnee und Mondlicht auf einer Kanzel in der Feldmark bringt oft überraschende Erfolge mit der Quäke. Bisweilen wird sich die Gelegenheit bieten, einen Mümmelmann zu schießen, den man selbstverständlich liegen läßt, um sofort mit der Hasenklage zu beginnen. Beim Klagen wende man sich nach allen Seiten, damit der für den roten Räuber so anziehende Ton auch überall hindringt. Hier kann man sich Muße lassen, denn man braucht das Schwinden des Büchsenlichtes ja weniger zu befürchten, und hat man Waidmannsheil gehabt, dann kann man ruhig, sofern der Fuchs am Platze liegt, nach dem Schuß die Klage erneut gebrauchen: Mancher Jäger hat so schon drei oder vier Füchse in einer Nacht erlegt.

Den *Kitzruf* bzw. das *Kitz-Angstgeschrei* habe ich oft mit Erfolg im Sommer angewandt, wenn aus irgendwelchen Gründen ein Sommerabschuß der Füchse durchgeführt werden mußte, wie ihn jetzt leider wieder die so furchtbar verbreitete Tollwut nötig

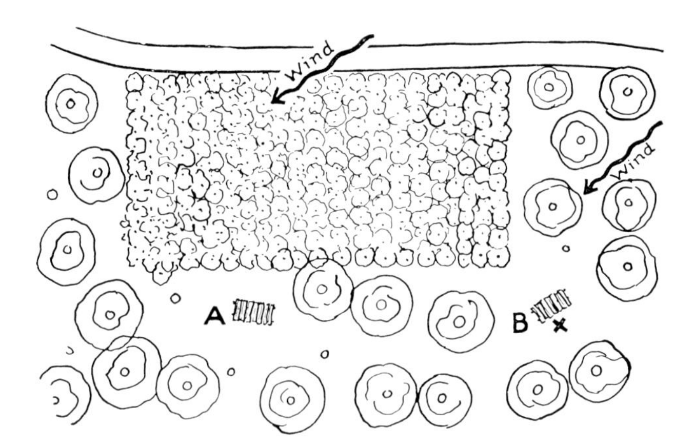

Fuchsreizen am Dickungsrand. A weniger, B mehr zu empfehlender Stand

macht. Es stehen dann meist Jungfüchse zu, die ihre „Jungjägerlehre" gerade beendet haben, also schon einzeln auf Raub ziehen und höchst neugierig sind – so neugierig, daß mir einst einer durch ein Kulturgatter kroch, um möglichst nahe an die Quelle der interessanten Laute heranzukommen. Man ahmt das Fiepen nach, indem man durch die festgeschlossenen, geblähten Lippen ein wenig Atemluft bläst, oder aber man bedient sich des Buttelo, also eines pneumatischen Blatters. Auch auf einem anderen Blattinstrument, einem Buchenblatt und sogar mittels eines Grashalmes erzielt man eine täuschende Nachahmung des hohen Fieplautes, der bekanntlich wesentlich über dem der brunftigen Rehgeiß liegt. Er wirkt so sicher, daß ich, im Juli, oft meinen Forststudenten während einer jagdkundlichen Lehrwanderung den roten Schelm von luftiger Kanzel aus vorgeführt habe, mitunter gar Altreh und Fuchs kurz hintereinander.

Der *Ansitz am Mutterbau* ist heute weniger gebräuchlich als in früheren Zeiten, wo er ein Mittel mehr zu einer radikalen Fuchsbekämpfung war; doch gibt es Fälle, in denen er angewandt werden *muß*, wie z. B. in tollwutverseuchten Revieren, oder dann, wenn eine führende Fähe einen so unerträglichen Schaden in waldnahen Hühnerfarmen, Dorfgärten und dergleichen verursacht, daß ihr Abschluß unerläßlich ist. Da nach den Bestimmungen des § 22 Absatz 4 des Bundesjagdgesetzes ein Abschuß des Muttertieres erst nach dem Selbständigwerden – oder dem Abschuß – der Jungen erfolgen darf, bleibt in solchen Fällen nichts übrig, als die Vernichtung des Geheckes, die am mühelosesten durch einen an einem Schönwettertag morgens beginnenden Ansitz am Bau geschieht, den freilich heute kein Jäger mehr leichten Herzens durchführen wird. Erst wenn die jungen Füchse erlegt sind, darf man der Fähe nachstellen.

Über das Sprengen und Graben der Füchse wird bei Behandlung der eigentlichen Baujagd zu sprechen sein, hier soll nur noch der *Ansitz am Bau* außerhalb der Aufzuchtzeit behandelt werden, der, steht nicht eine Kanzel zur Verfügung, eine recht mühevolle Angelegenheit ist, da der Fuchs nirgends so vorsichtig ist, wie in Baunähe. Auch ist es keineswegs immer sicher, ob er auch im Bau steckt, wenn nicht gerade eine Neue oder aber gut spürfähiger Boden die Tritte deutlich macht. Man hilft sich wohl, indem man die Einfahrten mit ein paar Gräsern oder Feinreisig verstellt, und weiß, wenn diese zur Seite gefallen sind, wenigstens, daß der Bau angenommen wurde – was, außerhalb der Fortpflanzungszeit, zumeist bei nassem und windigem Wetter der Fall ist. – Für den Ansitz am Bau sind nur die Abend- und, bei mondhellen Nächten, die ersten Nachtstunden geeignet, da man am Morgen den Witterungsverlauf des Tages, den der Fuchs doch sicher vorausahnt, nicht vorhersagen kann – ebensowenig die Richtung, aus der der Fuchs kommt. Abends dagegen weiß man mit ziemlicher Sicherheit, daß und wo er erscheint. Man setzt sich also etwa 30 m von der am meisten versprechenden Ausfahrt an und wartet nun der Füchse, die da kommen wollen. Meist ist der Fuchs, im Gegensatz zum Dachs, sehr plötzlich da, wie hingezaubert, und hält sich gewöhnlich nicht allzu lange auf. Sind Entfernung und Schußlicht sehr günstig, dann kann man ihn unmittelbar an der Röhre schießen; besser ist es auf jeden Fall, wenn man ihn erst ein Stück wegschnüren läßt und ihn dann durch Mäuseln zum Verhoffen bringt. Wenn er nicht im Feuer verendet, wird er doch in vielen Fällen in der einmal eingeschlagenen Richtung fortzukommen suchen, zumal wenn sich der Jäger nach dem Schuß zeigt. Geht er zum Bau zurück, dann muß man versuchen, ihn mit einem rasch abgegebenen zweiten Schuß vor Erreichen der Röhre auf den Platz zu bannen. – Nicht immer braucht man alle Hoffnungen aufzugeben, wenn der Fuchs, krank, den Bau angenommen hat; mitunter findet man ihn am nächsten Tage verendet in der Röhre oder vor derselben, wie das ja auch beim Kaninchen der Fall ist. Und schließlich bleibt ja noch die Hoffnung auf einen guten Bauhund, der u. U. gar den Verendeten aus dem Bau apportiert. Ein Einschlag aufs Geratewohl empfiehlt sich nur bei kleinen Bauen, bei ausgedehnten Malepartus-Burgen wäre es ein nutzloses Beginnen. Hat man beim Bauansitz Erfolg gehabt, so ist es müßig, auf einen zweiten Fuchs warten zu wollen. Ich ziehe daher die Reizjagd dem Ansitz am Bau bei weitem vor und sehe in diesem nur einen Notbehelf.

Wesentlich netter ist der *Morgenansitz am Waldesrand,* da die nächtlich die Feldmark besuchenden Füchse meist ihre festen Pässe haben, die vor allem dort liegen, wo ein vorspringendes Waldstück oder ein Buschstreifen ihnen nach Hellerwerden zu baldiger Dekkung verhilft. Wie alles Wild ist der Fuchs morgens vertrauter als abends und so leicht zu bekommen. Sind viele Füchse da, dann gelingt es wohl auch, nach längerem Passen noch einen zweiten zu erwischen, den der Hall des Schusses nicht sonderlich störte. – Man soll sich, wenn das Gelände das erlaubt, nie an die äußerste Spitze des ins Feld vorspringenden Streifens stellen, sondern dorthin, wo dieser in den Wald einmündet – die Chancen werden damit in etwa verdoppelt, was zu begründen nicht notwendig erscheint (Abb. S. 149).

Bei der Ansitzjagd auf den Fuchs ist noch eine, heute seltener geübte Jagdart zu erwähnen: Der *Ansitz am Luder,* der in unserer Zeit mehr auf Großraubwild, insbesondere Bär und Wolf, ausgeübt wird. Es ist das eine Jagdart, die für den im Revier wohnenden ländlichen Jagdbesitzer und den Berufsjäger in Betracht kommt. Kirrmittel sind Kadaver aller Art, insbesondere solche vom Raubzeug, aber auch Schlachtabfälle, totgeborene Kälber und dergleichen, die man während des ganzen Jahres an einer geeigneten Stelle im Revier oberflächlich vergräbt. Unweit des Luderplatzes errichtet man eine geschlossene Kanzel. Man kann aber auch den Luderplatz in der Nähe einer Feldscheune oder eines Einzelgehöftes anlegen. Eine eigens errichtete *Luderhütte* kennt man heute kaum mehr.

Ist für den Fuchs die nahrungsarme Zeit angebrochen, dann wird der Luderplatz möglichst häufig mit Aas versorgt, wobei aber die veterinärpolizeilichen Bestimmungen zu beachten sind, die ein Auslegen an Seuchen zugrunde gegangenen Viehes streng verbieten.

-- Will man ein übriges tun, dann kann man mit einem Hasengescheide, einem Schalenwildaufbruch oder – Heringslake auch einige Schleppen machen, die sternförmig zum Luder führen. Doch hat das meist nur bei offenem Wetter oder Kahlfrost Zweck, weil bei Schnee sich die Wittrung der Schleppe nur kurze Zeit hält. Ein vortreffliches Kirrmittel sind auch Heringsköpfe und Bücklings- oder Makrelenreste. Ist der Luderplatz angenommen, dann schreitet man in einer Vollmondnacht zur Tat, wobei es sich meist erübrigt, sich schon im Abendgrauen anzusetzen, weil der Fuchs das Luder meist spät, oft erst gegen Mitternacht, aufsucht.

Eine seltene Form des Ansitzes schildert uns Forstmeister SCHMOOK in seinem sehr lesenswerten Buch „Der Fuchs" unter der vielsagenden Überschrift „Mit Ranzduft und Fähe": „Ganz gerissene Jäger wissen in der Ranzzeit noch ein besseres Mittel für die Schleppe: Sie suchen eine ranzige Fähe mit rasch tötendem Schusse zu erlegen und hängen sie alsbald an den Vorderläufen auf. Dann sammelt sich in der Blase noch eine ganze Menge Urin. Die Urinblase lösen sie nun vorsichtig heraus und füllen ihren lieblich duftenden Inhalt in ein sauberes Fläschen. Aus diesem befeuchten sie einen kleinen Badeschwamm, den sie sternförmig zum Hochsitz schleppen.

Der Erfolg ist manchmal verblüffend. Ich habe im Laufe der Jahre schon mehrfach an einem Abend auf diese Weise drei Füchse von einem Hochsitz aus erlegt. Und ich weiß von anderen Jägern, daß auch sie gute Erfolge damit hatten."

Das Anbinden einer zahmen, ranzigen Fähe freilich dürfte, und nicht mit Unrecht, von den Vertretern des Tierschutzes krummgenommen werden . . .

„Eine der angenehmsten, mit der geringsten Mühe verbundenen und, wenn sie oft genug wiederholt wird, dabei auch sichersten Jagdarten, dem Fuchs Abbruch zu tun, ist unstreitig das *Treiben,* und sehr viele Jagdliebhaber stimmen darin überein, daß hinsichtlich des damit verbundenen Vergnügens, einem im Spätherbste oder Winter erlegten Langschwanze selbst ein Stück Rotwild oder ein Rehbock nicht gleichzuachten sei." So sagt DIEZEL, in einer *Zeit* freilich, da Treiberlöhne im Jagdetat keine Rolle spielten, und in einer *Gegend,* in der es kaum Hochwild gab. Dieses, ob Rotwild oder Sauen, würde ein häufiges Durchklappern der Dickungen sehr übelnehmen. So spielt das Fuchstreiben heute bei weitem nicht mehr die Rolle, die es zu DIEZELS Zeiten gespielt hat, worüber ja auch BISMARCK aus dem heimatlichen Schönhausen sehr humorvoll berichtet hat.

Aber wenn auch *nur dem Fuchse geltende Treiben* selten geworden sind, so bleibt doch der Fuchs hocherwünschte Beute auf allen Treib- und Drückjagden im Walde, ob diese nun dem Hoch- oder dem Niederwilde gelten. Und der Forstbeamte oder der Jagdberechtigte, der sich in seinem Revier auskennt, weiß natürlich, in welchem Treiben auf den Fuchs zu rechnen ist und welchen Paß der rote Freibeuter vermutlich wählt. Sehr häufig ist es die kürzeste, einigermaßen gedeckte Verbindung zwischen zwei benachbarten Dickungen, oft auch kommt der Fuchs in einem vorspringenden Zipfel der getriebenen Verjüngung, weil er so lange wir irgend möglich in Deckung bleiben will. An Berghängen sind meist die höchstgelegenen Posten die besten. – Dort wird der sicherste Schütze seinen Platz erhalten, der an geeigneten Örtlichkeiten geradezu traditionell wird und mitunter Jahre hindurch immer demselben Jagdgast seinen Fuchs, nicht selten auch mehrere im gleichen Treiben, beschert; in einem niederschlesischen Revier wurden binnen 6 Jahren auf ein und denselben Paß 23 Füchse geschossen – ein Zeichen, wie gern der Fuchs einen Paß hält.

Sind die Treiber laut oder werden Hunde im Treiben geschnallt, dann kommt der Fuchs gewöhnlich sehr schnell, oft unmittelbar nach dem Anblasen, wofern nur das Anstellen leise vonstatten ging; leider auch häufig nicht am erwarteten Ort, sondern er „spritzt" irgendwo aus der Dickung und läuft dann, wie das so ist, totsicher den schlechtesten Schützen an. Macht man Lärm vor dem Anstellen, dann verläßt er gar wohl mit wehender Standarte die Dickung schon vor Beginn des Treibens, insbesondere, wenn er am gleichen Tage schon einmal im Treiben war und seinen Balg gerettet hatte. Im übrigen verläuft so ein Fuchstreiben ähnlich der Waldtreibjagd auf Hasen, und die dort angeführten Grundsätze gelten auch hier, nur sollte man *noch* strenger auf ruhiges Treiben achten.

Bei Drückjagden auf Hochwild wird, und mit Recht, der Kugelschuß ins Treiben hinein nur in ganz besonderen Fällen gestattet werden, so daß der Fuchs in den meisten Fällen flüchtig, ja hochflüchtig ist, wenn er beschossen wird. Dreimal habe ich es allerdings erlebt, daß ich bei der Drückjagd *außerhalb* des Treibens einen Fuchs im Verhoffen mit der Kugel erlegen konnte.

Aber das sind nicht *die „Kugelfüchse"*, die unter den Jägern, denen es auf den Schuß mehr ankommt als auf die Beute, eine so große Rolle spielen. Der richtige „Kugelfuchs" muß in voller Flucht im Alt- oder Stangenholz, auf einer Schluppe oder dergleichen das

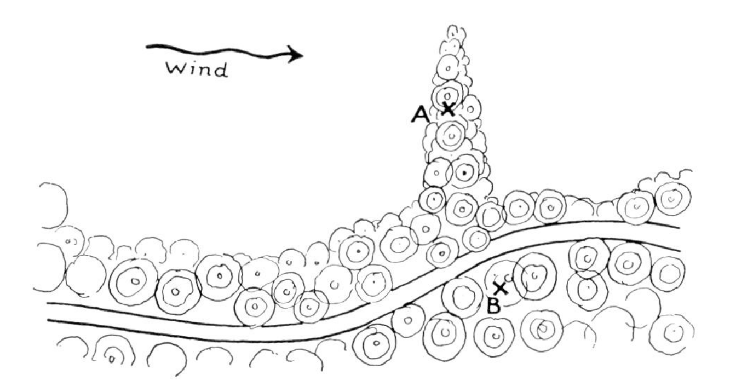

Fuchspassen am Waldrand. A weniger, B mehr zu empfehlender Stand

tödliche Geschoß empfangen und damit ein stummer Zeuge für die nicht gewöhnliche Schießkunst seiner Erleger werden. Ich für meine Person habe dem nie sonderlichen Geschmack abgewinnen können, gestehe aber gern, daß mir die Trauben wohl ein wenig sauer waren! Doch sind sie das oft auch bei der Bekassinenjagd, die ich doch leidenschaftlich gern betreibe. So liegt es wohl an dem unästhetischen Anblick, den die meist grausam zerrissene Beute darbietet. Für einen hervorragenden Schützen mag der schwierige Schuß allerdings ein besonderer Reiz sein, und man soll da nicht richten, solange der Balg nichts wert ist. Im Kriege, als das Gegenteil der Fall war – es gab 30 RM für den Fuchsbalg mittlerer Qualität –, habe ich einen jungen und sehr passionierten Revierverwalter mal dazu überredet, den Kugelschuß auf Reineke vor Beginn einer Treibjagd zu verbieten. Der erste Rote, der vorbeikam, lief erst mich, dann ihn an, der ihn prompt mit der Kugel auf den Kopf stellte! – Es muß demnach hierin doch wohl ein höchst verführerischer Reiz liegen ...

Eine vorzügliche Methode, den Fuchs, möglichst bei Spurschnee, zu treiben, ist *das Fuchsdrücken, Fuchsriegeln* oder *„stille Durchgehen"* einer Dickung, bei dem schon zwei Personen, ein Schütze und ein Treiber, genügen. Der Schütze stellt sich auf den Einwechsel, das heißt, etwa 30 Schritt daneben, oder auf einen anderen aussichtsreichen Platz, der Treiber geht ganz ruhig, langsam und leise vom gegenüberliegenden Rande der Dickung oder auch von der Seite her an und in Schlangenlinien hin und her durch diese. Unnötig zu sagen, daß man diese Jagd auch mit mehreren Schützen und Treibern ausüben kann. Sie hat meist gute Ergebnisse, weil der Fuchs recht vertraut kommt. – Die äußerste „Personalverminderung" ist es, wenn ein ruhiger, verständiger Hund, nach vorherigem Ablegen, auf

Pfiff das „Durchgehen" besorgt und selbständig den Fuchs – meist sehr rasch – vor den Schützen bringt. Solches Jagen kann ein hoher Genuß sein. Es ist nicht mit dem Brackieren zu verwechseln, wie wir es im Hasenkapitel kennenlernten, weil ja ein Hetzen kaum in Frage kommt, zumindest die Jagd nicht auf eine längere Hetze abzielt.

Bei der *Feldsuche* kommt der Fuchs nur zufällig einmal vor; ich erlebte es einmal in meinem geliebten *Menzlin,* daß mein Hund, ein starker Kurzhaar vom altdeutschen Schlag, in den Zuckerrüben einen hochmachte und sofort würgte. Meist sind das Jungfüchse, glaube ich, die sich so überrumpeln lassen. – Hat man einen Erdhund am Riemen, dann wird man bei geeignetem Wetter Durchlässe und Drainagen revidieren.

Auch bei *Feldtreiben* kommt der Fuchs mehr durch Zufall zur Strecke, wenn er sich, an einem schönen Wintertage, beim Herannahen der Treiber und Schützen in der Feldmark befand und durch Sichdrücken in einer geringen Deckung seinem Schicksal entgehen wollte; oder wenn kleine Remisen, Feldgehölze, besonders auch Weidenheger einmal einen über Tage beherbergen, was in waldarmen Gegenden häufig der Fall ist.

Die *Pürsch* auf den Fuchs kann natürlich jederzeit ausgeübt werden und ist keineswegs so schwierig, wie es bei der bekannten Vorsicht des Wildes erscheinen mag: vor allem dann nicht, wenn der Fuchs eifrig der Mäusejagd oder dem Käfer-, auch wohl Heuschreckenfang hingegeben ist. Auch führt eine Verbindung von *Pürsch* und *Lockjagd* oft zum Erfolg; die schönste, in normalen Zeitläuften vom waidgerechten Jäger fast ausschließlich geübte Form ist die Pürsch bei Schnee und – nach Möglichkeit – Sonne, zu Beginn der Ranzzeit,

wo nicht nur die Fähe rennt, sondern auch die Rüden oft den ganzen Tag auf den Läufen sind. Man kann dann im Walde und im Felde auch eine *Pürschfahrt* daraus machen, steigt beim Anblick eines Fuchses in entsprechender Entfernung in Deckung ab und läßt ihn sich durch den weiterfahrenden Schlitten geschickt zudrücken, bis er in Schußnähe kommt oder durch Mäuseln herangebracht werden kann.

„Wenn der Januar“, so schreibt Ebeling, „trockenfrostiges Wetter und Sonnenschein brachte, dann konnte man in meiner schlesischen Bergheimat den Fuchs nicht selten auf den Schlägen überraschen, wenn er sich, auf einem Wurzelstock zusammengerollt, die warme Sonne auf den Balg scheinen ließ oder der Mäusejagd nachging. Auf einem ausgedehnten Felsenbau mitten in einer Fichtenjugend an steilem Hang, den man von einem Niveausteig aus in Schußentfernung übersehen konnte, hat unser Waldwärter verschiedentlich Januarfüchse von Felsplatten heruntergeschossen, wo sie die wärmende Sonne zu einem Vormittagsschläfchen verleitet hatte. Man muß sich in den Gepflogenheiten des Wildes nur auskennen und – auch dann im Revier sein, wenn die Schußtafel für fast alles Wild Hahn in Ruh vorschreibt.“

Die letzte der üblichen Jagdarten auf den Fuchs ist die Baujagd im engeren Sinne des Wortes, also das Heraustreiben, das *Sprengen* des Fuchses aus dem Bau durch Erdhunde, insbesondere durch Teckel oder kleine Terrierrassen. Leider ist zu der Zeit, da diese Zeilen geschrieben werden, in einem großen Teil unseres Vaterlandes durch die Verseuchung der Fuchsbesätze mit Tollwut zu dieser aufregenden und lohnenden Jagd keine Gelegenheit gegeben, denn wo die Tollwut auch nur an *einem* Fuchs, im Umkreis von 50 bis 60 km, festgestellt ist, hieße es unverantwortlich gegen Mensch und Hund handeln, wollte man die mutigen kleinen Jagdgehilfen in die Baue entsenden, wo sie der Gefahr einer Infektion durch den Biß eines an Tollwut erkrankten oder das Virus in sich tragenden Fuchses angesetzt sind.

Besteht diese Gefahr nicht, dann begibt man sich gewöhnlich an einem trüben und nassen Wintertage ins Revier. Die Füchse stecken einmal in der lauten Zeit, wenn im Walde die Blätter fallen oder die Herbststürme morsche Äste und Zweige herunternehmen, auch wohl einige Stämme entwurzeln, im Bau; zum anderen bei *Schlackerwetter,* vor allem, wenn gegen Morgen ein starker Guß ihnen lästig fällt. Ferner in der Ranzzeit, und dann oft zu mehreren. So ergibt sich ganz natürlich für die Baujagd die Zeit vom Oktober/November bis zum Februar. Darüber hinaus übt sie der waidgerechte Jäger, wenn er nicht muß, nicht aus, denn der Balg ist dann schäbig, der Dachs, der ja vielfach mit dem Fuchse die Behausung teilt, hat seine Jungen gewelpt oder auch ein zeitiges Geheck der Frau Ermeline ist schon vorhanden (im Rheinland wurden z. B. 1937 und 1938 Jungfüchse schon Anfang März gefunden, die im letzten Februardrittel gewelpt sein mußten!), von dem man unter normalen Umständen den Bauhund fernhält.

Man beginnt den Jagdgang in den Vormittagsstunden, bald nach Hellwerden, denn was da von der roten Sippe überhaupt zu Baue geschnürt ist – auch bei dem abscheulichsten Wetter ist es immer nur ein Teil des Besatzes –, das steckt dann. Um nun diese Füchse mit Sicherheit zu bekommen, dafür vermittelt uns Diezel folgende Regeln:

1. „Man begibt sich ohne alles Geräusch und möglichst leise auftretend auf den Bau, läßt den Dachshund schliefen, nimmt schleunigst den zum Schießen geeigneten Platz ein und macht sich schußfertig. Ist der Bau groß und der Hund scharf, so springt der Fuchs oft augenblicklich und so schnell, daß man bei der geringsten Verzögerung statt der erhofften Freude nur das leere Nachsehen hat.“
2. „Sollte der Fuchs nach längerer Zeit nicht springen wollen, sondern stets auf derselben Stelle im Bau verweilen und sich verbellen lassen, so läßt man den Hund nach dem

Herauskommen in eine andere Röhre ein, weil er so dem Fuchs vielleicht von hinten beikommen und ihn so zum Springen nötigen kann."

3. „Hat auch das keinen Erfolg, so hilft zuweilen ein kräftiges Stampfen mit den Füßen oder sonstiges Gepolter über dieser Stelle den Fuchs zu vertreiben, womit dann dem Hunde das Ankommen erleichtert, und der Fuchs zum Ausreißen gezwungen wird."
4. Hat der Erdhund dem Fuchs scharf zugesetzt, jedoch schließlich von ihm abgelassen, dann leint man ihn an und wartet eine Weile; dem Fuchs war der unerwünschte Besuch höchst ungemütlich, und er wird, die Wiederholung eines solchen fürchtend, sich gern aus dem Bau verdrücken und dann, wenn man ihn ruhig und gut verborgen erwartet, noch erlegt werden können. Mitunter wird freilich die Geduld des Jägers dabei auf eine harte Probe gestellt, und es kann vorkommen, daß der Abend heranrückt und die Dunkelheit allen weiteren Unternehmungen ein Ende setzt." Bei welcher Jagdart aber ist das nicht der Fall?
5. „Wenn zwei Füchse in einen Bau eingefahren sind, nicht aber in einem Rohr beisammenstecken, dann sucht oft derjenige, den der Hund nicht vorhat, sich unbemerkt davonzustehlen." Es wäre also falsch, nur auf die dem dumpfen Lautgeben aus der Erde nächste Ausfahrt zu achten, wie denn überhaupt zwei oder gar drei Schützen bei großen Bauen erwünscht, ja fast unentbehrlich sind.
6. „Will man bei Schützenmangel einige Röhren versperren oder, bevor man unverrichteter Sache abziehen muß, den ganzen Bau verschließen, um es später nochmals auf die eine oder andere Art zu versuchen, so bedient man sich dazu am besten langer, dünner Stangen oder Äste, die nach und nach mit dem dicken Ende so weit wie irgend möglich in die Röhren hineingeschoben werden, bis diese alle fest verstopft sind. Hierdurch wird dem roten Räuber das Ausgraben, da er tief im Baue damit anfangen müßte, weit mehr erschwert, als wenn man zum Einschließen Steine und Erde nimmt, die er bald forträumt."

Nur bei kleineren Bauen kann man dem fruchtlos vorliegenden Hund durch einen Einschlag zu Hilfe kommen; doch erfordert das meist eine langwierige und darum kostspielige Arbeit, die heute fast ausschließlich beim Dachsgraben aufgewandt wird: sie soll daher bei diesem genauer geschildert werden. Daß man das *Graben* der *Jungfüchse,* wenn es einmal nötig wird, sich gleichfalls ersparen kann, hat wohl als erster der Forstassessor Dr. BEHRENDT erprobt, als er sich vor die Aufgabe gestellt sah, eine größere Anzahl von Jungfüchsen zum Zwecke der Wildmarkenforschung zu markieren: BEHRENDT wartete, bis die Zeit gekommen war, da die Jungfüchse hin und wieder den Bau verließen, um vor den Einfahrten sich zu sonnen und zu spielen, und schickte dann einen nicht übermäßig scharfen Teckel in den Bau, der die erschrockenen Kerlchen mühelos in vorgelegte Kaninchen- oder Dachshauben sprengte. Auf diese Weise konnte er ihrer bequem habhaft werden, und auf diese Weise kann auch der Waidmann, wo es nottut, der Vermehrung des Fuchses im Niederwildrevier steuern, ohne sich mit dem ihm so unsympathischen Kindermord zu belasten; Abnehmer für die kleinen Gesellen finden sich ja meist.

In niederwildreichen Kulturlandschaften machen in der Setz- und Brutzeit bekanntlich raubende Fähen, die ihr Gehecke oft in einem recht weit entfernten Walde haben, bisweilen großen Schaden, ohne daß es gelingt, sie in dem deckungsarmen Gelände zu erwischen. In diesen Fällen hat sich der *Kunstbau* sehr bewährt. Man kam zu den Gedanken wohl durch die häufig gemachte Beobachtung, daß Füchse im Felde gern in trockenstehenden Durchlässen, Dränageröhren und dergleichen stecken und an solchen Örtlichkeiten wohl gar ihr Geheck großziehen, wie ich das einmal sogar im Walde beobachtet habe. – Kunstbaue werden versteckt in Feld oder Wiese angelegt an Stellen, wo es an natürlicher

Deckung mangelt, insbesondere der nächste Wald kilometerweit entfernt ist, die aber doch von Menschen nicht allzu häufig begangen werden. Sie bestehen gewöhnlich aus zwei einfachen, U-förmig angelegten Röhren (siehe Abb.), zu denen man weite Dränagerohre, aber auch Bretter oder Bohlen verwenden kann. In der Mitte wird aus Brettern, Dachziegeln oder ähnlichem ein bequemer Kessel gebaut. Die Abknickung der Röhren ist notwendig, weil der Fuchs, wie jeder andere Baubewohner einschließlich des homo sapiens, in seiner Behausung keinen Zug vertragen kann. Die Bedachung des Kessels kann, wenn sie aus einem Stück besteht, mit einem Ring versehen sein, so daß sie sich mit einem Griff abheben läßt; zweckmäßig liegt sie also nicht zu weit unter dem Erdboden. Solche Kunstbaue werden gern angenommen und liefern, vor allem im Spätherbst, wenn die Felder leer sind, oft reiche Strecken. Sie bieten also ein gutes und waidmännisch einwandfreies Mittel zur Regulierung der Besatzstärke, freilich nur dort, wo es an anderer Dekkung mangelt. Darüber hinaus steckt sich sehr gern auch anderes Wild in ihre Röhren, insbesondere der mit der Waffe nicht zu bejagende Iltis, aber auch Wiesel, streunende Katzen und – Kaninchen. So kann ein passionierter Jäger an einem Kunstbau manche Freude haben.

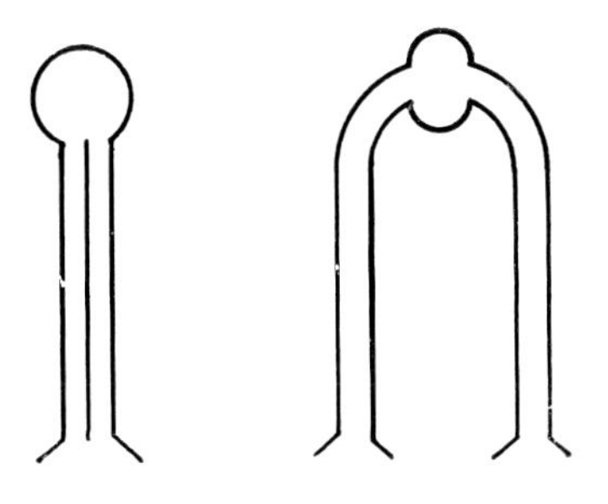

Kunstbaue (Grundriß)

Der Fallenjagd auf den Fuchs gedenken wir, der Tradition des „Diezel" durch alle im Laufe eines Jahrhunderts vorausgegangenen Auflagen folgend, in diesem Werke ebenso wenig, wie etwa gar noch schlimmerer Methoden: Es hat Mühe genug gekostet, die ebenso zweckwidrige wie kostspielige, ethisch verwerfliche Vergasung der Fuchsbaue von unserem roten Gesellen vorerst einigermaßen abzuwenden! Übrigens ist nach dem zumindest in allen Ländern *West*deutschlands bestehenden Tellereisenverbot der Eisenfang des Fuchses kaum noch möglich, denn der gefährliche, zu Regreßansprüchen Anlaß gebende Schwanenhals kann, außer im Hochgebirge, in unserer übervölkerten Heimat nur noch sehr beschränkt verwendet werden.

„Stirbt der Fuchs, so gilt der Balg!" Heute freilich nicht viel, aber das saubere *Abbalgen* muß dennoch jeder Jäger gelernt haben. Am besten streift sich der noch warme Fuchs, und bei Waldtreiben habe ich es erlebt, daß Förster zwischen zwei Treiben solches binnen einer Viertelstunde erledigten. So wie den Fuchs kann man alles Haarniederwild, auch Katzen, abbalgen. Nur beim Dachs bedarf es hinterher gründlicher Entfernung des Fettes (Weißen), und beim Löffelwild, auch beim Murmeltier, schärft man gewöhnlich den Balg der Länge nach auf. A. Usinger schildert es in seinem Buche „Unser heimisches Raubwild" (F. C. Mayer Verlag, München) wie folgt:

„Um einen Fuchs oder Marder abzubalgen, legt man ihn mit dem Rücken auf einen Tisch, schärft den Balg mit einem spitzen Messer an den Hinterläufen von den Ballen bis zum Waidloch hin auf und löst ihn nach den Keulen zu und rings um die Läufe bis zu den Zehenknochen los. Diese werden einzeln im letzten Gelenk abgetrennt bzw. mit einer Zange abgekniffen, so daß die Nägel am Balg bleiben. Alsdann wird die Rute vom Waidloch ab zu einem Drittel ihrer Länge unterseits aufgeschärft und seitlich von der Rübe losgelöst, deren letzten Teil man nunmehr ohne Schwierigkeit ausziehen kann, indem man in der einen Hand die Rübe, mit der anderen den losgelösten Rutenbalg faßt und kräftig, aber stetig zieht. Danach verfährt man mit den Vorderläufen genau wie mit den Hinterläufen, d. h. auch hier wird der Balg innenseits von den Ballen aus bis zur Brust hin aufgeschärft und bis in die äußersten Zehenknochen losgelöst. Die Nägel müssen auch hier am Balg haften bleiben.

Nun hängt man den so weit hergerichteten Fuchs oder Marder mit der durchstochenen Hesse oder einer hier durchgezogenen Bindfadenschlaufe in Gesichtshöhe an einen Haken und zieht den Balg bis nahe zur Brust lediglich mit den Händen herunter. Hier steckt man dann die Vorderläufe durch die im Balg schon vorher entstandenen Schlitze und zieht denselben weiter über den Hals bis zum Kopf bzw. den Gehörmuscheln, die weiß durchschimmern und dicht am Schädel vollständig abgeschärft werden. Das weitere Loslösen des Balges vom Kopf geht weniger schnell vor sich, da derselbe hier Stück für Stück mit dem Messer abgetrennt werden muß, bis die Seher erreicht sind und die Lider durch die Haut schimmern. Damit die Lidränder nicht zerschnitten werden, sticht man die dünne Haut etwas ein, steckt den Finger hier durch und schärft nun, indem man die Haut vom Schädel etwas abzieht, diese ringsum ab. Daran anschließend werden die Lefzen um den Fang und schließlich die Nase im Knorpel durchgeschärft, womit der Balg vollends vom Kern herunter ist.

Alsdann kommt der Balg mit der Fleischseite nach außen über ein keilförmiges Brett, das sogenannte Spannbrett (Abb. S. 155), und zwar so, daß die Nase über die Kante des Brettes greift und hier durch einen eingeschlagenen Nagel befestigt werden kann. Nach unten zu wird der Balg mäßig ausgezogen und am unteren Rand mittels breitköpfiger Stifte stramm angenagelt. Der Balg soll, wie gesagt, stramm auf dem Brett sitzen und auch der Länge nach gehörig gestreckt sein. Jetzt schärft man die Lunte bis in die äußerste Spitze auf, was in der Weise zu geschehen hat, daß man die Spitze des Messers mit der Schneide nach oben in die geschlossene Rute einführt und nach außen bzw. oben schneidet. Innenseits klebt man die Rute mit einem entsprechend zugeschnittenen Zeitungspapierstreifen aus. Gleichfalls mit Papier auszukleben sind auch die Vorder- und Hinterläufe, da sie sonst in ihrem schmalen Teil zusammenrollen würden. Nachdem noch die Unterlippe mit Papier beklebt ist, entfernt man stärkere Fettpolster und etwa haftengebliebene Muskel- und Gewebeteile.

Nach Ablauf *eines* Tages, währenddessen der Balg in einem geheizten Raum, jedoch niemals dicht am Ofen, angetrocknet ist, dreht man ihn um, indem man erst sämtliche Nägel entfernt und das Brett mit der Kopfseite auf den Boden stellt und den an den Hinterläufen gefaßten Balg rückwärts umstülpt. Da dies gewöhnlich nur bis zur Brustpartie glatt geht und der Balg dann vom Brett abrutscht, muß die Endhälfte über dem Arm gedreht werden. Jedenfalls darf der Balg mit Rücksicht darauf, daß er bei dieser Gelegenheit leicht am Bauch einreißt, nicht zu stark trocknen. Der so gewendete Balg kommt jetzt mit der Haarseite nach außen auf das Spannbrett und bleibt darauf weitere

2–3 Tage, worauf er völlig ausgetrocknet ist und abgenommen werden kann. Er wird nun mit einem Stöckchen tüchtig durchgeklopft, gebürstet und geschüttelt und an einem durch die Nasenlöcher geführten Bindfaden hängend aufbewahrt.

Da die meisten Bälge durch Schweiß, Erde und Nässe stark beschmutzt und verklebt und dadurch unansehnlich geworden sind, ist es selbstverständlich, daß der Jäger auch die Schönheitsfehler zu beseitigen trachtet und die Bälge nicht in diesem Zustand zum Händler bringt. Gewöhnlich lassen sich kleinere Schweißflecke nach dem Trocknen schon durch bloßes Zerreiben der Haare zwischen den Fingern sowie Bürsten und Klopfen beseitigen. Nur größere Mengen Schweiß müssen, da diese Stellen schwer trocknen und auch von Fliegen verschmeißt werden können, mit kaltem Wasser aufgeweicht und so lange durchgewaschen werden, bis dieses sich nach öfterem Wechseln nicht mehr schweißig färbt. Alsdann aber ist es notwendig, daß man das angefeuchtete Haar durch mehrfaches Auf- und Durchreiben völlig trockenen Sägemehls wieder einigermaßen abtrocknet. Mit Sägespänen läßt sich übrigens auch das beim Abbalgen fettig gewordene Haar, das den Balg unansehnlich macht, reinigen, wenn man dieses damit gründlich abreibt. Um diesem Verschmieren der Haare mit Fett und Schweiß während des Abbalgens vorzubeugen, empfiehlt es sich, von vornherein Sägespäne bereitzustellen, damit man die fettig gewordenen Finger darin von Zeit zu Zeit reinigen und Sägespäne auf hervorquellenden Schweiß aufstreuen kann. Weiße Wieselbälge zum Beispiel dürfen vollständig gewaschen werden, wenn man sie gleich danach mit Sägespänen wieder trockenreibt. Der Jäger, der Wert auf das gute Aussehen seiner Raubwildbälge legt, wird auf diese Nachbehandlung gern einige Zeit verwenden und darauf achten, daß beim Spannen und Trocknen des Balges niemals Falten entstehen, in denen Fleischseite auf Fleischseite zu liegen kommt."

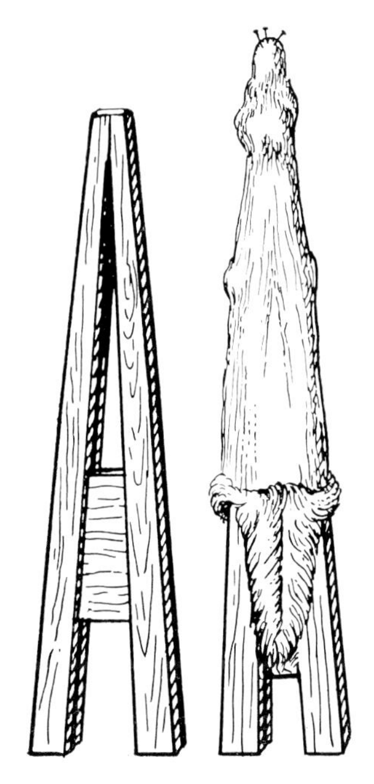

Dreiteiliges Brett zum Aufspannen des Balges

Die jährliche *Fuchsstrecke* in Deutschland belief sich im Durchschnitt der Berichtsjahre der Reichsjagdstatistik auf etwa 250 000 Stück, doch enthielten die Streckenmeldungen nicht die von den Staatsforstbeamten gelegentlich der Einzeljagd Erbeuteten, und das waren in manchen Förstereien 30, 40 und mehr im Jahr! Auch die auf befriedeten Grundstücken Erlegten wurden wohl meist nicht gemeldet, und ebenso nahm man beim Sommerfuchs das Melden nicht sehr genau. So dürfte die wirkliche Zahl sehr viel höher liegen, und ich schätze sie auf gegen 350 000 Stück, die damals, wenn man den Balg nur mit 20 RM bezifferte, einen Wert von immerhin 7 Millionen RM repräsentierten. Naturgemäß wirkte sich der begehrte Balg ganz allgemein auf die Wertschätzung seines Trägers aus, und die Versicherung extremer Naturschützer, daß die Rolle des Fuchses gegenüber unserem Wilde ausschließlich die eines Sanitätspolizisten sei, fand in der Jägerei vielfach allzu geneigte Ohren. – Ich will die Bedeutung des Fuchses bei der Gesunderhaltung unserer Niederwildstände nicht leugnen, bin aber der Überzeugung, daß unser „Polizist" sein Amt, vor allem dem Jungwilde gegenüber, doch gar oft mit einer geradezu fürchterlichen Strenge betreibt, die ihn nun einmal mit dem Heger in Konflikt bringen muß. Das im Abschnitt Ernährung

Gesagte scheint mir zu beweisen, daß wir in eine etwas einseitige Überschätzung seiner „Wohlfahrtswirkungen“ abgeglitten waren. Verdeutlicht haben das die Erfahrungen mit der bis 1952 anhaltenden Massenvermehrung, während der er auch als Geflügelräuber eine höchst unerwünschte Rolle gespielt hat. – Die Folge aber dieser Massenvermehrung war zwar nicht die Tollwut selbst, wohl aber die nie zuvor beobachtete Verbreitungsgeschwindigkeit und Ausdehnung dieser furchtbaren Seuche, daneben auch mehrere Seuchengänge der Acarus-Räude, die zeigen, daß eben jede Wildart in einem Kulturlande des jägerischen Eingriffes bedarf. Leider haben das die Jäger selber, nach ihrer Wiederbewaffnung, nicht frühzeitig genug erkannt oder befolgt, und so ist es zu einer Katastrophe gekommen, die den im Grunde doch von uns geliebten Schelm auf Jahre hinaus, wie manche befürchteten, an den Rand der Vernichtung bringen mußte. – In einzelnen Ländern der Bundesrepublik, für die Streckenziffern aus älterer Zeit (Preußische Jagdstatistik von 1885) vorliegen, wie Niedersachsen und Schleswig-Holstein, liegen die heutigen Fuchsstrecken immer noch wesentlich *über* denen von damals. Das zeigt einmal, wie unbarmherzig vorzeiten der rote Räuber verfolgt wurde – stärker sicherlich als das heute, trotz Tollwut, der Fall ist; zum anderen, daß nicht die geringste Sorge zu bestehen braucht, er werde ausgerottet werden, wie sie mir seitens tierfreundlicher Menschen hin und wieder geäußert wurde. Andererseits deutet der steile Anstieg der Niederwild-, vor allem der Hasenstrecken gerade in den von der Tollwut meistbetroffenen Gebieten darauf hin, daß das Kurzhalten der Füchse eine der wichtigsten Hegemaßnahmen darstellt, die es gibt. Naturgemäß leidet in unserer Zeit die Einstellung weiter Volkskreise zu diesem wichtigen und interessanten Mitglied unserer heimischen Fauna. Möge die notwendig radikale Verminderung mit Pulver und Blei recht bald durch Erlöschen der Seuche sich belohnen und die Voraussetzungen dafür schaffen, daß wir in absehbarer Zeit wieder nach freiem Ermessen die Bejagung des Fuchses üben und *einen angemessenen* Besatz in unseren Revieren dulden können!

DER WASCHBÄR

Im Anschluß an das Kapitel über den alteingesessenen Vertreter der hundeartigen Raubtiere wollen wir noch einen Blick auf den eingeführten Kleinbären aus Nordamerika, den *Waschbären* (Procyon lotor L.) werfen, der nach einer Erhebung des Instituts für Jagdkunde in Hann. Münden 1958 in einer Anzahl von 500–1000 Stück im nördlichen Hessen, Südwestfalen und vereinzelt auch schon in Niedersachsen in freier Wildbahn lebt; inzwischen hat er sein Verbreitungsgebiet weiter ausgedehnt und ist schon nach Mitteldeutschland gelangt, wie eine Erlegung bei Theerhütte, Letzlinger Heide, beweist (1963). Er wurde bei uns heimisch dadurch, daß im Ederseegebiet 1927 und 1936 jeweils einige Paare ausgesetzt worden waren. Diese gewöhnten sich so gut an ihre veränderte Lage, daß eine erhebliche Vermehrung und Ausbreitung über eine ganze Anzahl von Landkreisen im Raume Kassel–Marburg erfolgte. – So wurde schon 1948 dem Herausgeber die Frage gestellt, ob man die Art in die Reihe der jagdbaren Tiere aufnehmen solle, eine Frage, die er, wie alle anderen befragten Fachleute, nach sorgfältiger Prüfung verneinen zu müssen glaubte. Der Waschbär ist einmal ein großer Liebhaber von Obst und sucht zur Reifezeit, oft familienweise, die Dorfgärten auf, in denen er erheblichen Schaden stiftet;

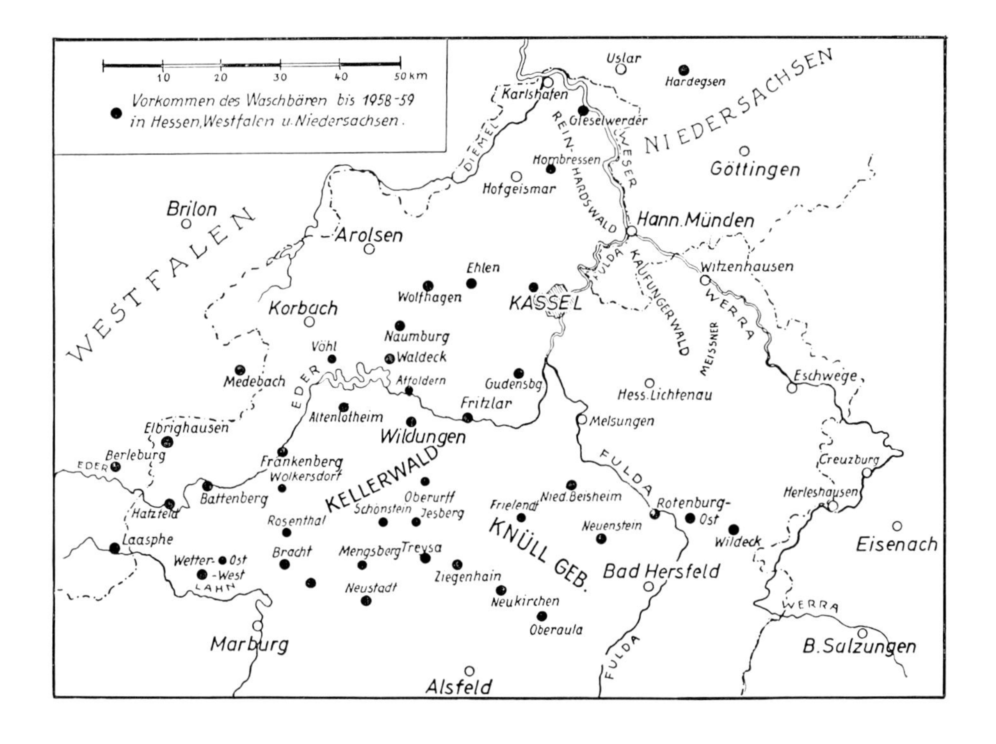

zum anderen nimmt er Vögel und ihre Bruten, so daß, nachdem er bei seiner raschen Ausbreitung die an sich schon gefährdeten Restbestände unseres Auerwildes in Nordhessen erreichte, diesem ein neuer, gefährlicher Feind erwuchs; auch bricht er oft in Geflügelställe ein und ist aus diesem Grunde bei den Farmern der USA wenig beliebt. Des weiteren hat, bei der fast rein nächtlichen Lebensweise der Art, niemand etwas von ihr und die Bejagung ist schwierig, dabei wenig interessant, da mehr auf Zufallsbegegnungen beschränkt; zumal im Winter, wenn der Pelz allenfalls etwas taugt. Und schließlich erscheint es sinnvoller, wertvolle heimische Arten, wie etwa die Marder, zu hegen, als den Vertreter einer fremden Tierlebensgemeinschaft, der diesen zumindest ein Wohnraumkonkurrent ist. – So sollte dem Fremdling der Schutz des Jagdgesetzes auch weiterhin versagt bleiben, ja, man sollte endlich daran gehen, seiner unerwünschten Verbreitung durch einen starken Aderlaß zu steuern! Das war auch die Ansicht von rund 40 befragten Revierverwaltern der hessischen Staatsforsten, in deren Forstämtern der Waschbär heute vorkommt.

Ebenso ist er bei der ansässigen Bevölkerung, vor allem wegen der Schäden am Obst, wenig beliebt. Ausflügler dagegen und Bewohner von Wochenendhäusern, Besucher von Campingplätzen und Zeltlagern, die im Sommer nicht selten einzelne Waschbären, ja ganze Familien durch dargebotenes Futter angelockt und in freier Wildbahn gezähmt haben, treten für die Erhaltung der Art ein. Neuerdings werden nicht selten Jungtiere eingefangen und zum Preise von 100–200 DM an Liebhaber verkauft! Freilich werden sie meist weitergegeben, wenn man sich davon überzeugt hat, daß sie keine angenehmen Stubengenossen sind.

Inzwischen ist die Art dennoch jagdbar geworden, genießt aber keine Schonzeit. Durch diese Maßnahme hoffte man, das Interesse der Jägerei an einer Bejagung zu beleben – aber auch das ist bisher nicht gelungen: Der Fremdling wird als hegewürdig oder als uninteressant angesehen, seine Schadenswirkungen von den Jagdpächtern gering veranschlagt, da er meist in Hochwildrevieren vorkommt, in denen die Niederjagd keine Rolle spielt.

Seine Lebensgewohnheiten hat der Waschbär auch in Deutschland beibehalten: Er ist Waldtier geblieben, wie er das in Nordamerika ist, liebt Wasserläufe und ist außer in der Mittsommerzeit fast nur bei Dunkelheit unterwegs. Die Zahl der Jungen beträgt (2–) 3 (–5). Diese werden nach 63tägiger Tragzeit im April und Mai geworfen, sind etwa 3 Wochen blind und werden 7 Wochen gesäugt. Erst im Herbst werden sie selbständig, so daß im Hochsommer vielfach die Bärin mit ihren Jungen gemeinsam umherstreift. Die Lebensdauer soll nur 6–8 Jahre betragen, dürfte aber höher liegen.

Auch in anderen Teilen Deutschlands sind gelegentlich Waschbären in freier Wildbahn aufgetreten, die meist von Liebhabern freigelassen oder aber entsprungen sind. Hier und da hielten sie sich örtlich einige Jahre hindurch, so in der Eifel, doch scheint es, als seien außer dem geschilderten Vorkommen im Raum Kassel/Marburg (s. Abb.) heute alle Vorkommen mit Ausnahme eines bei Betzdorf a. d. Sieg befindlichen erloschen, insbesondere auch, nach mir von den Jagdreferenten in Nordrhein-Westfalen und Rheinland-Pfalz gegebenen Auskünften, das Eifelvorkommen. Dagegen hält sich am Stadtrand von Berlin und bei Saarow jeweils noch ein Besatz.

DIE MARDER

Es gibt vier Marderarten (im engeren Sinne des Wortes) auf der Welt, den Baummarder (Martes martes [L.]), den Steinmarder (Martes foina [Erxl.]), den Zobel und den nordamerikanischen Fichtenmarder. Es handelt sich um ein altes Geschlecht, das schon in der Mitte der Tertiärzeit existierte und sich bis heute wenig verändert hat. Baum- und Steinmarder bewohnen Europa und das westliche Asien, doch geht der Baummarder weiter nach Norden und Osten, der Steinmarder nach Süden und Westen. Die Vermutung liegt nahe, daß die ursprünglich einheitliche Art durch eine der frühen Eiszeiten in zwei räumlich weit getrennte Gruppen gespalten wurde, die sich während der Trennung durch Anpassung an die verschiedenen Umweltverhältnisse auseinanderentwickelten. So wurde die vordem ausschließlich waldbewohnende Art in *einer* Form, eben dem Steinmarder, mehr zum Felsen- oder Klippenbewohner. Heute noch findet sich der Steinmarder in Südosteuropa vielfach im waldlosen Karst, während der Baummarder durchaus Waldtier geblieben ist.

Brantenunterseite links des Steinmarders rechts des Baummarders

Die wichtigsten *Unterscheidungsmerkmale* der beiden Arten sind der große, nach unten gegabelte, im Regelfalle weiße Halsfleck des *Steinmarders,* der im übrigen unter kakaofarbenem Grannenhaar eine weißliche Unterwolle trägt, während der *Edelmarder* einen meist kleineren, hell- bis dunkeldottergelben Kehlfleck hat, der nie gegabelt ist. Zu kaffeebraunem Grannenhaar steht ihm sein gelbliches Wollhaar vortrefflich. Nicht selten treten Stücke auf, die, in größerem oder geringerem Umfange, beide Merkmale vereinen, doch beruhen solche vermeintlichen Übergänge niemals auf Kreuzung, sondern sind Abwandlungen, die zufällig in einem oder mehreren Merkmalen der anderen Art nahekommen. Eine Kreuzung ist bisher niemals beobachtet worden und muß nach allem, was wir wissen, für unwahrscheinlich gelten.

Neben den genannten Unterscheidungsmerkmalen gibt es aber auch noch andere, die F. SCHMIDT in seiner ausgezeichneten Monographie[9] sorgfältig aufführt, wie Figur, Ohr-

[9] Dr. FRITZ SCHMIDT: „Naturgeschichte des Baum- und Steinmarders". Monographien der Wildsäugetiere X, Verl. Dr. PAUL SCHÖPS, Berlin und Leipzig, 1943.

Marderspur
Links: Paartritt, Mitte: Dreitritt, rechts: Hasentritt. L = Links, R = rechts, V = Vorderlauf, H = Hinterlauf

form, Lauf und Schädel. Für die jagdliche Praxis wichtig ist vor allem die Tatsache, daß die *Sohlenballen* des Steinmarders stets aus der sie umgebenden Behaarung hervortreten, während die des Edelmarders, zumal im Winter, meist unter ihr verschwinden (Abb.). So erscheint der Tritt des Baummarders undeutlich, verwaschen, der des Steinmarders schärfer ausgeprägt mit deutlich hervortretenden Ballen. Der Unterschied ist immerhin so kennzeichnend, daß dort, wo beide Arten in Betracht kommen, der erfahrene Jäger bei geeignetem Schnee sie mit ziemlicher Sicherheit auseinanderkennt.

Die *Spurenbilder* sind sehr charakteristisch. Im Normalfalle sieht man eine Folge von paarweise schräg nebeneinanderstehenden Tritten (Abb.). Jedes Trittsiegel besteht aus dem Abdruck des Hinter- *und* des Vorderlaufes, der in das gleichseitige Hinterlauftrittsiegel gesetzt wird. Die Trittpaare stehen jeweils 50–60 cm weit auseineinander, in eiligem Tempo werden aber Sprünge von 1 bis 2 m gemacht. Nur den Marderartigen – und dem Murmeltier – eigen ist der eigentümliche, den *Paartritt* bisweilen für kurze Strecken unterbrechende *Dreitritt* (Abb.), bei dem einseitig ein Hinterlauf vor oder auch hinter den gleichseitigen Vorderlauf tritt. Beim *Hasensprung* (Fluchtspur!) werden beide Hinterläufe *vor* die in diesem Falle hintereinanderstehenden Vorderlauftritte gesetzt, die aber nicht in der Mitte des Spurenbildes, sondern an dessen Rande stehen (Abb.).

Unentbehrlich für die *genaue* Bestimmung der Arten sind in allen Zweifelsfällen die Schädel-, insbesondere die *Zahn*merkmale (Abb. S. 161). Neben kleineren Unterschieden beim drittletzten und vorletzten Backenzahn ist – nach den Untersuchungen SCHMIDTS – der hinterste Backenzahn im Oberkiefer beider Arten an seiner Außenseite immer grundlegend verschieden gestaltet, nämlich beim *Baummarder* einheitlich stumpf *vorgewölbt*, beim *Stein*marder *eingekerbt*.

Auf einen wichtigen Unterschied, der vielleicht das Fehlen von Kreuzungen beider Arten mitbegründet, wiesen POHL und ECKSTEIN hin. Das männliche Geschlechtsorgan des Steinmarders ist wesentlich größer als das des Baummarders. Insbesondere weist der

Rutenknochen der letztgenannten Art nur 35 bis 45 mm, gegenüber 55 bis 60 mm Länge bei der erstgenannten auf.

Das *Gewicht* des Baummarders beträgt nach SCHMIDT im Winter 1,2–1,4 kg, im Sommer vor der Ranzzeit etwa 1/2 Pfund mehr. Die Fähen wiegen im Winter 0,8–1 kg. Bei Steinmarderrüden ergaben sich im Winter Gewichte von durchschnittlich 1,7–1,8 kg, im Sommer 2–2,1 kg. Steinmarderfähen hatten 1,1–1,3 kg Winter- bzw. 1,4–1,5 kg Sommergewicht. Das bisher bekannte Höchstgewicht eines Steinmarderrüden beträgt 2,8 kg, während der schwerste bekanntgewordene Baummarderrüde 1,8 kg aufwies. Mitteldeutsche Baummarder scheinen indessen nach BEHR (Die Pirsch, 1956, S. 200) schwerer zu sein. Der Steinmarder ist also *wesentlich* stärker – nicht aber länger – als sein Vetter, dessen Gesamtlänge 80–90 cm erreicht, während der gedrungener gebaute Steinmarder meist nur 60–70 cm lang wird. Spitzenmaße sind 1,20 m beim Edelmarder und 1 m beim Steinmarder. In allen Fällen handelt es sich nicht nur um Balgmaße, sondern um Messungen am lebenden oder frischtoten Stück.

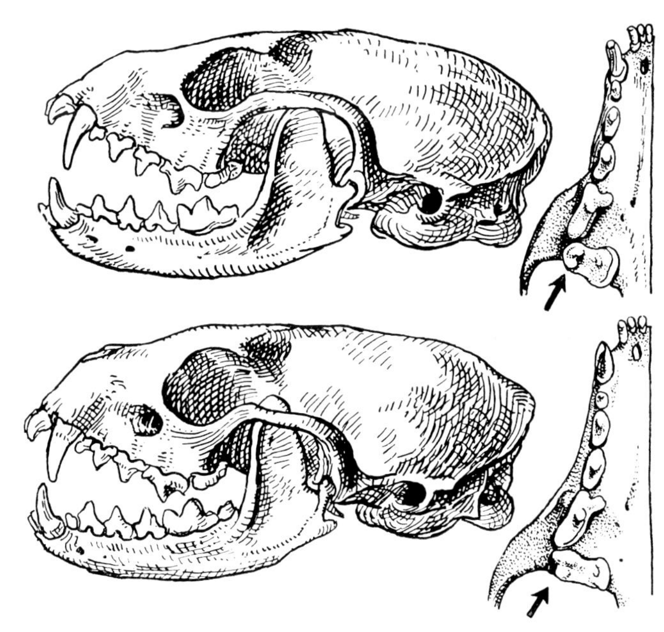

Schädel des Steinmarders (unten) und des Baummarders (oben), nat. Größe

Größer noch als die Unterschiede der beiden Arten im Körperbau sind die in der *Lebensweise*. Der Baummarder ist bekanntermaßen Bewohner großer, geschlossener Waldgebiete, deren randnahe Teile er zwar keineswegs meidet, jedoch meistens nur vorübergehend aufsucht. Nur in Schleswig-Holstein lernte ich ihn als Dauergast selbst kleiner Waldstücke von weniger als 100 ha kennen. Seinen Tagesaufenthalt hat er, wo immer er es haben kann, in alten, überständigen, hohlen Eichen oder Buchen, wie sie sich vielfach als Reste des alten Hutewaldes auch in heute mit Nadelholzarten bestockten Abteilungen noch finden. Solche „Mardereichen“ gibt es fast in jedem Forstamt. Gern hält er sich auch in Eichhornkobeln, Raubvogelhorsten, Astgabeln, Reisighaufen, in aufgesetztem Brennholz, selten in Erdbauen und Durchlässen auf. Den Steinmarder trifft man in freier Wildbahn mehr in randnahen Waldteilen, in Feldgehölzen und in Steinbrüchen. Auch in Halden, Felsspalten und, ungleich häufiger als die andere Art, in Durchlässen und Erdbauen hat er seinen Tagesschlupf. Daneben aber kommt er – der Baummarder niemals! – geradezu vorzugsweise in unmittelbarer Nähe, selbst im Mittelpunkt menschlicher Siedlungen vor und bewohnt hier Scheunen, Heuböden, Ställe, Schuppen, Gartenhäuser, Taubenschläge, Kirchenböden und dergleichen, und das nicht nur in Dörfern und ländlichen Kleinstädten, sondern sogar in der Großstadt. Und er zieht hier auch seine Jungen auf, was beim Edelmarder meines Wissens bislang noch niemals beobachtet worden ist.

Aus diesen Unterschieden im Aufenthalt erklären sich zahlreiche *Volksnamen*, wie Buchmarder oder Tannenmarder für die waldbewohnende Form, die die Jäger gern Edelmarder, Gelbkehlchen oder Goldhals nennen; Hausmarder, auch Dachmarder für das Weißkehlchen der Jägerei. Das Wort „Marder“ selbst ist übrigens ein gutes altdeutsches Wort, das schon im Althochdeutschen vorkommt und die spätlateinische Bezeichnung sowie, über diese, auch die heutige Namensform des Baummarders in allen romanischen Sprachen und in der Wissenschaft hergab.

Die *Nahrung* beider Arten ist ziemlich ähnlich und erstreckt sich auf alle Warmblüter, die sie zu bewältigen vermögen, beim Edelmarder, wie es heißt, vom eben gesetzten Rotwildkalb, vom Schmalreh und Kitz bis zu den Kleinsäugern, vom Auerhahn bis zum Goldhähnchen. Im Gemeindejagdrevier Königsee bei Berchtesgaden riß im Nachwinter 1965 ein Marder, von mehreren Zeugen beobachtet, bei Tage einen dreijährigen Rehbock, und ein zweiter wurde, mit Nackenbiß und Mardertrittsiegel, ebendort im gleichen Winter gefunden (Mdl. Mitteilung des Revierinhabers O. Zechmeister). Auch Insekten und Vegetabilien, hier besonders Ebereschen, Heidelbeeren, Hagebutten, aber auch alles Gartenobst nehmen die Marder gern, und in der Zeit der Obstreife leben sie ganz überwiegend von diesem. Lieblingswild des *Edelmarders* ist bekanntermaßen das Eichhörnchen, und die wechselnde Vermehrung der Art steht gewiß mit den periodischen Schwankungen der Besatzdichte seiner Vorzugsbeute in Zusammenhang, wie das ja vom Zobel bekannt ist. Überraschend häufig ergaben Magenuntersuchungen auch den Maulwurf als Beutetier.

Beim *Steinmarder* spielen Mäuse und Ratten eine größere Rolle, im Frühjahr auch Junghasen, und die Bedeutung der pflanzlichen Kost ist bei ihm *so* groß, daß, wie Serienuntersuchungen an 260 im Sommer erlegten Tieren ergaben, weit mehr als die Hälfte des Nahrungsvolumens pflanzlicher Herkunft war. Aas verschmähen beide Arten in Notzeiten nicht. Bekannter aber ist ihre Leckerhaftigkeit, die sie besonderes Wohlgefallen an Honig, Eiern, Zwetschgen usw. finden läßt. Mein zahmer Steinmarder hatte z. B. eine Vorliebe für Marzipan. So dienen bekanntlich beim Fang oft Pflaumen, Sirup oder Eier als Köder.

Die *Fortpflanzungsbiologie* unserer Marder wurde erst im dritten Jahrzehnt dieses Jahrhunderts durch PRELL aufgeklärt. Die Ranzzeit liegt nach ihm ausschließlich – oder weit überwiegend – im Hochsommer. In einer großen Anzahl von Fällen sind Ranz und Paarung zu dieser Zeit von Jägern beobachtet worden, und Gefangenschaftszuchten erwiesen sich nur dann als möglich, wenn die Paare im Hochsommer zusammengebracht wurden. Sollten also die jahrhundertealten Beobachtungen der Jäger vom Jagen und Kreischen der Marder, insbesondere der Steinmarder, im Januar und Februar ausschließlich Fehlbeobachtungen sein oder doch sich nur auf eine sog. „Scheinranz“ beziehen? Der Herausgeber hat das niemals glauben können und mit F. MALLNER schon vor 30 Jahren auf die Möglichkeit des Bestehens *zweier* Tragzeiten hingewiesen, einer etwa neunmonatigen – *mit* Vortragezeit (s. Rehwild) – und einer etwa zweimonatigen – ohne Vortragezeit.

Diese Vermutung hat sich für Reh und Hermelin inzwischen bestätigt, für beide Marderarten ist sie durch neuere Beobachtungen von KOESTLER und RULF (D. D. J. 1958) immerhin wahrscheinlich geworden.

Die Wurfzeit liegt bei beiden Arten im März und April; doch nimmt SCHMIDT auf Grund seiner Zuchten an, daß der Steinmarder vornehmlich im März, der Baummarder im April wölft.

Die Jungenzahl beträgt bei beiden Arten 2–4 (–5). Im Durchschnitt fanden sich bei in freier Wildbahn aufgefundenen Gehecken recht genau 3 Junge. Der Edelmarder wölft überwiegend in Baumhöhlen, der Steinmarder in Scheunen, auf Dachböden, aber auch in

schicke eine Kugel hinein. Scharf klingt der Knall in die Wintertagsstille. Aber nur dürres Geäst und Moos krümelt ab.

Nun kommt eine böse Suche. Es geht von Stamm zu Stamm, von Baum zu Baum. Nirgends ein heller Tropfen, ein Flechtenflöckchen, ein Dürrästchen, eine Spur im Schnee, alles glatt und blank und eben und schier. Und er steckt doch im Holz, der Heimtücker, und kriegen tu ich ihn doch, oder ich will die Kunst nicht verstehen.

Eine Viertelstunde geht hin, und noch eine. Das macht müde, das Auf und Ab mit den Augen, vom weißen Schnee zu den schwarzen Kronen, vom Himmel zur Erde. Noch ein alter Krähenhorst kriegt die Kugel, noch ein Eichkatzennest, aber immer noch will sich nichts finden, das ist ja dumm.

Und die Sonne meint es gut. Sie läßt den Schnee flimmern, daß die Augen müde werden, und preßt unter der leichten Wollmütze den Schweiß auf der Stirn hervor. Joppe und Rucksack habe ich längst fortgehängt und habe nur die leichte, nahtlose, gestrickte Ärmelweste um die Brust. Und die ist mir noch zu warm.

Aber weiter, das hilft nichts. Immer wieder für die Augen weißer Schnee, blaue, lange Schatten darauf, rote Stämme, dunkelgrüne Kronen und blauer Himmel. Und umgekehrt: blau, grün, rot, blau und weiß. Ab und zu ein silbergrauer Buchenstamm, ein schwarz-weiß-roter Specht, ein rötlich-grauer Markwart, eine blaugraue Taube, polternd abstiebend, bunte Meisen, an grünen Zweigspitzen hängend.

Mechanisch wandern die Augen auf und ab. Nichts, nichts, immer nichts und wieder nichts als Hasenspuren, Mausespuren, das Geläufe von Krähen. Man wird unachtsam, ich muß den Geist ab und zu anrucken, sonst schläft er ein.

Aber auf einmal wird er munter. Hier, unter der dunkelköpfigen Fichte, ist ein Dreieck, ein gelbes, hineingestopftes, im Schnee[10]. Wie da der ganze Mensch frisch wird, wie er sich reckt, wie Leben in die Beine kommt und in die Augen. Dreimal, viermal, fünfmal umkreise ich den Stamm, bohre die Augen in die Krone, aber ich finde nichts. Da wird zurückgestapft zum Rucksack und das Glas geholt. Ast für Ast wird abgesucht. Und jetzt habe ich ihn. Dicht an den Ersatzmitteltrieb gedrückt, eingeklemmt zwischen zwei andere hochragende Äste, in dem verwitterten, kaum erkennbaren Eichkatzennest, da liegt er. Von ihm selbst sehe ich nichts, aber die buschige Rute hängt herab.

Ich klopfe an den Stamm, er rührt sich nicht. Ich scharre daran, er rührt sich nicht. Ich lehne den Drilling an den Stamm, hole die Gummischleuder heraus und pfeffere einen Schrothagel in das Versteck. Nichts rührt sich. Aber die Rute, wo ist die, die eben noch herabhing? Fühlt sich der Bursche aber sicher!

Dann knallt ein Schrotschuß in das Astgewirr. Laub, Gras, Moos, Zweige fliegen, und ein schwarzes Ding fällt, fällt drei Fuß, und jetzt, Deubel, ist es auf der Nachbarfichte, und in rasender Eile baumt der Marder fort. Ich mit, so schnell die Schneereifen es erlauben, immer den Lauf dahin, wo Äste schwanken und Schnee rieselt. Und jetzt, wo es den geraden, langen Ast im Sprung faßt, das lange schwarze Ding, da fahre ich mit, und im Knall kommt er in einem Regen von Schnee und grünen Brüchen herab.

Zuckend liegt er im Schnee. Die weißen Fänge blinken, die dottergelbe Kehle leuchtet, die seidenhaarige Rute windet sich. Noch zuckt die Pranke, ein Zittern geht durch die Rute, ein Ruck durch das ganze Tier, dann fällt es schlaff in sich zusammen."

Da unsere getreuen Hüter des Waldes heute bei ihren winterlichen Dienstgängen ins Revier vielfach keine Waffe, und wenn eine solche, dann nur die Büchse führen, sei noch kurz geschildert, wie man sich bei einer zufälligen Begegnung mit einem im Geäst eines

[10] Hans Liepmann (D. J. Ztg. 1957) und Volz (Pirsch 1957) bestätigen, daß das sicherste Zeichen dafür, daß der Marder bald sich steckt, Nässen — und Absetzen der Losung — ist.

Marderbaums ruhenden Goldkehlchen helfen kann, wenn die Flinte fehlt. Ein Büchsenschuß mit einer normalen Hochwildpatrone würde ja zumeist den schlanken Räuber in zwei Stücken herunterbringen! Einen Ausweg bietet hier die „Puppe“ oder das „Gespenst“, d. h. der Jäger macht aus seinem Mantel oder Rock, den er über einen Busch oder einfach an einem Aststummel hängt, eine menschenähnliche Gestalt und geht dann seine Flinte holen. Merkwürdigerweise respektiert fast jeder Marder das Gebilde und verharrt, bisweilen Stunden hindurch, auf seinem Platze, die seltsame „Puppe“ fortgesetzt anäugend. Diese Methode ist sicherer, als die versuchsweise unter dem Marder auf den Ast oder in den Kobel gesetzte Kugel, mittels derer man ihn durch schrotschußartig wirkende Holz- und Geschoßmantelsplitter zu erhalten hofft – was aber nur in den seltensten Fällen gelingt.

Auch beim Steinmarder wird das Ausneuen mit Erfolg angewandt und ist bei ihm meist nicht so schwierig, wie bei der vorgenannten Art, da er seltener lange Strecken fortholzt und sich häufiger in Holzstößen, Erdbauen oder Durchlässen steckt als jene. Schlecht ist es freilich, wenn die Spur vor einer vollkommen unzugänglichen Spalte eines Steinbruches endet, wie ich das im Saargebiet, nach langer Folge, zu meinem Leidwesen erlebt habe. Bei Mondlicht kann dann ein Abendansitz helfen, wie man ihn auch im Dorfe übt, wenn man Weißkehlchen auf einem Dachboden festhat. Das Erscheinen aber des geschmeidig schönen

Tieres ist doch eine recht unsichere Sache, und man muß oft viel Geduld und Kälteresistenz aufbringen, bis schließlich, mitunter erst nach Mitternacht, der Marder aus Spalte oder Bodenluke auftaucht, um oft sehr rasch zu entschwinden. Auch bei solcher Gelegenheit kann Mäuseln helfen, aber das tut's nicht immer. Und doch ist manchem alten Jäger beim „Marderpassen" im Gutshof oder Bauerndorf gar eine Doublette geglückt.

Aber es gibt auch noch eine andere Jagdart auf den Steinmarder, die sich auf den eigenartigen Widerwillen der Art gegen metallische Geräusche stützt. Hat man ihn nach einer nächtlichen Neuen im Dachboden irgendeines Gehöftes fest – der Hausmarder hat sein Tagesversteck wohl ausschließlich in den *oberen* Regionen von Baulichkeiten –, dann bietet man eine kleine Treiberschar auf, die mit Topfdeckeln, Schellen, Gongs usw. versehen ist, stellt sich am erwarteten Absprung an und läßt die lärmende Gesellschaft „antreiben". Meist springt der Marder sofort und kann bei dieser Gelegenheit geschossen, bei sehr hohem Neuschnee auch von einem hochläufigen, schneidigen und gewandten Vorstehhund gegriffen werden. Die gleiche Methode des „Auspochens" bringt übrigens auch den Iltis aus seinem Schlupfwinkel, und es soll bei der Behandlung dieser Art auf sie aus diesem Grunde nicht weiter eingegangen werden.

Die Siedlungsdichte der Marder ist, wie erwähnt, gering. So sind die amtlichen Streckenzahlen in Deutschland niedrig, zumal beim Steinmarder eine nicht unbedeutende Zahl durch dörfliche Fänger erbeuteter der Statistik entgangen sein dürfte. Die geringe Siedlungsdichte beruhte ohne jeden Zweifel auch auf einer zu starken Verfolgung. Der Rückgang des Baummarders spiegelt sich darin wider, daß z. B. 1885 in Kurhessen über 400 Stück, 1935 bis 1939 jedoch im Durchschnitt der Jahre nur noch an 30 als erlegt gemeldet wurden. Belegt wird unsere Ansicht von einer durch überstarke Bejagung unnatürlich verringerten Siedlungsdichte dadurch, daß der in den 20er Jahren durch BORGGREVE verfügte ganzjährige Schutz der Art im Gebiete der Preußischen Staatsforstverwaltung in vielen Gegenden den Erfolg hatte, daß der Edelmarder wieder recht gut zunahm. Noch schlimmer war es – infolge einer durch die amerikanische Besatzungstruppe heraufbeschworenen, modisch bedingten Überbewertung des Balges – beim Steinmarder, der, insbesondere im Süden der Bundesrepublik, vielerorts ausgerottet wurde, obwohl er doch früher in Deutschland viel häufiger war als sein siedlungsferner Vetter. Doch scheint andernorts heute der Besatz durchaus nicht gering zu sein, wie mir mein Freund Dr. BAUMEISTER auf Grund eigener Erfahrungen glaubhaft machte; das liegt wohl daran, daß der Steinmarder – und gegenwärtig gilt das auch für den Edelmarder – in jüngster Zeit kaum mehr verfolgt wird. Das DJV-Handbuch für 1964/65 weist für das Bundesgebiet (ohne Bayern) im Jagdjahr 1963/64 eine Strecke von 1483 Edelmardern und 3121 Steinmardern aus, was rund 2000 und 4000 Stück in Westdeutschland entsprechen dürfte.

ILTIS · HERMELIN
MAUSWIESEL · NERZ

Die Gruppe kleiner und kleinster Raubtiere, die zoologisch Stinkmarder genannt werden, verdankt ihren Namen den am Waidloch gelegenen Stinkdrüsen, die aber auch die anderen Gattungen der Marderfamilie besitzen; nur ist das Sekret der Stinkmarder, vor allem des Iltis, besonders übelriechend. Die vier hier zu behandelnden Arten sind Iltis, Hermelin, Mauswiesel und Nerz. Das ein wenig sagenhafte Zwergwiesel, über dessen Artselbständigkeit die Spezialisten noch nicht recht einig sind, wird kurz beim Mauswiesel erwähnt.

Der *Iltis* (Mustela putorius [L.]), auch Ilk, Ratz, Stänker u. ä. genannt, ist vielleicht dasjenige unserer heimischen Raubtiere, das man, im Verhältnis zu seiner Häufigkeit, in freier Wildbahn am wenigsten sieht, so oft man auch Spuren seiner Tätigkeit feststellen mag, so eng benachbart er dem Menschen lebt. Er ist eben durch und durch *Nachttier,* sein Tagschlaf sprichwörtlich („Er schläft wie ein Ratz"), und ein Zusammentreffen mit ihm ist fast nur in der hellsten Jahreszeit, etwa von Mai bis August, und dann vor allem beim ersten Büchsenlicht, gegeben. Dann mag es wohl geschehen, daß man ihn auf Wegen, insbesondere im Wiesen- oder Teichgelände, auf Dämmen und Grabenborden dahinhüpfen sieht, wobei er trotz der gelegentlich durchschimmernden gelblichweißen bis dottergelben Unterwolle recht dunkel wirkt. Die *Gestalt* ist plumper und gedrungener als die der echten Marder, die Rute nur 12–20 cm lang, der Rumpf gegen 40 cm. Der Fang trägt eine hellgraue Binde, eine zweite verläuft hinter den Sehern, so daß eine eigentümlich maskenartige Zeichnung entsteht und an den Dachs erinnert, mit dem der Iltis auch die „Verkehrtzeichnung", die schwarzbraune Unterseite bei hellerer Oberseite, gemeinsam hat; vielleicht auch den Namen, dessen zweite Silbe in einigen Mundarten „-täs" gesprochen wird, was mit dem althochdeutschen „tas" = Dachs zusammenhängen könnte; und schließlich noch einige Parasiten aus dem Stamme der Saugwürmer, die in der Nasenhöhle schmarotzen und auf eine noch ungeklärte Weise bisweilen die Nasen-, auch die Stirnbeine durchbohren, so daß dann der Schädel beider Arten wie mit Hühnerschrot durchlöchert erscheinen kann.

Der Iltis bewohnt Europa (ohne Irland) bis nach Skandinavien und Finnland, wo er in den letzten hundert Jahren ein riesiges Areal gewonnen hat. Nach Osten kommt er, Heptner (1964) zufolge, bis in den Ural vor, in den südöstlichen Steppengebieten wird er durch eine nahe verwandte, etwas blassere Form, den Steppeniltis (Mustela eversmanni [Less.]) vertreten, der in Südrußland, Rumänien und Ungarn, neuerdings auch im Burgenland und Niederösterreich nicht selten neben ihm vorkommt. In den Alpen geht er gelegentlich sommers bis zur Schneegrenze, also in Höhen von 2000 m und mehr. In seinem riesigen Verbreitungsgebiet ist er aber keineswegs gleichmäßig häufig. Er meidet dichte Waldungen und bevorzugt feuchtes Wiesengelände, Feldmarken in Ortsnähe und kleine Brücher. Hier lebt er oft in relativ großer Siedlungsdichte. So wurden nach Fm. v. Bodungen in einem 4000 ha großen Oderbruchrevier Jahre hindurch allwinterlich 60 bis

70 Iltisse erbeutet, ohne daß der Besatz abnahm. Sein Tagesunterschlupf sind Erdhöhlen – wo er es haben kann, besonders gern Kaninchenbaue –, Durchlässe, Steinbrüche, altes Gemäuer, Reisighaufen und Holzklafter, auch Strohdiemen, Schuppen, Scheunen, Ställe und dergleichen.

Die *Ranzzeit* ist vornehmlich im März, dehnt sich aber oft lange, bis zum Juni hin, aus, so daß die nach rund sechswöchiger Tragzeit geborenen (3–) 4–8 (–10) Jungen bis in den August hinein gefunden werden. Diese machen eine langsame Entwicklung durch, sind vier bis fünf Wochen blind und werden rund ein Vierteljahr von der Mutter betreut, die sie, auch gegen Mensch und Hund, mit oft tollkühner Wildheit verteidigt.

Die *Nahrung* besteht aus Kleinsäugern, Bodenbrütern, Reptilien und Lurchen. Bekannt ist, daß der Iltis gern Kreuzottern frißt, deren Gift ihm wenig oder gar nicht schadet, weniger bekannt seine Eigenschaft, den gallertigen Laich der Froschweibchen zu erbrechen, der in seinem Magen offenbar quillt und ihm dann Leibschmerzen verursacht. Man findet solchen nicht allzu selten auf Wiesen im Iltisrevier, und das Volk nennt diese Funde „Sternschnuppen“, weil sie ihm wie vom Himmel gefallen erscheinen; doch gibt es auch *Schleimpilze* von ähnlicher Beschaffenheit. Der jagdliche Schaden des Iltis ist bedeutend: L. SLAWIK berichtet (Österreichs Waidwerk 1956, H. 1) von einem im Juni 1955 gegrabenen Bau, der eine Fähe mit 9 schon nahezu ausgewachsenen Jungen enthielt und sich über eine Fläche von 2,5×5 m erstreckte. Es waren 8 Röhren, 1 senkrechtes Fallrohr, 3 Vorratskammern, 2 Wohnkessel und 2 Losungsgruben vorhanden. An *Überresten von jagdbarem Wilde wurden solche von mehr als 60 Junghasen und je 20–30 Fasanen und Rebhühnern, dazu Schalenreste von etwa 50 Rebhuhneiern gefunden.* – Wenn es sich in diesem Falle auch um die Gehecke zweier Iltisfähen gehandelt haben mag – während des

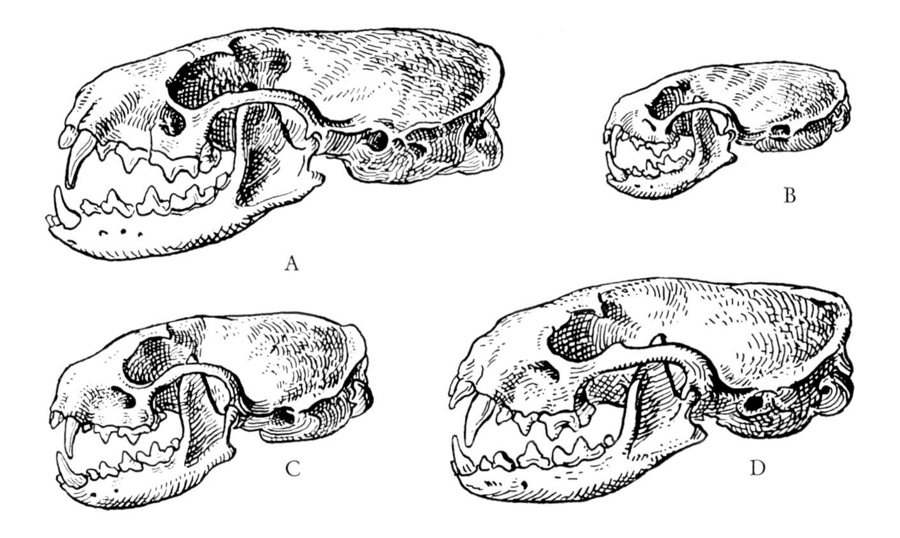

Schädel vom Nerz (A), Mauswiesel (B), Hermelin (C) und Iltis (D), (nat. Größe)

Grabens wurde ein Altiltis ständig in der Umgebung des Baues gesehen, und es ist mir unwahrscheinlich, daß das ein Rüde war –, so sprechen doch die angegebenen Zahlen für sich.

Magenuntersuchungen an 100 Iltissen, die Dr. F. GOETHE durchgeführt hat, ergaben dagegen, im Winterhalbjahr allerdings, überhaupt kein jagdbares Wild, mit Ausnahme zweier Kaninchen, sondern Kleinnager, Frösche und Fische.

Die Jagdweise des Iltis besteht mehr in einem planmäßig erscheinenden Absuchen eines begrenzten Geländeabschnittes, als in flüchtigem Durchstreifen eines großen Gebietes, wie das die Marder üben. Er orientiert sich hierbei, mehr noch als diese, mit dem Geruchssinn. Wie alle Marderartigen legt er Vorräte an, wozu auch Frösche gehören, die er durch Zerbeißen der Wirbelsäule bewegungsunfähig macht und so lebend aufbewahrt. Im Winter legt er, hat er sich nicht in einer nahrungsreichen Feldscheune oder dergleichen eingemietet, wohl auch größere Strecken zurück, doch längst nicht in solchem Ausmaße wie Marder und Otter. So ist er auch leichter auszuneuen als die erstgenannten, muß aber dann, oft recht mühsam, gesprengt oder gegraben werden. 1200 g sind ein sehr gutes *Gewicht* für einen Rüden. Die Fähe ist, wie bei allem Raubwilde, leichter. Sie erreicht nur etwa 900 g. Ein in *Mednitz* (Schlesien) am 9. 1. 1938 erlegter Riese seiner Art, selbstverständlich ein Rüde, hatte das erstaunliche Gewicht von fast 2 kg bei einer Gesamtlänge von über 70 cm! Bekanntlich finden sich Rüden bei erbeuteten Iltissen (und den Wieseln) immer in beträchtlicher Überzahl, doch ist anzunehmen, daß das mit Verschiedenheiten der Lebensweise beider Geschlechter zusammenhängt.

Der lichter gefärbte, hellbraune *Steppeniltis* ist außer durch die Färbung auch durch einige Schädelmerkmale vom Iltis unterschieden, auf die einzugehen sich hier erübrigt. Seine Lebensweise ist mehr die eines Gräbers. So erbeutet er nach den Feststellungen VASARKELYIS Mäuse meist durch Aufgraben ihrer Löcher und legt selber tiefe, weitverzweigte Baue an. Hauptnahrung sind, wo sie vorkommen, Ziesel. – Bastarde von Iltis und Steppeniltis sind häufig.

Iltisfrettchen haben Dr. F. GOETHE und später Prof. K. HERTER zu Untersuchungen der Verhaltensweisen gedient, wobei der Letztgenannte noch blinde Jungtiere isoliert aufgezogen hat. Es stellte sich heraus, daß *nahezu alle Lebensäußerungen* angeboren waren, insbesondere auch der Nackenbiß, mit dem die Beute (Ratten) beim ersten Zusammentreffen gepackt und getötet wird. Das gleiche hatte ich an meinem isoliert aufgezogenen Steinmarder festgestellt. Erwähnenswert ist noch, daß die Kopulation der Tiere – auch die der Frettchen – ein sehr langes „Hängen“ bedingt und weibliche Tiere, wenn sie trächtig sind, oft einen starken Haarausfall zeigen. Die Lautäußerungen sind zwitschernde und pfeifende Laute während der Nestlingszeit, Keckern, Zischen und Drohschrei in Abwehr, ein eigentümliches, dem Gackern eines Huhnes ähnliches Getön bei lustbetonter Bewegung, vor allem während der Ranz.

Unser *Hermelin* oder Großwiesel *(Mustela erminea L.)* ist viel mehr Tagtier und auch häufiger als der Iltis. Seine Verbreitung reicht weiter, sie erstreckt sich ostwärts über ganz Zentral- und Nordasien bis nach Japan, in Nordamerika leben nahe verwandte Formen. Auch nach Norden geht es weiter, erträgt also höhere Kältegrade, und dementsprechend wurde es im Hochgebirge bis zu 3000 m Höhe angetroffen, ist in der Almen- und Felsenregion auch keineswegs selten. Sein langgestreckter Körperbau verrät den *Ratten-* und *Mäusejäger,* doch ist seine Kühnheit ganz unglaublich, die es den sechzehnmal schwereren Hasen erbeuten, in der Verteidigung der Jungen Katzen, Hunde, Rehe, Menschen, ja selbst Großvieh anfallen läßt – und auch die Geschichte von dem zu Boden stürzenden Raubvogel, dem ein gegriffenes Großwiesel die Brust oder den Hals zerrissen hatte, entbehrt, da mehrfach und aus verschiedenen Ländern berichtet, wohl kaum der Wahrheit.

Um die Erforschung der *Fortpflanzungs*verhältnisse hat sich besonders der Mainzer Anatom WATZKA verdient gemacht, dessen Forschungen die erstaunliche Tatsache erbrachten, daß die Tragzeit 2, aber auch 8 Monate dauern kann. Der Regelfall scheint nach neuesten Untersuchungen des genannten Forschers die Spätwinter-Ranz mit im April gebrachten Jungen zu sein, doch ist auch im Frühsommer eine erfolgreiche Paarung nicht selten. Die befruchteten Eier liegen dann, wie beim Reh, fast unentwickelt im Uterus, ohne daß eine Einbettung in der Schleimhaut erfolgt. Erst im Februar setzt normale Entwicklung ein. Die Spätwinterranz mit kurzer Tragzeit scheint eine Neuanpassung der – ursprünglich

subarktischen – Art in milden Klimaten zu sein. Die Jungenzahl wird mit 4–8 angegeben, die Jungen beider Wieselarten sind, wie die des Iltis, sehr lange blind (Hermelin 6, Mauswiesel mindestens 3 Wochen) und wachsen recht langsam heran. Eine *geradezu unwahrscheinliche* Besonderheit in der Fortpflanzungsbiologie des Hermelins ist die mehrfach eindeutig festgestellte Tatsache, daß noch saugende, blinde Jungweibchen schon belegt werden können, um dann nach acht Monaten, inzwischen ausgewachsen, Junge zur Welt zu bringen, in diesem Falle also immer mit verlängerter Tragzeit.

Hermelin und Mauswiesel lassen sich nicht immer mit Sicherheit an der *Größe* unterscheiden, da es Rüden der letztgenannten Art gibt, die mit 130 g erwachsene Hermelinfähen (120–170 g) übertreffen. Hermelinrüden wiegen bis über 1/4 kg, fortpflanzungsfähige Mauswieselfähen oft unter 50 g. Bei beiden Arten besteht also ein großer Geschlechtsunterschied. Die Männchen sind, zumal bei der kleinen Art, etwa doppelt so groß wie die Weibchen. Das einfachste Unterscheidungsmerkmal ist die immer schwarze, langhaarige Rutenspitze beim Hermelin, die immer braune, kurzhaarige beim Mauswiesel. Bekanntermaßen wird unser Hermelin im Winter – in Süddeutschland oft sehr spät, mitunter unvollkommen – weiß, das Mauswiesel Mitteleuropas nicht. In Irland bleibt die große Art winters braun, im äußersten Norden ihres Verbreitungsgebietes soll sie auch im Sommer weiß bleiben. Da Schwärzlinge bei unseren Marderarten meines Wissens noch nie beschrieben worden sind, sei eines solchen gedacht, der am 23. 10. 1933 bei Weißig (Sachsen) gefangen und als „schwarzer Iltis" geschildert wurde. Da mich der Fall, vor allem im Hinblick auf ein etwaiges Nerzvorkommen (s. u.) interessierte, ließ ich ihn mir schicken – es war ein rabenschwarzes Hermelin!

Einzelnen Hermelinen hat man fünf binnen weniger Tage erbeutete Hasen nachgewiesen – und doch möchte der Herausgeber eine Lanze für die schönen, als Wühl- und Wanderrattenbekämpfer wie als Mäusejäger so überaus nützlichen Tiere einlegen, deren Jagdschädlichkeit, wie die vieler Raubtiere, zuweilen leider arg übertrieben wird. Dem Flugwilde sind sie, außer etwa in Fasanerien, kaum schädlich.

Kurz einige Angaben über das erstmalig 1941 von KARL BRODMANN[11] gezüchtete Mauswiesel (Mustela nivalis L.), das fünf Wochen dick geht, 4 bis 10 Junge zur Welt bringt und diese, wie der Fischotter, zu allen Zeiten des Jahres empfangen und zur Welt bringen kann. Man kann sich leicht auf dem Hühnerhof davon überzeugen, daß dieses bezaubernde Geschöpf kaum jemals auch nur ein Küken reißt, sondern fast ununterbrochen den Mäusen nachstellt – auch der Wanderratte! Die unablässige Verfolgung dieses entzückenden Tierchens, das ein liebevoller Stubengenosse werden kann, in manchen Niederwildrevieren ist ein Unfug, dem der Herausgeber durch Einreihung der Art unter die jagdbaren Tiere zu steuern suchte, doch hatte diese gesetzliche Maßnahme bislang noch wenig Erfolg. Es sei also ausdrücklich darauf hingewiesen, daß Jagd und Fang der Wiesel in der Zeit vom 1. 4. bis 15. 6. durch das Bundesjagdgesetz verboten sind!

Eines der Mauswiesel, die BRODMANN hielt, erreichte ein *Alter* von 7 Jahren. Hermeline sollen älter, der Iltis bis 10 Jahre alt werden. Die *Lautäußerungen,* das Zirpen und Pfeifen der Jungen, Keckern und Schreien der Alten, sind im Grundsatze ähnlich, wenn auch feiner und leiser als beim Iltis, ebenso der stechende Geruch des Stinkdrüsensekrets, das in großer Erregung in der Abwehr entleert wird. Wesentlich unterscheiden sich, wie erwähnt, beide Arten vom Ilk dadurch, daß sie Tagtiere sind, das Mauswiesel nach dem eben genannten Autor fast ausschließlich, was durch F. FRANK bestätigt wurde, der Mauswiesel Jahre hindurch frei im Hause hielt und züchtete. FRANK stellte die überraschende

[11] Auf das reizende Büchlein dieses warmherzigen Tierfreundes „Mauswiesel frei im Hause", Verlag Balduin Pick, Köln (1952), sei hier ausdrücklich hingewiesen.

Tatsache fest, daß die Tierchen zwei Würfe im Jahr haben können und Weibchen des ersten Wurfes bisweilen im Hochsommer bereits fortpflanzungsfähig sind. Die Tragzeit ermittelte er mit 33–35 Tagen, die Wurfstärke mit (4–) 6 (–9). Die Jugendentwicklung verläuft, wie bei allen Marderartigen, sehr langsam (Augenöffnen mit 3–5 Wochen, Säugezeit 6–8 Wochen). Die Spuren der drei Stinkmarder zeigt die Abbildung S. 176. Besondere waidmännische Bezeichnungen, außer den für anderes Haarraubwild üblichen, kenne ich für unsere Arten nicht.

Was die *Bejagung* der Stinkmarder angeht, so wird sie bekanntlich meist mit der Kastenfalle durchgeführt, auf die wir aus besonderen Gründen weiter unten kurz eingehen. Für den *Iltis* erwähnten wir, bei der Behandlung des Steinmarders, das mitunter zum Erfolge führende *Auspochen* oder *Ausklopfen,* dazu kommt das Sprengen aus Durchlässen, Kaninchenbauen und dergleichen, die er ebenso wie im Felde angelegte Kunstbaue gern annimmt, sowie das *Ausneuen. Hermeline* sind, wo das erforderlich scheint, außerordentlich leicht zu schießen, wenn man sie im Felde überrascht: Einmal scheuen sie den

Menschen wenig und lassen sich durch den Mäusepfiff aus jeder Deckung alsbald wieder hervorzaubern, zum anderen machen sie bei dieser Gelegenheit meist sofort ein Männchen, so daß der Schuß nicht schwierig ist, wenn man nur genügend feines Schrot nimmt. Allerdings kann es leicht geschehen, daß der winzige Räuber sich mitten in der Schrotgarbe befindet, ohne eine Verletzung davonzutragen, weil für das kleine Ziel die Deckung der Schrote zu gering ist. In der Oberrheinebene beschoß ich einmal ein vor mir flüchtendes, aber immer wieder verhaltendes Hermelin auf einem leicht gefrorenen Ackerstück viermal hintereinander, allerdings mit Hasenschrot, wobei es sich jedesmal in der Schrotgarbe befand, ohne daß es zur Strecke kam oder auch nur getroffen wurde. Erst beim fünften Schuß wurde es von mehreren Schroten gefaßt und verendete. Wo also sehr viel Hermeline vorkommen, sollte der Heger stets eine mit 2-mm-Schroten geladene Patrone (Nr. 9) mit sich führen, die ihm auch sonst gute Dienste leistet (Elstern!); Zeit zum Umladen eines Schrotrohres ist ja nach dem geschilderten Verhalten der Großwiesel stets vorhanden.

Obwohl in diesen Blättern der Behandlung der Fangjagd kein Raum gewährt wird, muß ein kurzer Hinweis auf den Wieselfang mit der bekannten CLAUSIUSschen Wieselfalle erfolgen. Sie gilt als besonders human, weil sie die Tiere lebend fängt. Bei morgendlicher Revision der Falle findet aber der Jäger die Wiesel meist verendet vor. Es wird dann, mitunter bedauernd, festgestellt, daß sich das Wiesel „totgerast“ habe. Nicht bedacht wird aber, daß zumindest die Mauswiesel als Tagtiere sich meist schon über Tag fangen, wie eine *grundsätzlich abends* vorgenommene Revision der Fallen, die BRODMANN vornahm, ergeben hat. Die Tiere müssen dann also sechzehn, zwanzig Stunden und länger, bei Kältegraden, die oft erheblich sind, in der Falle ausharren, und das überstehen sie nicht. Da die Wiesel zu einer der höchstorganisierten Gruppen der Säugetiere gehören, über eine außerordentlich starke Reaktionsfähigkeit verfügen und in ihren psychischen Leistungen hinter verwandten Gruppen aus der Raubtierordnung keinesfalls zurückbleiben – Mauswiesel lernen sogar den Pfleger herbeizuholen, was keineswegs jeder Hund fertigbringt –, kann der Herausgeber für seine Person die Anwendung dieser Falle nicht als besonders human ansehen. Benutzt man sie, dann ist eine *abendliche* Fallenkontrolle waidmännisches Gebot.

Links: Iltisspur, unten: Fluchtspur, darüber: Dreitritt, oben: Paartritt. – Mitte: Hermelinspur. – Rechts: Mauswieselspur

Die Akten über ein drittes Wiesel, das *Zwergwiesel* (Mustela minuta Bomel), sind noch nicht geschlossen. Etwas voreilig wurde es so hingestellt, als ob nun plötzlich eine neue deutsche Säugetier*art* existiere, während die wissenschaftliche Diskussion über das Problem noch im Gange war. Als äußere Merkmale, die diese „Art“ vom Mauswiesel unterscheiden lassen, wurden die geringere Rutenlänge, die weiße Färbung der Füße, das Fehlen des braunen Wangenfleckes und die schärfere Abgrenzung zwischen dem Braun des Rückens und dem Weiß des Bauches angegeben. Dr. FRITZ FRANK (mdl. Mttlg.) stellte nun aber bei Kreuzung einer *winterweißen* schwedischen Fähe des kleinen Wiesels mit einem deutschen Mauswieselrüden fest, daß die genannten Merkmale in der 2. Generation bei 25 % der Nachkommen *gemeinsam* wieder auftreten. Das spricht doch für eine eigene Rasse, eine Kälteform, die in den ersten Jahrtausenden nach der Eiszeit hier lebte und später von unserem Mauswiesel „überwandert“ wurde.

Der europäische *Nerz* (Lutreola l. lutreola [L.]), vorzeiten auch Sumpfotter oder, mit seinem slawischen Namen, Mink genannt, ist in Deutschland verschiedentlich totgesagt worden. Der letzte zweifelsfrei einheimische Nerz, dessen Balg ich selbst in Händen gehabt habe, wurde im Jahre 1922 in *Mednicken*, Kr. *Fischhausen*, Ostpreußen, vom Förster des Grafen KANITZ in einem größeren Erlenbruch am Rande eines Teiches von etwa 75 ha aufgestöbert und durch dessen Hund gewürgt. Zu dieser Zeit gab es in Deutschland noch keine Nerzfarm. Es sind aber später noch des öfteren Nachrichten über ein Vorkommen des europäischen Nerzes in Deutschland aufgetaucht, und auch ein Exemplar aus der Gegend von Heiligenstadt (Eichsfeld), das in den Jahren nach dem Ersten Weltkriege erbeutet wurde, wird für urheimisch gehalten, ebenso ein zweites, das 1940 an der Leine bei Göttingen erschlagen wurde. Dieses zweite Stück habe ich gleichfalls gesehen und möchte es ebenfalls der heimischen Form zuordnen. Weiter: Ein bekannter Revierinhaber und waidgerechter Jäger in Dithmarschen (Schleswig-Holstein) berichtete mir kürzlich, daß er Anfang der 20er Jahre eine ganze Anzahl „schwarzer Iltisse“ innerhalb eines Jahres gefangen habe. Sollten das nicht auch einheimische Nerze gewesen sein, die sich in Ostholstein gleichfalls lange gehalten haben? Die Art lebt ja sehr verborgen und wurde immer wieder übersehen. Aber auch aus anderen Gegenden Deutschlands wurde mehrfach von Nerzerlegungen berichtet, die sich in den meisten Fällen auf entsprungene Farmnerze beziehen mögen, also auf den nordamerikanischen Mink (Lutreola l. vison Briss.), der unserer Art zum Verwechseln ähnlich ist. Nach den in Norwegen gemachten Erfahrungen und ebensolchen aus Schweden und Finnland läßt sich der Amerikaner spielend leicht einbürgern, und so dürfte ein 1937 vom Arbeitsdienst in der Nähe von Bremen aufgefundenes Geheck wohl sicher das eines amerikanischen Minks gewesen sein. Anlaß zu genauester Nachprüfung geben Nachrichten aus Gegenden, von denen die heimische Form noch im vorigen Jahrhundert, oder gar später, bezeugt ist, wie der Raum um *Lübeck*, die *Altmark* und *Vorpommern*, ebenso das oben erwähnte *Leinetal*. Und ich kann es mir nicht versagen, ein Erlebnis von einer Frühpürsch in Menzlin (Kr. *Greifswald*) hier zu bringen, wo um 1930 am Rande eines einige Hektar großen, von Weiden dicht umstandenen Bruches plötzlich ein eigenartig dunkles Tier vor mir flüchtig wurde, das ich als einen auffallend dunklen Iltis ansprach. Das war alles – aber Jahre später fand ich in einem alten Zeitschriftenbande des „Naturwissenschaftlichen Vereins für Rügen und Vorpommern“ aus den sechziger Jahren des vorigen Jahrhunderts die Bemerkung, daß in einigen Brüchen des Kreises Greifswald der Nerz noch vorkomme . . .

Die durch die Farmzucht auf den Markt gelieferten Bälge haben, im Vergleich zu früheren Zeiten, den Preis für den Nerzbalg ganz erheblich gedrückt. Die Kürschner, die zuvor manchen „dunklen Iltis“ für ein paar Mark eingehandelt und für Hunderte verkauft haben, könnten heute eigentlich „davon sprechen“.

Verhalten und Lebensweise des Nerzes sind aus der Farmzucht gut bekannt, so daß auf das einschlägige Schrifttum der Pelztierzüchter verwiesen werden kann.

DER DACHS

Wie der Luchs Jahrhunderte hindurch in der Bewertung seines Schadens falsch angesehen wurde, weil man ihn immer mit dem Wolf gleichsam „in einen Topf warf", so ergeht es dem Dachs noch heute, denn „Füchse und Dachse" scheinen nun einmal für den Jägersmann eine feststehende Rubrik zu sein, und damit steht auch das Vorurteil fest. Das gilt sogar für staatliche Maßnahmen, z. B. auf seuchenpolitischem Gebiet, denn obwohl der Dachs prozentual von der Tollwut in eben dem Maße *seltener* befallen zu werden scheint wie von der Räude, werden alle Bekämpfungsmaßnahmen gegen den Fuchs in Bausch und Bogen auch auf ihn ausgedehnt. So soll bei der Darstellung der Naturgeschichte dieser Art vor allem auf das eingegangen werden, was ihn vom Fuchs unterscheidet.

Die moderne Zoologie teilt die Landraubtiere in Hundeartige und Katzenartige und rechnet zu jenen, neben den Hunden (Canidae) selbst, die Familien der Bären (Ursidae), Kleinbären (Procyonidae), zu denen der oben schon behandelte, in einem Teil Hessens häufige, nordamerikanische Waschbär zählt, und Marder (Mustelidae). Zu den *Mardern* gehören, neben der Unterfamilie, die den Namen hergab, die *Dachse* und *Otter* sowie einige uns hier nicht interessierende Gruppen. Unser Dachs, Meles meles (L.), hat also mit den Hunden wenig zu tun, ebensowenig mit den Bären, so oft er auch mit diesen verglichen wird, sondern ist „etwas für sich". Die Gattung bewohnt in mehreren, einander nahestehenden Arten fast ganz Europa mit Ausnahme des hohen Nordens sowie Klein-, Mittel- und Ostasien und Nordamerika und ist ganz überwiegend, aber nicht ausschließlich, Waldtier. Das *Äußere* „Meister Grimbarts", wie der Tiersagenname lautet, wirkt etwas absonderlich, weil das immerhin bis 40 Pfund schwere Tier einen im Verhältnis zu seinem Leibesumfang und seiner plumpen Gestalt recht schmalen und schlanken Kopf hat, der durch eine kennzeichnende Schwarzweißzeichnung besonders auffällt. Rücken und Körperseiten sind von einem ziemlich hellen Grau, das dadurch zustandekommt, daß die Grannenhaare neben einer basalen, gelblichen, eine schwarze und spitzenwärts eine breite weißliche Zone zeigen. Die Unterwolle ist grauweiß. An den Seiten erscheint oft eine matt graurote Tönung. Kehle, Unterseite und Beine sind schwarzbraun bis schwarz. Die Grundfärbung von Kopf, Kinn und Nacken ist weiß, doch zieht sich jederseits eine breite, schwarze Binde vom Fang über die Seher bis zu den Gehören und weiter nach hinten, wo sie sich in der Nackenregion allmählich verliert. Der Schwanz, in der Waidmannssprache *Pürzel,* zeigt zunächst die Farbe des Hinterrückens, wird aber gegen das Ende zu heller.

Das Erstlingskleid des Dachses ist zunächst weiß, erscheint aber bald hellgrau bis gelblich, mit rosa durchschimmernder Haut. Bis in den Herbst hinein, wo sie oft fast schon die Größe der Mutterfähe haben, erkennt man Jungdachse an der reineren Färbung und wohl auch relativ größeren Ausdehnung des weißen Mittelstreifens auf Fang und Stirn. Auf dieses Merkmal bin ich im Kriege gekommen, wo es mir darauf ankam, für die Küche zu verwendende Dachse zu erlegen, also Jungdachse; diese sind meist trichinenfrei und liefern selbstverständlich auch einen zarteren Braten als ein älteres Tier.

Das *Haarkleid* ist rauh und borstig, die Unterwolle bauchseitig nur schwach entwickelt. An der Unterseite stehen die Haare so schütter, daß man an vielen Stellen die Haut durchschimmern sieht. Die schwarzen Seher sind klein und wenig ausdrucksvoll, auch die Gehöre sind, wie bei fast allen grabenden Tieren, von nur geringer Größe. Der Dachs steht niedrig auf den Läufen und wirkt wegen seines fast rüsselartig verlängerten Fanges eher etwas wildschwein-, als bärenartig, hat aber mit dem Letztgenannten das Sohlengängertum gemeinsam. Auf einen interessanten Umstand sei noch hingewiesen, nämlich darauf, daß man bei uns den Schädel wohl keiner Tierart so häufig im Walde findet, wie den des Dachses, und hier wiederum sind es oft solche sehr alter Individuen mit stark abgekauten Zähnen. Rüde und Fähe sind bekanntlich am Schädel leicht zu unterscheiden, da das männliche Tier auf der Schädelmitte einen 10–18 mm hohen Knochenkamm besitzt, während ein solcher bei einer erwachsenen Fähe nur eben sichtbar ist und nur bei alten weiblichen Tieren bisweilen etwas stärker hervortritt. Das Gebiß ist gekennzeichnet durch den sehr großen und breiten hintersten Oberkiefermahlzahn, wie ihn in Größe und Gestalt keine andere heimische Tierart aufweist (Abb. S. 181). Zahnformel $^{3141}/_{3142}$.

Der Dachs bewohnt fast alle deutschen Waldgebiete in recht gleichmäßiger Verbreitung. Da er mehr als alle anderen heimischen Wildarten, das Murmeltier ausgenommen – nicht aber das Wildkaninchen! –, auf seinen selbstgegrabenen Bau auch außerhalb der Fortpflanzungszeit angewiesen ist, meidet er Gebiete mit hohem Grundwasserstand, wie z. B. die

Marschen. Im Gebirge geht er bis zu etwa 1500 m hinauf. Der Bau wird gern an der Südseite kleiner Hügel oder Hänge angelegt, die Röhren führen im ebenen Gelände 1,5–2 m tief und sind oft viele Meter lang, bis sie in den Kessel münden. – Dieser wird, besonders vor dem Winter, gut ausgepolstert. Nach englischen Beobachtungen wird bei Nässe von unten sogar eine Art Matratzenrost aus Aststücken gefertigt, über dem Farnkraut, trockness Laub und Heu gestapelt wird (W. u. H. 1965). Die Zahl der Röhren in günstig gelegenen, oft 80 Jahre und länger *befahrenen* Bauen kann dreißig übersteigen. In solchen Bauen leben mitunter mehrere Dachsfähen mit ihren Jungen. – Wildmeister ZORN (a. a. O.) sah einmal 9 Jungdachse aus 3 Gehecken am Großbau miteinander spielen!

Dachsrüden leben dagegen meist als Einsiedler in kleineren Bauen. Solche suchen sich auch nach Auflösung der Familie im Herbst – oder erst im nächsten Jahre – die selbständig gewordenen Jungtiere, wobei sie mitunter weit wandern und auch einmal in einer Dickung ohne Bau übertagen. Dann kommt es, selten genug, vor, daß auf einer Waldtreibjagd ein Dachs vor die Schützen gerät.

Bei hoch anstehendem Gestein befinden sich im Bau oft Felsspalten und Steinhöhlen, die für Bauhunde eine große Gefahr bilden; sie dürfen daher mit solchen nicht bejagt werden.

Tierische Mitbewohner des Baues sind oft Füchse, mitunter gar auch Kaninchen. Auch Wildkatze und Otter nehmen vorübergehend den Dachsbau an.

Der *Speisezettel* des Dachses ist an sich, was die Artenlisten angeht, fast identisch mit dem des Fuchses, doch sind die Schwerpunkte gänzlich andere. Regenwürmer, Schnecken, Käfer und ihre Larven sowie andere Insekten und schließlich pflanzliche Stoffe spielen eine große Rolle. Für Mistkäfer hat er eine besondere Vorliebe, wie aus den blauen Chitinteilchen hervorgeht, die man den ganzen Sommer hindurch in seiner Losung findet. Maikäfer schüttelt er gar von schwachen Bäumen. Gern sucht er auch nach Engerlingen und Schmetterlingspuppen. Unter den Wirbeltieren bilden Frösche, Reptilien und vor allem Mäuse seine Hauptnahrung, insbesondere gräbt er Maus*enester* aus und verleibt sich die Jungmäuse ein, deren RÖRIG bei seinen exakten Magenuntersuchungen einmal 74 (neben 9 alten) im Magen eines einzigen Dachses fand. Auch Junghasen und Kaninchen stellt er nach, nimmt die Nester der Bodenbrüter aus und reißt auch Jungvögel und brütende Wildhuhnhennen.

Hinsichtlich der Aufnahme hartschaliger, größerer Eier gehen die Meinungen sehr auseinander. NOTINI wollte festgestellt haben, daß Auerwildgelege von seinen Dachsen nicht angenommen wurden. Auch mit Hühnereiern wußten gefangene Dachse in vielen Fällen nichts anzufangen. Es scheint also, als ob solche Eier nur nach vorausgegangener Erfahrung oder dann angenommen werden, wenn ihnen die frische Wittrung des brütenden Vogels noch anhaftet. Andererseits sind sich wohl alle Fasanenmeister darüber einig, daß Dachse in der Nachbarschaft von Fasanerien wegen ihrer Schadenswirkungen auch an den Gelegen nicht geduldet werden können, ebensowenig in ausgesprochenen Niederwildrevieren, wo sie, wie gesagt, neben dem Feldflugwild auch den Junghasen Abbruch tun.

Schlimm ist es, wenn ein Dachs in Geflügelställe einbricht, wo er dann fast nach Marderart reißt, bis sich nichts mehr rührt. Harmloser ist im allgemeinen sein Schaden in Feldern und Gärten. Fast alljährlich kamen Dachse in meinen unmittelbar am Reinhardswald gelegenen Garten und taten sich an reifen Stachelbeeren gütlich, die ihnen gern gegönnt waren. – Auch Erdbeeren und Fallobst jeder Art nehmen sie auf, selbstverständlich auch alle Waldbeeren. Landwirtschaftlichen Schaden verüben sie vor allem im Mais und im milchenden Hafer, mitunter in solchem Umfange, daß zunächst an Schwarzwildschaden gedacht wird. Auch in Weinbergen können Dachse empfindlichen Schaden stiften.

Aus dem Gesagten ergibt sich, daß der Dachs *in großen Waldgebieten,* in denen das Niederwild keine Rolle spielt, *sehr geringen Schaden* anrichtet, dagegen durch die Vertilgung von tierischen Schädlingen zweifellos nützt. So sieht ihn wohl jeder Forstmann gern und schützt ihn. Hat er seinen Wohnsitz in Feldgehölzen ausgesprochener Niederwildgegenden, so ist es besser, ihn kurz zu halten, was, wie wir im Abschnitt über die Jagd sehen werden, recht einfach ist.

Seine im Sommer oft breiige, von aufgenommenen Blaubeeren schwarze *Losung* setzt der Dachs in kleinen Gruben, *Dachsabtritten,* ab, die im oder auch am Bau, oft auch am Fraßplatz, angelegt und nach einiger Zeit bisweilen wieder zugescharrt werden.

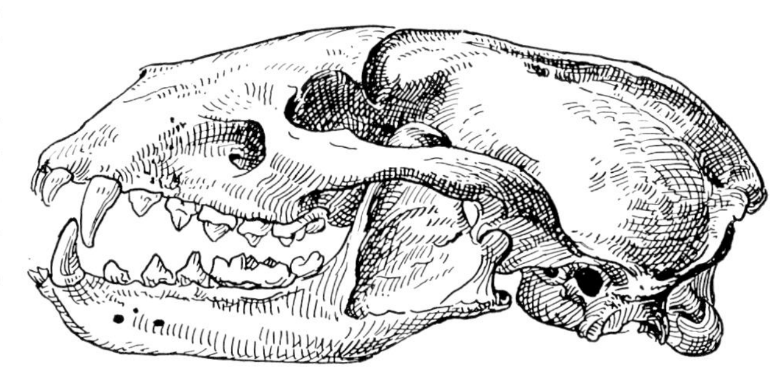

Dachsschädel, Rüde (2/3 nat. Größe)

Lautäußerungen sind Murren, Murmeln, in höchster Not ein lautes Schreien, das dem in der Fortpflanzungszeit erklingendem Schreien ähnlich ist.

Die *Ranzzeit* des Dachses liegt im Hochsommer, überwiegend in der 2. Juli- und 1. Augusthälfte. Man hört dann, nicht oft, den furchtbaren Ranzschrei, der dem gellenden Klagen eines gequälten Kindes oder einer Frau so täuschend ähnlich ist, daß ich selber schon in höchster Erregung mit fertiger Waffe hinzugesprungen bin, um den vermeintlichen Lustmörder über den Haufen zu schießen! Statt seiner sah ich dann zwei starke Dachse beim Minnespiel, die sich raschelnd auf kleinster Fläche beharrlich folgten. Ob Rüde oder Fähe den Schrei ausstoßen, vermag ich nicht zu sagen, da die Dämmerung an jenem Julitage schon zu weit fortgeschritten war. Die Begattung, die recht ruhig, aber langwährend vor sich geht, wurde außerhalb des Baues beobachtet. FREIHERR VON HOYNINGEN-HUENE schildert in seiner Schrift über den Dachs in Estland eine Art „Rolltanz“ der Fähe, der aber nicht unbedingt der Paarung vorausgehen muß. In der Ranzzeit wird ein im *Stinkloch,* einer zwischen Pürzel und Waidloch liegenden Querfalte, erzeugtes Sekret durch sog. *Stempeln* an Baumstümpfen, Steinen u. a. markanten Punkten vermehrt abgesetzt, wodurch das Auffinden der Geschlechter erleichtert werden dürfte.

Die *Fortpflanzungsverhältnisse* sind vornehmlich durch FRIES, Prof. HERBST, R. KLOTZ, später auch durch Prof. PRELL und den berühmten Anthropologen Prof. Dr. EUGEN FISCHER klargestellt worden. Danach kann man von einer genauen Parallele zum Rehwild sprechen. Das befruchtete Ei entwickelt sich in den ersten 4–5 Monaten außerordentlich langsam. Es macht nur wenige Teilungen durch und wird erst später in die Uterusschleimhaut eingebettet, so die eigentliche Entwicklung wie beim Reh erst Dezember–Januar beginnt. Ende Februar, selten früher, häufiger auch später, werden dann die (1–) 2–3 (–5) Jungen nach einer „Austragezeit“ von 6–8 Wochen geworfen.

Die alte Jägerei glaubte an eine Ranzzeit im Oktober-November, von der ich nie etwas bemerkte, ohne bestreiten zu wollen, daß zu dieser Zeit vielleicht eine Nebenranz stattfindet, vergleichbar der Spätbrunft der Rehe. Möglicherweise handelt es sich bei dann beobachteten Verfolgungen aber auch nur um Revierkämpfe bei den besten Überwinterungsbauen.

Damit sind wir schon bei dem Problem des *Winterschlafes.* Einen echten Winterschlaf hält der Dachs wohl ebensowenig wie der Bär, wenn man darunter eine starke Herabsetzung aller Lebensfunktionen bis zu einem todähnlichen Zustand versteht, aus dem ein Aufwachen erst nach Stunden erfolgt. In Mitteleuropa verläßt der Dachs auch im Winter seinen Bau. Man spürt ihn im Schnee, doch bleibt er bei starker Kälte und hoher Schneedecke oft Tage und Wochen unter der Erde. Anders ist es in Nord- und Osteuropa, wo der im Herbst mit eingetragenem trockenem Gras, Fallaub und Moos wohl ausgepolsterte Bau unter meterhoher Schneedecke, die noch dazu hart gefriert, allwinterlich monatelang begraben wird. Ich kenne einen Fall aus dem letzten Weltkriege, wo vor Petersburg eine Batterie im Spätherbst ihre Feuerstellung bezog, in der sie bis zur Schneeschmelze im April verblieb. Dann erst erwies es sich, daß sich zwischen den Geschützen ein von mehreren Dachsen bewohnter Bau befand, denen das Haubitzfeuer und die Bodenerschütterungen beim Abschuß offenbar ganz gut bekommen waren. Ähnliche Beobachtungen sind schon im Ersten Weltkriege gemacht worden. Demzufolge wird in rauheren Klimaten die Winterruhe sehr ausgedehnt, und vermutlich verbringen die Dachse unter diesen Umständen den Winter meist schlafend, vielleicht gar in echtem Winterschlaf. „Es gibt nichts, was es nicht gibt“, sagte mein Lehrer O. Heinroth.

Seine Fortpflanzungsfähigkeit erreicht der Dachs schon in dem seiner Geburt folgenden Kalenderjahr. Ob die Fähen, die eine sehr lange Säugezeit haben, alljährlich welpen oder nicht wenigstens von Zeit zu Zeit einmal übergehen, ist ungewiß. Über das Lebensalter des Dachses ist wenig bekannt. In Gefangenschaft lebten Dachse nach Klotz 8–11 Jahre. Das erreichbare Höchstalter dürfte noch etwas darüber liegen.

Die Jägerei verwendet mit Bezug auf den Dachs im allgemeinen *dieselben Ausdrücke* wie beim *Fuchs,* doch gibt es einige Besonderheiten. So heißt der Balg *Schwarte,* der Schwanz *Pürzel,* die Fettschicht *Weiß.* Das *Stinkloch* und das *Stempeln* erwähnten wir schon. Die Nahrung des Dachses heißt wie beim Schwarzwilde heute wohl bei den meisten Jägern *Mast,* und man teilt auch wohl in *Obermast* und *Untermast* ein, je nachdem die über oder unter der Erde bzw. der sie bedeckenden Laub- und Nadelschicht sich vorfindende Nahrung gemeint ist. Nach Untermast *sticht* der Dachs, d. h. er pflügt die Fallaub- und Humusschicht mit dem Fang auf, ähnlich dem *Brechen* des Schwarzwildes. Bei der Baujagd nennt man das Aufgraben einer Röhre *Einschlagen,* man *macht einen Einschlag;* trifft dieser nicht auf die Stelle, wo sich der Dachs befindet, so muß man *nachkesseln,* d. h. in Richtung auf diesen weitergraben.

Überdenkt man die heute für die *Bejagung* des Dachses üblichen Methoden, so wird so recht deutlich, wie sich, durch mancherlei Ursachen bedingt, die Jagdarten im Laufe der Zeit wandeln. Diezel will den Dachs in erster Linie *graben* und empfiehlt daneben das nächtliche Hetzen, wobei unser Wild beim Einfahren in den schützenden Bau in der *Dachshaube* gefangen und dann vom Jäger zur Strecke gebracht wird. Der *Anstandsjagd* am Bau spendet er wenig Lob, weil dabei vielfach der nicht schlagartig verendende Grimbart noch *zu Bau fahre.*

Heute ist das alles anders. Das Dachsgraben wird selten geübt, weil der damit verbundene Aufwand an Arbeitskräften und Zeit nicht oft mehr geleistet werden kann, man sich auch die Baue lieber unversehrt erhält. Der Gebrauch der Dachshaube ist gänzlich aus der Mode gekommen. Der *Abschuß am Bau* oder gelegentlich der *Pürsch* ist die Regel. Ihnen wollen wir uns daher zunächst zuwenden.

Die erstgenannte Jagdart ist eine der einfachsten, die es gibt, ja, man könnte sagen, sie ist eigentlich zu einfach, um Spaß zu machen. Weiß man einen befahrenen Bau, in dem sich der Dachs einigermaßen ungestört fühlt, dann begibt man sich – möglichst erst im September, nicht schon im Juli, wie es der Jagdschein leider erlaubt – 1–2 Stunden vor Ende des Büchsenlichtes dorthin und setzt sich unter Wind unweit der meist benutzten Ausfahrt an. Auch bei vielröhrigen Mutterbauen werden jeweils nur 1–2 Röhren in Benutzung genommen, die an der frisch ausgeworfenen Erde als *befahren* zu erkennen sind.

Das Erscheinen des Dachses kündigt sich nicht selten durch ein Poltern und Rumpeln im Bau an. Nach dem Sichern und Ausfahren schüttelt er sich gewöhnlich stark, um die Erde aus der Schwarte zu entfernen, wälzt sich wohl auch und nimmt dann bald den stark ausgetretenen Hauptpaß an, auf dem er meist ziemlich rasch davontrabt. Dieser Moment ist der günstigste zum Schuß. Der Dachs muß dann schon 10–20 m von der Ausfahrt entfernt sein, damit notfalls noch ein zweiter Schuß anzubringen ist. Wichtiger als die Möglichkeit, die Ausfahrt selbst mit Schrot bestreichen zu können, ist also ein günstig zum Paß gewählter Ansitzplatz. Man schießt mit $3^1/_2$- oder 4-mm-Schroten auf Entfernungen von keinesfalls mehr als 20 m, besser auf 12–15 m.

Das Gesagte betrifft die Jagd auf den voll ausgewachsenen, einzelnen Dachs. Etwas anders gestaltet sich die Jagd, wenn es sich um einen Mutterbau handelt, der von der Fähe und zwei bis drei Jungdachsen bewohnt ist, die im September schon zu ziemlicher Größe herangewachsen und von der Mutterfähe nicht immer auf den ersten Blick zu unterscheiden sind. Da hilft das eingangs erwähnte Ansprechmerkmal, der relativ breiter erscheinende weiße Mittelstreifen am Kopf, dessen Weiß auch etwas reiner, leuchtender wirkt als das der Alten. Bei einem Anfang September erlegten Jungdachs ist das Rückenhaar der Schwarte schon lang genug, um mindestens zwei der berühmten Dachshaarpinsel zum Rasieren zu liefern. Dem Berufsjäger, der das Binden versteht, erbringt eine so genutzte Schwarte ein Vielfaches von dem Preis, den ihm der Fellhändler zahlt! Es gibt jetzt auch eine Pinselfabrik in Itzehoe (Holstein), die bei Einsendung einer brauchbaren Schwarte dem Jäger einen Dachshaarpinsel rückvergütet – ein Objekt, das heute (1960), im Laden gekauft, nicht unter 30 DM zu haben ist.

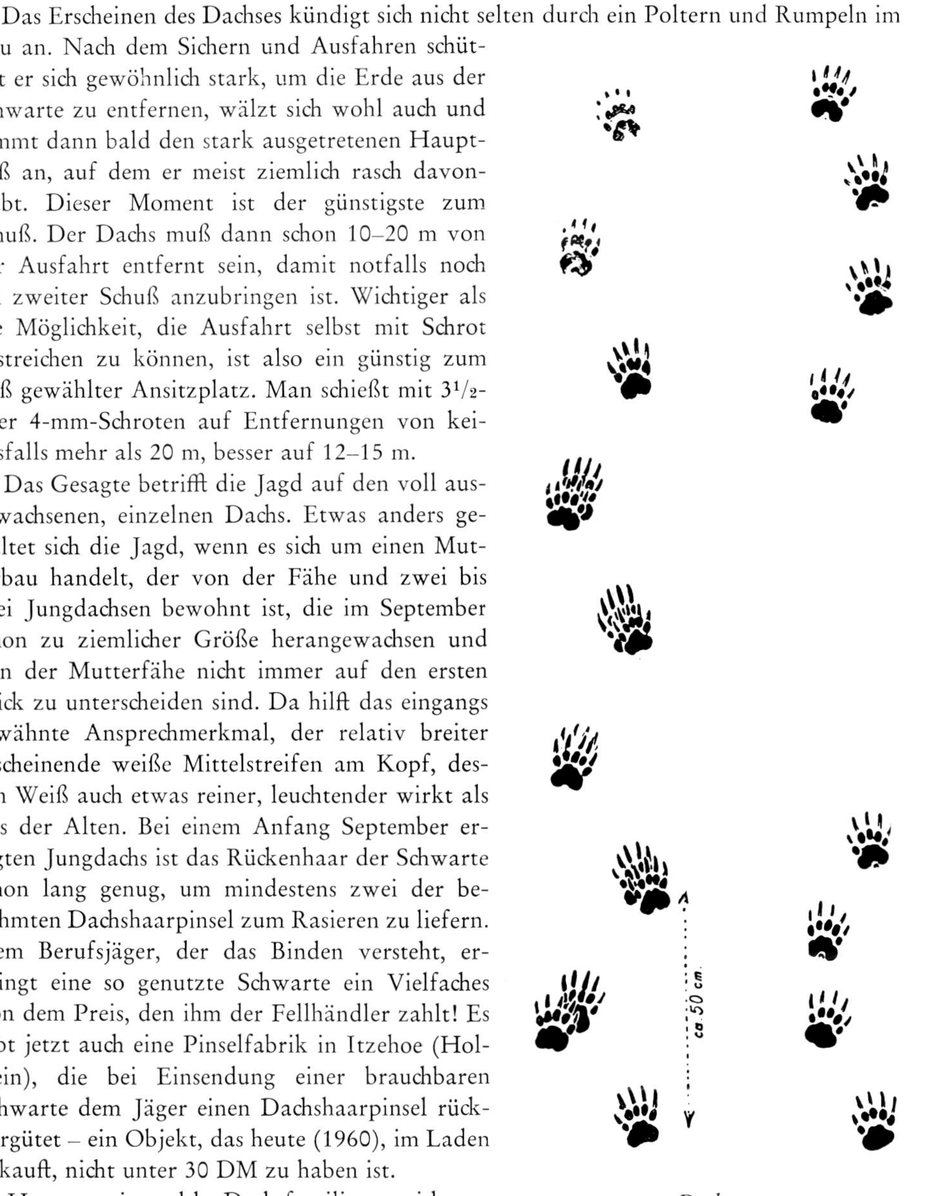

Dachsspur
Links: trabend, rechts: flüchtig

Hat man eine solche Dachsfamilie vor sich, aus der zur Verminderung des Besatzes der eine oder andere geschossen werden *muß*, dann wählt man richtigerweise einen Jungdachs aus. Hierbei kann man sich Zeit lassen, denn die *Familie* hält sich meist eine Viertel- bis eine halbe Stunde am Bau auf. Auch braucht man nicht das Maß von Vorsicht anzuwenden, das beim einzellebenden Altdachs vonnöten ist, weil die grauen Gesellen ziemlichen Lärm machen. Dem Herausgeber gelang es, im Herbst ohne besondere Schwierigkeiten eine solche Familie am Bau auf acht Meter anzupürschen und den stärksten Jungdachs zu erlegen.

Fährt ein mit Schrot geschossener Dachs noch zu Bau, dann braucht man nicht alle Hoffnung aufzugeben, sondern schneidet sich, nachdem einige Zeit verstrichen ist, eine Rute, an deren Spitze man eine kleine Stablampe befestigt, und leuchtet mit dieser in die Einfahrt, wo man ihn oft verendet liegen findet. Man kann ihn dann mit dem Krückstock oder einer mit einem als Widerhaken wirkenden Aststumpf versehenen Gerte herausziehen, oder man macht einen kleinen Einschlag.

Über den Anstand am Bau im Spätherbst, unter Ausnutzung des Mondlichtes, berichtet mir Herr Revierförster i. R. P. Schmidt, der Jahrzehnte hindurch alljährlich an einem großen Mutterbau seinen Feistdachs geschossen hat, wie folgt: „Mit Ausnahme von zwei Dachsen habe ich alle Dachse bei Mondschein am Bau in Laubholzbeständen geschossen. Das Kronendach läßt nach dem Laubfall das Mondlicht besser durch, und das trockene Laub ermöglicht ein besseres Erkennen und Wahrnehmen des Dachses. Die Mehrzahl der Dachse schoß ich im September und Oktober in der Zeit von 20 bis 22 Uhr. Den Frühanstand beim Morgengrauen habe ich wenig ausgenutzt, da der Dachs gewöhnlich schnell herankommt und sogleich im Bau verschwindet, während er abends meistens länger am Bau verweilt und Zeit zum guten Schuß läßt. Beabsichtigte ich, mir einen feisten Dachs zu holen, wartete ich, bis Schnee lag. Zeigten mir die Spuren im Schnee auf dem Bau an, daß ein Dachs oder auch mehrere im Bau steckten, so ging ich in schöner, windstiller, nicht zu kalter Nacht, bei Mondschein zum Bau und hatte meistens schon mit dem ersten Anstand in der Zeit von 21 bis 23 Uhr Erfolg. Ich habe mit Absicht nicht das Wort ‚Ansitz' gebraucht, denn stets habe ich mich mit gutem Wind nah an den Bau, mit dem Rücken an einen stärkeren Stamm angelehnt, angestellt. Das Gewehr nahm ich in beide Hände, um unnötige Bewegungen zu vermeiden. Geschossen habe ich mit Schrot 4 mm auf Kopf und Hals und höchstens auf 25 Schritt. Kein Dachs ist mir so verlorengegangen!

Auf die Laufschiene des Gewehrs klebte ich mir einen weißen, bei Schnee einen schwarzen, etwa 10 cm langen, 1/2 cm breiten Papierstreifen so auf, daß das Ende auf dem Korn auflag und 1 mm höher war als das Korn. Beim Zielen deckte ich mit diesem weißen bzw. schwarzen ‚Korn' Kopf und Hals des Dachses zu. Einmal gelang mir Ende September, gegen 22 Uhr, auf dem Nachhauseweg beim Pürschen durch ein Buchenaltholz im Mondlicht eine Doublette auf nach Mast stechende Dachse."

Die Pürsch auf den Dachs wird meist eine Zufallsjagd sein, wenn man Meister Grimbart am Spätabend beim Stechen nach Untermast im Fallaub eines Buchenaltholzes, auch wohl auf einer Blöße oder Wiese, erblickt. Da der Dachs schlecht äugt und oft einen Höllenlärm macht, so daß er auch schlecht vernimmt, ist es, wofern nur der Wind günstig, ein Leichtes, ihn anzugehen. So weit vom Bau entfernt, ist auch der Kugelschuß zulässig, der dann, wie beim Murmeltier, am besten als Kopfschuß angebracht wird. Andernfalls wird die Schwarte, wenn die Kugel auf einen der starken Knochen dieses Gräbers auftrifft, oft stark zerrissen. Auch bietet der Kopf mit seiner scharf abgesetzten Zeichnung im Dämmern den besten Haltepunkt.

Die eigentliche *Baujagd* gestaltet sich ungleich schwieriger als beim Fuchs, da der wehrhafte Dachs nicht häufig vor dem Bauhund springt, sondern sich meist verklüftet oder dem schneidig angreifenden Teckel oder Terrier schwere Wunden schlägt. Aus diesem Grund lassen heute viele Jäger ihre Erdhunde grundsätzlich nicht in einen als vom Dachs bewohnt erkannten Bau. Hat man einen starken und scharfen Hund zur Verfügung, der gewitzt genug ist, sich den Fängen und Branten Grimbarts nicht auszusetzen, sondern in achtungsvoller Distanz lautgebend vorliegt, und handelt es sich ferner nicht um einen der vieletagigen, ausgedehnten Mutterbaue, bei deren Graben Erdbewegungen von vielen Kubikmetern notwendig wären, dann mag man wohl auch heute einmal ein Dachsgraben veranstalten, wie es uns Meister DIEZEL schildert:

„Nur der ist imstande, die Wahrheit der Behauptung, daß das Graben zu den angenehmsten Jägerfreuden gehört, einzusehen, der es als Besitzer eines guten Hundes im Herbst selbst mitgemacht hat. Welche Freude gewährt es, den kleinen Kämpfer mutig in die Röhre einkriechen zu sehen! Jeder winkt dem anderen mit der Hand, still zu sein, und sucht sich ein Plätzchen zum Horchen. Alles stille! Einer sucht in den Mienen des anderen zu lesen, ob er nichts höre. Nichts! Die Hoffnung fängt schon an zu sinken! Da und dort steht mancher verdrießlich vom Boden auf und will seinem Unmut Worte geben, da ruft einer der Geduldigen, die liegengeblieben waren, ein bezauberndes St! Stille! Horcht!

Sobald sich jeder von der Wahrheit überzeugt und den ersehnten Laut gehört hat, ist er auch sogleich bereit, seine Meinung über die Gegend zu sagen, woher der Laut kommt. Jeder legt das Ohr an den Platz, den der Jäger als den richtigen bezeichnet, und bestätigt seine Angabe, wobei jeder nach Hacke und Schaufel usw. ruft, um die Arbeit zu beginnen.

Mühsam wird von den Arbeitern der ‚Einschlag' oder ‚Kasten' nach Angabe des Jägers gemacht; langsam geht, trotz der größten Eile, das Werk vonstatten, von Zeit zu Zeit neigt einer oder der andere das Ohr, um zu vernehmen, ob der Hund noch auf demselben Platz vorliege, da ertönt der Schreckensruf: Der Hund ist still! Alles legt sich nieder, um sich von der Wahrheit der Jammer verbreitenden Nachricht zu überzeugen.

Nichts zu hören! Da zieht Hoffnungslosigkeit wieder in alle Herzen ein, und nur der Jäger bleibt ruhig, der als ein guter Feldherr die Burg des Belagerten mit Kennerblick übersieht und nachdenkt. Jeder sucht halb vertrauensvoll, halb verzweiflungsvoll etwas aus dem Gesicht des Waidmanns zu lesen, der ganz kalt befiehlt, den Einschlag weiterzuführen und nur noch mehr in die Länge zu ziehen.

Da schütteln die meisten der Anwesenden gewaltig den Kopf und scheinen diese Maßregel durchaus nicht für gut zu halten; allein unverdrossen und voll Vertrauen bleiben die Arbeiter, die aus Erfahrung wissen, daß sie auf diese Art sicher zum Ziele gelangen. Endlich, unter großer Ungeduld der Zuschauer, wird eine Röhre erreicht, und alle drängen sich voll Erwartung hinzu, doch nichts ist zu sehen, nichts zu hören; vergebens strengt jeder sein Gehör nach Möglichkeit an, um einen Laut des Hundes zu vernehmen – und immer mutloser wird die Schar. Da hört man auf einmal ganz deutlich, und näher, als man zu hoffen gewagt, den tapferen ‚Bergmann', und triumphierend, ja die Furcht der Zweifler fast ein wenig verhöhnend, blickt der Jäger um sich und kann es sich nicht versagen, unter die Befehle, die er erteilt, Worte des Lobes für seinen Hund zu mischen; er wirft sich auf den Boden, lauscht, springt voll Gewißheit, daß der Kampfplatz gefunden sei, wieder auf, mit einer Hacke schlägt er heftig die Erde, lauscht dann wieder und läßt endlich, überzeugt, daß der Belagerte keinen Zufluchtsort mehr habe und die letzte Schanze schon erstürmt werde, die *letzte* Vertiefung des Einschlages machen.

Mit doppeltem Eifer geht man an die Arbeit, immer deutlicher wird ‚Bergmann' gehört, und öftere Schmerzenslaute des Angreifers lassen schließen, daß der Kampf sehr heiß sei. Kann auch der Jäger in diesem Augenblick keine tätige Hilfe leisten, so ist er doch bemüht, durch Zuruf den Gegner seines Schützlings zu schrecken und den Mut des Hundes aufs höchste anzuspornen. Endlich wird die mühevolle Arbeit belohnt; der hohle Ton, den die Hacke erzeugt, und der schmutziggraue Boden lassen die Röhre erwarten, und vorsichtig sucht der Herr des Hundes sie zu gewinnen; doch die Vermutung bestätigt sich, daß sie nicht gerade auf den Dachs, sondern auf den Hund treffen, der, als er die Hilfe so nahe sieht, mit wahrer Wut seinem Feinde zu Leibe geht. Alles drängt sich um den Einschlag,

um Zeuge des Kampfes zu sein; allein nur der angreifende Teil ist sichtbar, wie er bemüht ist, die sich stets erneuernde Schanze niederzureißen und dem Belagerten keine Zeit zu lassen, ein größeres Bollwerk aufzutürmen.

Schon wird von manchem Unkundigen der Vorschlag gemacht, nachzugraben, um an den Dachs zu kommen, doch lächelnd schweigt der Jäger zu diesem wie zu manchem anderen Rate und sucht sich aus der Gesellschaft den Schießbegierigsten heraus, um ihm die Freude zu machen, den Dachs zu erlegen. Bald ist er gefunden, denn unter mehreren, die die Flinte ergriffen haben, zeichnet sich einer durch den brennenden Blick, mit dem er gleichsam die Erde durchbohrt, durch die schußfertige Stellung, durch das Zurückdrängen der anderen so sehr aus, daß man leicht den Neuling erkennen kann und der Jäger die

Überzeugung gewinnen muß, daß gerade diesem der Ruhm, den alten Burgherrn gefällt zu haben, unschätzbar sein werde.

Mit manchem scheelen Seitenblick auf den Begünstigten wird von der übrigen Gesellschaft der Ausspruch vernommen, daß diesem, als dem jüngsten, die Ehre des Schusses zuteil werden soll! Doch ehe dem Erkorenen der Platz am Einschlag eingeräumt wird, läßt der Jäger erst vorsichtig die aufgegrabenen Röhren rückwärts verstopfen und nimmt den vorliegenden Hund an. Jetzt wird der Schütze angestellt: Schußfertig erwartet er den grauen Höhlenbewohner, und jeder drängt sich, soviel der Raum es gestattet, hinter ihn, um Zeuge des Heldenwerks zu sein. Da auf einmal zeigt sich der Feind und will schnell in die gegenüberliegende Röhre fahren; allein wie so manches Vorhaben in der Welt unausgeführt bleibt, so auch dieses, denn kaum blickt er heraus, so streckt ihn schon ein wohlangebrachter Schuß nieder. Dieser Schuß gibt das Signal zu allgemeiner Unordnung: Menschen, Hunde, alles stürzt über den Hingesunkenen her, um sich am Herausziehen zu beteiligen."

Der eigentliche Monat für die Baujagd auf den Dachs ist der November, was nicht heißen soll, daß man nicht schon in der zweiten Oktoberhälfte und, bei offenem Wetter, auch noch im Dezember graben kann. Ist die Witterung milde und sind die Dachse voraussichtlich noch allnächtlich außer Bau, dann kann man durch nächtliches Verwittern nicht bejagbarer Mutterbaue mit Petroleum den Feistdachs zum Aufsuchen eines in der Nähe befindlichen kleineren und besser zu grabenden Baues zwingen.

Die Stelle des Einschlages bestimmt man, wie DIEZEL uns das schildert, mit dem Gehör, wobei man nie nach dem Laut urteilen darf, den man vom Eingang des Rohres aus hört, sondern nach dem, der vernommen wird, wenn man sich über der Stelle niederlegt, wo der Hund Laut gibt. Dieser Laut ist leicht kenntlich, denn man glaubt ihn nahe am Ohr und gleichsam doppelt zu hören. Vor dem Einschlagen soll der Hund noch einmal angehetzt werden, und es ist auch gut, wenn man durch starkes Stampfen und Aufschlagen mit dem platten Spaten über der betreffenden Stelle Lärm macht, um so den Dachs zu bewegen, sich noch weiter zurückzuziehen, falls er nicht schon am Ende einer Sackröhre steckt. Man spart sich damit weitere Einschläge. Beim Einschlag muß man sich, wenn man schon in Rohrnähe vorgedrungen ist, in acht nehmen, den Hund beim Einstoßen des Spatens nicht zu verletzen. Am günstigsten ist es, wenn das Rohr zwischen dem vorliegenden Hunde und dem Dachs durchstoßen wird. Auf jeden Fall ist nach gelungenem Einschlag der Hund sogleich herauszuheben, man sieht dann entweder den Dachs sitzen und kann ihn mit einem Schuß erledigen, oder er kommt, nun nicht mehr vom Hunde in die Enge getrieben, ans Licht, um die Röhre an der anderen Seite des Einschlages zu gewinnen, und muß diesen Versuch mit dem Leben bezahlen; genauso verhält sich der Fuchs.

Hat sich der Dachs dennoch verklüftet, dann muß man nochmals einschlagen oder, wenn der Boden dazu geeignet ist, nachkesseln. Man stößt dann von hinten auf den Dachs, und herzhafte Jäger bringen den Schneid auf, mit raschem Zugriff ihn an seiner Hinterbrante herauszuziehen und mit kräftigem Schwung vor den Bau zu schleudern, wo er dann sein Leben lassen muß. In alten Zeiten benutzte man mannigfache Instrumente zum Ergreifen und Festhalten des Dachses, die heute nur noch historisches Interesse haben, wie Dachszange und Dachsgabel.

Zum Schluß sei noch einer höchst interessanten, an die alte *Nachthetze* erinnernden, doch modifizierten Methode gedacht, die ich bei einem Berufsjäger der Steiermark kennenlernte. Dieser führte eine außerordentlich scharfe Hannoversche Schweißhündin, die, sehr vielseitig, förmlich als „Gebrauchshund" gelten konnte. Eines Nachts nun, bei Vollmond, zeigte die wie stets frei bei Fuß folgende Hündin ihrem Herrn Wild an, und beim Näherpürschen erwies es sich, daß da ein Dachs herumwurzelte, den der sogleich angehetzte Hund binnen kürzester Zeit stellte und verbellte, so daß der Oberjäger ihn erlegen konnte. Durch diesen Zufallserfolg aufmerksam gemacht, beschloß er, die wegen des Auerwildes dort sehr notwendig erscheinende Verminderung der allzu vielen Dachse planmäßig mit dieser Jagdart zu betreiben, und der Erfolg gab ihm recht. Binnen fünf Jahren schoß er vor seinem stellenden und verbellenden Schweißhund auf diese Weise mehr als 60 Dachse, und auch in anderem Betracht stellte sich ein Erfolg ein: statt der zwei balzenden Hähne hatte er nach der genannten Frist deren ein Dutzend!

Die Verbreitungsdichte des Dachses in Deutschland läßt sich auf etwa 5 %, maximal 15 % derjenigen des Fuchses veranschlagen, doch wechselt das Verhältnis. Die amtlichen Strecken der Jahre 1935–39 gaben in Deutschland jährlich rund 18 000 Dachse an, eine Zahl, die viel zu niedrig ist, weil sie die von den Forstbeamten gelegentlich der Einzeljagd erlegten nicht oder nur zum Teil erfaßte. Sie dürfte also auf mindestens 25 000 zu erhöhen sein. Da die Dachsschwarte ihren Wert gehalten, ja noch gesteigert hat, hat sich das Interesse der Jäger an dieser Wildart verstärkt, doch ist bei der Einstellung gerade der Waldjäger zu ihr eine scharfe Bejagung nicht zu befürchten. Eine viel ernstere Gefahr bilden die Forderungen verschiedener Jagd- und Veterinärbehörden nach erbarmungsloser Ausrottung, unter Aufhebung der Schonzeit, auf Grund der grassierenden Tollwut. Aber tröstlich klingt uns das Wort aus dem alten Preußen im Ohr: „Es ist schon manche übereilte Reform an dem gesunden Wirklichkeitssinn des Forstbeamten gescheitert!“

DER FISCHOTTER

Etwas Sprachliches sei vorausgeschickt: Der *Artname,* der sich vom althochdeutschen „ottaro“ herleitet, was wiederum mit dem griechischen „hydra“ verwandt ist und „Wassertier“ bedeutet, ist männlich. Es heißt also *der* Otter, nur in der Mehrzahl *die* Otter. Die neuerdings vielfach gebrauchte Pluralform „die Ottern“ ist eine gedankenlose Angleichung an die für „Kreuzotter“; sie würde jedem Volksschulkind einen Fehlerstrich eintragen und sollte endlich gerade auch aus der Jagdpresse verschwinden.

Otter haben eine *Länge* von $1^1/_4$–$1^1/_2$ m, eine marderähnliche, aber gedrungenere Gestalt, jedoch eine sehr viel bedeutendere Größe. Das *Gewicht* voll erwachsener Rüden beträgt 7,5–12 kg, einzelne sollen bis 14 kg wiegen (GRÜNWALD, W. u. H. 59, S. 91). Fähen

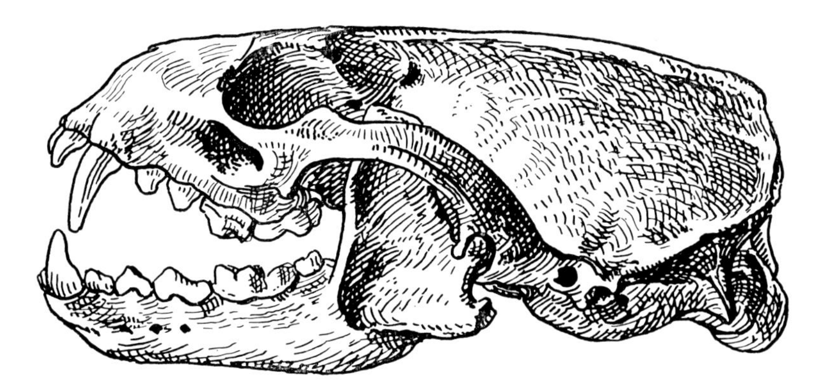

Fischotterschädel (nat. Größe)

sind geringer. Eine führende Otterin wurde mit 6,5 kg gewogen, ein sehr altes Exemplar aus Hessen mit 8,5 kg. Die *Farbe* wird von beinahe allen Autoren als kastanienbraun angegeben, was nicht im geringsten zutrifft, es sei denn, es wären alte Futterkastanien gemeint. Aber auch dann ist der Vergleich nicht ganz zutreffend. Sie ist vielmehr kaffeebohnenfarben – wie geröstete Bohnen, versteht sich. Der Irrtum rührt daher, daß entfettete, präparierte Bälge mit der Zeit fuchsig werden; nach solchen Bälgen beschrieben die Stubengelehrten das Tier – und das schrieb sich so fort. Teile der Unterlippe, Kinn und Kehle sind grau. Junge Tiere sind, auch auf der Unterseite, dunkler braun als alte. Die starken und festen, braunen Grannenhaare sind an der Wurzel graulich, die besonders feine, dichte Unterwolle graubraun mit dunkleren Spitzen. Beim lebenden Tier fällt die an der Wurzel sehr starke, sich gleichmäßig verjüngende, mäßig lange Rute auf und der verhältnismäßig kleine, oben stark abgeplattete Kopf (Schädel s. Abb.). Zahnformel$^{3141}/_{3132}$.

Die *Spur* (Abb. S. 190) der mit je 5 Zehen versehenen Vorder- und Hinterbranten ist durch den Abdruck der Schwimmhäute gekennzeichnet. Die Losung, frisch grünlich, trokken geworden mehr grau, weist fast immer Fischschuppen und -gräten auf. Krebsschalen, die die Verdauungswege des Otters passiert haben, sind wie nach dem Kochen rot (Fm. SEITZ, H. SCHRÖDER). Die Losung hat einen starken, tranigen Fischgeruch.

Unser Fischotter (Lutra lutra [L.]) *bewohnt* ganz Europa und den größten Teil Mittel- und Nordasiens bis etwa zum Polarkreis, in nächstverwandten Formen auch Indien, Japan und Nordamerika. Er ist keineswegs auf das Süßwasser beschränkt, sondern vermag auch im Brackwasser und Salzwasser zu existieren und kommt also sowohl in Haffgebieten, als auch auf küstennahen Inseln des Meeres vor (so unlängst auf Borkum) und besucht regelmäßig die Schären der skandinavischen Küsten. Hieraus erklärt sich auch der Irrtum mancher deutscher Jäger, die vermeinten, in Skandinavien *Seeotter* gesehen zu haben: Der Seeotter erreicht ein Gewicht von 30–40 kg und bewohnt ausschließlich die Küsten des Stillen Ozeans.

Otterspur
Links: Paartritt, rechts: flüchtig

Bei uns bewohnt der Fischotter in heute außerordentlich geringer Siedlungsdichte diejenigen Gewässer, deren Verschmutzungsgrad noch erträglich ist, so daß sie einen gewissen Fischreichtum aufweisen. Da naturgemäß alle Fischzuchtanstalten und Teichwirtschaften hierunter fallen, kann sein Schaden, wo er nicht etwa schon gänzlich ausgerottet wurde, dort immer noch so groß sein wie vor Jahrzehnten, so daß die Klagen über ihn wohl erst mit dem Verschwinden der Letzten seines Stammes verstummen dürften. Die heutigen Jäger sind an dem Seltenerwerden dieser reizvollen Tierart nicht unbedingt schuld. Sie waren es, die mit dem ganzjährigen Schutze der Art während der Geltungsdauer des Reichsjagdgesetzes sogar eine gewisse Wiedervermehrung erreicht hatten. Diese setzte sich nach dem zweiten Weltkriege fort, wie das Dr. F. SCHIEMENZ für Niedersachsen nachwies. Doch ist sie heute wieder rückläufig, da der ganzjährige Schutz auf Veranlassung der Fischereiinteressenten in den meisten Ländern nicht mehr aufrecht erhalten wurde; das Tellereisenverbot läßt aber erhoffen, daß dieses schöne Tier uns doch noch bis auf weiteres erhalten bleibt. Nicht ganz selten ist er in Ostfriesland, im Reg.-Bez. Stade und Teilen Schleswig-Holsteins; neuerdings wird, wie mir Herr Regierungsdirektor GÜNDER vom Bayerischen Landwirtschaftsministerium mitteilte, eine gewisse Zuwanderung aus der Tschechoslowakei in die Reg.-Bez. Niederbayern und Oberpfalz beobachtet.

Bevorzugter Aufenthalt sind bewaldete Ufer nicht zu flacher Bäche und Flüsse, Auwaldungen, stille Seen mit ausgedehnten Rohrbreiten, Niederungen mit zahlreichen Teichen und Wasserläufen. Aber nicht nur am Meer, sondern auch im Gebirge ist er zu finden und überwindet dort selbst im Winter beachtliche Höhen, um von einem Flußsystem in das andere zu gelangen. So überstieg einer seiner Art den Siedleckrücken (1460 m) am Hochgirn (Chiemgau) bei einer Schneelage von 1,50 m, und in den Zentralalpen – wo er jetzt

leider so gut wie ausgerottet ist – wurden noch größere Höhen überwunden. Die bei solchen Gelegenheiten im Pulverschnee hinterlassene „Kriechspur" hat zur Entstehung der Sage vom Tatzelwurm, dem rätselhaften Untier der Älpler, mit beigetragen.

Der Bau des Otters hat, wie der der meisten Wassersäuger, im Regelfalle eine unter Wasser mündende Ausfahrt und einen hochgelegenen Kessel, der einen Luftgang zum Lande zu hat. Doch werden oft Schlupfwinkel unter überhängenden Ufern, im Weidicht, auf Bülten zum Tagesaufenthalt gewählt, mitunter auch ufernahe Fuchs-, Dachs- oder Kaninchenbaue, und man hat Otter auch schon in Dickungen angetroffen. Bei Hochwasser wird er aus seinem gewohnten Lebensraum vertrieben, so daß in vergangenen Zeiten bei solcher Gelegenheit die Suche auf Dämmen und Steilufern oder hochragenden Böschungen sich lohnen konnte.

Nahrung sind Fische, unter denen er Forellen, Äschen, Karpfen und Aale bevorzugen soll, wenn man den Angaben der Fischer trauen darf. Er nimmt jedoch auch Lurche, Wassergeflügel, vornehmlich Enten und Bläßhühner, Nager – darunter auch Bisamratten, wie im Sudetenland beobachtet wurde – und, wo die Gunst des Ortes es ihm bietet, Obst- und andere Pflanzenkost. Krebse scheinen einen besonderen Leckerbissen zu bilden; zahme Otter sind an nahezu jede Nahrung zu gewöhnen. – Bei der Jagd richtet sich der Otter meist gegen den Strom, wie er denn jagend kleinere Wasserläufe gewöhnlich von der Mündung her aufsucht. Er durchstreift mit einiger Regelmäßigkeit größere Bach- und Flußsysteme und gelangt, je nach deren Ausdehnung, in Abständen von 1–6 Wochen immer wieder einmal an die alten Ausstiege. Doch hält er sich bisweilen auch mehrere Tage an einem günstigen Orte. Bei seinen Wanderungen vermag er, auch auf dem Lande, erstaunlich große Strecken – bis zu 40 km! – in einer Nacht zurückzulegen (Schiemenz). Bisweilen jagen Otter gesellig, und nicht nur Fähen mit Jungtieren. Überhaupt leben sie geselliger als die Landmarder, worauf auch der enge Anschluß gezähmter Tiere an den Menschen hindeutet (s. u.). Fm. Simon sprengte einst drei Altotter aus einem Mutterbau mit kleinen Jungen. Vom Otter erbeutete Kleinfische werden im Wasser selbst, nach O. Leege sogar unter Wasser, verzehrt; größere schluckt er, wassertretend, in aufrechter Stellung oder trägt sie an Land. Fraßreste sind dadurch gekennzeichnet, daß der Kopf des Fisches meist erhalten, der Körper vom Rücken her angeschnitten ist.

Otter können in jedem Monat des Jahres ranzen und also auch Junge bringen. Es wird jedoch von Kennern meist ein Ranzen im Februar berichtet, dem dann die Geburt der Jungen nach $8^1/_2$–9 Wochen, also Ende April, Anfang Mai, folge. Nach Beobachtungen der Amerikaner kommt auch verlängerte Tragzeit (8–10 Monate) vor. – Im Sommer werden oft Junge gefunden, seltener in den Wintermonaten. Meist sind es drei, selten mehr, doch fand der bekannte mecklenburgische Forstmann KÖSTER, ein zuverlässiger Beobachter, einmal auf einer Kaupe im Rohr deren sieben – vielleicht von zwei Otterfähen (W. u. H. 1938). Zwei Würfe im Jahr wurden behauptet, z. B. im französischen Schrifttum, doch ist mir das höchst unwahrscheinlich, schon auf Grund der langen Entwicklungs-, Aufzucht- und Führungszeit. Die Jungen bleiben monatelang mit der Mutter, mitunter auch wohl mit beiden Eltern, zusammen. Ihre Fortpflanzungsfähigkeit erreichen sie wahrscheinlich erst mit $1^1/_2$–$2^1/_2$ Jahren. Ob die Otterin alljährlich Junge bringt, wissen wir nicht. Es möchte mir nach Vergleichen mit anderen Marderartigen zweifelhaft erscheinen. Die Lebensdauer wird mit 15–18 Jahren angegeben.

Die Stimme des Otters ist das bekannte Pfeifen, das vielfach auch solche Jäger schon gehört haben, die noch keinen der interessanten Fischmarder in Anblick bekamen. Der gereizte Otter hat einen von G. SIMON in seiner ausgezeichneten Schrift über Fuchs, Marder und Otter genau beschriebenen, murrenden Laut, der in äußerster Wut zu einem gellenden Kreischen wird; die Jungen haben ein leises Fiepen, später einen meckernden Ton, dem „eines ganz jungen Ziegenlammes täuschend ähnlich" (ECKSTEIN). v. SANDEN hörte auch kichernde Laute von ihnen. Unsere Tierart ist nicht nur stimmbegabt, sondern macht von den ihr eigenen Lautäußerungen auch häufigen Gebrauch.

Kein Raubtier unserer heimischen Fauna läßt sich so vollkommen zähmen, wird ein so liebevoller, anschmiegsamer Hausgenosse und erfreut in solchem Maße durch die Anmut seiner Bewegungen, durch die ständige Kontaktsuche mit seinem Pfleger den Tierfreund, wie der Fischotter. Das war schon vor Jahrhunderten bekannt, als der polnische Edelmann CHRYSOSTOMUS PASSEK seinen zahmen Otter, der zum Fischfange für seinen Herrn abgerichtet war, dem König von Polen übereignen mußte. In unserer Zeit hat WALTER v. SANDEN-GUJA seinem Liebling Ingo ein literarisches Denkmal gesetzt.[12]

Der Jäger gebraucht für den Fischotter dieselben Ausdrücke wie für das übrige Raubwild mit einigen wenigen, in der Natur der Sache liegenden Besonderheiten. So heißt das weibliche Tier *Otterin* (neben *Otterfähe*). Die Stellen, wo der Otter das Wasser verläßt, heißen *Ausstieg*. Fährt er zu Wasser, dann spricht man vom *Einstieg*. Wechselt er von einem Gewässer in ein anderes, so *geht* er über Land – kein anderes Raubwild *geht*.

Es klingt heute wie ein Märchen, daß noch vor 70 Jahren in Deutschland Otterjäger mit Meute und Harpune die Fischotterjagd betrieben. Die berühmtesten unter ihnen waren die Gebrüder SCHMIDT aus Schalksmühle in Westfalen, die über 1700 Otter vorwiegend mit dieser Jagdart erbeutet hatten, bei der die Otterhunde ihr Wild vom Ufer aufstöberten und dann laut jagend verfolgten. Hatte es sich gestellt, so wurde es mit Hilfe eines mitgeführten Erdhundes oder einer langen Rute zum Springen gebracht und dann beim Herausfahren mittels einer dreizackigen Harpune zur Strecke gebracht . . . Auch mit Hilfe quer durch einen Bachlauf gestellter Netze, in die der aufgestöberte Otter hineingetrieben wurde, wußte man sich seiner zu bemächtigen.

Die einzige heute noch geübte planmäßige Jagd auf den Otter ist der winterliche Ansitz am Ausstieg, bei Mondschein, Schnee und Eis. Da der Herausgeber selber keine Ge-

[12] W. v. SANDEN-GUJA, „Ingo, der Fischotter", Hamburg 1951.

legenheit hatte, diese Jagdart auf das heute so selten gewordene Wild auszuüben, sei eine Schilderung des vielerfahrenen Praktikers A. USINGER hierhergesetzt:

„Eine Gelegenheit, mich mit dem Otter jagdlich zu befassen, bot sich mir vor dem ersten Weltkrieg im Maingau. Hier waren es mehrere zimmerbreite, aber über hundert Meter lange Alt- bzw. Grundwassertümpel, die längs des Maines dicht am Fluß lagen und an denen die Otter mitunter zu mehreren im Winter Gastrollen gaben. Es gab nur zwei Ausstiege, die ich mit einiger Aussicht auf Erfolg nutzen konnte. Ich tat das auch, indem ich mich an dem einen Ausstieg in einer bereits vom Entenstrich herrührenden Schilfhütte, die ich gegen Wind und Wetter besser abgedichtet hatte, während mondheller Nächte ansetzte. Da ich die Mehrzahl der Ausstiege des dichten Schilfes wegen nicht einsehen konnte, war ich einzig und allein auf den Zufall angewiesen, daß der Otter an den fraglichen zwei Stellen einmal an Land stieg. Bei meiner damaligen Passion hat mich das jedoch kaum gestört, im Gegenteil, es zog mich, auch wenn ich schon ein halbes Dutzend Male vergeblich angesessen und, steif gefroren, mir geschworen hatte, daß es die letzte Nacht gewesen sei, beim nächsten Mondschein wieder zu den Tümpeln hin. Und zwar um so stärker, als ich den oder die Otter schon des öfteren von weitem im Wasser rumoren gehört und wiederholt auch an meinem Schirm vorbeirinnen gesehen hatte. Schon damals und erst recht später bin ich zu der Überzeugung gelangt, daß das geräuschvolle Benehmen des Otters im Wasser keineswegs mit Übermut oder Spielerei etwas zu tun hat, sondern dem Zwecke dient, die Fische nach den Ufern hin zu treiben, wo der Otter sie zwischen Steinen, Wurzelstöcken und in Uferlöchern sicherlich leichter zu greifen vermag, als im offenen Wasser. So nämlich glaube ich es mir wenigstens erklären zu können, weshalb man den Otter nur anfänglich, und zwar mitten im Gewässer, planschen hört, während, bevor er mit einem Fisch aussteigt, stets eine Zeitlang Ruhe geherrscht hat. Damit soll allerdings nicht gesagt sein, daß der Otter mit jedem Fisch, den er gefangen hat, an Land geht. Er tut das meines Erachtens nur dann, wenn es sich um einen größeren Fisch oder aber um einen Krebs handelt.

Die Versuchung, auf den vorbeirinnenden Otter zu schießen, war begreiflicherweise sehr groß. Als junger Jäger würde ich ihr kaum widerstanden haben, wenn mich mein Vater nicht immer wieder vor einem solchen Schuß gewarnt hätte. Und zwar hauptsächlich deshalb, weil der Otter auf einen sofort tödlichen Schuß hin wie ein Stein untersinkt und dann, wie ich später erlebte, aus tiefem, unklarem Wasser nicht oder nur schwer geborgen werden kann. Die Befolgung dieses Ratschlages und meine Ausdauer haben schließlich auch mich zu einem Erfolg geführt, denn als ich wieder einmal vor Mitternacht in der Hütte saß, stieg der Otter, der vorher im Tümpel tüchtig geplanscht hatte, etwa dreißig Gänge vor mir an Land. Im trügerischen Licht des Mondes stand er dort riesengroß im Schnee und schüttelte sich, bevor ich schoß, wie ein Hund, so daß die im Mondschein glitzernden Wassertropfen aus dem Balg wie ein Goldregen aufsprühten."

DIE WILDKATZE

Unstreitig ist die Wildkatze, *Felis silvestris* (SCHREBER), eine der interessantesten Raubwildarten Europas, und das aus verschiedenen Gründen. Einmal ist sie zwar nicht die Stammform, aber doch *eine* Wildform unserer Hauskatze, und vergleichende Untersuchungen ihres Verhaltens gegenüber dem des nahverwandten Haustieres, wie sie LEYHAUSEN vorgenommen hat, erwiesen sich als besonders aufschlußreich. Ferner webt ihre Seltenheit einen geheimnisvollen Schleier um sie, der durch die verborgene Lebensweise, die sie führt, noch verstärkt wird. Und schließlich ist gerade die erwähnte Seltenheit auf verschiedene Ursachen zurückzuführen, die im einzelnen wiederum von gewissem Interesse sind.

Die Wildkatze lebt nämlich im *nördlichen* Mitteleuropa unter äußerst harten Bedingungen. Sie ist in *Rückzugsgebiete* verdrängt, die kälter und nahrungsärmer sind, als sie es haben möchte. Der Lebenskampf ist hier für sie härter als anderwärts, auch der gegen Nahrungskonkurrenten der eigenen Art. Was in Jahrtausenden überlebte, waren bei uns die Unduldsamsten, die Unverträglichen, die Einzelgänger. Aus ihnen konnte kein Haustier werden. Stammutter der Hauskatze ist die mehr gesellig lebende ägyptische Falbkatze, die afrikanische Vertreterin unserer Art, die erst im Mittelalter die halbzahm um die Gehöfte lebenden Wiesel ersetzte, die damals die Bekämpfung der nagenden Vorratsschädlinge besorgten. Doch belegten Wildkater oft die ranzenden Hauskatzen waldnaher Gehöfte, und so ist in West- und Mitteleuropa viel europäisches Wildkatzenblut in das Haustier geflossen.

Unsere reinblütige deutsche Wildkatze aber muß als eine der wenigen Tierarten gelten, die wegen ihrer *rabiaten Wildheit* als unzähmbar zu bezeichnen ist. Selbst solche Tiere, die mit Hilfe von Hauskatzenammen aufgezogen sind, erscheinen niemals richtig zahm. Merkwürdigerweise scheint das bei der französischen Wildkatze nach Studien und gelungenen Zuchten Prof. Dr. CONDÉs in Nancy anders zu sein, ebenso bei der südosteuropäischen Form, die M. BURGER 1962 nach vierjähriger paarweiser Haltung im Magdeburger Zoo züchtete, wobei er gar noch den Kuder bei der Kätzin beließ, die dieser in den ersten Tagen nach der Geburt der 3 Jungen mit Futter versorgte! Freilich darf man aus solchen Gefangenschaftsbeobachtungen keine verallgemeinernden Schlüsse auf das Verhalten in freier Wildbahn ziehen.

Neben der geringen natürlichen *Siedlungsdichte* hat die Seltenheit der Art aber auch andere Gründe. Einmal hat die seit dem Frühmittelalter erfolgte Klimaverschlechterung das Tier zur Aufgabe von Teilen seines Siedlungsgebietes gezwungen: In Ostdeutschland und Westrußland ist sie wohl nicht durch den Menschen, sondern infolge der Klimaveränderung ausgestorben. Zum anderen nahm ihr die Rodung der Wälder Lebensraum. Die Jäger aber vollendeten die Tragödie einer Tierart, die dieses Schicksal nicht verdient hat, in dem gewaltigen Raum vom Thüringer Wald bis zu den Karawanken. „Es wird keinen Jäger geben", so heißt es noch in der 14. Auflage *dieses* Werkes, aus dem Jahre 1931, „der

der Wildkatze nicht unausgesetzt und ohne Rücksicht auf die Jahreszeit und den größeren Wert des Balges nachstellen und der ruhen und rasten würde, bevor es ihm gelungen ist, sein Revier und sein Wild von diesem unheilvollen Gaste befreit zu haben, zumal die Seltenheit des Vorkommens den Reiz der Erlegung ungemein steigert."

Warum nur wurde die *Jagdschädlichkeit* unserer Art so aufgebauscht? Auch das hat eine merkwürdige Geschichte. Das hohe Ansehen nämlich, dessen die Jägerei sich im Volke zu erfreuen hatte – etwas davon lebt ja heute noch fort -, beruhte in erster Linie auf der Helferrolle in Wald und Feld, auf der Abwehr der Großraubtiere Bär, Luchs und Wolf. So gut gelang diese Abwehr, daß die genannten Arten, von gelegentlichen Zuwanderern abgesehen, schon seit hundertfünfzig Jahren im innerdeutschen Raum nicht mehr Standwild sind. Für die Jäger, die zuvor manchen blanken Taler, manchen Freitrunk bei der Vorweisung ihrer Beute erzielten, war ihr Erfolg ein großer Schaden. Sie sahen sich nach anderen Objekten um und fanden diese in den kleineren Raubtieren, deren Gefährlichkeit für Haustier und Wild nun gewaltig übertrieben wurde. Was hat man da der Wildkatze nicht alles angedichtet! Die gesamte Beuteliste des Luchses, bis zum Rotwildkalb hinauf, wurde auf die ganz überwiegend von Mäusen lebende Art übertragen. Sie wurde zur gefährlichen Bestie und lebt als solche noch heute in den Vorstellungen vieler Menschen.

Wildkatzen gab es bis vor kurzem in Deutschland nur noch in zwei räumlich weit voneinander getrennten *Verbreitungsgebieten,* dem Harz und seinem Vorland und den mittelrheinischen Gebirgen, vom Taunus und Westerwald bis zum Hunsrück, dem Hochwald bei Trier und der Eifel mit ihren Vorbergen, schließlich im Pfälzerwald. Noch vor hundert Jahren war sie in ganz Mittel-, West- und Süddeutschland, einschließlich der Alpen, zu

Hause. Ihre 1922 vornehmlich durch den damaligen Landforstmeister BORGGREVE bewirkte Unterschutzstellung im ehemaligen Preußen rettete einen geringen Besatz vor dem völligen Aussterben, vermochte aber kaum eine Vermehrung der Art zu erreichen. Erst die Kriegs- und Nachkriegsjahre, das Tellereisen-Verbot und das Verbot der Waffenführung durch die Besatzungsmacht bewirkten im Verein mit einem Gesinnungswandel der Jägerei und den Übernutzungen der Wälder, die von Massenvermehrungen waldbewohnender Mäuse gefolgt waren, eine kräftige Wiedervermehrung und Ausbreitung der Art, die heute wieder Thüringen besiedelt, Sachsen, das Werragebiet, den Knüll, Vogelsberg, die Rhön, ja Franken erreicht hat. Auch nach Norden sind einige Stücke ausgewechselt. So wurden 1949 bei Celle, 1953 unweit Dannenberg/Elbe Wildkatzen widerrechtlich erlegt. In der Lüneburger Heide dürfte sie mancherorts Standwild sein, vielleicht auch im Solling. Es ist zu hoffen, daß das geschmeidige schöne Tier, das vollausgewachsen ein Gewicht von 7 bis 8 kg, also Fuchsgröße, in einzelnen Fällen sogar 10 kg erreicht (bei einer Gesamtlänge von 1 bis 1,20 m, wovon 30 bis 40 cm auf die Rute entfallen), den verlorenen Siedlungsraum mählich wiedergewinnt.

Außerhalb Deutschland findet sich die Wildkatze in Portugal und Spanien, Schottland, verhältnismäßig häufig noch in Frankreich (Ostpyrenäen, Orleans, ostfranzösische Mittelgebirge), im belgischen Teil der Ardennen, in Italien und in den Balkanländern. Nahverwandte Formen leben in Asien und Afrika.

Das *Ranzen* findet im Februar/März statt, im Harz offenbar etwas später als im milderen Klima der Rheingegend. Der Kuder, wahrscheinlich aber auch die Kätzin „jaulen dann mit Baßstimme", die sich zu gellendem Kreischen erhebt, genauso, wie es die Hauskatzen tun. Die Trächtigkeitsdauer beträgt bei der nahverwandten schottischen Rasse 68 Tage. So wird auch unsere heimische Wildkatze 9 bis 10 Wochen dickgehen. Gehecke wurden bei unserer Art ganz überwiegend im Mai und Juni gefunden. Es wird alljährlich nur ein Wurf gemacht, dessen Stärke (1–) 2–4 (–5) beträgt. Im Harz sind es meist 2 bis 3 Junge, in milderen Gegenden 3 bis 4. Die Jungen fallen durch ihre in den ersten Lebenswochen leuchtend blaue Augenfarbe auf und sind beträchtlich stärker gestreift und gefleckt, als später das erwachsene Tier. Mit knapp 3 Wochen können sie schon gehen, ja, ein wenig springen und klettern. Mit fünf bis sechs Wochen beherrschen sie diese Bewegungsformen schon gut, vermögen sich auch an eine Beute anzuschleichen und begleiten vermutlich in diesem Alter die Mutter schon auf kurzen Reviergängen. Die Lautäußerungen sind denen der Hauskatze sehr ähnlich; besonders häufig hört man ein tiefes Knurren, auch das Schnurren haben sie mit der Hauskatze gemein, lassen es aber nicht eben häufig hören.

Unter der *Nahrung* der Wildkatze spielen kleine Nager, insbesondere Mäusearten, die wichtigste Rolle. Eine mir eingesandte, als wildernde Hauskatze irrtümlich erlegte junge Wildkatze, die östlich von Hildesheim auf einer alten Waldbrandfläche zur Strecke gekommen war, hatte 6 Wühlmäuse, und zwar je 3 Erd- und Feldmäuse, im Magen; ähnlich andere, aus allen Teilen des Verbreitungsgebietes in der Bundesrepublik stammende. Dasselbe stellten schottische Wildbiologen bei der dortigen Wildkatze fest. Ihre Jagdschädlichkeit ist also nicht bedeutend. Es ist aber nicht zu leugnen, daß die Wildkatze in der Setzzeit auch Rehkitze reißt, und starke Kuder vermögen im Herbst und Winter auch ausgewachsenes Rehwild zu bewältigen. Diese Verluste spielen jedoch bei der Seltenheit und geringen Siedlungsdichte der Art meist keine Rolle, ebensowenig die ihr nachgewiesenen Hasenrisse; denn in den Revieren, in denen sich die Wildkatze heimisch fühlt, liegt der Nachdruck des Jagdbetriebs ohnehin beim Hoch-, nicht beim Niederwild.

„Als optimaler Biotop der Wildkatze", so sagt ein Kenner der Art, „sind abwechslungsreiche Waldkomplexe mit kleineren baumlosen Flächen wie Lichtungen, Waldwiesen, Windbrüchen und Steinhalden anzusehen. Dort findet sie genügend Kleinnager und eine reiche Kleinvogelfauna vor." In der Tat ist die Wildkatze zwar in ihrem Harzvorkommen ein ausgesprochenes Waldtier, während sie anderwärts auch andere Örtlichkeiten besucht und sich dort gar ständig aufhält.

Wenn auch vereinzelt in *Rheinland-Pfalz* Wildkatzen kurzfristig freigegeben, andere von Besatzungsmitgliedern erlegt worden sind, und schließlich hin und wieder eine das Opfer einer Verwechslung wurde, kann von einer Jagd auf die Wildkatze doch nicht die Rede sein. – Meist wandert sie nach örtlicher Besatzvermehrung ab, oft weit, und das von ihr wiederzubesiedelnde Areal ist riesig im Vergleich zu dem, in dem sie sich seit altersher gehalten hat.

Nach Wiedereinführung des Tellereisens während der letzten Kriegsjahre hatten unbeabsichtigte Fänge sehr zugenommen. Da wohl kein Tier mit so rasender Wildheit im Eisen tobt wie die Wildkatze – sie nimmt dann sogar häufig den Menschen an, wie das ja schon im 15. Jahrhundert im niederdeutschen Tierepos vom Reineke Voß geschildert wird – haben Forstbeamte des Harzes eine besondere Technik des unversehrten und zugleich ungefährlichen Auslösens aus der Falle entwickelt: Mit der kurzen, aber kräftigen Endgabel eines langen Astes wird der Kopf der Wildkatze auf den Boden gedrückt, dann durch Tritt auf die Feder das Eisen gelöst und nun die Katze freigegeben, die dann meist nicht mehr angreift, sondern das Weite sucht.

Welche Kräfte die Wildkatze zu entwickeln vermag, davon erzählte mir ein Revierförster aus dem Harz einmal ein Beispiel: Er erlebte es, daß eine im Eisen gefangene Wildkatze mitsamt diesem, der Kette und dem Anker noch aufgebaumt war! – Um die immer wieder vorkommenden Verwechslungen der Wild- mit der wildernden Katze auf ein Mindestmaß einzuschränken, seien hier noch einmal die Unterscheidungsmerkmale wiedergegeben, wie ich sie im 54. Jahrgang von „Wild und Hund" veröffentlicht habe:

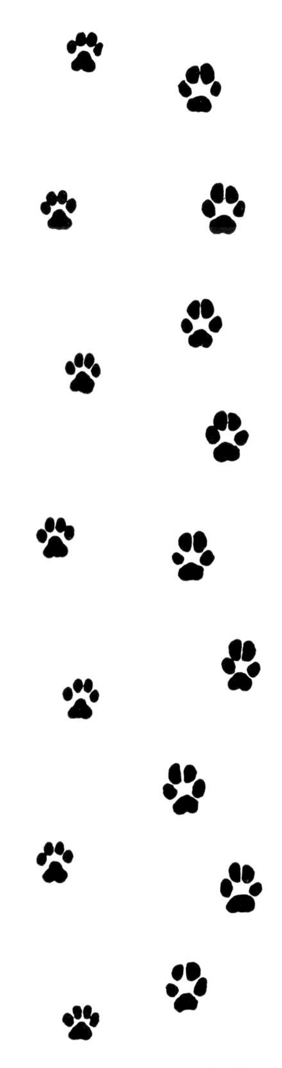

Spur der Hauskatze (links)
Spur der Wildkatze (rechts)

Wichtigstes Merkmal der mitteleuropäischen Form ist die *gelb*graue Grundfärbung bei nur schwacher Streifung. Bei ausgewachsenen Stücken fällt die auch den stärksten Hauskater weit übertreffende Körpergröße sehr auf, ebenso die buschige Rute, die vor dem schwarzen, etwa 5 cm langen Endstück meist 2 bis 3 deutliche und einige weniger deutliche schwarze Ringel aufweist. Die Behaarung der Rute ist bis fast zum Ende gleichstark, diese verjüngt sich also nicht, wie bei der Hauskatze. Diese Merkmale sind die besten und sichersten, der schwarze Sohlenfleck spielt weder bei der Beobachtung des lebenden Tieres im Revier, noch bei der Gestreckten als Bestimmungsmerkmal eine Rolle. Ebenso sieht man das spärliche Weiß der Kehle beim lebenden Stück meist nicht.

Zur Ehre unserer Jäger sei gesagt, daß einer Verwechslung fast nur Jungtiere im Alter von 3 bis 10 Monaten zum Opfer fallen. Bei diesen sind zwar die Färbungsmerkmale, sobald sie das Winterhaar tragen, schon dieselben, nicht aber Größe und Behaarung der Rute: sie ist zwar auch schon wesentlich stärker behaart als die der Hauskatze, unterscheidet sich jedoch von dieser nicht *so* stark wie die des vollerwachsenen Stückes. Und auch bei diesem ist im Hochsommer, während des Haarwechsels, die Rute oft nicht so buschig, daß sie allein ein sicheres Ansprechmerkmal abgibt.

Angesichts der Wiederausbreitung der Wildkatze empfiehlt sich also bei allen *im Walde angetroffenen,* einfarbig grauen Katzen äußerste Vorsicht, denn, wie die oben gegebenen Beispiele zeigen, wandert unsere Art weit und taucht oft in Gegenden auf, wo sie ein halbes Jahrhundert nicht mehr beobachtet worden war. Da der Prozentsatz der einfarbig grauen Hauskatzen verhältnismäßig sehr gering ist – in meiner persönlichen, großen Katzenstrecke habe ich nicht *ein* derartiges Stück! –, so ist es wohl nicht zuviel verlangt, wenn um grundsätzliche Schonung solcher in allen größeren Waldgebieten auch an dieser Stelle gebeten wird. So mancher Jungkatze vom Stamme der wildlebenden Art würde damit das Leben gerettet werden!

Als seltener Irrgast kommt im Westen Deutschlands hin und wieder die in Nordafrika, auf der südlichen Pyrenäenhalbinsel und in Frankreich zwischen Rhône und Eure beheimatete *Ginsterkatze* (Genetta genetta L.) vor. Sie wurde 1896 bei Buchsweiler im Elsaß und 1951 in Elsdorf, Bezirk Köln, erlegt.

DER FASAN

Die Tatsache, daß der Fasan in dem bei weitem größten Teile Europas nicht von Natur aus, sondern auf Grund künstlicher Einbürgerung vorkommt, ist die Ursache dafür, daß er jahrhundertlang zur Hohen Jagd gerechnet und dementsprechend in den früheren Auflagen dieses Buches nicht behandelt wurde. Wenn Verlag und Herausgeber unabhängig voneinander die Überzeugung gewannen, daß er heute in ein Lehrbuch, das die Niederjagd zum Gegenstand hat, hineingehört, dann vor allem deswegen, weil er jagdbetrieblich als Niederwild gilt und auch in alten Zeiten mehr wegen seiner Seltenheit und damit Kostbarkeit, als wegen sonstiger Eigenschaften der Bejagung durch den Landesherrn vorbehalten war. Zur Verdeutlichung dessen wollen wir die höchst interessante, in graue Vorzeit zurückreichende Einbürgerungsgeschichte dieses schönen Federwildes vorweg behandeln.

Schon in der Blütezeit der griechischen Kultur, im 5. Jahrhundert v. Chr., war der Fasan den Griechen bekannt und wurde von ihnen gehalten; es ist uns sogar der Name eines Fasanenzüchters, Leagoras, überliefert. Den Griechen galt es als ausgemacht, daß JASON mit seinen Argonauten ihn aus dem Lande *Kolchis*, am Ostufer des Schwarzen Meeres, eingeführt habe, und da der Hauptfluß dieses Landes, in dessen Auwäldern er lebte, im Altertum *Phasis* hieß (heute Rion), nannten sie ihn Phasianos. Vom griechischen Mutterlande verbreitete er sich über das große Kolonialreich und kam so auch nach Unteritalien, für das er von PLINIUS und anderen römischen Schriftstellern aus dem ersten nachchristlichen Jahrhundert bezeugt ist. PALLAGIUS schrieb dann im vierten Jahrhundert n. Chr. eingehend über künstliche Fasanenzucht – schon damals wußte man, daß man zweckmäßig die in Volieren gewonnenen Fasaneneier durch Haushühner ausbrüten läßt

Verbreitungsgebiet des Jagdfasans in Eurasien

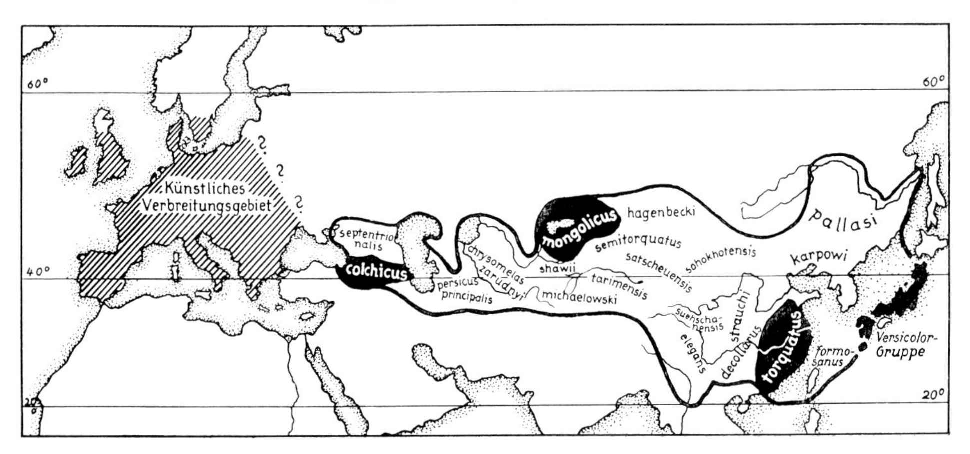

und daß Ameisenpuppen ein geeignetes Aufzuchtfutter sind. Schon um diese Zeit gehörten vielfach Fasanen in den Landhaushalt eines vornehmen Römers, wie Reliefbilder sowohl im Museum in Trier als auch in Tunis beweisen.

Die hohe Wertschätzung des Vogels beruhte ursprünglich wohl darauf, daß er zu kultischen Zwecken diente. Es hat auch nicht an Stimmen gefehlt, die den in goldenem Kupferrot schimmernden Federbalg des Fasanenhahnes mit dem Goldenen Vlies gleichsetzten, dem der sagenhafte Argonautenzug galt. – Später war er recht eigentlich Ziervogel, zugleich aber auch eine Zierde der festlichen Tafel, die man hoch zu ehrenden Gästen richtete. In dieser Eigenschaft begegnet er uns auch in der Zeit KARLS DES GROSSEN, zuvor in einer Diätvorschrift, die ein griechischer Arzt im Anfang des VI. Jahrhunderts für den Frankenkönig THEUDERICH verfaßte. Auch EKKEHARD, der Mönch von St. Gallen, erwähnt ihn, im XI. Jahrhundert kennt man ihn in England und Böhmen, im XIV. in Bayern und Hessen. Doch handelt es sich hier zumeist um in Volieren gehaltene Zier- und Speisevögel. Als Jagdwild wird er erstmalig in England erwähnt, wo schon um 1100 ein Abt von Amesbury die Erlaubnis zur Fasanen- und Hasenjagd erhielt, später HEINRICH VIII. eine Schonzeit für Rebhühner, Fasanen und Reiher erließ; vermutlich war er dort Gegenstand der Beizjagd.

Vom Reformationszeitalter an wird er von den deutschen Fürsten und Standesherren planmäßig als Jagdwild ausgesetzt, so von Friedrich dem Weisen in Kursachsen, von Wallenstein in Mecklenburg; auf deutschen Streckenlisten erscheint er um die Mitte des XVI. Jahrhunderts. Mit dem Aufkommen des Schrotschusses auf Federwild (XVII. Jahrhundert) gewinnt unsere Wildart für die fürstlichen Jäger und ihre Gäste bedeutend an Interesse. Überall werden jetzt Fasanerien eingerichtet, die heute noch in Flur- und oft auch in Straßennamen ehemaliger Residenzstädte fortleben; Fasanenmeister werden angestellt, Futteretats bewilligt, kurzum, es wird viel für eine Massenhege des begehrten Flugwildes getan, bei dessen Einbürgerung es doch immer wieder Rückschläge gibt, wie das aus der oft sehr kurzen Blütezeit der Fasanerien hervorgeht.

Die im milden Klima des Schwarzen Meeres beheimatete, *ringlose* Form mit Federohren und braunrotem Rückengefieder, der Schwarzmeer- oder Edelfasan, auch Jagdfasan schlechthin (Phasianus colchicus colchicus L.), erwies sich nämlich keineswegs als die für alle Verhältnisse Mitteleuropas geeignetste der mehr als 40 Rassen dieser vom Schwarzen Meer bis nach Japan vorkommenden Art (Abb. S. 199). Erst die um die Mitte des XVIII. Jahrhunderts erfolgte Einführung einer ostasiatischen Rasse, des chinesischen Ringfasans (Phasianus colchicus torquatus [Gmelin]) nach England brachte uns einen in seinen Umweltansprüchen an in hoher landwirtschaftlicher Kultur stehende, waldarme Gebiete besser angepaßten Fasan, und der Import dieser Rasse nach Deutschland, wo sie sich alsobald mit den hier vorgefundenen Vettern vom Schwarzen Meer verkreuzte, bot die Voraussetzungen für eine weniger kostspielige Fasanenhege, die der Art zu einer gewaltigen Neuausbreitung in bislang nicht besiedelten Räumen verhalf. Der reinblütige Chinese ist durch einen breiten, weißen, geschlossenen Halsring, lebhaft blaugrauen Hinterrücken und eine weiß gesäumte Kopfplatte gekennzeichnet. Später kamen noch weitere Rassen hinzu, jeweils mit besonderen Umweltansprüchen, so der Mongolische Ringfasan (Phasianus colchicus mongolicus [J. F. BRANDT]), der, nebenbei bemerkt, seinen Namen einem geographischen Irrtum verdankt: In der Mongolei kommt er nicht vor, sondern in Turkestan und der westchinesischen Provinz Kuldscha. Diese Form ist wohl die größte und härteste der bei uns verbreiteten Rassen und gedeiht auch in waldlosen Gebieten, insbesondere dort, wo sie Schilf und Rohr als Deckung hat. So hat sie sich in den Seengebieten und Mösern der Bayerischen Hochebene, z. B. im Chiemgau, besonders bewährt. Für die

Praxis wichtig ist, daß sie nach Steigerwald (D. J. 1937) später brüten soll als alle anderen Rassen. – Der Halsring ist nicht geschlossen und weniger breit als beim Torquatus-Fasan, die Färbung des Gefieders insgesamt dunkler, der Hinterrücken rotbraun; Federohren sind kaum entwickelt.

Mehr Waldbewohner ist offenbar wiederum der wunderschöne, allerdings sehr zierliche und empfindliche Japanische Buntfasan (Phasianus versicolor [Vieillot]), über den mir Hegendorf seinerzeit berichtete, daß er mit ihm recht aussichtsreich verlaufende Einbürgerungsversuche in Buchenrevieren unternommen habe. Er wird bei uns vornehmlich zu Einkreuzungen benutzt, um die Farbschönheit der heimisch gewordenen Arten noch zu erhöhen. Bei seinen ganz anders gearteten Ansprüchen erscheint jedoch eine Bastardierung mit den auen-, rohr- und steppenbewohnenden Arten ein wenig fragwürdig. – Er hat einen violetten Halsring und leuchtend dunkelgrünes Brust- und Bauchgefieder.

Was man heute in Deutschland an Fasanen vorfindet, sind, soweit es sich um Bestände aus der Zeit vor dem letzten Kriege handelt, fast durchweg Kreuzungsprodukte der Colchicus- und Torquatusrasse. Nach dem letzten Kriege dürfte sich der Anteil der letztgenannten Rasse noch sehr, allzu sehr, verstärkt haben, weil damals die ersten Fasaneneierimporte aus England kamen, wo man diese Rasse aus ökologischen Gründen augenscheinlich bevorzugt. Da unsere Reviere in ihrer großen Mehrzahl wesentlich waldreicher sind als die englischen, ist das Zurückdrängen des Blutanteils der alten Schwarzmeerrasse möglicherweise etwas bedroht: Die zuvor hier beheimatete Kreuzungspopulation hatte sich in den meisten Revieren recht bewährt, für die nunmehr fast reinblütige Torquatuspopulation steht diese Bewährung noch aus. Leider sind Mongolicus-Fasanen, die vielerorts eine sehr geeignete Beimischung würden ergeben können, reinblütig heute schwer zu beschaffen.

Kurz muß noch einer dunklen Färbungsabart gedacht werden, des Tenebrosusfasanen, der sehr farbschön ist. Ob er sich in freier Wildbahn bewähren wird, ist aber noch nicht erwiesen. Ich habe den leisen Verdacht, daß das Ausland vielfach Versicolor-Kreuzungen als „Tenebrosus" liefert, und diese scheinen recht anfällig zu sein.

Noch eine andere Fasanenart ist in Deutschland mancherorts mit Erfolg eingebürgert worden, und das ist der *Königsfasan,* Syrmaticus reevesii (J. E. Gray). Diese harte, im männlichen Geschlecht weiß, goldgelb und schwarz gesprenkelte Art aus dem nord- und mittelchinesischen Bergland ist gekennzeichnet vor allem durch den außerordentlich langen Stoß, der beim Hahn mehr als 1½ m lang wird, bei der Henne immer den des männlichen Jagdfasans übertrifft. Nach den Mitteilungen E. Ledeburs (Die Pirsch, 1952) gedeiht sie besonders in Auwäldern, wo sie in verwilderten, dschungelartigen Partien sich aufhält, sehr gern auch in kleineren Rohrstücken. Ungünstig wirkt sich die große Streitlust der Hähne aus, die sich mit ihren sichelartig wachsenden Sporen erhebliche Verletzungen zufügen. Ein wirtschaftlicher Nachteil ist, daß die Art in freier Wildbahn meist monogam lebt, ein jagdbetrieblicher das nur schwer zu erreichende Aufstehen der Hähne, die sich im Treiben meist laufend oder aber sich drückend dem Schützen zu entziehen wissen. Zudem sind während des letzten Krieges die in den Donauauen befindlichen Besätze verschwunden, was darauf hindeutet, daß auch diese Art sich ohne die dauernde Förderung durch den Menschen bei uns nicht erhalten kann. Nur in Südbaden befindet sich noch ein gut gedeihender Besatz. Erst recht nicht sind die schönen Gold- und Silberfasanen zu akklimatisieren, deren nachhaltige Einbürgerung nirgends gelang, obwohl sie oft versucht worden ist.

Wenn wir nach den auch für die jagdliche Praxis notwendigen systematischen Gegebenheiten nunmehr die Naturgeschichte betrachten, so wollen wir im folgenden unter „Fasan" das vielfältige Rassengemisch des eigentlichen Jagdfasans, der Großart Ph. colchicus verstehen, nicht eine der zuvor aufgeführten Rassen.

Die *Stimme* des Hahnes ist ein harter Doppelruf, meist als „gog – gog" wiedergegeben, den man – nicht selten auch als Einzelruf – vor allem in der Fortpflanzungszeit und, das ganze Jahr hindurch, beim abendlichen Aufbaumen vernimmt. Die Henne läßt, zumal beim Aufstehen vor dem Hunde oder dem Jäger, ein kennzeichnendes Piepsen hören, das ziemlich durchdringend ist und meist nur einmal laut wird. Die Jungen haben das zarte Piepen aller jungen Hühnervögel.

Die *Paarungszeit* beginnt gewöhnlich im März, bei milder Witterung schon früher; zu dem oben erwähnten Doppelruf des Hahnes kommt dann ein brausender Flügelwirbel, den man gut über 150 m vernimmt; hochgereckt, im schimmernden Prachtkleide, bietet der Hahn einen herrlichen Anblick. Ältere Hähne haben ihre festen Balzplätze, von denen sie Nebenbuhler vertreiben. Dort finden sich, meist erst im April, auch die Hennen ein, die dann getreten werden, wobei die Hähne erheblich rücksichtsloser verfahren als die des Birk- und Auerwildes. So dürften die in freier Wildbahn zuweilen beobachteten Bastarde zwischen Fasan und Birkhuhn meistens einen Fasanenhahn zum Vater haben. Die Henne legt von Anfang Mai bis in den Juni hinein, für zerstörte Gelege werden häufig ein, notfalls sogar zwei Nachgelege gemacht, die stets befruchtet sind, da die Hähne bis in den Juli hinein balzen. Das Gelege ist mit (6–) 9–12 (–18) Eiern vollzählig, Hennen mittleren Alters brüten zuerst, einjährige später und recht alte Hennen zuletzt (Niethammer). Die Eier sind in der Grundfärbung zart grünlich blaugrau, meist bräunlich überflogen, nach längerer Bebrütung oft lebhaft glänzend. Ihre Größe beträgt etwa 45 × 35 mm. Die Brutdauer beträgt 23–25 Tage, die Bruttemperatur nach den sehr sorgfältigen Untersuchungen Kaj Westerkovs, des in Neuseeland arbeitenden dänischen Wildbiologen, um 35°; die Körpertemperatur liegt beim Fasan, wie bei allen Vögeln, mit durchschnittlich 42°

wesentlich höher, als beim Menschen. Die Küken sind in der Grundfarbe hellgelb bis bräunlich, mit einem breiten Rückenlängsstrich von schwarzbrauner Farbe, der, in Abständen von jeweils etwa 1/2 cm, von zwei schmäleren flankiert wird. Am Kopfe haben sie zwei bogige „Überaugenstriche" der gleichen Farbe und einen sich nach hinten verbreiternden, zum Rotbraun sich aufhellenden Mittelstreifen. Der Oberschnabel ist dunkel, der Unterschnabel fleischfarben, ebenso die Ständer. Sie wachsen in den ersten 14 Tagen sehr langsam heran, da sie alle verfügbaren Aufbaustoffe gleichsam in die Flügel stecken, die in dieser Zeit von winzigen Stummeln zum vollentwickelten, tragfähigen *Erstlingsflügel* werden. Ich sah 12tägige Fasanenküken zielbewußt auf eine etwa 50 cm hohe Kiste fliegen. Wenige Tage später baumen sie, sofern sie dazu Gelegenheit haben, nachts schon im Gesträuch auf. Von diesem Zeitpunkt an erfolgt das Körperwachstum bedeutend rascher unter gleichzeitiger Erneuerung des Flügels von innen her, also durch Mauser der Armschwingen vom Flügelbug zum Körper hin, der Handschwingen vom Flügelbug nach außen. Sie ist nach etwa zwölf Wochen beendet, doch bleiben die beiden äußersten spitzen Handschwingen des Erstlingsflügels stehen; erst von der Jugendmauser an kann man Fasanen als schußbar bezeichnen. Die Hähne haben dann geschildert, d. h. ihr Prachtkleid angelegt, dessen erste Federn (am Kopfe) bereits im Alter von fünf Wochen zu sprießen beginnen.

Das *Gewicht* schon schußbarer Hähne beträgt über 1 1/4 kg, es kann bei alten Hähnen im Herbst 1 1/2 kg übersteigen, während die Henne meist nur zwischen 1000 g und 1200 g wiegt. Die Fortpflanzungsfähigkeit wird, im Gegensatz zu anderen Fasanenarten (z. B. Königsfasan) gemeinhin schon im Alter von 9–10 Monaten erreicht. Noch nicht einjährige *Hähne* unterscheiden sich von älteren durch den stumpfen Sporn, der die Gestalt eines flachen Kegels hat, während der ältere Hahn lange und spitze Sporen aufweist, die beim anderthalbjährigen gegen 1 cm, bei ganz alten Stücken angeblich bis zu 9 cm (!) lang werden. Die Sporen lassen also eine ungefähre Altersbestimmung zu. In freier Wildbahn erkennt man ältere *Hennen* mitunter an der helleren Färbung des Gefieders, sehr alte werden wiederum dunkler, da sich in zunehmendem Maße braune Federn finden (Hahnenfedrigkeit). Die Lebensdauer ist mir nicht bekannt, doch dürfte sie, wenn wir von verwandten Arten einen Rückschluß ziehen, sicherlich 8, wenn nicht 10 und mehr Jahre betragen *können*.

Die Mutterfamilie (das *Gesperre*) löst sich gewöhnlich im Laufe des September auf, insbesondere trennen sich die jungen Hähne von ihr; vielfach verstreichen sie dann über manchmal recht weite Entfernungen, worauf wir in dem der Hege gewidmeten Abschnitt noch zurückkommen.

Die *Nahrung* des Fasans ist ungemein vielseitig, vielseitiger als die des Rebhuhns, mit einem größeren Anteil tierischer Kost. Ausgewachsene Tiere töten und verzehren sogar Mäuse. Schaden können Fasanen verursachen durch Herauskratzen und Aufpicken von nicht gebeiztem Saatgut, insbesondere Weizen und, in weitaus geringerem Maße, durch Abreißen von Ähren und Anpicken von Zucker- und Futterrüben, auch Möhren. A. Bittner (D. J. 1938) beobachtete, wie Fasanen in 2 1/2tägiger „Arbeit" einen gegen 4 m hohen Sonnenblumenstengel „fällten", d. h. mit den Schnäbeln zerfetzten, bis er umstürzte und sie an die begehrten Kerne heran konnten. Der Schaden auf den Saatflächen wird meist stark überschätzt, denn das emsige Kratzen und Picken dient in weit höherem Maße der Beschaffung tierischer Nahrung: Bruns schoß in Gegenwart eines Bauern, der sich über Fasanenhähne beklagt hatte, die sich auf seinem frisch eingedrillten Winterweizenschlag aufhielten, zwei der Hähne und zeigte ihm den Kropfinhalt. Er bestand aus insgesamt 16 Weizenkörnern, im übrigen aber aus Würmern, Käfern, Drahtwürmern, Hederichsamen, Wurzelknöllchen und Unkraut, dazu den Resten einer Maus. BRENNING untersuchte im Beisein des Bezirksführers einer Bauernorganisation den Kropf eines frisch erlegten Fasanenhahnes, der 64 Larven der Großen Wiesenschnake (Tipula) und 79 Graue Ackerschnecken enthielt. Im Kropfe eines, im Dezember auf einem mit Winterkorn bestellten Acker erlegten Hahnes wurden 3914 Larven der Gartenhaarmücke, eines gefürchteten Schädlings der Wurzeln unserer Nutzpflanzen, gefunden, im Kropfe eines im November erlegten 1366 Drahtwürmer im Gewicht von 125 g. Einen überzeugenden Beweis von der Nutzwirkung des Fasans teilte mir der bekannte Niederwildkenner, Forstamtmann PRESSLER, mit: In der Gegend von Nikolsburg war eine Massenvermehrung des Rübenaaskäfers, eines gefährlichen Schädlings der Zuckerrübe, erfolgt. Lediglich die Rübenschläge der Domäne Großhof bei Nikolsburg bildeten eine grüne Insel in dem Befallsgebiet, weil der Domänenpächter einen starken Fasanenbesatz hegte. Auch der Derbrüßler, ein anderer Zuckerrübenschädling, wird von Fasanen stark aufgenommen, wie ein Fund von über 180 Exemplaren in einem Fasanenkropf zeigt (Dr. SCHMIDT). Daß Fasanen auch Kartoffelkäfer aufnehmen, ist durch Beobachtungen in allen Gegenden Deutschlands sichergestellt und von mir auch experimentell nachgewiesen. Es gibt auch einige Fälle, wo ein starker Fasanenbesatz Kartoffelschläge von diesem Schädling hat freihalten können. Doch sind an solche immerhin vereinzelt dastehende Beobachtungen mitunter übertriebene Hoffnungen geknüpft worden. Bei einem Katastrophenbefall vermag auch der stärkste Besatz nichts auszurichten! Wohl aber können Fasanen (und Rebhühner) in normalen Jahren den Käfer auf ein unschädliches Maß vermindern und damit vielleicht örtlich einer stärkeren Vermehrung vorbeugen. Aufs Ganze gesehen ist erwiesen, daß der Fasan hinsichtlich seiner Nutzwirkung für die Landwirtschaft unter allen Wildarten an erster Stelle steht. Schon aus diesem Grunde verdient er eine kräftige Förderung durch die Jägerei.

Die Hühnervögel sind eine uralte, wenig differenzierte Ordnung der Vögel, eine der ältesten überhaupt. So sind ihre psychischen Leistungen, ihr Anpassungsvermögen an neu auftretende Erscheinungen in ihrer Umwelt außerordentlich gering. Eine neu errichtete Starkstromleitung kann ganze Rebhuhnvölker ausrotten, und das Auerwild geht, wie mir einmal ein vorzüglicher Kenner und Heger dieses herrlichen Wildhuhnes sagte, doch wohl „über kurz oder lang an seiner eigenen Dummheit zugrunde“. So ist auch der Fasan ohne ständige Betreuung durch den Menschen im Kulturland kaum lebensfähig, er vermag keine Verhaltensweisen zu entwickeln, die ihm einer neu auftretenden Gefährdung gegenüber zum Schutze gereichen. Er bedarf also, mehr als jede andere Hauptwildart, der Hege.

In der *Waidmannssprache* hat der Fasan Augen, mit denen er *äugt,* und Ohren, mit denen er *vernimmt.* Die Federbüschel am Kopfrande, die mit dem Ohr an sich nichts zu tun haben, heißen *Federohren* oder *Hörner,* die *Ständer* nennt man aus der Zeit her, wo er zur Hohen Jagd gehörte, auch wohl noch *Füße* wie beim Auerhahn. Von den übrigen aus der Zeit der Hohen Jagd stammenden Bezeichnungen, die heute noch ausnahmslos als waidgerecht gelten, nennen wir nur noch die Bezeichnung *Spiel* für den *Stoß.* Der große rote Hautfleck um das Auge des Hahnes, der zur Balzzeit mächtig anschwillt, heißt *Rose.* Der Fasan *äst* und *tränkt* sich, er *löst sich,* wenn er die Losung fallen läßt, er *baumt auf,* wenn er sich auf Bäume einschwingt, *baumt ab,* wenn er vom Baume herabstreicht und *fällt ein,* wenn er nach dem Fluge landet. In der *Balzzeit* balzt oder *meldet* er, das *Gelege* der Henne *fällt aus,* die Jungen *laufen aus.* Die Henne mit ihren Jungen bildet ein *Gesperre.* Stehen gegen Ende eines Treibens eine ganze Anzahl Fasanen zugleich auf, so nennt man das ein *Bukett.* Geschossene, aber noch nicht verendete Fasanen werden *abgefedert,* ein Ausdruck, der sich davon herleitet, daß man früher eine der hartschäftigen Handschwingen auszog und sie durch Federkleid, Haut und Hinterhauptsloch des Schädels in das Gehirn stieß; eine Tötungsart, die heute nicht mehr als waidgerecht gelten kann, weil andere zu einem bedeutend rascheren Verenden führen: Heute umgreift man Ständer, Rumpf und Schwingen von der Bauchseite her und schlägt den zu tötenden Fasan einmal rasch und kräftig mit dem Hinterkopf auf einen Stein, gegen den Gewehrkolben – entladen! – oder notfalls den Stiefelabsatz, oder man umgreift von der Bauchseite her die Brust und drückt sie kräftig zusammen, bis der Vogel den erhobenen Kopf sinken läßt; auch kann man mit der feineren Klinge des Nickers das verlängerte Rückenmark durchtrennen. Diese Methoden gelten für alles Flugwild.

Die Fasanenfütterung heißt *Schütte* oder *Schüttung*.

Die Fasanen*jagd* wird mittels der Suche, der Streife und des Standtreibens betrieben. Der Abschuß von den Schlafbäumen, der in älteren Werken noch Erwähnung findet, gilt heute allgemein als unwaidmännisch.

Die *Suche* auf Fasanen wird ganz nach Art der Hühnersuche (s. S. 223 ff.) ausgeübt; doch liegt der schußbare Fasan fast immer einzeln, allenfalls liegen einmal zwei oder drei Hähne zusammen im Felde, während man in Gebüschen, in Schilf oder Rohr häufig größere Gesellschaften antrifft. Wenn man an solchen Orten einen guten Besatz antrifft, ist es zweckmäßig hier nicht zu suchen, sondern ein kleines Standtreiben einzulegen.

Mit besonderer Freude gedenke ich so mancher Fasanensuche, die ich in den niederwildreichen Auen des Oberrheins bei Goldscheuer-Kittersburg 1939 mit dem Fürstlich Fürstenbergischen Oberjäger Egg und seinen hervorragend arbeitenden Hunden unternahm. Als ich das erstemal mich mit ihm traf, fragte er mich erstaunt, wo ich meinen Wildträger gelassen hätte, und ich antwortete ihm ebenso erstaunt, auf die Schlingen an meinem Rucksack deutend, daß ich das von mir erlegte Niederwild selbst zu tragen pflegte. Ich hatte bis dahin die Fasanensuche nur gelegentlich in Vorpommern und Brandenburg ausgeübt und ahnte nichts von dem Wildreichtum des Rheintales. Obwohl der Dienst erst eine Stunde vor Beginn der Dämmerung mich freigab, schossen wir in dieser kurzen Zeit neben einigen Hasen und Kaninchen, irre ich nicht, noch 6 Fasanenhähne und eine (ausdrücklich freigegebene) Henne, die, himmelnd, einem 200 m entfernt stehenden Kameraden der grünen Farbe fast vor die Füße fiel, der, Geschmacksfäden ziehend, unserem Unternehmen vom Dache seines Bunkers zugeschaut hatte.

Natürlich wurde er einbezogen und solches Tun wiederholt, so oft das der nicht eben übermäßig strenge Dienst in der Bunkerstellung zuließ, und mit der Zeit waren wir so auf Fasanen eingeschossen, daß uns der Schuß auf den aufstehenden Hahn nicht mehr genügte und wir zur Abhaltung kleiner Vorstehtreiben übergingen. Hier am Oberrhein war es auch, wo mir am Abend eines Suchtages ein weiter Schuß auf einen weiß geschecktenHahn gelang – solche Hähne sind ja in gut besetzten Revieren keine Seltenheit.

Da man mit der Suche auf Fasanen nicht vor Oktober, heute oft erst im November, beginnt, halten sich diese dann vorzugsweise in Rüben- und Kartoffelschlägen auf, wobei nach meinen Beobachtungen bei nicht allzu feuchtem Wetter Rüben bevorzugt werden. Wo Maisanbau betrieben wird, ziehen sie Maisstücke jeder anderen Deckung vor, sofern sie nicht eine gar zu geringe Ausdehnung haben; in Gegenden mit Feldgemüsebau liegen sie auch gern in Kohlfeldern. Zur Äsung begeben sie sich oft auf frisch gedrillte Äcker, wo sie, wie wir oben sahen, vor allen Dingen der Bodenfauna nachstellen; in solchem Gelände sind sie aber sehr schwer zu bekommen, weil sie schlecht halten, sondern meist in raschem Laufe die nächste Deckung annehmen. Etwas besser halten sie auf Sturzäckern.

Bei der *Streife* geht es ähnlich zu wie bei der Suche, nur daß die höhere Anzahl der Jagdteilnehmer schon häufiger ein kleines Standtreiben als Einlage gestattet oder das

Durchstreifen eines langgestreckten Gehölzes, wobei dann ein oder zwei Schützen sich an den Ecken vorstellen. Die Böhmische Streife, von der wir beim Hasen handelten, wird in Deutschland kaum mehr angewandt; sie erbrachte vorzeiten in ihrem Herkunftsland, auch in Schlesien, Niederösterreich, Ungarn, der Slowakei und den Donaugebieten Jugoslawiens gewaltige Strecken, da sich der Fasan bei dieser Jagdart genauso verhält wie der Hase, also sich nur wenige hundert Meter treiben läßt und alsdann die Schützenkette in „Richtung Heimat" zu überfliegen sucht.

Besonders nette Streifen habe ich in Ungarn und den fasanenreichen Teilen der Slowakei, die einst zu Ungarn gehörten, mitgemacht. Mit zwei bis fünf Schützen und etwa ebensoviel Treibern durchstreifte man das abwechslungsreiche Gelände – hier wurde ein Hase hoch, der Rad schlug, dort purrte eine Kette Rebhühner davon und wurde geschont, und jetzt, ja jetzt geht gockend der erste Hahn auf und saust im Fallen dem vorpreschenden Treiberjungen mitten auf den Kopf, was diesem aber nicht viel ausmacht! In dem weitstämmigen Zerreichenwäldchen liegt nur eine Schnepfe, die nach hinten hochgeht und verpaßt wird, die anschließenden Akazien aber weisen etwas Unterholz auf, und bald knallt und knattert es lustig. Als die besten Schützen erweisen sich, wie immer, die ungarischen Herren, dichtauf gefolgt von den Schlesiern. Ein eingeschobenes Standtreiben bietet Gelegenheit zu hohen Schüssen auf den in voller Fahrt anstreichenden Fasan, der, tödlich getroffen, in schöner Parabel herunterkommt. Solches Jagen mit bunter Strecke ist etwas Herrliches!

Früher wurde vielfach das Stand- und Vorstehtreiben ausschließlich auf Fasanen betrieben, bei dem gewöhnlich eine größere Remise, ein nicht zu breiter Waldstreifen oder auch Rohrstücke und dergleichen getrieben wurden. Um die Fasanen partienweise zum Aufstehen zu bringen, waren die Treiben vielfach mit niedrigen Flecht- oder Maschendrahtzäunen durchstellt, die der Fasan nicht kurz überfliegt, sondern vor denen er hin und her läuft, bis der sich nähernde Treiberlärm ihn zu regelrechtem Aufstehen bringt. Breite Jagdschneisen, von jeder Deckung freigehalten, ermöglichen den Schuß, der bei den von weiterher Anstreichenden keineswegs einfach ist. Etwas besser haben es die am Kopf des Gehölzes postierten Schützen, wenn das Treiben richtig gewählt ist, die Fasanen also von dort aus dem nächsten Deckungsorte zustreben. Hier wurden oft bewunderungswürdige Leistungen vollbracht, so schoß der auch als Kugelschütze sehr bekannte Rotwildjäger Graf Ivan Draskowich vor dem Ersten Weltkriege einmal 1312 Fasanen an *einem* Tage, eine niemals wieder überbotene Schießleistung. Doch habe ich es auch schon erlebt, daß ein Hahn, gerade noch in Schußweite, die Schützenkette entlangstrich, 17mal beschossen und hierbei nur geständert wurde, um erst bei der Nachsuche mit dem 18. Schuß sein teuer verkauftes Leben zu beenden ...

Um hohe Strecken zu ermöglichen, dürfen die Schützen nicht zu nahe am Treiben postiert sein, damit sie Gelegenheit haben, eine Doublette auf das vom Waldrande her anstreichende Bukett zu machen und dann, nach raschem Wechsel der Doppelflinte, noch zwei Hähne nach Überstreichen der Schützenlinie spitz von hinten herunterholen zu können. – In Deutschland sind heute Strecken von zwanzig bis dreißig Hähnen für den Einzelschützen, zweihundert für einen Jagdtag schon etwas ganz Besonderes, und normalerweise werden Standtreiben auf Fasanen mit Feldkesseln auf Hasen wechseln. Mit Abstand die besten Fasanenreviere lagen in Schlesien und Sachsen, doch gab es auch in den Rhein- und Donauauen, neuerdings in Schleswig-Holstein, recht gute Besätze, und noch kurz vor dem Zweiten Weltkriege vermochte allein die Fasanenstrecke eines großen Jagdkomplexes in der Pfalz die keineswegs geringen Jagdpachtkosten zu decken.

Die günstigste Zeit für ein Standtreiben auf Fasanen ist die Zeit nach dem Laubfall,

gewöhnlich also der November und, wenn noch kein hoher Schnee liegt, auch der Dezember. Bei lockerem, hohem Pulverschnee schlägt der stürzende, schwere Vogel so tief in die Schneedecke hinein, daß oft nicht einmal mehr ein Endchen vom Spiel herauslugt. Ich erinnere mich noch meines Entsetzens, als ich bei einem kleinen Standtreiben in Pommern meinen ersten „hohen Hahn", pfeilspitz von vorn, herabholte, der nur wenige Meter vor meinem Stande zu Boden kam. Da noch mehrere Fasanen anstrichen, achtete ich seiner nicht – und als ich ihn nach Beendigung des Treibens aufheben wollte, war er weg. Es bedurfte einer langen „Frei-Verlorensuche", ehe wir den völlig mit Pulverschnee zugedeckten Hahn, der dort, wo er gefallen war, verendet lag, auffinden konnten.

Befinden sich in der Nähe des zu treibenden Waldstückes kleinere Parzellen, die man nicht mitnehmen kann, so besteht die Möglichkeit, die dort befindlichen Fasanen in das Haupttreiben zu drücken, indem man sie am Morgen des Jagdtages durch verständige Treiber vorsichtig beunruhigt. Man soll das aber nur bei größeren Revieren machen, in denen ein genügend großer Teil der Fläche als Hegewinkel unbejagt bleibt.

Gewöhnlich werden auf Fasanenjagden nur Hähne freigegeben, nur in einzelnen Treiben mitunter Hennen; außerordentlich erfahrenen Jägern ist es unter günstigen Umständen dann bisweilen möglich, die angeblich ein wenig hellere, überalterte Henne als solche richtig zu erkennen und abzuschießen. Grundsätzlich freigegeben werden sollten alle weißscheckigen Stücke. – Für die Fasanenjagd lädt man richtigerweise beide Läufe der Doppelflinte mit 3-mm-Schroten, die, bei den meist kurzen Entfernungen, aus denen bei solchen Jagden vorkommendes Haarniederwild beschossen wird, auch auf dieses vollauf genügen.

Die in früherer Zeit, und mit Recht, vielfach für notwendig erachteten Abwehrer, d. h. Treiber, die vor Beginn des Treibens an dessen Langseiten zwischen den Schützen aufgestellt waren, um die „Infanteristen", also die zu Fuß aus dem Treiben strebenden Fasanen in dieses zurückzudrücken oder zum Aufstehen zu bringen, sind bei der heutigen Überzahl an Schützen wohl nirgends mehr nötig. Solch ein Posten ist gerade das richtige für einen jüngeren oder auf Flugwild wenig geübten Schützen, der bei dieser Gelegenheit den

Schuß auf den aufstehenden Hahn lernt und dazu noch diesen oder jenen Hasen, ein Karnickel, wohl auch einen Fuchs, zur Strecke bringt. Wie freute ich mich, als ich als Jungjäger einmal von einem solchen Posten einen mit schwierigem Schuß gegen die Sonne geschossenen Hahn zum Sammelplatz bringen konnte! Nicht die Höhe, sondern der Erlebniswert der Strecke ist das, worauf es ankommt.

Bei voraussichtlich sehr gut besetzten Treiben stellt man die Schützen in Entfernungen von 30–50 m voneinander auf, damit sie auch bei hohen Hähnen „zusammenlangen" können. Im übrigen verlaufen Standtreiben auf Fasanen grundsätzlich nicht anders als solche auf Haarniederwild, und das gilt im besonderen auch für das Verhalten der Treiber, denen öfteres Stehenbleiben, Ausrichten und plötzlich einsetzendes Lärmen auf der Stelle ebenso dringlich anzubefehlen ist, wie bei der Hasen- und bei der Karnickeljagd; denn wenn sich nahezu der gesamte Besatz eines Treibens wie eine Wolke erhebt, ist nicht nur das Vergnügen kürzer, sondern es wird bedeutend weniger Strecke gemacht, und das liegt an einem Fehler in der Jagdleitung. Was das Verhalten der Schützen angeht, so ist es bei sehr gut besetzten Jagden und entsprechend geringem Abstand der einzelnen Stände voneinander gestattet, den Standnachbarn zu unterstützen, wenn dieser selbst gerade lädt oder von einem Bukett seine Hähne heruntergeholt hat. Ungehörig aber ist es, etwa einen dem Nachbarschützen fast über den Kopf streichenden Fasanenhahn diesem „vor die Füße zu legen", es sei denn, daß *der* mit solchem von Schußhitze oder Schlimmerem zeugenden Verfahren begonnen hat. Davon erzählte mir Prof. Nüsslein folgende hübsche Geschichte:

Bei einem Vorstehtreiben im gesegneten Mähren, in den von Forstamtmann Pressler betreuten Revieren, hatte er seinen Stand nahe bei einem hohen Vorgesetzten, der in Anbetracht des überwältigenden Wildreichtums in eine vielleicht verständlliche Aufregung geriet und im Eifer auf alles schoß, was seiner Flinte einigermaßen erreichbar war. So kam es des öfteren vor, daß dieser dem Berichterstatter Fasanen fast auf den Kopf schickte, ein auch für den ruhigsten Schützen nicht sehr angenehmes Ereignis, weil es ihn zumindest im Schießen stört. Was tun? Ein Zuruf hätte kaum gefruchtet – so wandte N. das gleiche Verfahren an, was den Schützen zum sofortigen „Aufwerfen" und alsbaldigen Einstellen dieser Methode brachte. Die beiden Herren hatten also eine höchst angeregte und belehrende Unterhaltung miteinander gepflogen, die ausschließlich mit Schrotpatronen geführt worden war ...

Eine sehr lebendige und anschauliche Schilderung eines Fasanentreibens, aus der Schau des Jungjägers, gibt uns Philipp Graf von Meran aus seiner ungarischen Heimat (Der Anblick VII, 1952). Es heißt hierin:

„Als mein Vater kam, um nachzusehen, ob wir schon wach wären, war ich bereits angezogen, mein Bruder aber saß im Fenster im Nachthemd und schoß auf Krähen. Mein Vater schaute lächelnd zu – ich suchte Patronen aus der Lade, richtete meine Flinte und war schon vor dem Frühstück fix und fertig, ungeduldig wartend wie ein Jagdhund, dem die Zeit immer zu lang wird.

Vertraute Gesichter, freundliche Grüße, auch Maxi, mein kleinerer Bruder, kommt hervor, eine Flinte in der einen Hand, während die andere in einem riesigen Muff steckt. Dann braust der schnelle Jagdwagen los, wir fahren nach Zámoly, dem Fasanenrevier, das etwa sieben Kilometer entfernt liegt.

Die Hauptjagden waren schon im November abgehalten worden, dies war nur eine jener Nachjagden, die im allgemeinen viel unterhaltender waren als die erste. Außer meinem Vater, meinen zwei Brüdern und mir sind nur noch Öhlmann, der Oberjäger, und Misi, der Hilfsjäger, einen übergroßen Setter an der Leine, und natürlich die Treiber, wohl 15 bis 16 an der Zahl, dabei.

Am Waldrand *Nach einem Gemälde von M. Kiefer*

Das erste Treiben, unweit des Jägerhauses, hieß „Sándor" und bestand aus einem recht steilen Hang, der in ein großes Plateau überging, im oberen Drittel sehr dicht war, seinen Abschluß aber in einer breiten Allee fand. Die Bäume, die im Tal wuchsen, meist Pappeln und Weiden, waren sehr hoch, und die Fasanen wurden hinuntergetrieben.

Am Eck stand mein Vater, auf der Allee Maxi, und etwas weiter oben ich, links von meinem Vater Bruder Feri. Fast lautlos geht der Trieb los, und schon kommt ein Häslein, das ich vor lauter Nervosität glatt fehle. Maxi schießt auch einmal, dann ein schneller Schuß meines Vaters – und sauber rollt der Hase den Hang hinunter.

Mein Vater, der Zeit seines Lebens mit den kleinen Springer-Flinten, Kaliber 20, schoß, hatte heute eine Zwölfer-Purdey, ich mein altes Sechzehner-Hahngewehr und die beiden Brüder die Zwanziger. Schon sehe ich eine Menge Fasanen vor mir, sie laufen teilweise zurück, wollen offenbar nicht ins Tal hinunter, da steht weit hinten ein Hahn auf, streicht schräg zwischen Vater und Maxi, hebt sich über die erste Baumreihe. Maxi zielt, ich sehe oben eine Federwolke, und der Hahn fällt wie ein Stein auf das Feld. Schön war das, denke ich nicht ohne Neid, winke Maxi zu, doch der schüttelt den Kopf, und die Purdey klappt selbstbewußt.

Das erste Bukett wird vor mir hoch, ich schieße eine Doublette auf nahe Aufstehgockeln, von unten müssen sie viel schöner wirken, weil sie ja durch den steilen Hang viel tiefer fallen, als sie hoch gekommen sind.

Unten fallen die Kopffasanen recht sauber. Bruder Feri hat es anscheinend auch ganz gut heraus. Jetzt fehlt Maxi einen niedrig Streichenden, der sich knapp vor ihm erhebt, dreht sich um und schießt mit Kernschuß – eine Henne herunter.

Nun steht wie auf Kommando ein Bukett nach dem anderen auf. Es sind sehr viele Hennen dabei. Gierig, wie ein sprungbereiter Tiger, stehe ich halb im Anschlag, die Treiber passieren mich gerade, die Fasanen stehen weiter vorne auf, ich blicke verstohlen zum Vater hinüber, der, in sich zusammengesunken, auf seinem Jagdstuhl sitzt, im richtigen Augenblick aufspringt, um einen Hahn elegant herunterzuholen. Seine Bewegungen sind im Augenblick des Schusses so schnell und sicher, daß wir oft unsere eigenen Hähne darüber vergessen.

Die Treiber haben mich schon verlassen, da, auf einmal: „Tiro, Schnepf!" – und mitten auf der Allee kommt er daher, so langsam und so nahe, daß ich seine erstaunten Augen sehen kann. Bei Schnepfen bin ich immer sehr ruhig. Lasse ihn ausstreichen, und weich fällt er in die Dornen. Komisch, man hat bei Schnepfen oft das Gefühl, die Schrote greifen einen Augenblick zu spät. Daß ein Schnepf in diesem Revier um die Weihnachtszeit angetroffen wird, ist kein Wunder – die warmen Quellen der Gegend waren schon den alten Römern bekannt.

Die Treiber sind vor Maxi angelangt, der auch einiges zu tun bekommt. Einen recht weiten Schuß sehe ich von ihm, dann beginnt das Finale. Hahn auf Hahn fällt auf die Schüsse meines Vaters hin, auch Feri schießt sauber, da beginnen die ersten Hähne zurückzustreichen. Ein Hahn kommt direkt auf mich zu, er streicht niedrig über den Bestand, nun muß er sich heben, ich gehe in Anschlag – da fällt er mir vor die Füße.

Maxi klappt seine Flinte zusammen, zielt auf den nächsten, fehlt ihn zweimal.

Ich denke: „Dir werd' ich's zeigen!" ... Bum, bum ... er zuckt nicht einmal mit den Schwingen. Als Abschluß nicht sehr elegant ...

Öhlmann legt die Strecke. Es sind 34 Hähne, 1 Hase, 1 Schnepf und 1 Henne. Vater schoß 15, ich 9, Feri 10, Maxi 3 Stück.

Es geht nun weiter. Drei Treiben in der Ebene. Darunter ein Hasentreiben, Juhállás genannt, wo wieder ein Schnepf vorüberkommt, doch unbeschossen zurückstreicht.

Es fallen noch 51 Hähne, 16 Hasen und 1 Nußhäher. Dann kommt das letzte Treiben: Dallos, das klassische Treiben unserer Zámolyer Jagden. Hinuntergetrieben, wie immer. Wir können uns Stände aussuchen. Ich wähle den traditionellen Stand von Großpapa, ganz unten auf der Wiese, etwa 50 Schritt vom Bestand entfernt. Vor mir eine dichtbewachsene Lehne, die auf beiden Seiten wie eine Nase abfällt, links in einer Allee ausläuft, die auf etwa 80 Schritte vor mir im Tal mündet. Rechts von mir sind wieder Felder, daher streichen die Fasanen lieber über die Allee als auf diese Seite.

Mein Vater stellt sich zum Auslauf der Allee, die beiden Brüder auf dieselbe. Es wird auf die Ecke meines Vaters getrieben, weil wir zu wenig Schützen sind, um auch die linke Flanke zu besetzen. Die Höhe des Hügels beträgt etwa 80 m. Das Treiben fängt an.

Verschwommen trägt der Wind ein „Tiro“ zu uns heran. Da, hoch wie eine Schwalbe, kommt ein langes Etwas, anscheinend ein Hahn, ohne mit den Schwingen zu schlagen. Ich schieße zweimal, vergebens, als ob Luft in den Patronen wäre. Mein Vater hebt die Flinte, der oben läßt sein Köpferl hängen und saust wie eine Bombe, mit der Brust voran, auf den Acker.

Nun kommt eine ganze Gesellschaft, ihr Tempo ist ungeheuer. Ich schieß – bum, bum – wieder vorbei, und wieder schießt Vater den Hahn herunter.

„Mehr vorhalten!“ sagt er nebenbei.

Ja, aber wieviel? Man verliert ja ganz den Maßstab.

Der gute alte Dallos schickt neue und neue Fasanen. Ich nehme mich zusammen.

Vor-hal-ten!! denke ich, ziele über den Kopf, verliere den Halt, der Schuß bricht, ich liege am Boden, und der Hahn kommt leblos herunter. Allgemeine Anerkennung, allgemeines Erstaunen. Der nächste fällt auf den zweiten Schuß hin, aber ich falle nicht mehr. Ich ziele jetzt viel ruhiger und gehe erst in Anschlag, wenn ich den Schuß gleich nachher abgebe. Meist fallen sie erst beim zweiten Schuß, weil immer noch zu wenig Schwung dabei ist. Sehr oft fehle ich noch. Aber immerhin war das Eis gebrochen, ich schoß auf diesem Stand 5 „Turmfasanen“ herunter, und das war eine Leistung, denn vorher war für mich ein Kopffasan der schwerste Schuß, den es gab.“

Bei der Besprechung der beim Fasan in einem Umfange, *wie bei keiner anderen Niederwildart sonst,* erforderlichen *Hegemaßnahmen* gehen wir am besten von der Neubegründung eines Fasanenbesatzes aus, um im Anschluß daran die weiterlaufende, alljährlich sich wiederholende Hege zu erörtern. Diese Reihenfolge erscheint vor allem auch deshalb geboten, weil heute besonders viele Revierinhaber vor einer diesbezüglichen Aufgabe stehen – und besonders viel falsch gemacht wird!

Die Grundvoraussetzung für jedes *Aussetzen* von Wild ist die Klärung der Frage, ob das betreffende Revier für die gewünschte Wildart überhaupt geeignet ist. Gerade beim Fasan ist das oftmals nicht der Fall. Er braucht sommerliche Wärme – harte Winter schaden ihm weniger – und vor allem einen im Regelfall trockenen Spätfrühling und Vorsommer. Wenig geeignet für ihn sind selbst größere Feldmarken, umgeben von Waldgebieten beträchtlicher Ausdehnung, am allerwenigsten hochgelegene Fluren in Mittelgebirgswäldern, und mit Pressler möchten wir meinen, daß im nördlichen Mitteleuropa Reviere in einer Seehöhe von 500 m und mehr dem Fasan keineswegs mehr zusagen können. Ausnahmen mögen flach verstreichende Südhänge einzelner Mittelgebirge bilden. In Norddeutschland sind aber Höhen von 300–500 m schon problematisch. – Am besten eignen sich für unser Wild diejenigen Reviere, bei denen, nach der alten Jägerregel, die 3 großen „W“ – Wald, Wasser, Weide – vorhanden sind, wobei unter Wald durchaus ein Feldgehölz mit etwas Unterwuchs oder Unterbau, Nadelholzdickungen oder Stangen-

hölzer, einige armselige kleine Erlenbrücher, Pappelkulturen oder Weidenheger verstanden werden können. Auwälder sind besonders geeignet, lichte Althöltzer ohne Unterstand als Deckung wertlos. Das zweite „W", das Wasser, soll in Gestalt umbuschter kleiner Tümpel (schon ein Bombenloch genügt!), kleinerer oder größerer Blänken in Mooren und Brüchen, schilf- und rohrreicher Teiche und Seen oder ebensolcher Altarme von Flüssen vorhanden sein; völlig wertlos sind selbstverständlich Kanäle oder kanalisierte Flüsse, reißende Wildbäche und dergleichen. Das dritte „W" wäre in unserem Falle eigentlich wohl besser als „Wiese" zu deuten, und schlechte einschürige Wiesen sind besser als andere, weil der Schnitt hier später liegt und dadurch das Ausmähen der Gelege vermieden wird. Aber auch Weideflächen mit Bauten der Rasenameisen, Maulwurfshaufen und Mäusegängen besuchen die Fasanen gern, wofern sie nur unmittelbar an eine gute Deckung heranreichen. – Alle diese guten Dinge beisammen findet man in erster Linie in den Auen unserer breiten Stromtäler, aber auch kleinerer Flüsse, wo die Sonne zur rechten Zeit ein reiches Insektenleben sich entwickeln läßt, das für das Aufwachsen der Jungfasanen unerläßlich ist.

Ist das Revier geeignet, dann bedarf es einer mindestens halbjährigen Vorbereitung, wobei dem Revierinhaber bestimmt kein Stein aus der Krone fällt, wenn er sich von erfahrenen Praktikern auf dem Gebiet der Fasanenhege beraten läßt. Heute wird gewöhnlich alles im Düsenjägertempo erledigt, und der im Mai gefaßte Entschluß eines Jagdpächters, sein Revier zum Fasanenrevier zu machen, u. U. schon im Juni durch Ankauf von Bruteiern in die Tat umgesetzt. 100 Eier werden bestellt, kommen auch postwendend an, leider hatte man noch nicht so recht für eine Bruthenne oder Pute vorgesorgt, und so bleiben die Eier noch ein paar Tage in der Verpackung liegen. Aber als moderner Tatmensch löst der Jagdherr auch solche Probleme spielend, und bald sind zwei Leghorn- und drei Italienerhennen gefunden, denen die Eier untergelegt werden. Nun ist erst einmal Zeit gewonnen. – Von den 100 Eiern schlüpfen 79, denn das Belassen der Eier in der Verpackung war dem Schlupfprozent nicht gerade förderlich, und von den Leghornhennen brütete eine sehr nachlässig, so daß die Eier noch auf die vier anderen Brüterinnen verteilt werden mußten, was für einige schon zu spät kam. Die Italienerinnen wiederum sind in der Führung nicht besonders eifrig, so daß weitere Ausfälle erfolgen. – Kurz und gut, in diesem Stile geht es weiter, und im Grunde kann unser Freund froh sein, wenn er nach Beendigung der Aufzucht noch einige 30 Fasanen unter Segenswünschen in die freie Wildbahn entlassen kann. An einem schönen Sonntagmorgen ist es dann so weit, die Fasanen werden in ihren Volieren gefangen, in Säcke getan und im Revier freigelassen an einer Stelle, wo sie es bestimmt warm genug haben, am sonnigen Südhang einer kleinen Basaltkuppe, von der aus man einen herrlichen Überblick hat . . .

Das findet auch der starke Habichtsterzel, der in einem Randbaum des Fichtenstangenholzes am Fuße der Kuppe blockt, als eine etwas zurückgebliebene Junghenne, die bei dem Transport eine Flügelverletzung erlitten hatte, unmittelbar an ihm vorbei in die Deckung strebt. Und die Steinmarder vom Basaltbruch, der an den Fichtenstangenort anschließt, sind auch recht dankbar für die Bereicherung ihres Speisezettels. So bleiben bei Aufgang der Jagd nur noch ein gutes Dutzend, die in ein kleines Bruch verstrichen sind, das leider – jenseits der Grenze liegt. Das schlechte Ergebnis rührt daher, daß alles falsch gemacht wurde, was falsch zu machen war.

Es ist nicht zuviel gesagt, wenn wir hier feststellen, daß fast in der Mehrzahl der Fälle ähnlich unbedacht ausgesetzt wird. Beginnen wir also, die notwendig zu beachtenden Punkte im einzelnen zu betrachten; hierbei müssen wir kurz noch einmal auf die Frage der Reviereignung zurückkommen. In sehr vielen Fällen ist nämlich der Wunsch nach Fasanen so groß, daß man die mehr oder weniger laut vorgebrachten Einwände der Fachleute meint überhören zu können und mit einem recht forschen „Es wird schon gehen!“ die Sache in Angriff nimmt. Der Herausgeber hat das sowohl bei Einzeljägern als auch bei ganzen Kreisgruppen erlebt, bisher allerdings keinen einzigen Fall, in dem der Optimismus den Fachmann 1 : 0 geschlagen hätte!

Bei der in Westdeutschland bekanntermaßen geringen Durchschnittsgröße der Reviere ist das Aussetzen von Fasanen in einem einzigen Revier hier sinnlos, wenn nicht der Revierinhaber von vornherein die Absicht hat, die Sache so groß aufzuziehen, daß er die Einbürgerung zugleich auch für seine sämtlichen Nachbarn, also einen Komplex von mindestens tausend Hektar, mitübernimmt. Richtiger aber ist es, wenn alle Revierinhaber eines Hegeringes, soweit ihre Reviere sich eignen, sich erst einmal zusammenschließen und gemeinsam vorgehen. Das geschieht am besten schon im Herbst. Ist Einigkeit erzielt, dann geht es in allen Revieren an die Arbeit, die wir in den Kapiteln dieses Buches jeweils im einzelnen dargestellt finden: Die Bekämpfung der wildernden Hunde und Katzen (Hasenkapitel), die Krähen- und Elsterbekämpfung, eine der wichtigsten Maßnahmen gerade auch für den hier behandelten Zweck, die Bekämpfung des Habichts, ohne die in den meisten Fällen aus einer Einbürgerung nichts werden kann, die Organisation der Deckungsvermehrung und die zeitgerechte Begründung von Deckung, z. B. Kleinstbrachen und Hegebüschen (Rebhuhnkapitel). Es sei darauf hingewiesen, daß die Absprachen mit den Grundeigentümern am besten schon im Herbst getroffen und notwendige Einfriedigungen vorgenommen werden, man macht dann über Winter seine Erfahrungen mit der Bevölkerung und sieht, was geht und was nicht geht. Vielleicht kann man auch etwas Land pach-

Fasanen-Aufzuchtkasten (nach Behnke)

ten, das dann rechtzeitig für die Bestellung vorbereitet werden muß, auch muß die Saatgutbestellung frühzeitig erfolgen, insbesondere, wenn man weniger häufig angebaute Arten, wie Buchweizen und namentlich Hirse, beziehen will.

Im Frühjahr geht es dann mit Hochdruck voran. Am günstigsten ist es natürlich, wenn mehrere Reviere zusammen sich einen Berufsjäger leisten können, der bestimmt billiger ist als ein mit großem Aufwand unternommener Versuch, der zum Fehlschlag wird. Gerade bei der Raubzeugbekämpfung ist er für den Stadtjäger eigentlich unentbehrlich. Er organisiert die für die Aufzucht erforderlichen Glucken bzw. Puten, die von den Bauern meist gern hergeliehen werden, weil sie nach dem Ablegen für einige Zeit nur unnütze Fresser sind; er hilft beim Bau der Aufzuchtkästen und plant die Stellen, wo sie hinkommen – am besten in etwas abseits gelegene Höfe mit Wiesenland in unmittelbarer Nähe des Gehöftes; es muß aber eine geeignete Deckung, vor allem auch die Möglichkeit zum Aufbaumen für die allmählich verwildernden Jungfasanen in Hofnähe vorhanden sein.

Die Bruteier werden aus einer der in jedem größeren Lande bestehenden Fasanerien beschafft, wobei der Bezieher heute schon in gewissen Grenzen Wünsche hinsichtlich der Rasse bzw. Rassenmischung äußern kann. Die frisch geschlüpften Jungen läßt man 24 Stunden unter der Henne, am besten einer Zwerghuhn- oder gewöhnlichen Landhenne, ohne zu füttern. Gewöhnlich wird als Futter während der ersten Tage hartgekochtes Ei, vermengt mit kleingewiegter Schafgarbe, dazu Ameiseneier empfohlen, doch haben zwei mir bekannte kleinere Fasanerien, die fertiges „Fasanenaufzuchtsfutter“ vom zweiten Tage an reichten, auch gute Erfolge erzielt. Bezugsquellen für solches sind im Fasanenmerkblatt des Wildmeisters BEHNKE angegeben[13], der ein ausgezeichneter Fachmann ist.

[13] Merkblatt Nr. 2 des Niederwildausschusses des DJV.

Die Fütterung muß in der ersten Zeit mindestens fünfmal am Tage erfolgen, wichtig ist das Abräumen der Futterreste, die rasch verderben und dann für die Jungtiere sehr schädlich sind. Sobald sich die Jungen etwas gekräftigt haben, mit 6–8 Tagen etwa, werden die Ziehmütter in einen Aufzuchtkasten (s. Abb.) verbracht, der auf eine Wiese gestellt und täglich ein Stück weitergerückt wird. Der umfriedete Auslauf kommt vom vierten Tage an in Fortfall. Mit zehn Wochen etwa sind die Jungen groß und kräftig genug, um selbständig zu sein. Doch soll man sie, nach BEHNKE, bis dahin an eine in der Nähe stehende, geeignete Fütterung gewöhnen, wo sie immer wieder einmal etwas Futter vorfinden. Auch an anderen Revierstellen sind dann schon Fütterungen errichtet, die bereits vor Beginn der nahrungsarmen Zeit beschickt sein müssen, will man die Fasanen im Revier halten. Unter besonders günstigen Verhältnissen kann man die Jungfasanen mit ihrer Ziehmutter auch nach etwa drei Wochen gänzlich freilassen. Sie werden dann frühzeitiger an das Freileben gewöhnt, und man ist der Mühe der täglichen Betreuung enthoben, muß freilich mehr Verluste in Kauf nehmen. Daß man die Henne mit den Küken nicht irgendwo im Revier einfach aussetzen darf, ist wohl selbstverständlich, sie muß jederzeit die Möglichkeit haben, mit ihrer Kükenschar zum Gehöft zurückkehren, wenn sie das will.

Eine sehr viel einfachere – und sehr viel teurere – Methode der Fasaneneinbürgerung ist der Ankauf ausgewachsener Fasanen. Sie müssen im Vorfrühling gegen Abend in der Nähe einer Deckung, bei der eine Schütte steht, so freigelassen werden, daß sie den Menschen nicht äugen und beim Verlassen des Transportkorbes eine Kirrung vorfinden, die sie zur Schüttung führt. Hat man Glück und sagt das Gelände den Fasanen zu, ist auch keine Störung vorhanden, dann kann man auch auf diese Weise einen Fasanenstand heranhegen, jedoch *nur,* wenn die oben geschilderten *Reviervorbereitungen* durchgeführt worden sind. Zwei Fehler werden leider hierbei sehr häufig gemacht, der eine ist das Aussetzen einer zu geringen Stückzahl – weniger als 3,9, d. h. drei Hähne und neun Hennen auszusetzen, hat m. E. im Falle einer Ersteinbürgerung kaum Zweck, es sei denn, die Nachbarn tun ein Gleiches. Ist ein geringer Fasanenstand bereits vorhanden, dann kann man selbstverständlich auch schon mit der Zuführung weniger Tiere Gutes bewirken. In diesem Falle ist auch die sonst wenig zu empfehlende Herbstaussetzung möglich.

Fasanen wurden früher *in einem Verhältnis* von 1 : 4 oder 1 : 5 *bewirtschaftet,* neuere Erfahrungen haben gelehrt, daß auch ein Zahlenverhältnis von 1 : 7 möglich ist, und selbstverständlich ist das günstiger, weil die Zahl der „Zuwachsträger“ im Gesamtbesatz damit größer wird; allerdings empfiehlt sich bei einem so weiten Geschlechterverhältnis das Aussetzen jeweils einiger Hähne aus fremden Zuchtstämmen, zur Blutauffrischung, im Abstand von 2–3 Jahren. Die Vermehrung in der freien Wildbahn beträgt nach Ansicht aller wirklichen Kenner, wie WITTMANN, v. WATZDORF u. a., im Normalfalle nur 3 bis 4 Jungtiere je Henne und Jahr. Bei einem Besatz von 12 Hähnen und 84 Hennen, also rund gerechnet 100 Stück, dürfen wir also 250 bis 350 Jungfasanen erwarten – wenn wir die Verhältnisse in der Slowakei und in Schlesien, also in besten Fasanengegenden, zugrunde legen, wo die genannten Praktiker ihre Erfahrungen gesammelt haben! – Im norddeutschen und im größten Teile des mittel- und westdeutschen Raumes sind aber die natürlichen Gegebenheiten ganz wesentlich ungünstiger, so daß wir sehr zufrieden sein können, wenn der genannte Frühjahrsbestand sich bis zur Jagdzeit um 200 Jungfasanen vermehrt hat, also auf 300 Stück herangewachsen ist. Bei den Jungen beträgt das Geschlechterverhältnis 1 : 1 (im Durchschnitt der Jahre), es sind also 100 Junghähne und 100 Junghennen da, dazu nach Abzug der Sommerverluste an erwachsenen Tieren noch etwa 10 Althähne und 75 Hennen. Es wäre nun ein Irrtum zu glauben, daß man den gesamten Zuwachs nutzen, also abschießen könne, es muß vielmehr eine Winterreserve übergehalten werden in Höhe eines Zuschlages von 10 % bis 20 % zu dem für das kommende Jahr vorgesehenen Frühjahrsbesatz. Mit anderen Worten, man kann von den insgesamt vorhandenen Hähnen etwa 95 im Laufe der Jagdzeit abschießen oder, wiederum anders ausgedrückt und auf die einfache Form einer Faustregel gebracht: Bei einem Geschlechterverhältnis von 1 : 7 darf im Normaljahr der *Hahnenabschuß* so hoch sein, wie der Gesamtbesatz im Frühjahr.

Der *Hennenabschuß* dürfte theoretisch – und hier ist nun einmal Theorie vonnöten – rund 75 Stück betragen, doch wäre es wirtschaftlich sehr unklug, wollte der Revierinhaber seinen Hennenzuwachs auf diese Weise nutzen. Die lebend gefangene Henne – und der Fang an einer hierzu hergerichteten Schüttung ist spielend leicht – bringt ihm mindestens den dreifachen, wenn nicht vierfachen Preis der erlegten und hilft zugleich dazu, die Wiederbesiedlung der deutschen Wildbahnen durch Fasanen zu beschleunigen. Größere Reviere haben vor dem Kriege durch Fang und Lebendverkauf ihres entbehrlichen Hennenzuwachses nicht selten ihren gesamten Jagdetat bestritten. – Läßt man wesentlich mehr als den genannten Prozentsatz an Hennen im Revier, dann muß man dementsprechend auch mehr Hähne übriglassen. Hierbei kommt es darauf an, ob das Revier gleichsam mit Fasanen gesättigt, also mit dem in Anpassung an die örtlichen Verhältnisse günstigsten zahlenmäßigen Besatz versehen ist, oder eine Bestandesvermehrung noch gut ertragen kann. Faustzahlen oder -regeln kann man da nicht geben, es ist das eine Frage vor allem der Äsung und des Deckungsanteils im Revier vor und während der Brutzeit. Ist das Revier gut besetzt und betreibt man trotzdem eine „Vermehrungshege", dann wandern Fasanen ab. In der Aufbauzeit nach einer Ersteinbürgerung oder Neubegründung eines Besatzes wird man selbstverständlich die Hennen grundsätzlich schonen, dazu notwendig die entsprechende Anzahl von Hähnen, um eine Besatzvermehrung sicherzustellen. Doch wird

man, hat man erst 20 oder 30 Fasanen im Revier, naturgemäß schon den einen oder anderen Hahn im Herbst schießen können.

Die beim Fasan so notwendigen *Fütterungen* legt man so an, wie die Abb. S. 215 es darstellt. Sie müssen versteckt liegen, da sie sonst von Unberufenen dauernd aufgesucht werden, die, vielfach ohne jede böse Absicht, sich an den herrlichen Vögeln erfreuen wollen. Aber auch Wilddiebe sind zu fürchten; zwar hat der Wilderer schlechthin die Gelegenheit ohnehin bald erspäht, aber manch einer, der an Wildern nicht dachte, wird durch sie zum Dieb. Kann man die Schüttung wegen der Gunst des Geländes von der notwendigen Dekkung etwas absetzen, dann ist das gut, weil dann gegen überraschend angreifendes Raubwild und Raubzeug ein gewisser, vermehrter Schutz besteht. Krähen und Raubvögel sollen nach Möglichkeit keine Gelegenheit haben, bei der Schütte aufzublocken. Ist das nicht zu vermeiden, so hängt man, den Krähen zur Warnung, im Umkreis von 30 oder 40 Metern ein paar geschossene auf, vor denen die Fasanen zwar anfänglich eine arge Scheu haben, an die sie sich aber doch meist rascher gewöhnen, als das schwarze Gelichter, dem die Warnung gilt.

Man füttert Druschabfälle, dazu Weizen oder Mais, ab und an auch Leckerbissen, wie durch Seewasser verdorbene Rosinen, die von den Importeuren in der Jagdpresse billig angeboten werden, Garnelenschrot und dergleichen. Auch Eicheln sind zu empfehlen. Die Zahl der Schüttungen im Revier hängt davon ab, ob überhaupt genügend Deckung im Winter vorhanden ist, um mit Vorteil mehrere Schüttungen zu errichten, ob der Besatz mit der vorhandenen Winteräsung im Grunde auskommt oder nicht und ob die Gefahr des Abwanderns besteht. Ist man in der glücklichen Lage, über eine deckungsreiche größere Fläche zu verfügen, dann sollte man das ausnutzen und dort je 20 ha ein bis zwei Fütterungen anlegen.

Zur Fasanenhege gehört auch die Betreuung der ausgemähten Gelege, und nicht nur diese, sondern auch die Vorsorge dafür, daß der Prozentsatz möglichst unter den mancherorts erreichten 50 % (!) bleibt. Eine vollbefriedigende Konstruktion eines an der Mähmaschine anzubringenden Gerätes ist bisher noch nicht gelungen, Ansätze dazu sind vorhanden. Die beste Methode ist immer noch die Beunruhigung aller frühzeitig zur Mahd vorgesehenen Schläge kurz vor und während der Legezeit, in der die Henne gegen Störungen – wir müssen sagen: glücklicherweise – recht empfindlich ist. Manches kurz vor dem Schlüpfen stehende Gelege kann auch durch Absprache mit dem Nutzungsberechtigten gerettet werden, der die Mahd um einige Tage verschiebt, wenn sein Betrieb das erlaubt. Das Stehenlassen von etwas Deckung um das Nest nützt wenig, wenn die brütende Henne verjagt ist. Ist sie das nicht, sitzt also sehr fest, dann stehen die Eier dicht vor dem Schlüpfen, und ein paar in einiger Entfernung um das Nest gelegte Petroleumlappen oder ähnliches schützen kurzfristig gegen Haarraubwild; nicht freilich gegen menschliche und gefiederte Nestplünderer. Am besten ist es, ausgemähte Gelege grundsätzlich mitzunehmen und von einer Haushenne ausbrüten zu lassen bzw. sie einer nahegelegenen Fasanerie zuzuführen, die dafür nach Vereinbarung Eintagsfasanenküken oder auch einige größere Fasanen zurückliefert. Erkalten der Eier schadet erstaunlich wenig, selbst 24 Stunden lang unbedeckt verbliebene, bebrütete Fasaneneier sind meist kaum geschädigt.

Die große Beliebtheit des Fasanen bei der Jägerei aller Länder – in stark zunehmendem Maße auch in den USA, in Chile und in Neuseeland – beruht natürlich in erster Linie auf der stattlichen Größe und der außerordentlichen Schönheit dieser Wildart. Dazu liegt die Vermehrungsquote eines Besatzes sehr wesentlich höher als die eines Rebhuhnbesatzes, weil man das Geschlechterverhältnis weiter halten kann – beim Rebhuhn ist ja nur 1 : 1 möglich. – Auch sind, das ist eindeutig erwiesen, in einigermaßen gepflegten Revieren die

Fasanenstrecken nicht so wechselnd wie die des Rebhuhns, was nach W. GEMANDER (W. u. H. 1940) vor allem mit dem über einen längeren Zeitraum sich erstreckenden Brutbeginn zusammenhängt; denn auf diese Weise hat ein gewisser Anteil der Küken alljährlich die Chance, in eine Schönwetterperiode „hineinzuschlüpfen", während beim Rebhuhn oft nahezu der gesamte Nachwuchs schlagartig zugrunde geht. Grob materialistisch gesprochen ist der Fasan dem Rebhuhn auch dadurch überlegen, daß er in der gleichen Zeit und aus den gleichen – für die Landwirtschaft gleichgültigen oder gar schädlichen – Nahrungsstoffen einen drei- bis viermal schwereren Körper aufbaut. Man mag es drehen oder wenden, wie man will, der Fasan „lohnt mehr"! Auch die Kücheneignung, deren Bedeutung wir im Bekassinenkapitel beleuchten, ist wesentlich größer als beim Rebhuhn, und hierauf beruht die soziologisch und wirtschaftsgeschichtlich interessante Tatsache, daß von den 3 Flugwildarten Waldschnepfe, Rebhuhn und Fasan die erstgenannte heute, gemessen an der Kaufkraft des Geldes, nur noch etwa die Hälfte des vor dem Ersten Weltkriege bezahlten Preises bringt, die zweite diesen nicht ganz erreicht, die dritte aber ihn gehalten hat oder übertrifft: Der enorm gestiegene Lohnanteil an den Zubereitungskosten, der bei kleinerem Wild naturgemäß höher ist als bei größerem, läßt die Verwendung von Kleinwild im Großbetrieb (Hotels, Restaurants) nicht mehr rentabel erscheinen. – Schließlich ist die Fasanenjagd abwechslungsreicher, weil sie sowohl zu leichteren als auch zu sehr wesentlich schwereren Schüssen Gelegenheit gibt, als das gewöhnlich bei der Rebhuhnjagd der Fall ist. So haben die deutschen Fasanenbesätze in den letzten 100 Jahren, für die wir statistische Anhaltspunkte besitzen, eine geradezu stürmische Vermehrung erfahren, und zwar auf Kosten des Rebhuhnes. Das Streckenverhältnis betrug 1865/66 (in Bayern) 1 : 56, 1885/86 (in Preußen) 1 : 18 ausweislich der Statistiken, 1910 im Reichsgebiet, nach einer wohlfundierten Schätzung des damals führenden Jagdwirtschaftlers, Geheimrat Dr. RÖHRIG, etwa 1 : 10 und kurz vor Beginn des Zweiten Weltkrieges ungefähr 1 : 1,5 (Fasanen stets an erster Stelle); gegenwärtig werden in der Bundesrepublik in den meisten Jahren mehr Fasanen als Rebhühner erlegt. Bei dem höheren Preis, der für den Fasan gezahlt wird, ist er also die jagdwirtschaftlich wichtigste Flugwildart. Der sehr starke Rückgang der Besätze in den letzten Kriegs- und Nachkriegsjahren ist heute, 1965, mehr als wiederausgeglichen, obwohl die Bevölkerungszunahme und die veränderte Sozialstruktur die Hege erschweren: Die Durchschnittsstrecke in der Bundesrepublik betrug 1936–39 knapp 350 000, in den Jahren 1957–64 dagegen 550 000 Stück, wobei die (unbekannte) bayerische Strecke nach Flächenprozenten hineininterpoliert ist. So glaube ich, daß die Prognose des alten HEGENDORF richtig ist, der seinem trefflichen Fasanenbüchlein den Titel gab: „Die Zukunft dem Fasan!"

DAS REBHUHN

Trotz des verhältnismäßig hohen Waldanteils war das *Rebhuhn* etwa hundert Jahre hindurch die jagdwirtschaftlich wichtigste Flugwildart Deutschlands, und erst in neuerer Zeit hat ihm, wie wir sahen, der *Fasan* diese Rolle streitig gemacht, bedarf aber in unseren Breiten als *Wirtschaftswildart* ständig der Förderung durch den Menschen, während das *Rebhuhn* sich hierfür zwar dankbar erzeigt, im Grunde aber doch auch ohne sie fortzuexistieren vermag. So haben die Rebhuhnbesätze die Nachkriegswirren des Ersten und Zweiten Weltkrieges im allgemeinen besser überstanden als die der Fasanen – ihr Schutz ist die Verteilung in der Weite des Raumes, jener konzentriert sich, zumindest im Winter und zur Nachtzeit, und ist damit dem Zugriff Unberechtigter eher ausgeliefert.

Das Rebhuhn, Perdix p. perdix (L.), bildet innerhalb der Hühnervögel, genauer gesagt, innerhalb der unglücklicherweise „Fasanenvögel" (Phasianidae) genannten Familie, mit wohl nur einer nächstverwandten Art einen Zweig für sich, der *vielleicht* den jedem Afrikajäger bekannten *Frankolinen* nahesteht; *bestimmt* den das Hochgebirge bewohnenden *Königshühnern*. Unsere Art ist in mehrere Rassen über Europa und Rußland bis zum Altai und der Dsungarei sowie Vorderasien, von Anatolien bis Nordpersien, verbreitet (NIETHAMMER). In den USA, besonders aber in den Weizenprovinzen Südkanadas, ist sie eingeführt und hat sich hier als Wirtschaftswildart hervorragend bewährt („Hungarian Patridge").

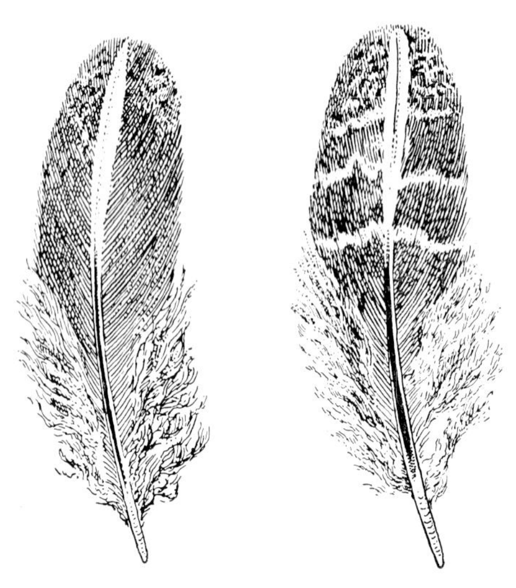

Oberflügeldecken links vom Rebhahn, rechts von der Rebhenne (vergrößert)

Ihr Äußeres ist gekennzeichnet durch den rostfarbenen Kopf und Hals, die zart gelb und schwärzlich gemusterte graubraune Ober- und die graue Unterseite sowie den leuchtend braunroten Stoß. „Allgemein wird der Schild", so sagt H. FRANK in seinem vortrefflichen Rebhuhnmerkblatt, „ein großer brauner Fleck auf der Brustmitte, der meist Hufeisenform hat, als Unterscheidungsmerkmal der Geschlechter angesehen. Es gibt aber eine große Anzahl von Hennen, bei denen er recht gut entwickelt ist; ebenso kann er völlig fehlen. Als Kennzeichen, das nicht trügt, sind die Oberflügeldeckfedern anzusehen: Beim Hahn haben sie nur einen hellen Mittelstrich ohne Querzeichnung, während die der Hennen stets Querzeichnung aufweisen (Abb.). Die Ständer von alten Hühnern sind schiefergrau, während die Jungvögel gelb- bis braungraue Ständer haben. Bis zur Mitte des zweiten Kalenderjahres unterscheiden sich junge Rebhühner von alten durch die zugespitzten beiden äußersten Handschwingen (s. Abb.), die bei den erwachsenen abgerundet sind.“ – Die Küken sind auf der Oberseite braun mit schwarzen Flecken und Streifen, die sich, außer auf der Brust, auch nach unten fortsetzen; ihre Unterseite ist hellgelb, die Ständer kräftig dunkelgelb.

In Heide- und Moorgegenden zwischen Ems und den Niederlanden lebt eine dunklere, ein wenig kleinere Form mit fast schwarzem Brustschild, das Moorrebhuhn (Perdix p. sphagnetorum), das von dem später an der Forstakademie Eberswalde lehrenden, bedeutenden Münsterländer Zoologen ALTUM als besondere Rasse erkannt wurde. Im östlichen Ostpreußen beginnt die Verbreitung des langflügligeren, helleren, insbesondere auch in der Rückenbefiederung mehr grauen Östlichen Rebhuhns (Perdix p. lucida).

Das Rebhuhn ist vorzugsweise ein Bewohner der Ebene, wenn es auch in den Dorfmarken des Mittelgebirges nicht fehlt und sogar in einige Alpentäler eingedrungen, ja, einmal in 1600 m Höhe (Tauernmassiv) erlegt ist. In klimatisch und ernährungsmäßig günstigen Gegenden kommt es sowohl dort vor, wo landwirtschaftliche Großbetriebe Großflächenwirtschaft betreiben, als auch auf dem Kleinbesitz eignenden Flächen, wo Schlag neben Schlag in engem Wechsel liegt. Heute, da Deutschland an Raubwild, Greif- und Krähenvögeln zweifellos reicher ist, als um die Jahrhundertwende, ist es in sehr vielen waldnahen Gemarkungen völlig verschwunden oder bis auf geringe Reste zurückgegangen.

Erste und zweite Handschwinge
links vom jungen, rechts vom alten Rebhuhn

Auch auf im Großbetrieb bewirtschafteten Flächen ist ein sehr erheblicher Rückgang zu verzeichnen, insbesondere dort, wo durch eine intensive Wirtschaft die Äcker unkrautfrei geworden sind und somit dem Rebhuhn, für das im Winter, bei hoher Schneedecke, Unkrautsamen die unentbehrliche Notnahrung darstellen, ein wichtiger Teil seiner Ernährungsgrundlage fehlt. Wo der Schälpflug dem Mähdrescher folgt, wo in zwei Jahren *drei*mal geerntet wird, statt, wie zur Zeit der Dreifelderwirtschaft, in drei Jahren *zwei*mal, da ist ohnehin sein Lebensraum eingeengt; und so habe ich Begüterungen gekannt, auf denen 1914 gegen 200 Rebhühner zur Strecke kamen, zwanzig Jahre später ein halbes Dutzend ...

Der Beginn der *Paarungszeit* der Hühner ist nicht allein von dem Schwinden der winterlichen Schneedecke abhängig, sondern, wofern man aus Untersuchungen beim Schneehuhn einen Rückschluß ziehen darf, auch von der Tageslichtdauer. In der Rheinebene ist diese, nach Beobachtungen Frh. v. BOESELAGERS, gegen Ende Februar lang und intensiv genug, den Paarungstrieb auszulösen. Die Ketten lösen sich dann auf, von einem Tag zum andern, die Paare treten zusammen, doch treibt ein erneuter Schneefall die Hühner wieder in ein Leben in größerem Verband zurück. Da eine Überzahl von Hähnen fast immer gegeben ist, finden unter diesen heftige Kämpfe statt, bei denen sie oft alle Vorsicht vergessen. So ist es kein Wunder, daß in dieser Zeit bevorzugt *Hähne* von den Raubvögeln geschlagen werden, wie Brüll nachwies. – Jedes Paar hat sein Revier, das erbittert verteidigt wird.

Das Nest, eine mit ein paar Grashalmen, auch Federn, ausgelegte flache Mulde, wird in der zweiten Aprilhälfte, oft auch erst Anfang Mai angelegt („Anfang Mai: Das erste Ei!" lautet ein auf unsere Art bezüglicher Waidspruch) und enthält eine erstaunlich hohe Eizahl, nämlich, wenn das Gelege voll ist, 12–20, mitunter noch mehr – die höchste Eizahl von allen unseren Bodenbrütern. Es steht meist dort, wo um diese Jahreszeit die beste Deckung sich befindet, also in Klee- oder sonstigen Grünfutterschlägen, und das ist bei der heutigentags so früh stattfindenden Mahd alljährlich der Verderb von Tausenden von Gelegen in Deutschland, die mehr oder weniger kurz vor dem Zeitigen ausgemäht werden. Viel bessere Aussichten haben die im Wintergetreide gemachten Gelege, doch sind sie naturgemäß durch die heute ausschließlich geübte Reihensaat gegen das Raubzeug weniger geschützt als vorzeiten; auffallenderweise wird übrigens Winterroggen nicht allzugern als Neststandort ausgewählt. Gern werden dagegen Feldraine, Hecken und Stellen mit vorjährigem Gras angenommen, das, wenn es mal ausnahmsweise nicht abgebrannt wurde, reiche Deckung gibt; doch sind die Hennen gerade an Feldrainen besonders dem Zugriff des Raubwildes ausgesetzt, das ja diese fast täglich abreviert; breite, möglichst dornige Hecken geben dagegen besseren Schutz, und zu wahren Rebhuhnparadiesen entwickelten sich die breiten Drahthindernisse vor der Westwall- und der Maginotlinie. Bahndämme erwiesen sich gleichfalls als günstig, und der herannahende Zug wird binnen kurzem als ungefährlich erkannt und ausgehalten. Schließlich sind Brom- und Himbeerwildnisse an Dorfrändern, Dämmen und Wäldern, auch größere, zumal gegatterte junge Kulturen am Waldrande für das Rebhuhn von Vorteil.

Im allgemeinen geht ein sehr großer Teil der Gelege zugrunde, denn die Brutzeit währt mit 24 Tagen für ein so wenig geschütztes Tier doch recht lange, und mindestens 14 Tage muß man als Legezeit noch hinzurechnen, so daß vom Beginn des Nistens bis zum Ausfallen der Eier fast anderthalb Monate vergehen. Bei Verlust des Geleges wird meist nach sehr kurzer Zeit ein Nachgelege gemacht, bei Verlust dieses oft noch ein zweites, doch sind diese Nachgelege beträchtlich ärmer an Eiern. Man findet sie bis in den August hinein, vereinzelt gar noch später.

Rebhühner leben in Einehe, mitunter mehrere Jahre hindurch, und der Hahn, der selbst nicht brütet, hält sich doch in der Nähe der brütenden Henne und hudert, von ihr gerufen, die eben ausgeschlüpften Jungen gemeinsam mit ihr, um dann sich getreulich an der Führung zu beteiligen. Dies tun auch, wenn sie Gelegenheit dazu bekommen, unverpaarte Hähne.

Die Junghühner, über deren Nahrungszusammensetzung die Darstellung unterrichtet (Abb.), entwickeln sich zunächst sehr rasch und können sich nach etwa 12 Tagen im Regelfall schon allen Bodenfeinden durch Davonflattern entziehen. Außerdem werden sie von beiden Eltern verteidigt, und hilft Verteidigung nicht, so hilft doch oft Verstellung: Das bekannte Davonlaufen beider oder eines der Elterntiere – meist wohl, im Gegensatz zur landläufigen Auffassung, des Hahnes – mit einseitig gespreiztem Flügel, das dem Raubwilde, auch dem zweibeinigen, eine Verletzung vortäuscht, die zu mühelosem Erbeuten führen könnte; so wird es von den hilflosen Jungen abgelenkt, die inzwischen von dem anderen Elternteil in Sicherheit gebracht werden. Es ist interessant, welch geradezu faszinierende Reizwirkung das Verhalten des sich lahmstellenden Tieres selbst auf Menschen ausübt . . .

Wie wir gesehen haben, erreichen Rebhühner ihre Flugfähigkeit sehr früh, voll *„flugbar"* sind sie mit etwa 3 Wochen – ihr Gewicht beträgt dann freilich erst knapp 100 g, und der Jäger spricht in diesem Falle von „Spatzen", „Staren" oder „Wachteln". Sie sind also längst noch nicht *„schußbar"*; das ist frühestens mit zwei Monaten der Fall, wenn die Hühner ein Gewicht von mindestens 300 g erreicht haben; eine *Oktober*strecke von Junghühnern aus dem Revier des Herrn SMEND/Göttingen, die ich durchwog, hatte ein *Durchschnittsgewicht* von 375 g! Ein- und mehrjährige Hühner wiegen um 400 g.

In der zweiten Oktoberhälfte, auch wohl später – oder gar nicht! – schlagen sich die Ketten der Rebhühner zu großen Flügen zusammen, die 30–50 und mehr Individuen zählen können. Da so ein „Flug", dessen „Bestandteile" ja meist aus mehreren Revieren stammen, sich schließlich nur in einem oder einigen einander nahe benachbarten Revieren aufhält, bezeichnen Unerfahrene ihn gern als „Wanderrebhühner" und leiten daraus die Berechtigung her, zum Schaden ihrer Nachbarn (aber auch zum eigenen Schaden) verspätet noch einmal mit der Hühnerjagd beginnen zu dürfen. Wanderrebhühner sind indessen etwas ganz anderes, es sind meist noch sehr viel kopfstärkere, nach Hunderten zählende Flüge, die fast nur im Osten unseres Vaterlandes – auch in Österreich – auftreten, höchst selten einmal bis nach Westdeutschland gelangen; und auch im Osten findet man sie keinesfalls alljährlich.

1-14 Tage 15-21 Tage üb. 21 Tage
7% 93%
50% 50%
97% 3%
tierisches Futter (meist Insekten)
pflanzl. Futter (Samen, Blätter, Blüten etc.)

Der Anteil tierischer und pflanzlicher Nahrung beim jungen Rebhuhn (Nach H. Frank, verändert)

Die *Stimme* des Rebhuhnes, die ihm im Griechischen, in den romanischen Sprachen und im Deutschen den Namen gab, wird außerordentlich verschieden wiedergegeben. Die wissenschaftliche Bezeichnung Perdix, aus dem Griechischen stammend, meint den Lockruf, den wir doch gewöhnlich mit „girr*häk*", auch „girr*hick*" umschreiben. Er hört sich aber in der Tat draußen im Freien oft recht anders an, als in der Erinnerung am Schreibtisch. v. THÜNGEN schreibt der *Henne* ein antwortendes sanftes „girl" bzw. „plieck-plieck" zu, von dem aber so gut beobachtende Autoren wie NIETHAMMER und FRANK ebensowenig wissen wie der Herausgeber. Beim Aufstehen einer Kette meint man ein in rascher Folge ausgestoßenes „rip, rip, rip, rip" zu hören, auf das vielleicht die deutsche Bezeichnung zurückgeht, die jedenfalls mit der Rebe nichts zu tun hat. Vielfältig sind die Stimmlaute der Alten bei der Führung der Jungen, die ihrerseits piepen wie alle Hühnerküken.

Die tierischen *Feinde* des Rebhuhns sind in den Abschnitten über Haarraubwild, Raub- und Krähenvögel im einzelnen erwähnt, insbesondere wurde dort angegeben, welche Arten als Hauptfeinde zu gelten haben und wann die Gefährdung jeweils die größte ist. Soweit erforderlich, gehen wir im Kapitel Hege auf weitere Einzelheiten noch ein.

Die *waidmännischen Bezeichnungen* haben wir z. T. beim Fasan besprochen, so daß nur auf das Abweichende eingegangen werden muß. Da ist zunächst der Name, schon im Althochdeutschen als „repahuon“ bekannt, mehr wissenschaftlich als „Feldhuhn“, ein recht entbehrliches Wort; der Jäger sagt gewöhnlich nur *Huhn* und *Hühnerjagd.* In einigen Gegenden unseres Vaterlandes, z. B. in der Grafschaft *Bentheim,* spricht man, wie es heißt, von der Franzosenzeit her, von *Petrisen,* und, davon abgeleitet, im angrenzenden *Münsterland* von *Trieshöhnern.* In dem Worte *Kette* für *Volk* lebt, wie in so vielen Wörtern unserer Jägersprache, verschollenes altdeutsches Sprachgut fort, nämlich die alte Bezeichnung für *Schar* oder *Rudel* – mit der Gliederkette hat es nichts zu tun. Vereinigen sich mehrere Ketten zu kopfstarken Scharen, dann heißen diese *Flüge.* –

Die kleinen, rundlichen Vertiefungen im Boden, die sich ein Volk auskratzt, um zu ruhen, nennt man das *Lager,* voreinst auch wohl den *Kessel.* Im Jagdbetrieb spielt eine wichtige Rolle das *Sprengen* der Kette, d. h., daß man die Hühner durch fortlaufende Beunruhigung mit dem Hunde dazu bringt, sich zu vereinzeln. Sie *halten* dann bedeutend besser, die Kette wird unter Umständen dann *aufgerieben.* – Die Nahrung heißt das *Geäse* oder die *Weide,* streichen die Hühner ihr zu, so *fallen sie auf die Weide.* Dementsprechend *weiden* oder *äsen* sie. Nehmen sie im lockeren, warmen Sande nach Art der Haushühner ein Bad, so *stäuben sie sich.*

Ehegatten nennt man *Paarhühner,* den Hahn scherzhaft *Korporal* wegen seiner beim Rufen steil hochgereckten Haltung und des schmückenden Schildes. Das bei Unruhe zu be-

obachtende, rallenartige Auf- und Niederbewegen des Stoßes nennen wir *Schnippen. Hecken* ist das Eierlegen, Brüten und Aufziehen der Jungen – *Heckezeit.* Die Jungen *fallen aus,* d. h. sie schlüpfen aus dem Ei, bald sind die *beflogen oder flugbar.* Die Rebhühner *rufen* oder *locken sich zusammen,* der Lockruf heißt auch *Ruf.* Will man angeben, wieviel Junge die Henne gezeitigt hat, so sagt man, sie hat soundso viele *ausgebracht.* Das Erscheinen der braunroten Brustfärbung beim Junghahn, im Alter von 3–4 Monaten, nennt man das *Schildern.*

Zu den jagdlichen Bezeichnungen gehört auch die *Hühner ausstreichen lassen,* wenn man die kurz vor dem Jäger Aufstehenden nicht gleich beschießt, sondern sie erst auf beste Schußweite fortstreichen läßt, um sie nicht zu zerschießen. Findet man zuvor festgestellte Ketten nicht wieder, so sagt man, die Hühner *haben sich verstrichen.* Das für die jagdliche Praxis sehr wichtige Feststellen von Ketten – am Morgen vor der Jagd – auf Grund des Rufes heißt *Verhören.* Verbergen sich Rebhühner in einer Deckung, so heißt das *sie stecken sich,* sitzen sie an ihrem gewöhnlichen Aufenthaltsorte, so spricht der Jäger von *liegen.* Rebhühner, die sich bevorzugt am Waldrand, in Feldgehölzen oder gar auf Blößen im Innern des Waldes aufhalten, werden allgemein als *Holzböcke* bezeichnet.

Für waidgerechte Jäger gibt es in Mitteleuropa nur drei *Arten der Hühnerjagd,* die Suche, die Streife und das Treiben. Das Grundsätzliche dieser Jagdarten haben wir beim Hasen besprochen, so daß hier nur die für unsere Wildart geltenden Besonderheiten zu erörtern sind.

Die bei weitem wichtigste, ja in den meisten Gegenden Deutschlands fast ausschließlich in Betracht kommende Jagdart ist die *Suche,* die nach den in den meisten deutschen Bundesländern geltenden Bestimmungen in der Zeit vom 1. IX. bis 30. XI. ausgeübt werden darf, Aussichten auf Erfolg aber nur in den ersten Wochen der Schußzeit bietet. Will man es sich bequem machen, dann beginnt man erst in den frühen Nachmittagsstunden, weil dann der oft schon starke Morgentau restlos getrocknet ist, was nicht nur dem Jäger, sondern auch dem Hunde die Sache erleichtert, andererseits die ärgste Hitze vorüber ist. Ein klarer, sonniger oder, besser noch, leicht bedeckter September- oder Oktobertag bringt den besten Erfolg; scheut man die Nässe nicht, so sind auch die Vormittagsstunden von 9 Uhr bis gegen Mittag geeignet.

In unserer rebhuhnarmen Zeit ist der Erfolg der Jagd sehr oft entscheidend abhängig vom morgendlichen *Verhören* der Ketten, deren Aufenthaltsort man auf diese Art frühzeitig erkundet, was oft lange Wege und Fehlsuchen erspart. Das ist eine rechte Tätigkeit für Jungjäger, die nichts zu tun haben, als in der Morgendämmerung hinauszugehen und sich die Stellen zu merken, wo die dann regen Hühner eingefallen sind und rufen. Es ist aber darauf zu achten, daß die Ketten mitunter mehrfach hin- und herstreichen, allein wichtig ist selbstverständlich der Ort des letzten Einfalls.

Die *Zahl* der Schützen soll bei der Hühnersuche nicht mehr als 2, allerhöchstens 3 je zur Verfügung stehendem Hund betragen. Das Günstigste ist, wenn je 2 Schützen mit einem Hund nach dem Aufstoßen des ersten Volkes für sich arbeiten, insbesondere dann, wenn die Kette gesprengt ist. Im weiteren Verlaufe des Jagdtages findet man sich dann zwanglos wieder zusammen oder jagt getrennt weiter, wie die Verhältnisse es mit sich bringen. Sehr von Vorteil ist ein nicht mitschießender Teilnehmer, in Sonderheit ein Jungjäger, dem vornehmlich die Aufgabe zufällt, der beschossenen Kette mit den Augen zu folgen und ihre Stückzahl festzustellen. Das ist wichtiger als man zumeist glaubt: A. SCHMOOK hat mit Recht darauf hingewiesen, daß es erstaunlich oft vorkommt, daß eine beschossene Kette beim 2. oder 3. Hochgehen ein Huhn weniger zählt, als man einfallen sah. Das fehlende, meist ein unvermerkt waidwund geschossenes, oder ein mehr oder weniger stark geständertes, ist dann schwer krank oder gar schon verendet dort liegengeblieben, wo eben die Kette aufstand, und wird bei sofortiger Nachsuche leichter gefunden, als später. – Mehr Sache des Schützen ist es, sich um das Zur-Streckebringen der tödlich getroffenen oder sichtbar krank herabkommenden Hühner zu sorgen. Hierzu müssen sie die verschiedenen Schußzeichen kennen, um die Art des Anschusses beurteilen und ihr Verhalten danach einrichten zu können:

Bei *tödlichem Schuß* fällt das Huhn zunächst, auf Grund seiner Fluggeschwindigkeit, in leichtem Bogen, dann senkrecht wie ein Stein zu Boden und bleibt dort entweder unbeweglich liegen, oder es tut, wenn ein Schrot ins Hirn drang, noch ein paar Hopser, schwirrt auch wohl am Boden liegend mit den Schwingen. – *Zerschießen eines Flügels* dicht am Leib hat augenblickliches Herabstürzen zur Folge, während das Huhn sich noch eine kleine Strecke weit durch Flattern forthilft, wenn nur die Spitze des Flügels gebrochen ist. Bisweilen kommt dann ein absonderlicher Bogenflug heraus, und ich erlebte es einmal, daß ein so getroffenes Huhn einfach nicht zu bekommen war, weil es immer wieder aufstand und in völlig unberechenbaren Kurven und Sprüngen sich in Sicherheit brachte. In der Regel wird ein geflügeltes Huhn, wenn es nicht noch andere Schrote erhielt, nach dem Herabfallen sofort in unglaublich raschem Tempo davonlaufen, so daß es schwer aufzufinden ist, wenn man nicht einen sehr zuverlässigen und dabei raschen Hund besitzt.

Spitz von hinten, *waidwund*, aber *nicht unmittelbar tödlich* getroffene Hühner rucken im Schuß zusammen und streichen, oft ohne Flügelschlag, weiter, um schließlich einzufallen und dann meist nicht mehr fortzulaufen, sondern an Ort und Stelle zu verenden. – *Geständerte* Hühner streichen meist sehr weit, wobei der getroffene Ständer herabhängt, und stehen vor dem nachgehenden Jäger recht schwerfällig wieder auf. Ein Ausheilen ist hier bei einseitig geständerten gelegentlich möglich, doch trösten sich viele Jäger oft gar zu leicht mit diesem Faktum und bedenken nicht, daß das gleiche oder ein anderes Korn das Huhn waidwund getroffen haben kann und wohl in der Mehrzahl der Fälle auch getroffen haben wird, es also einem qualvollen Tod entgegengeht; auch bei „nur" geständerten Hühnern muß also die Nachsuche stets sorgfältig, besonders sorgfältig sogar, betrieben werden.

Ein interessantes Phänomen und dem Patzer ein hocherwünschtes Zeichen ist das sogenannte *Himmeln*, das wohl meist bei einem Lungenschuß erfolgt: Das Huhn streicht, mitunter sogar ohne Federn zu lassen, mit der Kette wie gesund fort, um dann mit immer hastiger werdenden Flügelschlägen sich erst schräg, dann senkrecht, immer höher, ja turmhoch in die Luft zu erheben, aus der es plötzlich verendet herabstürzt. Da dieser Ort oft über 100 m weit vom Anschuß entfernt ist, kommt es hier besonders darauf an, sich die Stelle zu merken, wo es hinfiel.

Macht man ein Volk hoch, so steht fast immer zuerst eines der beiden Althühner auf, wie man deutlich beobachten kann, wenn die Jungen noch nicht schußbar sind; piepsend flattern dann die Kleinen hoch, während die Althühner, vom Einfallsorte wieder herbeilaufend, aufgeregt zu locken beginnen. Aber auch bei vollreifen Ketten sollte man bemüht sein, die Althühner möglichst zu schonen – das Ansprechen ist dann freilich schwieriger. Randhühner, also die auf den äußersten Flügeln der aufstehenden Kette streichenden, sind meistens Junghühner; schwenkt jedoch die Kette und streicht mehr oder weniger breit am Schützen vorbei, dann ist das vorderste meist ein Althuhn. Unwaidmännisch ist es, aufs geradewohl in die dicht gedrängt fliegenden Hühner hineinzuschießen, „in die Vollen zu halten", wie es der Anfänger, oft unabsichtlich, zu tun pflegt; glücklicherweise führt dies Verfahren meist überhaupt nicht zum Erfolg, mitunter aber werden mehrere Hühner angebleit, und die Nachsuche ist dann besonders schwierig; fällt aber eins oder gar zwei, dann konzentriert sich die Aufmerksamkeit des Jägers vorzugsweise auf diese, und die unvermerkt geständerten oder waidwund geschossenen werden nicht beachtet und müssen elend umkommen. Jeder gute Jäger nimmt daher, nachdem er die Kette auf 20–30 m ausstreichen ließ, ein einzelnes Huhn aufs Korn und, wenn dies gefallen ist, ein zweites: Ihn erfreut die *sauber geschossene Doublette* mehr als der *zufällig geglückte Doppeltreffer!* Ganz und gar verpönt ist heute – nicht zu DIEZELS Zeiten – der Schuß auf das sitzende oder laufende Volk.

Himmelndes Rebhuhn

Die zu verwendende Schrotsorte ist vom Beginn bis zum Ende der Saison Schrot Nr. 7 ($2^1/_2$ mm), gröbere Schrote, wie sie, für das Ende der Hühnersaison, vorzeiten empfohlen wurden, sind nach neueren Erkenntnissen der Schrotballistik für die Hühnerjagd nicht mehr zu empfehlen; etwas anderes ist es, wenn, im Oktober, auch ein im Felde liegender Fasanenhahn oder ein Küchenhase mitgenommen werden soll. Dann lädt man den linken Lauf zweckmäßig mit 3-mm-Schroten und ist damit für alle Fälle gewappnet. Schlechtes Halten der Hühner durch Verwendung gröberer Schrote ausgleichen zu wollen, ist unwaidmännisch, wie man sehr leicht sieht, wenn man aus 40 m Entfernung einen Schuß auf ein in natürlicher Größe auf eine Scheibe gemaltes abstreichendes Rebhuhn tut: Die Dekkung ist dann so gering, daß das Ziel mitten in der Garbe liegen kann, ohne auch nur von einem, geschweige denn den in der Praxis meist erforderlichen 2–3 Körnern getroffen zu sein.

Und damit sind wir beim Problem des *Haltens* der Hühner, das heute, wo man, Gott sei Dank, nicht mehr den halben Winter hindurch auf Hühner jagen darf, freilich viel seltener zu einem jagdbetrieblichen Problem wird, als vorzeiten. In weitaus den meisten Fällen liegen die Ketten zu Beginn der Schußzeit, wenn sie nicht zuvor immerfort beunruhigt wurden, fest, und in pfleglich behandelten Jagden findet man bis zu dem Zeitpunkt, da die Hackfruchternte eingebracht ist, ohne Schwierigkeiten haltende Ketten. Einen

Sonderfall bilden sehr große Rüben- und Kartoffelschläge, in denen die Hühner vor dem Hunde laufen und schließlich, vor allem dann, wenn der Hund zu rasch nachzieht, außer Schußweite aufstehen. In solchen Fällen bringen die *Jäger* die Hühner *zwischen* sich, dergestalt, daß die einen den Rand des Schlages gewinnen und an diesem bis zu der Schmalseite, der sich die Hühner zugewandt haben, vorlaufen, um dann von dort aus der anderen Partei entgegenzuarbeiten, die dem vorsichtig nachziehenden und immer zur Ruhe ermahnten Hunde folgt. Auf diese Weise kommt man fast immer zum Erfolg, nur muß man natürlich beim Schießen noch vorsichtiger sein, als sonst. Große *Vorsicht* ist auch geboten bei *welligem Gelände.* In einem märkischen Revier habe ich es erlebt, daß eine etwas hitzige Jagdgesellschaft einem uns von hinten über die Köpfe streichenden Volke, das eine andere Partei hochgemacht hatte, in einem verhältnismäßig steil abfallenden Kartoffelstück nachschoß und dabei einen am unteren Ende rodenden Bauern verletzte, wobei sich natürlich der Schütze nicht feststellen ließ; ich selbst hatte glücklicherweise dem Volk entgegengeschossen und konnte so zufällig mein „Alibi“ anhand des entgegengesetzt liegenden Huhnes nachweisen; und den Bauern, der ein Schrot im Ohr hatte, tröstete ein Zehnmarkschein im Verein mit einer höflich vorgebrachten gemeinsamen Entschuldigung. Über das etwa verlorene Sehvermögen eines Auges würde ihn das aber nicht getröstet haben können! Aus diesem Grunde muß der Jagdherr ihn begleitende, revierunkundige Gäste auf Gefahrenmomente hinweisen, wie sie eben Geländewellen mit ihren toten Winkeln mit sich bringen.

In einem Revier mit sehr wenig Deckung kann es sich aber als notwendig erweisen, ein Halten der Ketten gewissermaßen zu erzwingen, und das geschieht auf eine recht einfache Art mittels eines *Hühnerdrachens.* Das ist ein gewöhnlicher Papierdrachen, der, in sehr lichtem Bläulich-Weiß gehalten, in dunklem Grau oder Schwarz die Zeichnung eines Raubvogelflugbildes aufweist oder aber von vornherein nach einem solchen geschnitten ist. Ein begleitender Jungjäger läßt den Drachen an einer wenigstens 50 m langen Schnur hinter dem Jäger steigen, und die Jagdgesellschaft nähert sich dem Schlage oder Revierteil, in dem man die Hühner vermutet. Stehen diese beim ersten Angehen überhaupt auf, so fallen sie doch zumindest sehr rasch wieder ein, ja, sie werfen sich mitunter förmlich in Deckung, und wenn das der Fall ist, läßt man am besten den Drachen wieder einziehen, weil sonst die Hühner einfach zum Aufstehen nicht zu bewegen sind, sondern kreuz und quer davonlaufen.

Eine umstrittene Frage ist es, ob man möglichst *viele* Ketten beschießt oder *wenige* auftreibt: Bei starken, 12 und mehr Stück zählenden ist es wohl sicher das beste, wenn man sie auf nicht unter 8 Stück reduziert, die Zahl, die, auch ohne Zusammenschluß mit anderen Völkern, erfahrungsgemäß wohl noch Aussicht hat, ihm wahrsten Sinne des Wortes „ungerupft" durch die Fährnisse des Winters zu kommen, weil genügend Augen sichern. In guten Jahren könnte man sog. Stumpfketten von 3–5 Stück wohl auftreiben, es sind meist Hühner, die Gelege *und* Nachgelege verloren haben und denen sich der eine oder andere unbeweibt gebliebene Hahn zugesellt hat – also für den Besatz bestimmt nicht das Wertvollste. In schlechten Jahren sind aber anteilmäßig so viele solcher Stumpfketten vorhanden, daß, wollte man sie alle mit dem Tode bestrafen, das Revier sich jahrelang von diesem Aderlaß nicht erholen würde! Die Behandlung der doch zumeist vorkommenden Völker von etwa 6–11 Stück ist vollends eine Ermessensfrage, die nur nach den jeweiligen Umständen beantwortet werden kann. Nur eines läßt sich raten: Nach Abschuß eines Althuhnes – Kennzeichen s. o. – sollte man solche Ketten mit weiterer Bejagung verschonen – sofern genügend andere da sind.

Geschossene Hühner kommen außen an die Jagdtasche, wo man sie zweckmäßig nicht nur am Halse, sondern auch mit einem oder beiden Ständern einschlingt. Hängt man sie nämlich an den Rucksack, so bemerkt man das leider recht häufige Herabfallen niemals! In einer Pause werden sie dann mit einem in das Waidloch eingeführten Hölzchen, an dem sich ein Widerhaken befindet, *ausgehakt,* indem man dieses bis in die Magengegend vorstößt und, wenn der Darm gefaßt ist, unter Umdrehungen zurückzieht und den Darm vorsichtig abreißt. An dem bewährten „Frevertschen Waidmesser" der Fa. Puma/Solingen befindet sich sogar ein Haken zum Ausziehen der Hühner.

Trophäen gibt das Huhn nicht her, man steckt sich allenfalls eine der Stoß- oder der schöngezeichneten Oberflügeldeckfedern an den Hut, was ganz praktisch ist, wenn man bei einer größeren Strecke die Geschlechtsbestimmung vornehmen will und somit jederzeit Vergleichsmaterial zur Hand hat.

Die *Streife* auf Hühner ist eine empfehlenswerte Jagdart nur in solchen Gebieten, wo es von Hühnern wimmelt und man sie als böhmische Streife ausübt, wie sie im Hasenkapitel geschildert wurde. Bei uns zu Lande ist sie fast ausschließlich ein Ersatz für den fehlenden Hund, und zwar ein miserabler Ersatz. Das Krankschießen steigert sich bei dieser Jagdart durch den aufgepeitschten Konkurrenzneid der vielen Teilnehmer zu untragbaren Prozentzahlen, und der Erfolg solcher Kanonaden wird mehr oder weniger unkontrollierbar. Die sogenannte Nachsuche muß dann ein allenfalls mitgeführter Bastard-, Stuben- oder Junghund vornehmen, wenn nicht der – Chauffeur! Glücklicherweise halten die meist nur wenigen Ketten auf solchen Jagden gewöhnlich, nach dem ersten Schützenfeuer, nur noch schlecht, und gehen bald über alle Berge ...

In besonderen Fällen, so im schwierig zu bejagenden Weinbergsgelände und dort, wo viele Feldgehölze einen erheblichen Teil der Hühnerketten zu „Holzböcken" werden lassen, kann man sich die Hühner gegenseitig zudrücken oder -treiben. Man weiß oft von einer Kette recht genau, daß sie, von einem bestimmten Punkte aus angegangen, in fester Richtung fortzustreichen und etwa einen Waldrand oder eine Hecke aufzusuchen pflegt. Dort postiert man zwei Schützen und macht die Hühner hoch, die dann beim Anstreichen geschossen oder sogleich nach dem Einfall angegangen und erneut aufgestoßen werden; mitunter streichen sie dann gar wieder an den ersten Einfallsort zurück, oft auch läßt sich die Kette nunmehr leicht sprengen.

Das eigentliche *Treiben* auf Hühner findet meist in vorgerückter Jahreszeit statt, es wird mehr in Belgien, Frankreich und Spanien geübt als bei uns, und zwar selbstverständlich als Standtreiben, bei dem die Treiberwehr von weither die Hühner den Schützen entgegentreibt, wie bei der Rothühner- und der Grousejagd (s. u.). Die dann oft sehr kopfreichen Völker kommen hoch und pfeilschnellen Fluges den Schützen, und es ist gewiß nicht leicht, bei solcher Gelegenheit eine gute Strecke zu tätigen.

Das Hühnerjagdkapitel soll nicht abgeschlossen werden ohne die gemütvollen Plaudereien des alten DIEZEL zu diesem Thema, der uns wie folgt berichtet:

„Im Anfang des Monats November traf einst ein Schütze im freien Felde ohne Schnee acht Hühner an, die er binnen drei Viertelstunden, ohne sie in irgendein Gebüsch gesprengt zu haben, sämtlich erlegte.

Er und noch ein anderer, gleichfalls sehr sicherer Schütze, hatten einst, während sie zu einer Klapperjagd in der Nachbarschaft gehen wollten, im Dezember ebenfalls, ohne daß Schnee lag, zehn Stück angetroffen und in den naheliegenden Wald gejagt. Dieses Volk wurde fast nur im Vorbeigehen in nicht ganz drei Viertelstunden gänzlich aufgerieben, und dennoch waren beide Jäger beim Anfang des ersten Treibens schon an Ort und Stelle. Man denke sich, wie schnell bei diesem Zwischenfall geschossen, geladen und besonders auch gesucht werden mußte! Wie mancher Zauderer, der jeden seiner Schritte abmessen möchte, um ja keinen größer zu machen als den anderen, hält so etwas gar nicht für möglich!

Eine sehr kurze, aber dennoch ziemlich erfolgreiche Hühnerjagd war die nachstehende: Am 25. November 1847 saß ich bei dem schönsten Jagdwetter, von einem Geschäft, an dem außer dem guten Kaffee, den ich hierbei trank, alles trocken und langweilig war, in Anspruch genommen, am Schreibtische, als mir jemand anzeigte, daß er sechs Feldhühner von der anderen Seite des Mains habe herüberstreichen und dicht hinter der Ringmauer meines Wohnortes auf einen Ölsaatacker habe einfallen sehen. Also doch etwas, was einer Jagd ähnlich sieht, dacht' ich und griff nach der Flinte, die, mit der erforderlichen Schrotsorte für etwa im Garten erscheinende Raubvögel geladen, an der Wand hing, nahm aber weder eine Jagdtasche noch Pulver und Blei mit; die erste nicht, weil ich nichts zum Einstecken zu bekommen, das zweite nicht, weil ich nach wenigen Augenblicken wieder umzukehren geglaubt und daher auch in herkömmlicher Unachtsamkeit und Zerstreuung einen uralten Hausrock anbehalten hatte. Die Sache aber nahm hinsichtlich des ersten Punktes eine andere Wendung. Kaum aus dem Tore getreten, sah ich schon meine leichtfüßige ‚Minka', die vermöge ihrer Flüchtigkeit, wie gewöhnlich, so auch diesmal, schon weit vorausgeeilt war, vor dem bezeichneten Rapsacker stehen, und mein Begleiter ermangelte nicht, mich sogleich auf die pünktliche Richtigkeit seiner Angabe im Tone des Triumphs aufmerksam zu machen. Der Hund hatte nämlich infolge des frischen und starken Luftzugs, der ihm entgegenkam, die Hühner schon sehr weit in die Nase bekommen, und erst nachdem wir über vier Äcker weggeschritten waren, glaubte ich, einige in der Furche liegen zu sehen, war aber, da mein Auge nicht mehr scharf genug ist, meiner Sache nicht ganz sicher. Weitergehend bemerkte ich nun drei Stück, die in der Mitte des Ackers, aber zu weit auseinander lagen, als daß man mit einem Schusse zwei zugleich hätte bestreichen können. Ich ging daher weiter, bis ich von der entgegengesetzten Seite die zuerst entdeckten drei wieder in der Furche liegen sah und für diese meinen Schuß verwendete. Diese drei mußten wohl getroffen sein; ich sah nämlich seitwärts nur noch die drei anderen aufstehen, die ich in der Mitte des Ackers hatte liegen sehen. Von diesen schoß ich das hinterste mit dem zweiten Laufe. Da jedoch noch ein anderes in ziemlich gleicher Richtung mit dem getroffenen gestrichen war, so folgte ich den ihrer Heimat zueilenden beiden

Hühnern mit dem Auge und sah unfern vom Ufer des Flusses auch das fünfte erst hoch in die Luft steigen und dann stürzen. Nur der letzte der Mohikaner kehrte daher unverletzt in das Land seiner Väter zurück; ich selbst aber saß nach Verlauf von höchstens zehn Minuten wieder ebenso arbeitsunlustig hinter meinen Papieren wie zuvor."

Solche Arbeitsunlust könnte im Augenblick auch den Herausgeber befallen, wenn er hinsichtlich der *Hege* des Rebhuhns das mutmaßlich Vergebliche *seiner* Schreibarbeit sich vor Augen stellt! Wohl in jeder deutschen Jagdzeitschrift erscheinen alljährlich mehrere Aufsätze über Anlage von Schüttungen, Remisen, Deckungsstreifen, Kleinstbrachen, Wallhecken, Hegebüschen und Knicks für das Niederwild, und wie alle diese guten Dinge heißen mögen, aber seitens der übergroßen Mehrzahl der Revierinhaber geschieht buchstäblich nichts auf diesem Gebiet. Ein einziges Mal in 30 Jahren einer Tätigkeit, die mich von Berufs wegen in Hunderte von Revieren führte, sah ich eine hübsche und vielversprechende Anlage, in einer aufgegebenen Sandkuhle der Grafschaft Schaumburg – die prächtig sich entwickelnden Fichten wurden dann als Weihnachtsbäume gestohlen ... Es ist wohl in der Tat heute so, daß die *Beschaffung* eines an sich geeigneten Fleckchens Erde für derartige Zwecke nicht allzu großen Schwierigkeiten begegnet, daß aber der *Schutz* solcher Anlagen vor mutwilliger oder fahrlässiger Zerstörung das eigentliche Problem bildet. Gatter oder Zäune scheinen erst recht als Herausforderung empfunden zu werden – unlängst brachte es eine Jugendgruppe sogar fertig, in ein Eingewöhnungsgatter für Muffelwild einzudringen und eines der frisch gesetzten Lämmer zu töten!

Und dennoch wird jeder erfahrene Niederwildjäger mir beipflichten, wenn ich die *Schaffung* von *Deckung* als *einen der wichtigsten* Faktoren für die Niederwildhege ansehe, und zwar *nicht* die schulgerechte Anlage *größerer* Remisen, wie man sie voreinst in Schlesien und Böhmen sah, sondern *möglichst vieler kleiner Deckungen* bis herab zu Stubengröße. Eine „richtige" Remise wird zum Wallfahrtsort der Dorfkinder und zum beliebten Treffpunkt der Pärchen – aber nicht solcher des Rebhuhnes – gerade in der schönen Jahreszeit, und damit ihres Charakters als Hegestätte für Niederwild nur allzubald entkleidet; kleinere Hegebüsche aber, wie sie uns Revierjäger Dr. BONNEMANN empfohlen hat, bleiben

in „glücklicher Anonymität" und werden auch vom Raubwild nicht so systematisch abgesucht, wie das bei größeren der Fall ist. Gerade das letztgenannte Bedenken ist es auch, was mich hinsichtlich der heute „aus landeskulturellen Gründen" vielfach sinnlos gerodeten Hecken und Knicks keine allzu günstigen Wirkungen auf den Niederwildbesatz erwarten läßt, sofern sie nicht *sehr ausgiebig* mit *Dornsträuchern* und *-büschen* bepflanzt werden, was man sich leider nur allzu häufig ersparen zu können glaubt. So erscheinen Hegebusch und Kleinstbrache in der Tat als die günstigsten, in sehr vielen Revieren als die einzig möglichen Deckungsspender.

Die letztgenannte schildert H. FRANK nach seinen in England gewonnenen Erfahrungen als eine etwa 5 m lange und 1 m breite Fläche am Rande eines Schlages oder auf einem Feldrain, die mit grobmaschigem Draht eingezäunt wird, durch den ein ausgewachsenes Rebhuhn, nicht aber Fuchs oder Hund hindurchschlüpfen können; auf beiden Seiten werden in der Längsrichtung der Schlagfurchen Kastenfallen eingebaut, um Wiesel abzu-

fangen, gegen deren Eindringen man die Rebhühner auf andere Weise nicht schützen kann. Das langgestreckte, oben offene Rechteck kann leicht durch einfache Drahtbespannung raubvogelsicher gemacht werden, es genügen aber auch einige darin befindliche Dornen, um den Hühnern Deckung zu geben. Saat oder Pflanzung deckungspendender Vegetation ist im übrigen nicht nötig, sie findet sich von selbst ein und steht, da sie ja nicht gemäht wird, den ganzen Winter hindurch. Nur in sehr schneereichen Gegenden könnte man noch einige vierjährige, verschulte Kiefern (Lichtholzart!) einpflanzen, die man später stutzt oder entfernt, wenn sie zu groß werden.

Den Hegebusch beschreibt uns BONNEMANN wie folgt:

„Ringsum kommt eine dichte, breite Dornensträucherhecke mit Verbindung zum Kern der Anlage von den Ecken her. Sanddorn, Weißdorn, Schlehe, japanische Quitte, Wildapfel, Kreuzdorn, Wildrose, Knackspire, Bocksdorn, Sandbrombeere und ähnliche bewehrte Sträucher sind zu wählen und in verhältnismäßig engem Verband zu pflanzen. Durch Kletterpflanzen wie Geißblatt, Bittersüß, Hopfen, Waldrebe, und vor allem durch die in alle Lücken der Büsche hineinwachsende Brombeere, kann man den Rand fast undurchdringlich gestalten für den Menschen. Der dichte Rand muß der natürliche Stacheldraht vor der ‚guten Stube', dem Kern des Hegebuches, sein. Von einer Einzäunung mit Drahtgeflecht, Stacheldraht oder glatten Drähten rate ich dringend ab. Glattdraht oder Stacheldraht sind eine große Gefahr für die Rehe, die leicht kopfscheu werden.

Hinter der dichten Randschutzhecke beginnt der lichte Buschbestand, unterbrochen im Osten, im Süden und im Westen von fast buschfreien, grasbewachsenen Flächen, deren Größe sich nach der Gesamtfläche und dem Wildbestand richten wird. Auf diesen Freiflächen stehen nur einzelne, sperrige Wildrosen- oder Stachelbeersträucher mit ihren überhängenden Zweigen und zudem einzelne Ebereschen. Das Wild braucht ja nicht nur Dekkung; es liebt geschützte, freie, besonnte Flächen, auf denen es sich der Sonne darbieten kann, ohne ständig gestört zu werden. Von der Dornenhecke kann das Wild auch ohne Überschreiten der Freiflächen in den Kern der Anlage gelangen, den man in lichtem Verband mit beerentragenden Sträuchern bepflanzt, die in Laub und Sproß auch dem Rehwild Äsung bieten: Hirschholunder, Schneeball, Wildapfel und wie sie alle heißen, sind hier angebracht. Inmitten dieses Laubholzbusches, der niederwaldartig bewirtschaftet wird, wird eine mit einzelnen vorwüchsigen Pappeln untermischte kleine Nadelholzdickung aus Kiefer, Strobe, Schwarzkiefer, Douglasie, Tanne oder Fichte, hochgezogen.

Hühnerfütterung

Der Hegebusch soll dem Wild alles bieten, was es zu seinem Wohlbefinden benötigt. An den Rändern der Freiflächen, dort, wo die Sonne am häufigsten hinkommt, füllt man flache Gruben mit Sand, damit das Flugwild hudern kann. An schattigen Stellen legt man, je nach der Größe des Wildbusches, 1–2 Tränken an, die viel häufiger besucht werden, als man ahnt."

Diese beiden Maßnahmen dürften auch in dichtbesiedelten Gegenden mit intensiver Landwirtschaft sich in vielen Fällen ermöglichen lassen, nur möge kein Revierinhaber glauben, daß er mit 1 Hegebusch und 2 Kleinstbrachen auf 1000 Morgen nun gleich eine Verdoppelung seines Rebhuhnbesatzes erzielt. Gerade in fruchtbaren Gegenden fehlt es an natürlicher Deckung meist sehr, und unter 2 Kleinstbrachen auf 100 ha anzufangen, erscheint sinnlos. Ist bei diesen erst ein Erfolg festgestellt, dann kommt der Heger ganz von selber dazu, ihre Zahl zu vermehren.

Von Bedeutung für die Rebhuhnhege ist heute auch die *Winterfütterung*, die von schätzungsweise 95 % unserer Revierinhaber traditionsgemäß vernachlässigt wird. Früher, da es noch Brachen und Stoppeln gab, mag sie in der Tat vielleicht entbehrlich gewesen sein. Heute ist sie in dem Augenblick notwendig, da eine *stärkere Schneedecke* den Hühnern ihre gewohnte *Grünäsung vorenthält.* Auch mit Unkrautsamen sieht es bei Schnee ja schlecht aus. Und damit sind wir schon bei dem, *was* als Winterfutter verabreicht werden soll. Die von Geheimrat Rörig, dem bedeutenden Jagdzoologen der „Biologischen Reichsanstalt", schon vor dem Ersten Weltkriege vorgenommenen Magenuntersuchungen an über 250 Rebhühnern ergaben nämlich – und spätere Untersuchungen haben das bestätigt –, daß unter natürlichen Verhältnissen Unkrautsamen, insbesondere solche der Knöterich- und Wegericharten (Polygonum und Plantago) an erster Stelle stehen. Getreidekörner werden dagegen nur in sehr geringer Menge aufgenommen und schädigen mitunter die Tiere geradezu, die in dieser Zeit nicht genügend Magensteine zum Zerreiben der harten Körner aufnehmen können.

Demzufolge füttern wir Kaff und Hinterkorn, das bekanntlich auch den Fasanen durchaus dienlich ist, und wenn wir ein übriges tun wollen, mischen wir noch etwas Hirse darunter, die geradezu einen Leckerbissen für Rebhühner darstellt. Die Ähren der Wegericharten kann man übrigens für billiges Geld von Kindern einsammeln lassen.

Eine Fütterung muß so angelegt sein, daß der Futterplatz trocken, also frei von Schnee und Regen bleibt; Krähen, Häher, Elstern, Mäuse sollen möglichst keinen Zutritt haben und kein Raubvogel auf oder in der Nähe der Fütterung blocken können. Diese Forderungen werden am besten erfüllt durch eine kegelförmige Anlage aus Rohr oder Reisig, um die herum ein Mäusegraben gezogen wird. Wo die Rohrstengel in den Boden eingegraben sind, müssen, außer auf der Wetterseite, zahlreiche kleine, für die Hühner bequeme Durchlässe sein, wie denn überhaupt das Innere nicht zu dunkel erscheinen darf, da sich sonst die Hühner scheuen, dort einzudringen.

Auch andere Fütterungen haben sich bewährt, so sind locker gefügte, etwa 3/4 bis 1 m hohe Haufen aus Dornreisern oder kurze „Futterzäune" zweckmäßig und billig. Alle diese Fütterungen sind billig zu erstellen, auch hier ist eine größere Anzahl einfachster Fütterungen tausendmal mehr wert als die raffinierteste Anlage, die zu einer ungesunden Konzentration des Rebhuhnes – und seiner Feinde! – führt. Für richtig halte ich es auch, recht bald, nachdem die Saaten ausgeapert sind, das Füttern einzustellen und erst bei erneutem, stärkerem Schneefall wieder damit anzufangen.

Wie bei allen Wildarten, ist auch beim Rebhuhn die richtige Bemessung der Abschußquote ein entscheidender Hegefaktor. Nach der Schätzung eines der besten Kenner unserer Art, des Grafen Felix v. Schwerin, rechnete man unter den günstigen Verhältnissen Schlesiens zwischen den beiden Weltkriegen *im Durchschnitt* 3–4 Junge je Brutpaar im Normaljahr. Da bei dieser Art eine hohe „Winterreserve" nötig ist, so besagt die Zahl, daß man im Herbst in etwa *die Hälfte der im Revier vorhandenen Hühner abschießen* kann. Diese Faustregel *sollte sich jeder Revierinhaber zu eigen machen,* um dann, je nachdem, ob es ein gutes oder schlechtes Hühnerjahr gibt, von der genannten Zahl entsprechend nach oben *oder unten* abzuweichen.

In Deutschland wurden vor dem letzten Weltkriege durchschnittlich jährlich etwa 1,5 Millionen Hühner geschossen, wobei die Zahlen in den einzelnen Jahren stark schwankten, *was beim Fasan nicht so der Fall war.* Der Streckenwert unserer Wildart bezifferte sich damals auf nur etwa 1,5 Millionen Mark, heute sind die Marktpreise für Rebhühner naturgemäß höher, stiegen aber, wie wir im Fasanenkapitel sahen, verhältnismäßig weniger an, als die für andere Wildarten. Die Strecke in der Bundesrepublik belief sich im Durchschnitt der Jagdjahre 1957–63 auf 515 000, liegt also jetzt unter der der Fasanen.

Die übrigen zur Niederjagd gehörigen Hühnervögel spielen in Deutschland keine Rolle mehr. Vorzeiten schoß man auf der Hühnerjagd gelegentlich eine *Wachtel* (Coturnix

coturnix [L]); passiert das heute versehentlich, so ist das nicht nur ein Verstoß gegen das Jagdgesetz, denn dieser reizende, kleinste unserer Hühnervögel ist in allen deutschen Ländern zwar jagdbar, genießt aber eine ganzjährige Schonzeit; es ist solch Fehlabschuß gleichzeitig die Offenbarung einer gänzlich zu verdammenden Schußhitze, denn der Schuß gilt ja einem vermeintlichen Rebhuhn, aber einem solchen, das jeder anständige Jäger schont, weil es noch bei weitem nicht schußbar ist: eine fette Wachtel wiegt im September bestenfalls ein Viertelpfund! Das gemütvolle „bick-werwick" der Wachtel, das man noch in meiner Jugend allenthalben auf den Feldern und Auen erklingen hörte, ist heute nur selten noch zu vernehmen. Der Beweis dafür, daß diese Seltenheit auf den übermäßigen Fang und Abschuß unserer Art vor allem in Italien zurückzuführen ist, wurde dadurch erbracht, daß während des Abessinienkrieges die Wachtelbesätze in Deutschland plötzlich wieder in die Höhe gingen. Heute ist diese erfreuliche Wiedervermehrung längst wieder rückläufig, und wir Jäger bedauern das weniger aus jagdlichen, als aus Gründen des Naturschutzes. – Der Schuß auf den schwerfällig davonschnurrenden Vogel ist kinderleicht, wie ich das in der Zeit, als er noch erlaubt war, selbst erprobte; daß der vielgerühmte Braten in der Tat eine Delikatesse darstellt, muß freilich zugegeben werden. Vielleicht rettet es einem dieser selten gewordenen Tiere das Leben, wenn auf die feldornithologischen Unterschiede zum Rebhuhn noch besonders hingewiesen wird: Der *Flug* ist *niedrig*, schnurrend und auffallend *geradlinig*, das Wiedereinfallen erfolgt meist nach einer sehr *kurzen Flugstrecke*, und Herbstwachteln liegen gemeinhin fest, so daß sie einem fast unter den Füßen hochgehen. Der *Stoß* ist so kurz, daß er *völlig zu fehlen scheint*, während ein schußbares Rebhuhn immer den rotbraunen Stoß deutlich erkennen läßt. Auch erscheinen Wachteln nie grau, wie Hühner, sondern gelblich-braun.

Das wunderschön gefärbte *Steinhuhn* (Alectoris graecea saxatilis Meyer), mit rotem Schnabel und Füßen, schwarz eingefaßter weißer Kehle und lebhaft grau, schwarzgelb und rostbraun gestreiften Seiten, galt in Deutschland Jahrzehnte hindurch als ausgestorben, bis Bodenstein, Murr und Schreiber dieses sein Brutvorkommen im *Berchtesgadener* Land wieder zu einer an Gewißheit grenzenden Wahrscheinlichkeit machten. Auch in *Österreich*, wo es in geeigneten sonnseitigen Hochlagen nicht allzu selten ist, spielt es jagdlich keine Rolle, weil es sich meist laufend in Sicherheit bringt; steht es aber einmal auf, dann streicht es so weit, daß ein Nachgehen im steilen Felsengelände nicht oft möglich ist. Anders ist das in Jugoslawien, wo es an der istrischen Küste in geringer Höhe über dem Meer im Karst lebt – und dort spielt es auch jagdlich eine Rolle. – Die *Brutbiologie* dieses schönen Vogels ist die *interessanteste* aller *Hühnervögel*, denn das Weibchen macht an zwei verschiedenen Orten im Frühjahr zwei Gelege, deren zweites allein von ihm erbrütet, während das erste vom Hahn gezeitigt wird. Beide Gesperre werden getrennt geführt und aufgezogen; ob später eine Vereinigung erfolgt, ist umstritten.

Viele Jäger kennen aus *Frankreich, Italien* und *Spanien* das dem Steinhuhn sehr nahestehende *Rothuhn* (Alectoris rufa [L.]), das vorzeiten am Mittelrhein brütete und 1957 dort wieder ausgesetzt worden ist (Bodenstein, Ornith. Mitt. 1959), freilich leider ohne Erfolg. Seinen Aufenthaltsort wählt es ähnlich wie das Rebhuhn, geht aber auch in das Gebirge. Dort, wo es mit dem Rebhuhn gemeinsam vorkommt, wird es mit den gleichen Methoden bejagt. Auch in England hat man dieses schöne Wildhuhn eingebürgert.

Von den Rauhfußhühnern gehört nur das *Schneehuhn* zur Niederjagd, das bei uns in zwei Formen, dem *Alpen*schneehuhn (Lagopus mutus helveticus [Thienemann] und dem *Moor*schneehuhn (Lagopus l. lagopus L.) vorkam. Bei der erstgenannten Form hat der Hahn im Winterkleide einen schwarzen Zügelstreif, der von der Schnabelwurzel bis hinter das Auge reicht. Diese Art ist in den *Bayerischen Alpen*, wo sie – in Höhen von etwa

1800 m bis zur Grenze des ewigen Schnees – lebt, ganzjährig geschützt, in *Liechtenstein,* einzelnen Bundesländern *Österreichs* und Kantonen der *Schweiz* zur Bejagung freigegeben, doch kommt sie wohl nur als Gelegenheitsbeute zur Strecke. Die nordische Form des Moorschneehuhnes (Lagopus l. lagopus [L.]) spielt als Flugwildart in den skandinavischen Ländern eine große Rolle. Man jagt dort Schneehühner vornehmlich mit den flüchtigen englischen Vorstehhunden auf der Suche. – Früher kamen sie im nordöstlichen *Ostpreußen* vor, sind aber schon vor etwa 80 Jahren von dort verschwunden. – Die in Nordengland, Wales und Schottland brütende Form, das schottische Moorschneehuhn oder *Grouse* (Lagopus lagopus scoticus [Latham]) wird, im Gegensatz zu der vorgenannten, im Winter nicht weiß, sondern bleibt braunschwarz mit helleren Bändern und Federsäumen. Sie wurde im *Hohen Venn* (Eifel), zuvor im benachbarten belgischen Gebiet, mehrfach ausgesetzt und hat sich bis heute gehalten, brütet aber auf Grund vorläufiger Grenzveränderungen zur Zeit kaum noch auf deutschem Territorium. – In seiner Heimat wird das Schottische Schneehuhn fast nur mittels Treiben gejagt, der Schuß von vorn auf die pfeilschnell anstreichende Kette ist als außergewöhnlich schwierig bekannt – und dennoch bringen englische Sportschützen es fertig, aus der anstreichenden Kette und, nach raschem Wechsel der Doppelflinte, auch noch aus der abstreichenden je eine Doublette herauszuschießen!

DIE RALLEN

Die Rallen sind eine sehr altertümliche, weltweit verbreitete Ordnung, von deren *sieben* in Deutschland als Brutvögel bekannten Arten nur *eine* von nicht geringer jagdlicher Bedeutung ist, zwei weitere als Gelegenheitsbeute vielleicht hie und da eine Rolle spielten.

Meist nur irrtümlich wird die durch ihr überlautes, schweineartiges Quieken bekannte *Wasserralle* (Rallus aquaticus L.), die der Ordnung den Namen gab, erlegt, wenn sie dem hitzigen Schützen auf einem Damm oder am Uferrand einmal sichtbar wird. Das kann, wie mir einmal ein Waidgenosse gebeichtet hat, auf dem Schnepfenstrich, oder auch bei der Entenpürsch im Teichgelände sich ereignen. Bei der Häufigkeit der durch ihr verstecktes Leben hinreichend geschützten Art ist das an sich kein großes Unglück, sollte aber dem übereifrigen Jungjäger eine Warnung sein, um so mehr, als die Art in Deutschland ganzjährige Schonzeit genießt.

„Achte des Waidmanns heilig Gebot:
Was man nicht kennt, das schießt man nicht tot!“

Diesen Waidspruch, der Anfang der dreißiger Jahre entstand, sollte sich der Jäger immer wieder vor Augen halten.

Die drei *Sumpfhühnchen*, die nicht nur sich sehr verborgen halten, sondern auch durch ihre bevorzugten Aufenthaltsorte – dicht bewachsene Sümpfe mit Schwingmoorzonen oder schlammigen Binsenrändern – sich allen Nachstellungen entziehen, hätten für uns auch dann nicht die geringste Bedeutung, wenn sie nicht geschützt wären: Nur das größte von ihnen, das *Tüpfelsumpfhuhn,* erreicht das Gewicht, aber bei weitem nicht den Wohlgeschmack der Bekassine.

Das ist schon anders beim *Wachtelkönig* (Crex crex [L.]), dessen Name übrigens nicht schlecht gewählt ist, da er sich tatsächlich – Brehm zum Trotze – auf dem Zuge gelegentlich mit Wachteln vergesellschaftet, unter denen er dann durch seine Größe hervorragt. So nannten ihn schon die alten Griechen „Wachtelmutter“. In früheren Zeiten war er ein keineswegs seltener Bewohner der Wiesen, Klee- und Getreidefelder, heute ist er aus Gründen, die noch nicht restlos geklärt sind, so selten geworden, daß er von jeder Jagd verschont ist. Ein Jäger, der ihn in Rußland gejagt hat, versicherte mir, daß sein Wildbret, im Gegensatz zu dem der übrigen Rallen, geradezu einen Leckerbissen bilde. Bei seiner rebhuhnähnlichen Gestalt und Färbung kommt er auf dem Herbstzuge, wo er nach Kuhk gern sich in Kartoffel- und Rübenfeldern einfindet, wohl mitunter versehentlich zur Strecke, doch wäre in solchen Fällen die Einsendung an ein wissenschaftliches Institut oder Museum der Überantwortung an die Bratpfanne zweifellos vorzuziehen.

Wohl die verbreitetste Ralle ist bei uns das *Grünfüßige Teichhuhn,* auch Teichhuhn schlechthin (Gallinula chloropus [L.]). Es ist nach meinen Beobachtungen oft die erste Wasservogelart, die sich in neu entstandenen stehenden Gewässern (z. B. Bombentrichtern, künstlichen Fischteichen) ansiedelt, und ist dabei, wenn es nur Deckung hat, nicht wählerisch. Ebensowenig in seiner Nahrung – die künstliche Aufzucht gelang sogar mit gewöhnlichem Kükenfutter, und erwachsene Stücke leben, ihre ursprüngliche Daseinsform verleugnend, mitunter fast ganzjährig von den Grünflächen der Parks, oft mitten in der Großstadt. Die Erlegung erfolgte auf dem Anstand, vom Ufer aus, oder bei der Jagd mittels des Kahnes, wie wir sie im Bläßhuhnabschnitt beschrieben finden. Doch besteht bei dem geringen Wildbretwert und der völligen Harmlosigkeit des reizenden Vogels kaum ein begründeter Anlaß, ihn totzuschießen. Aus diesem Grunde steht er heute auch unter Schutz.

Anders die letzte der zu behandelnden Arten, das *Bläßhuhn,* auch Wasserhuhn, Belchen, Lietze oder Zappe genannt (Fulica atra [L.]). Diese größte heimische Ralle mit einem im Laufe des Jahres sehr stark schwankenden Gewicht von 600–1200 g ist als Wohnraumkonkurrent unserer wertvolleren Entenarten, insbesondere der Stockente, zweifellos jagdschädlich. Brutgelegenheiten für Enten werden ja von Jahr zu Jahr knapper, und wo die „zänkische Blässe" sich eingenistet hat, die durch ihren spitzen Schnabel den Breitschnäbeln überlegen ist, da bleibt sie Herr, weil sie ihr Brutrevier energisch zu verteidigen weiß.

Hierzu berichtet mir Forstmeister SATTLER, Hagenbach (Pfalz), aus dem Schatze seiner Erfahrungen: „Im Jahre 1934 pachtete ich im Unterfränkischen eine Privatjagd, welche an meine übrige Jagd angrenzte. Anziehungspunkte waren für mich neben der Lage dieser kleinen Jagd an meiner Grenze die darin befindlichen 3 Fischweiher von je 1–2 ha Größe und die sumpfigen Wiesen in ihrer Umgebung. Dort gab es Bekassinen, und an den Weihern hoffte ich auf Enten. Der Eigentümer hatte mir nebenbei den Abschuß von Fischreihern zur Pflicht gemacht. Im ersten Sommer stellte ich an den Weihern wohl viele Bläßhühner, aber keine Enten fest. Erst im Spätherbst konnte ich ein- oder zweimal solche auf dem Zuge antreffen. Standwild waren sie leider nicht. Ich hatte bis dahin keine praktische Erfahrung mit Wasserjagd und las irgendwo, daß Bläßhühner sehr störend auf Enten wirken. Da der Besatz mit Zappen für die Größe der Weiher wirklich außerordentlich stark war, leuchtete mir ein, daß diese auch hier der Störenfried sein könnten. Im folgenden Frühjahr nahm ich an einem schönen Tag meine Bockbüchsflinte mit ihrem ‚weithin schattenden' Schrotrohr und ging mit einem sehr passionierten und gut schießenden jungen Revierförster an die ‚Belchenschlacht'. Dritter im Bunde war mein Drahthaar. Auf allen Weihern wurden nun die Lietzen vom stöbernden Hund aus dem Schilf gedrückt und von zwei Seiten unter lebhaftes Feuer genommen. Die Strecke war gar nicht sehr groß, jedenfalls nur ein Bruchteil des Besatzes, vielleicht $1/4$–$1/6$. Die Zappen nahmen aber die Störung, die (mit noch geringerer Strecke) einmal wiederholt wurde, gewaltig übel. Die meisten zogen ab, weil es ihnen auf den kleinen Weihern zu unsicher wurde. *Und dann kam der Erfolg!* Schon zur Bockzeit sah ich beim Überschreiten eines Weiherdammes abends eine Stockentenmutter mit Jungen, und solange ich dort war und die Jagd hatte, brüteten an allen Weihern alljährlich Stockenten. Ich konnte mir jeden Herbst eine bescheidene Ernte holen, denn allzu oft wollte ich die Enten ja auch nicht bejagen, um sie nicht zu vertreiben. Die Blässen waren nicht ausgerottet, einige brüteten noch. Es hatte den Anschein, als ob es nur einer Verminderung auf eine tragbare Zahl bedurft hätte, um die Weiher für Enten schmackhaft zu machen. Natürlich schoß ich auch später gelegentlich eine, aber einer ‚Belchenschlacht' bedurfte es nicht mehr. Die Zahl der Enten hatte sich noch vermehrt; die schwarzen Wasserhühner blieben, auf einige Paare beschränkt, ohne wesentlichen weiteren Eingriff."

Wie das Grünfüßige Teichhuhn und die Wasserralle, nicht aber der Wachtelkönig, macht das Bläßhuhn jährlich meist oder doch häufig *zwei* Gelege. Die Eizahl beträgt 6–9 Stück, die Vermehrung kann also beträchtlich sein. Das Nest steht vorwiegend über

Bläßhühner am Rohrrand (rechts: grünfüßiges Teichhuhn)

dem Wasser im Schilf und Rohr, auch auf Bülten. Die Brutdauer beträgt 21–24 Tage, beide Gatten des Paares brüten, Beginn der Brut um den Maianfang.

„Die zuerst geschlüpften Jungen", sagt NIETHAMMER, „gehen, sobald sie trocken sind, gleich aufs Wasser und werden hier vom Männchen geführt und gefüttert, es wird aber auch Futter zum Nest gebracht. Später werden alle Jungen von den Eltern gemeinsam geführt, und erst nach einigen Wochen teilt sich oft die Familie, und jeder Altvogel übernimmt einige Junge für sich allein. Die Nacht verbringen alle gemeinsam im Nest. Bei Zweitbruten übernimmt das Männchen die Führung der Jungen der ersten Brut, während das Weibchen das zweite Gelege bebrütet. Die Jungen der ersten Brut helfen da mitunter bei der Fütterung ihrer kleineren Geschwister. Mit 8–9 Wochen werden die Jungen flügge. Danach halten sie sich oft mit Jungen anderer Nester zusammen, kehren aber stets zu den Eltern wieder zurück und meist auch zum Brut- bzw. Schlafnest. Erst gegen Mitte August beginnt die Trennung der Familien und die Bildung großer Trupps."

Die Nahrung des Wasserhuhns ist recht vielseitig. Es nimmt Insekten, Schnecken und Muscheln, Würmer und kleinere Fische, wahrscheinlich auch Laich. Eine sehr wichtige Rolle auf dem Speisezettel spielen auch Wasserpflanzen, Grashalme und Samen, im Winter, auf Wasserflächen im Bereich der Städte, Abfälle aller Art. Hier wird das Bläßhuhn, wie man leicht beobachten kann, auch zum Nahrungskonkurrenten, vor allem für nordische Tauchenten. Vielfach wird es auch als Fischereischädling betrachtet. Der an Fischen angerichtete Schaden ist aber meist nicht allzu bedeutend und mehr gelegentlich.

Die spätsommerliche *Jagd* auf Bläßhühner spielt sich ähnlich ab wie die Taucherjagd. Man schießt sie auf der Kahnpürsch, bei der Pürsch im Wasser selbst, oft auch vom Ufer aus. Wo eine übermäßig starke Vermehrung erfolgt ist, kann man auch durch Aufsuchen und Absammeln der Gelege im Schilf oder Rohr die Art kurzzuhalten suchen, sofern nicht die Gefahr besteht, daß auf diese Weise Entengelege gestört werden. Doch können sich diese, bei dem oft fast schon kolonieartigen Brüten der Bläßhühner – wobei freilich jedes einzelne Paar sein Brutrevier für sich hat und auf das Heftigste verteidigt – in deren unmittelbarer Nähe nicht halten.

Ein sehr gutes Mittel zur Besatzverminderung sind Treibjagden. Solch eine Treibjagd auf Bläßhühner (und Haubentaucher), wie sie im deutschen Osten vielfach notwendig waren, schildert uns H. v. KNEBEL-DOEBERITZ (Wild und Hund 1950/51):

„Geeignete Seen waren nur die größeren, langgestreckten Gewässer, auf denen genügend Wild vorhanden war und sich dieses über Kilometer treiben oder besser drücken ließ. Dies geschah durch eine Kette von 8–12 Kähnen, je mit einem Schützen besetzt, und die Gewohnheit der Blässen und Taucher benutzend, daß sie ungern und höchst selten über Land fliegen, sondern fast immer auf dem Wasser bleiben. Das Frühjahr, etwa 2. Hälfte April, versprach den besten Erfolg, weil das im Winter geschnittene Rohr noch keine Deckungsmöglichkeit bot, und sich große Schwärme der Schwarzen auf dem offenen Wasser aufhielten. In den ersten Anfängen dieser ‚hohen Jagd' haben wir auch im Herbst – etwa Oktober – gejagt, jedoch im allgemeinen mit viel geringerem Erfolg, weil das Gros in den weiten Rohrgürteln verschwand. Außerdem sollte ja gerade die schwarzgraue Invasion vor der Brut- und Laichzeit kurz gehalten werden.

Ich greife einen Jagdtag auf dem zur Domäne G. gehörigen Gr. Lübbesee heraus, der, teilweise mit herrlichen Waldufern, 2–5 km breit, sich etwa 12 km in der Länge erstreckt.

Jagdbeginn ist bei dem Dorfe B., wo die Schützen, mit reichlich Patronen und Frühstück versehen, in die einzelnen Boote verstaut werden. Unter dem Kommando des jungen Amtsrats K. auf einem Motorboot, mit Megaphon versehen, verteilen sich die Boote über die hier etwa 5 km breite Wasserfläche mit Marschrichtung Osten. Mit frischen Kräften wird schnell Raum gewonnen, und die Fahrzeuge kommen sich durch den schmaler werdenden See allmählich näher. Mit dem Glase wird das Wasser nach schwarzen Punkten und ‚Ansammlungen des Feindes' abgesucht. – Einzelne weite Trupps werden durch das Motorboot flott gemacht, und immer mehr Wasserwild flüchtet nach Osten. Das geht so 4–5 km lang, nur von einzelnen weiten Versuchsschüssen unterbrochen. Im großen und ganzen lassen sich aber die Bläßhühner nur etwa 4–6 km weit aus ihrer Wahlheimat vertreiben. Dann wird ihnen das zu dumm, und ‚sie greifen an'. Sie erheben sich von der Wasserfläche und streichen zurück, zunächst einzelne Spitzenreiter, dann immer mehr, und nun setzt auf der Grundlinie langsames Schützenfeuer ein! Jeder Schütze kann genau beobachtet werden, wenn man nicht selbst im Gefecht liegt. Das ist das Interessante dabei. Weite Treffer werden mit lautem ‚Bravo' belohnt und umgekehrt mit höhnischem Nekken, solange man selbst noch nicht gepudelt hat. Die Schwarzen kommen in ziemlicher Höhe zwischen den Booten als ‚Fasanen des kleinen Mannes' an. Da heißt es weit hin- und einige Bootslängen vorhalten! Hat man das erst einigermaßen heraus, so ist es unglaublich, wie weit so eine gut schießende Kal. 12 hinlangt. Dazwischen kommen niedriger, aber weit schneller die Taucher angeschossen. Das sind die schwersten Schüsse, weil immer irgendein nicht genau in Linie fahrender Kahn im Wege ist, und im Bruchteil einer Sekunde ist es nach hinten zu spät, genau wie bei den Fasanen. Also muß man nach vorne schießen. Wie schwer das ist, weiß jeder Fasanenschütze. Aber das ist hier auch wegen des Aufhebens des Wildes nötig. Das Motorboot kreuzt hinter der Linie und klaubt die Vögel aus dem Wasser. Bei der Breite von immer noch etwa 3 km muß jedoch das meiste von den Kähnen selbst eingesammelt werden. Dabei kommen sie leicht außer Reih und Glied, man kann bei einem Taucher-Tiefangriff nicht schießen und erhält entsprechende Verwarnungen durch das Megaphon des Jagdherrn.

Der erste Angriff ist mehr oder weniger erfolgreich abgeschlagen, und die Boote können sich wieder rangieren. Weiter geht der Marsch der Flottille nach Osten, und das Schützenfeuer reißt kaum mehr ab. Wir nähern uns einer Seenenge, bei der je zwei Flügelboote ihre Schützen an Land setzen müssen; denn die schmalen Landzungen werden natürlich vom ‚Feind' überflogen. Dann wird eine Frühstückspause eingelegt.

Der motorisierte Jagdherr kommt angerauscht, und wie er sich den Kähnen nähert, flattert dicht am Ufer ein Bläßkopf hoch und sucht sich nach hinten zu drücken. Nun tritt der bisher kaum um Schuß gekommene Jagdherr mit seiner Browning in Aktion und auf den dritten, einige Motorbootlängen vorgehaltenen Schuß klappt der Schwarze wie eine Mütze ins Wasser. Darauf erschallt aus einem Kahn die Stimme eines pommerschen Waidgenossen (wir führten alle meist nur Doppelflinten): ‚Wo hat er denn den dritten Schuß her?' Jetzt war die richtige Stimmung zum Frühstück da, das nun auch innerlich feucht wurde.

Nach einer halben Stunde ging es in bester Laune weiter, denn nun kam ja erst das Haupttreiben. Wie wir aus der Enge herausfahren, da zeigen uns die Gläser: ‚Backbord voraus – alles schwarz!' Immer häufiger kommen ganze Buketts angeflogen, und immer besser werden die Trefferprozente. Wie bei den großen Hasenkesseln in Sachsen muß man hier auch die ersten ‚auf den Schnabel schießen'. Dann drehen die nachfolgenden Pulks ab, um später nochmals vor die Rohre zu kommen. Und so wird allmählich der Kampf immer intensiver und interessanter. Jeder bekommt mit sich zu tun und hätte kaum noch Zeit, sich um seine Nachbarn zu kümmern, wenn nicht das Gesamttempo durch Aufklauben des Wildes und straffe Führung durch den Jagdherrn erheblich verkürzt würde.

Wir nähern uns dem durch steile Waldufer eingefaßten Ende des Sees, der sogenannten ‚Hölle'. Und nun ist auch bald die Hölle los: Immer wieder erheben sich weit voraus ganze Schwärme, kreisen und formieren sich zum Durchbruch gen Westen. Kommen sie links, rechts oder in der Mitte? Das ist die aufregende Frage für die Schützen, denn jeder kann ja alles beobachten. Und dann geht die Kanonade am Schwerpunkt los, aber auch die anderen liegen im Feuer, denn dazwischen kommen immer mehr Taucherpaare angeflitzt.

Zum Schluß heißt es: ‚Flügelboote vor', und die letzten dickfelligen Schoofe und Einzelgänger werden regelrecht eingekesselt. – Noch einmal schwillt die Kanonade an, um dann langsam zu verkleckern.

Der eigene Bootsmann ist fast noch mehr in Aufregung gekommen wie man selbst, und hat eine phantastische Strecke zusammengezählt, die die eigene Schätzung – genaueres Zählen ist kaum möglich – bei weitem übertrifft. Denn jeder der braven Steuerleute möchte ‚den Vogel abgeschossen haben.'

Auf der Rückfahrt zur Domäne G., die etwa an der Mitte des Sees liegt, wird nun in Ruhe alles aufgenommen und beim Landen in der Koppel Strecke gelegt. An die 100 Taucher und weit über 300 Bläßköpfe waren das Ergebnis."

Im Winter trifft man das Bläßhuhn, wie schon gesagt wurde, häufig weitab von seinen Brutplätzen, namentlich dann, wenn der erste Frost aufgetreten ist. Man sieht es auf noch offenen Stellen in der Mitte größerer Seen oder Talsperren, vor allem aber, oft zu Hunderten, auf fließenden Gewässern, Flüssen, Kanälen und Strömen. Auch hier sollte man es zu dezimieren suchen, was meist nicht allzu schwer ist.

Man schießt Bläßhühner meist mit 3-mm-Schrot, doch genügt bei dem lockeren Gefieder, das alle Rallen haben, auch Hühnerschrot (2^1/$_2$ mm). Mit dieser Besonderheit des Gefieders erklärt sich auch die von unserem Gewährsmann wiedergegebene Beobachtung, daß auf das streichende Stück auch sehr weite Schüsse gelingen. Das *Wildbret* wird zu Unrecht geschmäht. Wenn man nur zuvor die Haut abzieht, mundet ein sachverständig zubereitetes junges Bläßhuhn recht gut. Diese Methode hat auch den Vorteil, daß die Zubereitung für die Bratpfanne ungemein rasch vonstatten geht: Kopf und Hals, Flügel und Ruder werden entfernt, die locker sitzende Haut in Sekundenschnelle abgezogen mitsamt den daran sitzenden Federn, das Bläßhuhn ausgenommen – nicht nur *ausgehakelt* – dann ist es fertig für die Hausfrau, die je nach Zeit und Können es „weiterbehandelt".

DIE WALDSCHNEPFE

Seit es den Waldgang zum Schnepfenstrich gibt, also seit 150–200 Jahren, wurde die Waldschnepfe zu einem Lieblingswild der Waldjäger, die mit ihr eine Niederwildart für sich haben, deren Bejagung den Inhabern der Feldreviere nicht oder nur in Ausnahmefällen vergönnt ist. So wurde sie zur „Königin der Niederjagd", obwohl der Ertrag der Schnepfenjagd in fast allen Fällen nur gering ist; gerade dieser Umstand zeigt, daß es gewiß nicht die schlechtesten Jäger sind, die mit Begeisterung der Schnepfenjagd obliegen.

Das Wort „Schnepfe" bedeutet, wie das französische „bécasse", eigentlich „Schnabeltier", und wir nennen den gaukelnden Fluges dahinziehenden Frühlingsboten ja auch „den Vogel mit dem langen Gesicht". Neben dem ihren bevorzugten Aufenthalt bezeichnenden *Namen* Waldschnepfe interessieren nur noch „Eulenkopf" sowie „Blaufuß" und „Dornschnepfe", weil ein fast ein Jahrhundert währender Streit darum ging, ob es zwei Arten bzw. Unterarten unserer Waldschnepfe gäbe. Der Streit ist, wohl endgültig, dahingehend entschieden, daß das nicht der Fall ist, so daß wir uns mit den Wenns und Abers und den angeblichen Unterschieden nicht zu befassen brauchen, sondern nur zur Kenntnis nehmen wollen, daß sehr hohe Gewichtsschwankungen und eine gewisse Variabilität des Federkleides, vor allem aber der verschiedene Abnutzungsgrad des Gefieders zu Beginn und Ende der Frühjahrsjagd, die man früher bis in den Mai hinein ausübte, seinerzeit den Streit ausgelöst haben. – Im oberdeutschen Sprachgebiet heißt es *„der Schnepf"*.

Unsere Waldschnepfe (Scolopax rusticola L.) gehört zu der äußerlich so wenig einheitlichen Ordnung der *Watvögel und Möwen* (Laro-Limicolae), zu der neben die Familien der Möwen und der Schnepfenvögel noch vier weitere, in ihrem Erscheinungsbilde gleichfalls recht verschiedene Familien gestellt werden, darunter die Triele. Die echte Verwandtschaft der Familien untereinander wird deutlich, wenn man die einander sehr ähnlichen Dunenjungen betrachtet, und Untersuchungen aus neuester Zeit haben gelehrt, daß die Vögel diese Verwandtschaft selbst empfinden: junge Strandläufer wurden von Seeschwalben ohne Schwierigkeit adoptiert.

Das schlichte, gut tarnende *Gefieder* der Waldschnepfe erweist sich bei näherer Betrachtung doch als außerordentlich fein gezeichnet, es ist auf der Oberseite aus schwarzen, rotbraunen, gelben und grauen Farbtönen gemischt, die Stoßfedern sind schwarz mit heller Endzeichnung, die auf der Unterseite leuchtend weiß erscheint. Brust und Bauch sind zartgrau gewellt, „gesperbert", die Wellenlinien liegen eng nebeneinander. Das auffallendste Merkmal unserer Art ist in der Tat der *Schnabel,* dessen Länge 7–8 cm beträgt und eine eigentümliche Besonderheit aufweist: die Schnepfe vermag das vordere Drittel des Oberschnabels bei sonst geschlossenem Schnabel nach oben durchzubiegen, so daß die Schnabelspitze sich pinzettenartig öffnet. Die Hauptleistung hierbei fällt den beiden Gaumenspangen zu, wie der Wiener Zoologe W. MARINELLI (1928) in einer beispielhaft sorgfältigen Untersuchung dargestellt hat. Auf die Bedeutung dieses seltsamen, hochkomplizierten Mechanismus kommen wir im Abschnitt „Ernährungsweise" noch zu sprechen.

Auch sonst weist der Schädel Besonderheiten auf: Die großen Augenhöhlen liegen nicht seitlich, sondern erscheinen nach oben verlagert, während die Ohröffnungen umgekehrt nach unten verschoben sind; sie liegen zwischen Schnabelwurzel und Augen. Die streichende Schnepfe kann sich also nach oben vorwiegend optisch, nach unten vornehmlich akustisch orientieren.

Das eingehende Interesse der Jäger für unsere Art hat dazu geführt, daß wir über Schnepfen*gewichte* so gut Bescheid wissen, wie über die keiner anderen Flugwildart, und es ist sicher nicht zuviel gesagt, wenn wir feststellen, daß ungleich mehr Waldschnepfen als Rebhühner oder Fasanen gewogen wurden und werden. Das Durchschnittsgewicht der Frühjahrsschnepfe beträgt bei uns um 300 g, es schwankt im allgemeinen um je 50 g nach unten und oben; Herbstschnepfen sind meist schwerer, und voll ausgewachsene Stücke können nach günstigen Ernährungsverhältnissen die 400-g-Grenze weit überschreiten. Das schwerste bekannt gewordene Gewicht liegt genau bei 1 Pfund, eine sehr abgekommene, am Schnabel verletzte Schnepfe, die mir aus Oberbayern zuging, hatte nur 145 g.

Unsere Waldschnepfe kommt als *Brutvogel* von den der afrikanischen *Westküste* vorgelagerten Inseln durch ganz Mittel- und Nordeurasien bis zum Ochotskischen Meer und Japan vor; in Südeuropa ist sie Brutvogel nur in den höheren Gebirgslagen.

In Nordeuropa erreicht sie den 67. Breitengrad, doch verlagert sich die Nordgrenze ihres Vorkommens ostwärts immer weiter nach Süden. In Nordamerika wird sie durch eine außerordentlich ähnliche Rasse vertreten. Bevorzugter *Aufenthaltsort* sind größere Laub- und Mischwälder mit quelligen oder anmoorigen Stellen. In der Zugzeit begnügt sie sich notgedrungen auch mit Hecken, Gebüschstreifen und lichten Kulissenwäldern.

Die *Wanderungen* der Waldschnepfe sind schon seit langer Zeit Gegenstand der vogelkundlichen Forschung, insbesondere haben die Engländer schon seit 1891 Waldschnepfen beringt und binnen 40 Jahren gegen 300 Wiederfunde erzielt. Aus ihnen geht hervor, daß unsere Art in Großbritannien und Irland ganz überwiegend Standvogel ist bzw. nur geringe Wanderungen unternimmt. Die Inseln scheinen auch Überwinterungsgebiet für einen Teil der westskandinavischen Schnepfen zu sein. Ähnlich ist es in milden Lagen der westdeutschen Waldgebiete, wo sogenannte Lagerschnepfen in allen Wintermonaten angetroffen wurden; ob das nur Brutschnepfen sind oder auch nordische Gäste, die ihren Zug bis hierhin ausdehnten, ist noch nicht geklärt. Nach den grundlegenden Arbeiten von THIENEMANN, WEIGOLD, TRATZ und vor allem SCHENK, die sich freilich vorwiegend mit dem Herbstzuge beschäftigten, ziehen dänische und südschwedische Stücke über Deutschland nach Frankreich, Spanien und Portugal. Osteuropäische Schnepfen ziehen großenteils über Italien, wo sie zum Teil überwintern, zum Teil über Sizilien nach Nordafrika wandern. Doch auch die Balkanhalbinsel und Kleinasien dienen als Winterquartier, vorzugsweise wohl für mittel- und südrussische Tiere.

Folgende Gesetzmäßigkeiten leitet SCHENK aus seinen Forschungen her: Die Waldschnepfe kehrt im Frühjahr fast ausnahmslos in ihre engere Brutheimat zurück; doch sind inzwischen Ausnahmen festgestellt, z. B. wurde ein englischer Brutvogel im Mai auf Gotland festgestellt. Dagegen sind die Winterquartiere ein und derselben Schnepfenpopulation keineswegs die gleichen, was damit zusammenhängen dürfte, daß die Schnepfe bekanntlich Einzelzieher – wenn auch bisweilen zufällig in mehreren Exemplaren beieinander – ist und in ihrem Zuge sich in starkem Umfange von den Witterungsverhältnissen abhängig zeigt, die ja auch auf verhältnismäßig kleinem Raume sehr unterschiedlich sein können. So findet man in den Winterquartieren Schnepfen von außerordentlich weit auseinandergelegenen Herkunftsorten. – Der Zug erfolgt zunächst in breiter Front, also nicht unter Einhaltung sogenannter Zugstraßen; erreicht die ziehende Waldschnepfe bei ihrer Reise die Meeresküste, so dient fortan fast immer diese als Wegweiser in das Winterquartier, das also oft auf weiten Umwegen erreicht wird. Das gilt sowohl für die Nord- und Ostseeküste, als auch für die des Mittel- und des Schwarzen Meeres, ganz besonders aber für die Küstengebiete des Adriatischen Meeres, die bekanntlich einen enormen Durchzug haben. – Der Frühjahrszug verläuft ähnlich, doch ist die Neigung, den Meeresküsten zu folgen, geringer, es wird anscheinend überwiegend in gerader Linie die Brutheimat angeflogen, so daß nur in einzelnen Fällen Geländeausformungen Anlaß zu Umwegen geben. Solches ist offenbar der Fall bei der Burgundischen Pforte, durch die ein starker Heimkehrerstrom nach Deutschland einzufliegen scheint. – Der Aufbruch wird im Frühjahr, ebenso im Herbst, von bestimmten Wetterlagen begünstigt. Im Frühjahr werden große „Zugwellen" oder weitreichende „Zugstöße" von nordwestlichen, im Herbst von nordöstlichen Wettertiefs (Depressionen) begleitet. Da aber ein und dieselbe Wetterlage nicht gleichzeitig für alle Winterquartiere und Wanderstrecken vorliegt, setzt der Einflug auch nicht gleichzeitig im gesamten Zugareal der Art ein. Damit und aus der Tatsache, daß Stücke aus ein und dem-

selben Brutgebiet in weit auseinanderliegenden Winterquartieren weilen können, erklären sich die oft so widerspruchsvollen Strichbeobachtungen. Sie erklären sich auch daraus, daß der größte Teil der bei uns streichenden Schnepfen Durchzügler aus Brutgebieten von gewaltiger Ausdehnung sind.

Eine interessante Zugbesonderheit ist es, daß das östliche Oberbayern – etwa bis zum Chiemsee – im Frühjahr von Osten her, also aus dem Salzburgischen, von den Brutschnepfen erreicht wird; das versicherten mir gelegentlich eines Vortrages in Traunstein die Jäger der dortigen Kreisgruppe und wußten es auch mit mancherlei Beispielen zu belegen.

Widrige Wetterlagen können, wie das im Jahre 1953 offensichtlich der Fall war, den Frühjahrsstrich sehr stark hemmen. Werden die Schnepfen durch sie in südlichen Ländern festgehalten, wo augenblicklich eine erbarmungslose Verfolgung einsetzt, dann ist der Strom der Rückwanderer stark gelichtet, was sich in ihren Brutgebieten offenbar für Jahre auswirken kann. An den Küsten Deutschlands kommt es oft gleichfalls zu einem Zugstau; besonders bekannt dafür sind die mecklenburgische und vorpommersche Küste, während im Herbst diese Erscheinung weit häufiger in Schleswig-Holstein und dem nördlichen Nordwestdeutschland beobachtet wird. SCHENK erklärt diese Tatsache sehr einleuchtend damit, daß die skandinavischen Schnepfen im Frühjahr, nachdem sie die Landmasse des europäischen Festlandes hinter sich gebracht haben, an der Ostseeküste bis etwa zur Insel

Rügen entlangstreichen und diese als Abflugbasis für den Flug nach Südschweden hinein benutzen, während sie im Herbst eine mehr westliche Flugrichtung haben, die durch zahlreiche Ringfunde auch belegt ist.

Daß unsere Waldschnepfe schon während des Zuges „streicht", also in dem bekannten langsamen Ruderflug mit nach unten gerichtetem Stecher – ich kenne keinen anderen Vogel, der mit dieser Schnabelhaltung fliegt – morgens und abends quorrend und puitzend nach Weibchen sucht und dann u. U. einige Tage paarweise vergesellschaftet bleibt, ist erwiesen. Demzufolge legen z. B. ostpreußische Schnepfen nach den schönen Untersuchungen STEINFATTS (1938) oft schon wenige Tage nach dem Eintreffen im Brutrevier das erste Ei. Je weiter der Heimwärtsflug ist, desto mehr wird er zur Hochzeitsreise, freilich eine Hochzeitsreise mit jeweils nur kurzfristiger Partnerschaft: die Schnepfe lebt, wie der genannte Autor feststellte, ehelos, weder an der Brut noch an der Aufzucht der Jungen ist der Schnepfenhahn beteiligt, und kurzfristig auch ist das Zusammenhalten der „Paare", schon dadurch, daß offenbar eine Verdrängung des Männchens durch ein anderes gar nicht selten vorkommt. Das, was der Jäger ein „Stecherpaar" nennt, sind sehr oft einander verfolgende Männchen, wie wir weiter unten sehen werden.

Bedauerlicherweise hat man, wie schon einige Jahre zuvor, 1958 wiederum versucht, dem deutschen Jäger die Jagd gelegentlich des Frühjahrsstriches zu nehmen. Dem Herausgeber ist es in mühevoller Arbeit gelungen, die von ausländischen Jägern gegen die Jagd auf dem Strich vorgebrachten Argumente zu widerlegen, z. T. gar als Zwecklügen zu entlarven. Er fand dabei die Unterstützung fast aller Jagdreferenten der deutschen Länder und – einstimmig – auch die des hierfür zuständigen Fachgremiums, des Niederwildausschusses des Deutschen Jagdschutzverbandes. Möge das Ringen um die Erhaltung der *pfleglichsten* und zugleich *stimmungsvollsten* Jagdart auf die Waldschnepfe von Erfolg bleiben!

Normalerweise spielt sich der *Strich* so ab, daß bei einem bestimmten Dämmerungsgrad das einzelliegende Schnepfenmännchen sich lauten Flügelschlages erhebt und nun *quorrend*

und *puitzend* in verhältnismäßig *niedrigem Suchfluge* – in offenem Gelände sind es meist nur 5–10 m – über die Örtlichkeiten streicht, an denen sich um diese Zeit paarungsbereite Weibchen aufhalten können. Was das *Quorren* angeht, so wird dieser knurrend-krächzende Ton in wechselnder Häufigkeit und in wechselndem Rhythmus ausgestoßen, und an den letzten Quorrton, mit diesem wohl eigentlich gleichzeitig, wird das meist zweisilbig wiedergegebene, aber im Grunde doch mehr einsilbige „psieht", das Puitzen, angehängt. Das Puitzen ist auf etwa 400 m, das Quorren weniger weit vernehmlich. Für das Quorren notierte ich bei dem mir unvergeßlichen Frühjahrsstrich 1941, den ich in dem schnepfengesegneten Forêt de Mormal, zwischen Arras und Maubeuge, erlebte, folgende Rhythmen: „*Quorr* quorr quorr"; „*Quorr* quor, quorr quorr"; „Quorr quorr *quorr,* quorr quorr"; „Quorr quorr, *quorr* quorr" – jede Rufreihe vom Puitzen gefolgt. Dazu kommt, als wohl häufigste Reihe, das auf einen doppelsilbigen Ton beschränkte Quorren. Andere Töne, mit Ausnahme eines lebhaften Zwitscherns als Erregungslaut bei einander verfolgenden Schnepfen und, seltener, eines bekassinenartigen „üätsch" bei der gleichen Gelegenheit, hört man von der streichenden Schnepfe im Regelfalle nicht. Einmal erlebte ich den Zwitscherton bei Gebrauch des Schnepfenpfeifchens, auf dessen Töne laut zwitschernd ein einzelnes Männchen aufstand und zustrich, in der Försterei *Lindhorst* des Schorfheideforstamts *Grimnitz.* Von der aufstehenden Schnepfe hört man, zumal im Herbst, manchmal ein leises „Kätsch" oder ein Gackern.

Der Balzflug ist, wie gesagt, ein Suchflug, wobei das Männchen in einem größeren oder geringeren Bogen mit einem ungefähren Durchmesser von etwa 1 km dahinstreicht. Die Schnabelhaltung, auf die wir schon hinwiesen, hängt sicherlich mit der nach unten gerichteten Öffnung des knöchernen Gehörganges zusammen; sie ermöglicht dem streichenden Männchen, den leisen Antwortlaut des Weibchens schon aus größerer Entfernung zu vernehmen. – Bei einer Schnepfe, deren Beobachtung während des ganzen Striches die Gunst des Geländes (und ein scharfes Nachtglas) erlaubten, wurde ein fünfmaliges Überfliegen der gleichen Geländeteile an einem Abend beobachtet, und schon mancher Jäger hat sich bei Schnepfen mit etwas abweichender Stimme von der mehrfachen Wiederkehr des gleichen Individuums überzeugen können. So wird die Zahl der an einem Abend beobachteten Strichschnepfen meist überschätzt; auch ich bin schon oftmals an einem Abend fünfzehnmal von einzeln streichenden Schnepfen überflogen worden, glaube aber nicht, daß das mehr als 4–6 Tiere gewesen sind.

Das paarungswillige Weibchen antwortet, nach den Beobachtungen Steinfatts in Rominten, die Bettmann (mdl.) bestätigte, mit einem verhältnismäßig leisen „pssiep" vom Boden her, auf den hin das Männchen sofort einfällt und nun die eigentliche Balz, die Bodenbalz, beginnt. Diese ist von nicht vielen Jägern beobachtet worden, und auch der Herausgeber hat sie nur zweimal aus nächster Nähe mit angehört, ohne in den mit Altlaub bedeckten Jungbuchen auch nur das Geringste sehen zu können. Feststeht, daß das Männchen mit teilweise geöffnetem Stecher, mit hochgeklapptem Stoß und hängenden Flügeln „wie ein kleiner Auerhahn" das Weibchen umkreist. Es werden hierbei mancherlei seltsame Töne ausgestoßen, die gar nicht schlecht mit dem Haßlaut der Krähe verglichen worden sind, aber auch an fernes Hundegebell oder das leise „öff, öff" einer Schwarzwildrotte anklingen können. – Das Treten erfolgt oft mehrfach hintereinander, mit oder ohne Pause. O. Jüttner (WuH, LV, 1953) sah Bodenbalz und Tretakt im schnepfenberühmten Forstamt Salmünster: „Ein Schnepfenpaar strich längs einer Schneise laut auf mich zu. Etwa 20 Schritt vor mir wirbelten sie als lebendes Federknäuel stechend in der Luft, um dann wie Schmetterlinge gaukelnd zu Boden zu fallen. Hier umkreiste das Männchen mit gespreizten Flügeln das Weibchen. Beide nickten häufig mit den Köpfen, öffneten die Stecher oft und weit. Ein helles Pfeifen oder Fauchen war zu hören. Nachdem das Männchen zweimal schnell nacheinander getreten hatte, trippelten beide mit hängenden Schwingen in die Dickung." – Bei dem von mir beobachteten Paare dürften die Tiere schon vor Beginn des Strichs beieinander gewesen und die Bodenbalz also ohne vorausgegangenen Flug begonnen haben. Der, wenn ich so sagen darf, Normalfall ist aber der, daß das streichende Männchen von dem am Boden sitzenden Weibchen gelockt wird und bei ihm zur Bodenbalz einfällt, oder aber es zu Boden manövriert, also gleichsam zur Landung zwingt.

Das *Gelege* der Schnepfe besteht fast immer aus vier Eiern, doch scheint es vorzukommen, daß gelegentlich zwei Schnepfen zusammenlegen, da man bis zu 8 Stück in einem Nest gefunden hat. Meist werden zwei Bruten gemacht, allerdings nicht in allen Brutgebieten, so nach MARKWART (D. W. 1941) nicht in den Donauauen bei Wien, ebensowenig an der Nordgrenze des Verbreitungsgebiets und wohl auch nicht in den höheren Waldregionen des Hochgebirges, wo die Schnepfe meist erst im Mai eintrifft und dann bis in den Juni ihren Balzflug ausführt, später nicht mehr. Wer viel draußen ist, weiß aber, daß man in den meisten Gegenden Deutschlands das Quorren und Puitzen vom März bis in den Juli hinein hören kann, und auf der Insel Ösel ergaben sich nach den zwanzig Jahre hindurch geführten Aufzeichnungen eines Beobachters zwar zwei sehr deutlich unterschiedene Höhepunkte des Balzfluges, im April und um die Juniwende, doch wurden im Durchschnitt der Jahre auch in der dazwischenliegenden Zeit fast an allen Tagen balzende Männchen gehört. – Die *Brutdauer* beträgt rund 22 Tage, mitunter wohl auch ein wenig länger, die schlüpfenden Jungen verlassen das Nest meist sehr bald, schon nach wenigen Stunden. – Ein Dorn im Auge war vielen Ornithologen das immer wieder von den Jägern beobachtete und demzufolge behauptete *Wegtragen* der Jungen, das sie uns nun endlich glauben, nachdem ein Team englichser Vogelkundiger eine Statistik darüber gemacht hat! Es geschieht sowohl mit dem Stecher allein als auch durch Anpressen der Jungen mit diesem an die Brust, ebenso mit den Ständern, wie das schon DIEZEL sah und später LOUIS GRAF KAROLYI in seinem Buche „Waidwerk ohne Gleichen"[14], nach einer Beobachtung seines Jägers BRANDEIS, schildert, nicht aber durch Wegtragen im Rückengefieder. Auch das Verleiten eines Feindes durch Lahmstellen des Weibchens ist beobachtet worden. – Die Aufzuchtzeit währt nach STEINFATT 5–6 Wochen. – In seinem sonst ganz interessanten Buch hat C. M. PAY leider die höchst unglaubhafte Theorie von einem Streichen der jungen Männchen – unter Quorren und Puitzen – um die Zeit der Sommersonnenwende aufgebracht, die von allen mir bekannten Kennern abgelehnt wird: Er hat die mausernden, durch den vorausgegangenen Rückzug und den Frühjahrsstrich im Gewicht etwas leichteren Männchen, die er um diese Zeit schoß, für Jungvögel gehalten. In der ganzen Vogelwelt ist, außer bei einigen australischen Kleinvögeln, kein Fall bekannt, wonach die Fortpflanzungsfähigkeit schon im Alter von zwei Monaten erreicht würde!

Erst recht unwahrscheinlich ist ein so frühes Erreichen der Geschlechtsreife bei einem Tier, dessen natürliche *Lebensdauer,* nach einem Ringfund, mehr als 12 Jahre betragen kann.

Die Schnepfe *nährt sich* in erster Linie von Würmern, Nacktschnecken, Spinnen, Maden, Raupen und anderen Insektenlarven, auch Heuschrecken. Sie holt ihre Nahrung in absonderlicher Weise aus der Erde, indem sie den langen Stecher in weichen Boden bohrt, mit ihm die dort befindlichen Lebewesen ertastet und dann den Oberschnabel abspreizt, um sie zu erfassen und herauszuziehen. Hierbei übt sie ein eigentümliches Trampeln mit den Ständern, das dem Scheuchen der Würmer zum Bohrloch hin dienen soll; es ist an-

[14] Verlag Paul Parey, Hamburg und Berlin.

geboren und wird schon von Dunenjungen vollführt. – Daß auch pflanzliche Nahrung genommen wird, bezeugt JÜTTNER, der Pflanzenkeime und Keimblätter, Holunder-, Ebereschen- und Preiselbeeren, einmal (als Notnahrung) auch Haferkörner in dem sackartig langen Kropfe unserer Art gefunden hat.

Gefangene Waldschnepfen kann man, nach HEINROTH, gut mit dünnen Fleischstreifen, die mit Eipulver, Erde und Wasser vermengt werden, aufziehen, später nehmen sie auch Mehlwürmer. Ihre Nahrung reicht man ihnen in einem verhältnismäßig tiefen, teilweise in die den Bodenbelag ihres Käfigs bildende Torfmullschicht eingegrabenen Napfe.

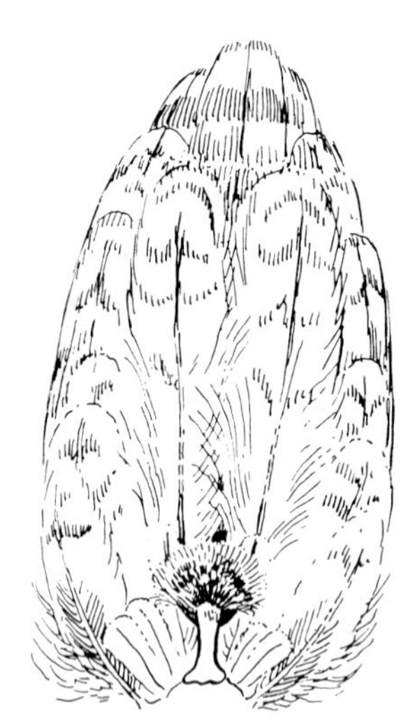
Sitz des Schnepfenbartes

Die psychischen Fähigkeiten der Waldschnepfe sind außerordentlich gering, wie das ja auch ihr Verhalten beim Strich zeigt, wo sie selbst dem gänzlich ungedeckt dastehenden Jäger kaum jemals ausweicht. Es sind starre Instinkttiere, die sich, in Gefangenschaft, an eine andere Umgebung nur sehr schwer gewöhnen lassen und sich, werden sie umgesetzt, zu Tode fliegen oder die Nahrungsaufnahme verweigern. Die Bekassine scheint ihnen in dieser Hinsicht weit überlegen zu sein, wie die Erfahrungen H. W. v. RIESENTHALS (Der deutsche Jäger, 1939) gezeigt haben.

Hauptfeinde der Schnepfe sind die waldbewohnenden Raubvögel und Eulen, in erster Linie Habicht (SCHNURRE 1965) und Sperber, auch der Uhu. Merkwürdigerweise wurden von UTTENDÖRFER besonders viele Schnepfen dem Wanderfalken nachgewiesen. Einen Fall, wo eine von einem Sperbermännchen verfolgte Schnepfe sich auf den Boden warf und mit aufwärts gerichtetem Stecher erfolgreich sich des Angreifers erwehrte, schilderte E. CZYNK; er beobachtete auch, wie eine Schnepfe durch eine geschickte Wendung im Flug dem Stoß des Habichts entkam. Unter Haarraubwild scheint unsere Art nicht besonders zu leiden, da ihr außergewöhnlich dichtes Gefieder wohl nur wenig Wittrung durchläßt, was schon mancher Jäger bei der Nachsuche bekümmert feststellen mußte, wenn sein Hund versagte. Ich fand einst eine am Vorabend von mir geschossene Schnepfe bei der Nachsuche am frühen Morgen und rief, ohne sie zu berühren, den suchenden Hund heran, der über sie hinwegschritt, ja schließlich über ihr stand, offensichtlich ohne sie zu wittern; ein andermal war in der Nacht eine Rotte Sauen nur 1 m an einer von mir Erlegten vorübergewechselt, die sich, noch dazu in der wenig nahrungsreichen Vorfrühlingszeit, den guten Fraß zweifellos nicht hätte entgehen lassen, wenn sie ihn wahrgenommen hätte. Bisweilen aber sind Fuchs oder Marder bei der Nachsuche dem Schützen doch zuvorgekommen, meist freilich dann, wenn die Schnepfe noch lebte und durch Bewegungen auf sich aufmerksam machte. So schoß bei einer Waldjagd im FA. Stadtoldendorf mein Nachbarschütze eine Schnepfe herunter – und fand nach dem Treiben nur noch Federbüschel; ein gleichfalls im Treiben befindlicher (und beobachteter) Fuchs hatte die Schnepfe mitgehen heißen! Als Kuriosum sei noch vermerkt, daß einst eine führende Schnepfe einen Teckel regelrecht annahm, ihn mit geöffnetem Stecher vertrieb und dann noch einige Meter verfolgte.

Die *waidmännischen Bezeichnungen* sind die gleichen wie bei anderem Flugwilde auch, zum Teil wandten wir sie im Vorstehenden schon an: Der Schnabel heißt *Stecher*, bei der Nahrungssuche *wurmt* die Schnepfe. Das *Quorren* wird auch *Murk(s)en* genannt; einander verfolgende Schnepfen heißen *Stecherpaare*. Beim Strich spricht man vom *Frühjahrs-*,

Herbst-, Sommer-, Morgen- und *Abendstrich.* Überwinternde Schnepfen nennt man *Lagerschnepfen.* Das Absetzen der Losung heißt *Kälken.*

Trophäen sind uns der *Schnepfenbart,* ein eigentümliches Büschel haarartiger Federfahnen, die in *einer* Pose stecken und an der Pürzeldrüse placiert sind, ferner die *Malerfedern,* zwei sehr harte, schmalfahnige und spitze Federn, die jeweils vor der ersten Handschwinge ihren Platz haben (s. Abb.). Sie wurden früher, an einem Stäbchen befestigt, zum Anfertigen feiner Federzeichnungen benützt. Das *Schnepfenfeuer* und den *Schnepfenrauch* lernen wir unten kennen, ebenso die *Schnepfenlocke.*

Sitz der Malerfeder

„Man schießt die Schnepfen bekanntlich auf dreierlei Weise, nämlich auf dem *Strich,* bei der *Suche* und im *Treiben.* Die erstere, nämlich der *Abendanstand,* ist die bei weitem *beliebteste* Art, weil sie wenig Zeit kostet, indem man erst abends spät, und nach Beendigung aller anderen Geschäfte, hinausgeht; weil man ferner dabei alle Reize des wiederkehrenden Frühlings, besonders den Gesang der gleichsam neu belebten Vögel genießt, und endlich wohl auch, weil auf dem *Striche* die Schnepfen – *am leichtesten zu treffen sind,* besonders an warmen, regnerischen Abenden, wo sie gewöhnlich auffallend langsam und laut balzend (quorrend) hin- und herziehen."

Alles, was Diezel in der vorstehenden Einleitung seines *Schnepfenjagdkapitels* vorbringt, gilt heute noch, und so spielt der *Schnepfenstrich* bei der Bejagung der Schnepfe in Deutschland und Österreich die größte Rolle. Mit aller Macht zieht es vom ersten milden Frühlingsabend an den wirklichen Jäger hinaus, und er hat seine Freude an den knospenden oder blühenden Weidenkätzchen und den schüchtern den Boden durchbrechenden ersten Himmelsschlüsselchen ebenso, wie an der kurzen, wehmütigen Strophe der Misteldrossel, dem getragenen Flötenlied der Amsel und den schmelzenden Tönen des Rotkehlchens; weniger vielleicht an dem hundertstimmigen Chor der Singdrosseln, die mit ihrem lauten und eindringlichen Gesang das spannungsvolle Lauschen erschweren, ihn auch oft zum Narren haben, wenn sie, spottend oder nicht, das Puitzen täuschend wiedergeben, so daß der Jäger die Waffe fester packt und hochfährt, um sie bald enttäuscht wieder sinken zu lassen. Doch da weht ein Luftzug ihm den Duft eines blühenden Seidelbastes zu, ein später Zitronenfalter gaukelt vorbei und läßt ihn über sich selbst lächeln – denn noch ist es ja viel zu früh. – Aber schnell vergeht die Zeit, ein winziger Junghase — auch ein Frühlingsbote! – hoppelt auf dem Gestell entlang und fesselt seine Aufmerksamkeit, ein kleiner Flug Tauben fällt zur Nachtruhe in die Fichtenstangen hinter ihm ein, und über die Hauptschneise zieht, noch voll im Winterhaar, ein Überläufer.

Es wird dämmerig. Dröhnend brummt ein dicker Mistkäfer an ihm vorbei, unzählige Spanner geistern in unstetem Zickzackfluge um ihn herum, das Abendsingen der Vögel schwillt noch einmal machtvoll an, mit singenden Fittichen streichen zwei Stockenten vorüber, und am Erlenbruch drüben hebt der Fuchs das Brauen an. Das Lied der Amseln erstirbt als erstes, mit gedehntem „zieh" streichen sie niedrig über die Mischkultur davon und verschwinden zeternd in der Nadelholzdickung. Jetzt stürzt sich auch die lärmende Singdrossel von der Birke herab, schimpft klingend noch ein Weilchen fort, und nur das

Rotkehlchen auf dem Wurfboden läßt unermüdlich seine Kadenzen ertönen. Hellgelb steht der Abendhimmel, und der Schnepfenstern blinkt im Dunkel der Ostseite.

Ein großer Schatten zickzackt über der Schneise, wieder schließt sich die Hand fester um den Kolbenhals – doch es ist nur der Große Abendsegler, die Waldfledermaus, von deren Sippe schon manch eine hat ihr Leben lassen müssen im Schuß eines Übereifrigen ... Und nun heult der Waldkauz, ein Mausepfiff zaubert ihn herbei, und er schwebt, drei Meter nur, über dem bewegungslos stehenden Jäger.

Es ist schon recht dunkel geworden, aber der Jäger hat sich so gestellt, daß er den hellen Westhimmel vor sich hat. Und da hört er hinter sich plötzlich das erregende „Psiehtt" und gleich noch einmal und noch einmal, immer näher, und nun auch das vorausgehende, tiefe „Quorr quorr", und da ist sie auch schon, überstreicht ihn – Schuß! – gerade noch kann er im blendenden Feuerschein sie fallen sehen, gerade noch hört er den weichen Aufschlag, dann setzt betäubend noch einmal der Gesang der Drosseln ein, klingt wie zum Trutze auf, während er geblendet vorwärts stolpert; und wahrhaftig, da liegt sie, liegt auf dem Rükken, ein Tröpfchen Farbe steht auf der gewellten Brust, der Stecher ist halb geöffnet, und jetzt, wo er sie ergreift, klingt – seltsam – zum letztenmal das dunkle Quorr des geheimnisvollen Vogels an sein Ohr ...

Für den Schnepfen*strich* sucht man sich Blößen mit Stockausschlägen oder Jungwuchsflächen, möglichst mit angrenzenden älteren Laub- oder Mischholzverjüngungen, am besten Buchenrauschen, auch Erlenbrüche. Hervorragende Punkte auf der Fläche, ein Überhälter etwa, eine kleine, steile Anhöhe, auch eine hochragende Kanzel sind meist günstig, weil sie von den Schnepfen gern angestrichen werden. Kleinere Bergkuppen umkreisen Schnepfen mit einer gewissen Vorliebe während ihres Balzfluges, insbesondere, wenn sie dichte Laubholzverjüngung tragen. Erinnern wir uns daran, daß der Strich des Männchens ein Suchflug ist, also vornehmlich dort ausgeführt wird, wo es wahrscheinlich ist, daß das eine oder andere Weibchen sein Tagesversteck hat.

Ist ein Platz gefunden, wo, wie man waidmännisch sagt, *ein Strich ist,* dann hat man durch Beobachtung bald heraus, wo man sich mit bester Aussicht auf Erfolg hinstellen kann. Man kann sogar am ersten Abend schon den Stand wechseln, wofern man allein ist, da die Schnepfe ja in der Mehrzahl der Fälle wiederkehrt, mitunter gar mit großer Genauigkeit ihre „Luftwechsel" einhält. Daß sie sich um den Jäger kümmert, habe ich nie gefunden, wenn auch behauptet wird, daß sie der menschlichen Gestalt bisweilen ausweicht.

In vergangenen Zeiten wandte man verschiedene Mittel an, um den Flug der Schnepfe auf einen bestimmten Punkt hinzulenken: Man entzündete stark qualmende Feuer, und in der Tat werden die Langschnäbel sowohl vom Lichtschein angezogen, wie BETTMANN neuerdings einwandfrei wieder feststellte, als auch durch die Rauchsäule gelockt, wie ihr Anfliegen von Kohlenmeilern beweist. Heute wie einst bedient man sich wohl auch der Schnepfenlocke oder des Schnepfenpfeifchens, das das Puitzen täuschend wiedergibt, wenn man scharf die Luft ansaugt, nicht etwa hineinbläst.

In den meisten Fällen kommt die Schnepfe später, als es der ungeduldige Jäger erwartet, so daß also ein spätes Erreichen des Standes an sich nicht schadet. Freilich bringt man sich damit um einen Teil des Frühlingserlebnisses. – Der Strich währt sehr verschieden lang, zum Höhepunkt der Saison eine halbe, auch wohl eine Dreiviertelstunde, meist aber nur etwa 20 Minuten, an schlechten Abenden nur etwa 3–5. Anfänglich wird er mehr in der Dämmerung, mit zunehmendem Jahre auch schon bei vollem Tageslicht ausgeführt. Die Aussichten auf einen guten Strich sind, wie sich aus dem über Wanderungen Gesagten ergibt, in den einzelnen Jahren sehr wechselnd, ebenso der Zeitpunkt seines Beginns, der im milden Klima des Rheintales bisweilen schon Ende Februar liegt, im größten Teil Deutschlands aber erst in der Märzmitte. In gewissen Gegenden, so in der Kölner Bucht, sind in manchen Jahren sehr deutlich zwei Höhepunkte zu unterscheiden, die wohl richtig als Durchzugsstrich und Standschnepfenstrich gedeutet wurden. In den Mittelgebirgen setzt der Strich meist erst in den letzten Tagen des März ein und erreicht seinen Höhepunkt um die Aprilmitte. Noch später liegt er, SNETHLAGE zufolge, in Hinterpommern, nicht aber in Ostpreußen, das vielleicht auf anderen Rückkehrwegen erreicht wird.

Daß es auch einen Herbststrich gibt, bei dem allerdings das Quorren selten zu hören ist, dürfte vielen Jägern heute unbekannt sein. Er existiert aber, und zwar einmal als ein spielerisches Hin- und Herstreichen oft mehrerer Schnepfen im Walde, wie im Frühling, und könnte insofern mit der Herbstbalz der Waldhühner verglichen werden. Zum anderen finden wir ihn als Nahrungsstrich, wobei gleichfalls oft mehrere Schnepfen vereint streichen, vielleicht der Muttervogel mit den Jungen der zweiten Brut.

Der Schuß auf die Schnepfe erfolgt am besten mit 2-mm-, allenfalls mit 2½-mm-Schrot; den linken Lauf mit gröberem Schrot zu laden, wie das manche Jäger tun, ist überflüssig, weil die Schnepfe so weich ist, daß schon ein einzelnes, im Muskelfleisch der Brust sitzende Schrotkorn sie, wie JÜTTNER einwandfrei festgestellt hat, zu Boden bringt, wo sie dann allerdings nicht lange verweilt. – Sie kommt, ist sie überhaupt getroffen, in weitaus den meisten Fällen herunter, und deshalb empfiehlt es sich, sogleich den Hund nachzuschicken oder, in Ermangelung eines solchen, selbst zu suchen. Es gibt aber auch hier eine Ausnahme, und das ist die waidwund getroffene Schnepfe, die, mitunter im Schwebeflug, weiterstreicht, wobei sie ganz allmählich an Höhe verliert und dann leise, oft mit einem kleinen Bogen, wie gesund einfällt. Solche Schnepfen stehen, nähert Mensch oder Hund sich ihnen, meist wieder auf und sind dann in der Dämmerung und Deckung kaum erneut zu beschießen. Man findet sie aber, läßt man sie in Ruhe, am nächsten Tage fast immer an der Stelle des Einfallens verendet auf. – Schmerzhaft, aber nicht augenblicklich tödlich getroffene, z. B. geflügelte Schnepfen lassen oft den zwitschernden Erregungston hören, der hier zum Klagelaut wird. Sie sind ohne Hund schwierig zu bekommen, wenn man nicht sofort zuspringt: Im ersten Augenblick läßt sich auch die nur geflügelte Schnepfe greifen, ohne einen Fluchtversuch zu machen, und ich habe es einmal erlebt, daß ein nur von *einem* 2-mm-Korn, am Flügelbug, getroffener Schnepf sich widerstandslos in sein Schicksal ergab. – *Jede* beschossene *Schnepfe,* auch die glatt vorbeigeschossene, *zeichnet* auf den Schuß, und zwar durch einen kleinen Bogen nach unten, um dann wieder in der vorher innegehabten Höhe weiterzustreichen. Die Unkenntnis dieses „Zeichnens" hat schon manchen Jäger glauben lassen, die Schnepfe sei härter, als man das so in den Büchern liest. Mitnichten!

Die Weibchen erheben sich sehr viel später zum Abendflug, der der Nahrungssuche gilt, und streichen in fast allen Fällen stumm, niedrig und verhältnismäßig geradlinig, oft sehr schnell. Haben sie ein Männchen dabei, dann murkst und puitzt dieses und streicht hinter dem Weibchen her. Stecherpaare sind, wie oben gesagt, häufig zwei balgende Männchen, doch gibt es Ausnahmen. Der Anblick von drei zusammen streichenden Schnepfen erklärt sich meist so, daß ein suchendes Männchen einem anderen das Weibchen abzujagen bemüht ist, doch erlegte HOPPERT (Der Deutsche Jäger, 1952) einmal bei solcher Gelegenheit alle drei, und alle erwiesen sich als „Schnepferiche".

Im allgemeinen wird auf Schnepfen viel vorbeigeschossen, auch auf dem Strich, wo doch der Schuß nicht allzu schwer zu sein pflegt. Das liegt in verschiedenen Umständen begründet: Einmal will man in der Dämmerung das Korn deutlich sehen und hebt infolgedessen die Mündung über Gebühr, so daß man die Schnepfe, streicht sie breit vorbei, leicht

überschießt, hat man sie spitz von hinten, hinterherschießt. Zum anderen schätzt man oft die Entfernung für größer ein, als sie in Wirklichkeit ist; bei unseren eng schießenden Flinten hält aber die Schrotgarbe auf 15 oder 20 m noch recht stark zusammen, und so schießt man leicht vorbei, wenn man die bezielte Schnepfe nicht ein Stück weiterstreichen läßt. Und schließlich wechselt unser Wild sehr mit seiner Geschwindigkeit: beim ruhigen Streichen wird diese, zumal in großer Nähe, häufig für bedeutender gehalten, als sie ist, so daß man zu weit vorhält, was im allgemeinen bei der Niederjagd kein Fehler ist, da sich die Schrotgarbe ja auch in ihrer Längsrichtung weit auseinanderzieht. Auf kurze Entfernung aber ist dies Auseinanderziehen noch nicht weit gediehen, und so schießt man u. U. vorn vorbei. Andererseits aber kann etwa ein Stecherpaar in einem geradezu reißenden Fluge daherkommen, wobei oft auch blitzschnelle Wendungen vollführt werden, die den Schuß sehr schwierig machen. Zwar ist „die Schnepf' im Zickzackfluge" in BORNEMANNS schönem Jägerlied unstreitig die Bekassine, daß aber auch unsere Waldschnepfe zu solchen Schwenkungen befähigt ist, kann man bei manchen Gelegenheiten sehen. – Der Morgenstrich wird viel weniger ausgeübt als der Abendstrich, weil er einmal natürlich den meisten Jägern zu unbequem ist – eine rühmliche Ausnahme bildete der bekannte kurhessische Oberlandforstmeister LINNENBRINCK –, dann aber auch, weil er weniger ergiebig und kürzer zu sein pflegt. Nach meinen in Salmünster gewonnenen Erfahrungen trifft diese oft behauptete Erfahrung durchaus zu.

Die *Suche* auf die Schnepfe lohnt sich heute nur noch in wenigen Gegenden Deutschlands, so in den küstennahen Knicklandschaften Schleswig-Holsteins, wo an günstigen Herbsttagen oft beachtliche Strecken erzielt werden, die manchen Neid hervorrufen. Im Frühjahre darf man sie, wie auch das Treiben, heute auf Grund des Bundesjagdgesetzes nicht ausüben, da bei diesen Jagdarten der Anteil der geschossenen Weibchen naturgemäß stark in die Höhe schnellt, so daß sie nicht eben pfleglich sind. Wir schießen ja auch keine Fasanen- oder Rebhennen im Frühling. Früher verlockte ein Zugstau, der einen großen Schnepfensegen bewirkt, die Jäger oft zur Ausübung der Suchjagd. Gegen die Suche im

Herbst wird kein Mensch etwas einzuwenden haben, wofern genügend Schnepfen vorhanden sind.

Zur herbstlichen Schnepfensuche besonders geeignet sind schmale Waldstreifen, zu deren Seiten je ein Schütze geht, während ein kurz suchender Hund buschiert; auch ein Vorstehhund kann hierbei sehr erwünscht sein. In Althölzern wird man meist vergebens suchen, dagegen sind an Hutungen grenzende Laubholzkulturen oder junge Buchennaturverjüngungen sehr geeignet. Im Herbst ist die Schnepfe nämlich dem offenen Gelände gewogener als im Frühjahr, weil sie, insbesondere auf Weideflächen, wo ja zumeist noch das Vieh ist, oder wenigstens seine für sie bedeutungsvollen Hinterlassenschaften, die Kuhfladen, mit größter Aussicht auf Erfolg wurmen kann, mit besserer wohl als in den dann mitunter recht trockenen Wäldern. So erklärt sich ja auch der oben erwähnte herbstliche Nahrungsstrich. In gebirgigen Gegenden liegt die Schnepfe zur Herbstzeit gern in gebüschreichen Tälern und Tälchen, deren Bejagung, durch Streife, FRIEDRICH V. GAGERN[15] uns so reizvoll schildert:

„Der ganze Jagdtag erschöpfte sich in zwei langen, mehrstündigen, mit angemessenen strategischen Atem- und Richtpausen ununterbrochen weiterrückenden Streifen: hinauf bis in den Grabenschluß von neun bis zwölfe die erste, herunter bis zur Mündung von eins bis viere die andere; bisweilen wurde noch ein mittägliches Kopftreiben eingelegt. Viel Arbeit um lächerlich wenig Gelände: drei Kilometer Länge des Grabens, durchschnittlich hundert Meter die – nicht katastral oder projektiv zu verstehende – Breite des so im Mittel fünfundzwanzig- bis dreißigjähren Hanges; ergibt hundert österreichische Joch und eine Kleinigkeit darüber, sechzig Hektar, sagen wir ganz großzügig, alle Buchten und Krümmen und Nebenschluchten mit einrechnend, achtzig Hektar gleich dreihundertundzwanzig Morgen – eine Fläche, die man im Felde binnen anderthalb Stunden spielend umkesselt oder streifend rasiert. Und die Strecke? Zwanzig bis dreißig, ganz selten einmal vierzig Hasen, wo es sein mußte drei bis vier Stück Rehwild, zwei bis drei Füchse, ab und an eine Wildkatze, ein und das andere Haselhuhn, in gewissen Lagen vier bis fünf Schnepfen – ich erinnere mich einer solchen benachbarten Grabenjagd mit dem hübschen Ergebnis, man konnte beinahe schon Erlebnis sagen, von fünfzehn Schnepfen neben drei Füchsen, einem Dachs, zwei Wildkatzen, einem geringen Bock und etwas über dreißig Hasen ... Und rechnet man hinzu dasselbe an entwischten, verdrückten, verkrümelten, verschlichenen, verpaßten Krummen, zwölf bis zwanzig unbeschossene weil verbotene Stücke Rehwild und die Gott sei Dank immer tröstliche Zahl an gefehlten Langschnäbeln, so kommt bei alledem kein schlechter Besatz heraus. Fehlte nur die Zier der Fasanen."

Dem *Treiben* auf die Schnepfe widmet DIEZEL volle 18 Seiten der Erstausgabe seines Buches, der Suche immerhin noch 17, dem Strich ebensoviele. Das ist ein lehrreiches Beispiel für den Wandel der Methoden, der letztlich eben auch in einer Wandlung der sozialen Struktur eines Volkes seine Ursache haben kann: Wurden doch zu Beginn des vorigen Jahrhunderts die Treiben mit zur Jagdfron aufgebotenen „Landleuten" gehalten, die Treiber waren also billige Hilfskräfte. Auch später, als Treiberlohn gezahlt werden mußte, bedeutete es nicht viel, wenn man fünf bis sechs Jungen (für insgesamt 1 Taler) einige Tage treiben ließ, um in den lückigen Stockausschlägen, an denen unser Vaterland damals so reich war, einige Schnepfen zu schießen.

Uns ist die Schnepfe heute wohl nirgends mehr eine Wildart, um derentwillen man ein regelrechtes Treiben veranstaltet, schon gar nicht im Frühjahr, wohl aber eine hochwillkommene und hochgeschätzte Gelegenheitsbeute bei den herbstlichen Treibjagden. Sie liegt

[15] F. v. GAGERN „Der Jäger und sein Schatten". Verlag Paul Parey.

ja, wie wir sahen, im Herbst vielfach auch in kleineren Feldgehölzen und Knicks, oft mit großer Regelmäßigkeit an bestimmten Plätzen, und ich erinnere mich, daß der Olfm. Dr. HAUSENDORFF als Revierverwalter in der Schorfheide Jahre hindurch immer vom gleichen Stande aus mit nie fehlender Flinte bei der Waldjagd auf Hasen seine Schnepfe schoß. – Einmal erlebte ich auch eine Doublette auf Rotwild und Schnepfe, der eleganteste Doppelschuß, den ich je mitangesehen habe. – Gute Schützen schießen die spitz oder halbspitz anstreichende Schnepfe von vorn, wie das auch DIEZEL rät, weil man dann den zweiten Schuß noch in bester Reichweite zur Verfügung hat, falls ein solcher notwendig ist; da man dabei die Schnepfe zudecken muß, ist dieser Schuß jedoch dem Anfänger nicht anzuraten, es ist schwer für ihn, das richtige Vorhaltemaß zu finden.

Ein Zufall hat es gewollt, daß ich meine allererste Schnepfe auf eine nicht sonderlich feine Art schoß, die DIEZEL für den *Anfänger* im Schnepfenwaidwerk als „Anstand an der Suhle" parat hatte: Ich stand nämlich am Rande eines ausgedehnten, mit Fichten durchpflanzten Birkenjagens, durch das ein ebenso breiter wie schlechter Weg führte, der eine Unzahl tiefer Pfützen aufwies. Es war schon gegen Ende des Strichs, in recht tiefer Dämmerung also, als ich bei einer Blickwendung plötzlich eine Schnepfe nicht allzu weit von mir an einer der Pfützen einfallen sah, die rasch, stumm und niedrig herangestrichen war. Das alles bezwingende Jagdfieber ließ mir nur noch Zeit zu der Überlegung, daß ich die Garbe meiner Zwölferflinte so placieren müsse, daß die Schnepfe nicht vollständig zersiebt werde, dann krachte der Schuß, die Schnepfe lag, war auch wenig zerschossen, und erwies sich später beim Ausnehmen, selbstverständlich – als Weibchen.

Dieses nicht ruhm-, aber lehrreiche Erlebnis führt uns zwanglos zur *Hege* der Schnepfe. Man kann Schnepfen nicht füttern, man kann ihnen auch keine Brutplätze herrichten, aber man kann die Jagd auf sie schonend und waidmännisch betreiben, ohne von jägerischen Freuden etwas preiszugeben: man mache es sich zum Prinzip, ganz unabhängig davon, ob viel oder wenig Schnepfen da sind, nur puitzende und *quorrende* Stücke, also ausschließlich Männchen, zu erlegen. Wird das zum Grundsatz der deutschen Jägerei, dann ist die von nichts anderem als von Unkenntnis der Naturgeschichte zeugende Propaganda für eine gänzliche Einstellung der Jagd auf dem Frühjahrsstrich vollends unsinnig. Demzufolge verzichte man auch auf eine Doublette auf Stecherpaare, sondern schieße stets nur auf die hintere, wofern sie von der vorderen weit genug entfernt ist, um einen Doppeltreffer auszuschließen.

Die Schnepfenstrecke in Deutschland betrug nur rund 35 000 Stück jährlich, der Preis, den der Jäger in den Jahren der Reichsjagdstatistik für eine Schnepfe erzielte, ziemlich genau 3 Mark. Heute erzielt man nicht viel mehr. Die Schnepfe hat also den ihr einst zugebilligten Wert nicht gehalten, aus den bei den Feldflugwildarten besprochenen Gründen. Bei dem oben genannten Durchschnittsgewicht von etwa 300 g ist die Schnepfe trotzdem auch heute noch das teuerste Wildbret Europas. In der Bundesrepublik werden recht gleichmäßig 25 000–30 000, in Österreich 4000–5000 Schnepfen jährlich geschossen – weniger also als Rotwild. Wahrlich bescheidene Strecken im Vergleich zu den in den Überwinterungsländern erzielten.

DIE SUMPFSCHNEPFEN

„Fast möchte ich", so sagt DIEZEL, „diese Jagd mit einem Tonstück vergleichen, welches nur von einzelnen kunstverständigen Musikern geschätzt und vorgetragen wird, während die ungleich größere Zahl der Dilettanten dasselbe mit einer fast an Geringschätzung grenzenden Gleichgültigkeit beiseite legt. – Ob aber diese Gleichgültigkeit auch auf wirkliche Abneigung oder bloß auf ein Bewußtsein des – Unvermögens gegründet sei, darüber wird wohl ebensowenig ein Zweifel obwalten können als über die Frage, ob die Trauben, die jener Fuchs in der bekannten äsopischen Fabel wegen ihrer Säure zu verschmähen versicherte, wirklich sauer waren oder bloß – zu hoch für ihn hingen.

Der Ursachen, warum die Wasserschnepfenjagd, in Deutschland wenigstens, von so vielen Jagdliebhabern gar nicht, von manchen nur dann und wann, und nur von wenigen mit Eifer betrieben wird, sind mehrere. Die erste und wichtigste mag wohl die mit der Erlegung dieser Vögel verbundene Schwierigkeit sein, indem hierzu eine mehr als gewöhnliche Fertigkeit im Flugschießen gehört, so daß Leute, die an langes Zielen gewöhnt sind, durchaus nicht damit zurechtkommen.

Die zweite Ursache liegt vielleicht in dem geringen Wert des Vogels selbst, wenn man ihn als Braten betrachtet, und auch wohl darin, daß an vielen Orten gar kein Schußgeld, an den meisten aber nur ein so geringes von den Bekassinen bezahlt wird, daß dieser Kostenersatz mit dem Aufwand an Pulver und Blei, den eine solche Jagd erfordert, in durchaus keinem richtigen Verhältnis steht.

Drittens endlich muß man hier auch auf die vielen anderen Jagdbetriebsarten eigene Bequemlichkeit verzichten, denn man wird dabei in der Regel nicht nur müde, sondern auch naß, oder doch wenigstens schmutzig.

Nur in einzelnen Fällen kann man bisweilen auch trockenen Fußes gute Geschäfte machen, z. B. im Herbst an den Rändern abgelassener Fischweiher, auf mäßig feuchten Wiesen usw., in der Regel aber muß man hinein in den Sumpf, und zwar tief hinein, wenn man etwas ausrichten will."

Alle diese Gründe gelten nicht nur heute noch, sondern haben an Gewicht eher zu- als abgenommen. Unsere heute so eng schießenden Flinten machen die Erlegung für den Unerfahrenen noch schwieriger als voreinst, die Kücheneignung ist angesichts des Mangels an Hauspersonal noch herabgesetzt – wer wollte es seiner Hausfrau zumuten, ein Dutzend Bekassinen allein zu rupfen und zuzubereiten? – und eine immer größere Anzahl von Jägern schätzt nur noch den Ansitz, vielleicht in der besten Jahreszeit eine Pürsch und gelegentlich die Treibjagd. Es haben aber auch wirklich passionierte Waidmänner um des zweiten der genannten Gründe willen die Bekassinenjagd aufgegeben, da auch der Wildhandel an Sumpfschnepfen kein Interesse mehr hat.

Und man kann das kaum beklagen, denn der Reviere, in denen die Zickzackflieger in

größerer Anzahl vorkommen, werden immer weniger. Die Bekassine trifft mit fast unserer ganzen Sumpf- und Wasservogelwelt das Schicksal, daß von Jahr zu Jahr ihr Lebensraum sich vermindert, und bald wird die Zeit gekommen sein, wo wir sie als „Naturdenkmal" ansehen, wie das bei Kampfläufer und Goldregenpfeifer, bei Limose und Rotschenkel schon der Fall ist.

Die *Bekassine,* Heerschnepfe oder Mittlere Sumpfschnepfe (Capella gallinago [L.]) bewohnt die nördlich-gemäßigte Zone der Erde und einen großen Teil des subarktischen Nordens dazu, wo Moore, Sumpfwiesen und Brüche ihren Brutaufenthalt bilden. Auf dem Zuge hält sie sich auch gern an etwas trockneren Örtlichkeiten: Viehweiden und Auen. Äußere *Kennzeichen* sind der sehr lange Stecher und zwei bis vier rahmfarbene Längsstreifen über dem dunklen Rückengefieder. Insbesondere aber der reißende Zickzackflug nach dem Aufstehen und das helle „ätsch, ätsch", mit dem sie hierbei den Jäger zu höhnen scheint. Von der nahe verwandten *Doppelschnepfe,* auch Große Sumpfschnepfe (Capella media [L.]) genannt, unterscheidet sie sich durch ihren verhältnismäßig etwas längeren Schnabel und das Fehlen einer ausgedehnten Weißzeichnung an den äußeren Stoßfedern (Abb. S. 257 und 259). Die nur lerchengroße *Zwerg-* oder *Haarschnepfe* (Lymnocryptes minimus [Brünnich]) ist sehr viel kurzschnäbliger als unsere Art – Stecher nur 4–4,5 cm gegenüber 6–7 cm bei der Bekassine (Abb. S. 257) – und so selten, daß schon aus diesem Grunde eine Verwechslung kaum in Frage kommt.

Oft schon im Anfang des März trifft unsere Bekassine aus den in Afrika oder im Mittelmeerraum gelegenen Winterquartieren bei uns ein, und dann hört man in den Brutrevieren allenthalben das Meckern des Männchens, das der Art zu dem Namen „Himmelsziege“ verhalf, sowie den fälschlich nur dem Weibchen zugeschriebenen, aber beiden Geschlechtern eigenen Stimmlaut „icke“, „icke“, „icke“, der meist vom Boden her ertönt. Doch sah ich den Vogel bei diesem Ruf auch aufgebaumt! Das *Meckern* ist kein Stimmlaut, sondern wird durch die beim Sturzflug in Vibration geratenden, äußersten Stoßfedern hervorgerufen, die hierbei weit abgespreizt werden. Man kann es mit einem an eine Gerte gebundenen Stoß nachahmen, indem man diese sausend durch die Luft schwingt, und darauf beruht eine von Engländern gelegentlich geübte Lockjagdmethode.

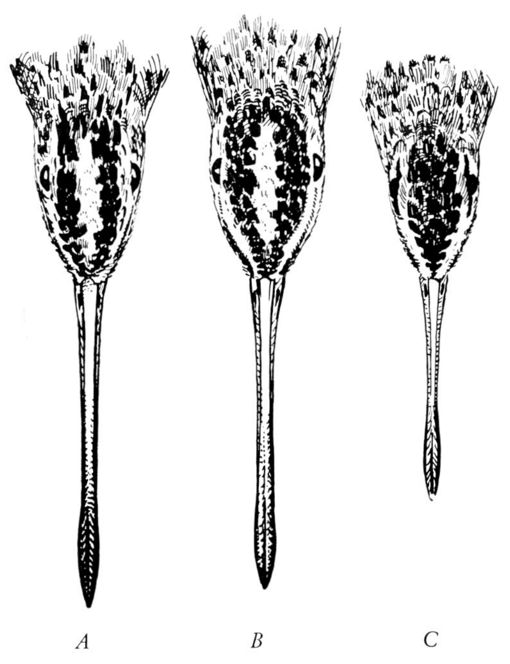

Kopf der Bekassine (A), Doppelschnepfe (B) und Zwergschnepfe (C) (verkleinert)

Im Frankreichfeldzug hatte der Herausgeber mit einer meckernden Bekassine eine ebenso unerwartete wie nützliche Begegnung, die es wohl verdient, hier Platz zu finden. Ich hatte in später Abendstunde mit meinem Zuge die Ablösung der Gefechtsvorposten des Bataillons in einer mir gänzlich fremden Gegend vorzunehmen. Beim Eintreffen fand ich jene schon nahezu marschbereit und ungeduldig, die recht unruhige Front zu verlassen, bestand aber auf persönlicher Einweisung durch den Vorpostenführer. Es stellte sich heraus, daß der Postenschleier eine Ausdehnung von über zwei Kilometern hatte – im Walde, ohne jede Geländeverstärkung durch Gräben und Hindernisse für meine 40 Mann ein reichlich breiter Abschnitt, zumindest für die erste Nacht.

Ich mußte also wie mein Vorgänger den ganzen Zug einsetzen. Kurz vor Mitternacht meldete mir auf einem Kontrollgang ein Posten, daß schräg vor uns, wo ein Wiesental sich vor dem Walde hinzog, in kurzen Abständen eine Ziege meckere. Da müsse doch wohl der Gegner an einem der von den Einwohnern verlassenen Einzelgehöfte sich zu schaffen machen. – Kurz darauf hörte ich dann selber den fraglichen Laut, und es war das kennzeichnende Meckern der auch während der Nacht balzenden Himmelsziege! Noch erstaunter als ich war mein braver Landser, als ich ihm sagte, er dürfe nun schlafengehen ...

Das vor unserem Walde befindliche Gelände, das ich im Dämmerlicht für eine Wiese gehalten hatte, mußte nämlich – und ein verspäteter Blick auf die Karte bestätigte das – ein Sumpfstreifen sein, den unbemerkt zu queren niemand gelingen konnte; denn wo die Bekassine brütet, *steht* das Wasser, es quatscht beim Durchgehen! So konnte ich meine Postenreihe wesentlich einschränken, und der Himmelsziege verdankte der II. Zug den nach vielen Einsatztagen so dringend nötigen Schlaf! Am nächsten Morgen bestätigten mir eine genaue Geländeerkundung und – eine jagende Rohrweihe die überflüssige Vorsicht meines Vorgängers ...

Das *Gelege* besteht aus vier Eiern, die vom Weibchen allein bebrütet und binnen drei Wochen gezeitigt werden. Die Jungen wachsen rasch heran. Das Lahmstellen zur Verleitung sie bedrohender tierischer Feinde wurde auch bei dieser Art beobachtet (D. D. J. 1958). Eine zweite Brut ist wohl nicht so regelmäßig wie bei der Waldschnepfe, aber doch nicht unwahrscheinlich. Schon im Juli/August sind Bekassinen, die auch nachts ziehen, dann auf dem Strich und bummeln im ganzen Lande umher, wobei sie auch, zumal nach länger dauernden Regenfällen, in sonst nicht von ihnen bewohnte Reviere kommen. Das gilt insbesondere auch für die beiden Verwandten, die ja selten oder so gut wie niemals in Deutschland, sondern vor allem in der subarktischen und arktischen Zone brüten.

Für die *Jagd* auf Bekassinen gibt es bei uns nur *eine* Methode, und das ist die *Suche*. Ich habe sie meist ohne Hund ausgeübt, weil auf trockenerem, deckungsarmem Boden die Tiere oft recht locker liegen, so daß selbst der kurz revierende Hund die Aussichten des Jägers verschlechtert. Schon DIEZEL sagt, daß unser Wild „in der Regel fast noch eher den Schützen als den Hund" aushält. Im Bruch und Moor ist das natürlich etwas anderes, ebenso im zwar einigermaßen trockenen, doch gedeckten Gelände, wo man den Hund stöbern läßt.

Die *Bekleidung* hängt vom Gelände und von der Witterung ab. Im August, bei beabsichtigter Jagd im Sumpf, ist ein Paar leichter Schuhe, etwa gar mit Löchern versehen, das beste, und Hemd, Hose und Jagdhut machen neben Doppelflinte und Jagdtasche mit reichlich Patronen die Ausrüstung schon vollständig.

Die von allen *alterfahrenen Bekassinenjägern* – ich kenne einen, in dessen mit Wasserwild gesegneten Jagdgründen mitunter 60–70 Stück an einem Tage geschossen wurden – als allein empfehlenswert bezeichnete Schrotsorte ist 2-mm-Schrot. Natürlich ist 2¹/₂-mm-Schrot auch zu verwenden, und ich erlebte den alten Anklamer Jäger TANCRÉ (der noch zum Freundeskreis des bekannten, um die Erforschung der Sumpfschnepfen so hoch verdienten Ornithologen E. v. HOMEYER gehörte) als 80jährigen bei der Jagd im Peenebruch, wo er, einen Hasen erwartend, mit 3¹/₂ mm eine Bekassine herunterschoß. Doch wollen wir ja die Regel, nicht die Ausnahme kennenlernen. Und der für das 300 bis 400 g schwere Rebhuhn gegossene 2¹/₂-mm-Schrot ist für die 120 g schwere Bekassine eigentlich nicht fein genug, nicht das Brauchbarste schlechthin, sondern nur ein Behelf.

Bei der Jagd ist es für den Anfänger, der den in raschestem Tempo erfolgenden Wendungen der hinausstiebenden Kleinschnepfe nicht zu folgen vermag, eine wirksame Hilfe, wenn er sie „ausstreichen" läßt, d. h. mit der Abgabe des Schusses so lange wartet, bis das zierliche Wild den Zickzackflug aufgibt, um geradeaus fortzustreichen. Das geschieht meist nach etwa 25–35 m, also in bester Schußweite, die nur dem Anfänger weiter erscheint wegen der Kleinheit des Wildes. Gerade auf diese Entfernung bewährt sich die bessere Deckung des 2-mm-Schrotes sehr, und der Durchschlag reicht vollkommen aus. Meister der Kunst schießen auf „Zack", wenn die Schnepfe auf „Zick" streicht – angeblich. In Wirklichkeit schießen sie nur schnell und gut, denn die Richtungsabweichung bei den Wendungen ist in keiner Weise vorauszusagen. Wer aber den Schuß nicht überhastet, wird sich bald auf Bekassinen eingeschossen haben.

Eine sehr anschauliche Schilderung einer Bekassinensuche brachte „Wild und Hund" (1953) in einem Aufsatz „Schwedischer Sommer" von Forstassessor v. EGGELING, der wir das Folgende entnehmen:

„An einem silbergrauvioletten Morgen, wie ihn nur die Nordländer kennen, unter einer zaghaften, zart verschleierten Sonne, zogen wir hinaus auf die Moore. Am Abend zuvor schon das Aussuchen der Patronen, der prüfende Blick durch die Flintenläufe gegen den flackernden Kamin, das Anprobieren der hüfthohen Stiefel, das aufgeregte Gehechel

Kirons, des Drahthaar, ein schnelles Anbacken und Zielen auf Elchschaufeln, Bilder, Lampen, die vorfreudigen Gespräche in bedachtsam klingendem Schwedisch, endlich ein letzter Blick in die sterndunkle Nacht. Es gehörte alles dazu, wie es immer war, zu Haus vor dem altverschnörkelten Gewehrschrank und aufgeschlagenen Streckenbuch, in neuer Wahlheimat im schon sacht nach Öl und Werg zu duften beginnenden Durchgang, so auch hier. Jäger sind gleich, überall.

Und nun stand man 1500 Kilometer nördlicher, Hund am Riemen, Taschen voll Patronen, am Rande des braunen Moores und war glücklich, erregt und – irgendwie zu Hause.

Los! Rauschend stehen ein paar Stockenten aus einem Moorloch vor uns auf. Zwei Doppelschüsse, drei Enten liegen. Kiron bring! Aber da, die erste Bekassine, domm, vorbei! Jetzt knallt es beim Freund. Liegt schon. Ein Flug Brachvögel steigt vor mir auf, steigt höher und höher, verschwindet über dem See. Aber nun ziehen mehr und mehr Langschnäbel um mich her, rechts kätsch, links kärr. Wohin erst? Nur nicht nervös werden! Bedächtig sucht der Hund vor mir hin und her. Er erinnert etwas an meinen alten Don, der in seiner Klugheit manchmal ein Dutzend Treiber ersetzte. Siehst du wohl, beinahe hätte ich sie verpaßt. Gerade vor einem Schilfbult konnte ich sie noch erreichen; hell leuchtet ihr Bauchgefieder. Langsam füllt sich der Galgen. Akta! ruft der Freund, himmelhoch kommt eine dahergesaust. Der erste Schuß geht vorbei, mitschwingen, mitschwingen, oh, wie ist man doch aus der Übung. Der zweite Schuß, gut vorgeschwungen, läßt sie aber zusammenklappen. Brav, bring, Kiron! Bekassinenjagd ist Übungssache, ist gar nicht so schwer, wenn man erst den Bogen raus hat. Raus, jawoll! Das war zweimal vorbei. Da geht sie hin. Aber diese kam herunter wie ein Stein. ‚Siehst du, die Deutschen schießen auch nicht so schlecht!‘ Domm, domm, drüben, und dann: ‚Und die Schweden schießen noch besser!‘ lacht der Freund und hebt zwei Vögel aus den kurzen Binsen.

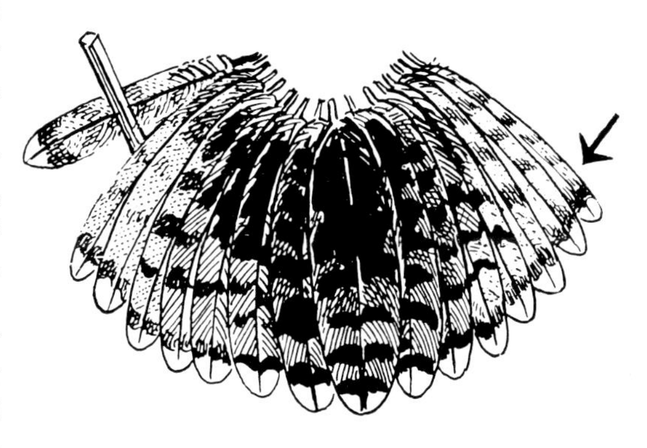

Stoß der Bekassine (oben, mit abgespreizter Vibrationsfeder) und der Doppelschnepfe (unten) (nat. Größe)

Kurze Rast irgendwo an einem Stein. Weiße Wölkchen ziehen von Osten, ein Flug Regenpfeifer zieht vorbei. Kiron liegt im Moorgraben. Die Wurst schmeckt doppelt, wenn man sie über den Daumen schneidet.

Auf denn, weiter! Näher zum Seeufer hin und langsam zurück. Paakend streichen Enten ab. Weit vor uns ein kleiner Flug Gänse. aber da steht der Hund, langsames Nachziehen, kätsch, saust sie heraus. Domm, schallt es über den See hin, und schon bringt der

Hund, und das Moorwasser steht wie eine weiße Wolke um ihn. Noch einmal und noch einmal knallt die Flinte, einmal im tiefen Graben, in dem ich beim Schuß unversehens bis übers Knie versinke, zweimal an einem hellen Brink, und auch der Freund macht, scheint's, gute Beute. Dann kommen wir zusammen, zählen die Erlegten: Er vier Enten und 31 Bekassinen, ich drei Enten und 27 Bekassinen. Aber das Schönste war doch das einsame Pürschen und Jagen, Plantschen und Rutschen im Moor, die Sonne am violetten Himmel, das Sirren des Windes in den Binsen, die weißen Flocken der Moorblumen, all die tausend Dinge, die so unendlich wichtigen zwischen Anbacken und Schuß und steil abschießendem Sturz."

Die „Verordnung über Jagd- und Schonzeiten" zählt, außer den Waldschnepfen und Bekassinen, keine weiteren Arten der Schnepfen- und Regenpfeifervögel (Charadriidae) mehr auf. Damit ist die einst an der Küste und im Watt geübte Jagd auf die nach Hunderttausenden zählenden Flüge der Regenpfeifer nun auch verboten, ihre Behandlung an dieser Stelle erübrigt sich.

DIE WILDTAUBEN

Nur eine der vormals drei, jetzt vier in Deutschland heimischen Taubenarten hat allgemein eine Schußzeit, und das ist die größte und häufigste von ihnen, die *Ringeltaube,* die ein Gewicht von über einem Pfund erreicht (Columba palumbus L.). Sie darf heute gewöhnlich vom 1. VII.–30. IV. bejagt werden, denn wegen der zunehmenden Häufigkeit der Art und sich mehrender Schäden wurde die früher erst mit dem 1. VIII. beginnende Schußzeit vorverlegt.

Die Ringeltaube ist in einigen, einander sehr nahestehenden Rassen von den Azoren über Westeuropa und Nordafrika bis zum Himalaja und Westsibirien *verbreitet.* Sie ist eurytop, d. h. sie stellt keine spezialisierten Ansprüche an ihren Aufenthaltsort und brütet ebenso an der Waldgrenze des Hochgebirges wie auf Büschen der Ostfriesischen Inseln, im Innern der Großstädte wie in einsamen Wäldern.

Die Art ist gekennzeichnet durch ihre Größe und eine weiße Zeichnung am Flügelbug. Ausgewachsene Stücke beiderlei Geschlechts haben dazu an jeder Halsseite einen sehr charakteristischen weißen Fleck. Im übrigen ähnelt das Gefieder dem der wildfarbenen Haus- und der nahe verwandten Hohltauben; doch weist es auf der Brust eine weinrotgraue Färbung auf – „der Vogel mit der abendwolkenfarbigen Brust" (Löns). Junge sind, außer an den fehlenden Halsflecken, auch an der Wachshaut des Schnabels zu erkennen, die bei ihnen wie aufgetrieben wirkt.

Die Ringeltaube ist Zug-, Strich- oder auch Standvogel. Es scheint, daß immer größere Scharen während des Winters in Deutschland bleiben, was vielleicht mit der Klimaänderung während des letzten Jahrhunderts zusammenhängt: Mildere Winter standen in zunehmender Häufigkeit kühleren Sommern gegenüber. Heute erscheint dieses Phänomen leicht rückläufig.

Das Tier ist Kulturfolger. Es besiedelt mehr und mehr Dörfer, Parks und Städte, wo es gegen Raubvögel leidlich geschützt ist und gute Ernährungsverhältnisse vorfindet. So kann man in milden Wintern, wie ich selber beobachtet habe, im Januar den Tauber rufen hören. Doch findet immer auch ein Zug statt, vornehmlich wohl von Nordeuropa her. Im Herbst ist das besonders deutlich, wenn große Flüge in Deutschland einfallen und sich, sofern es viele Bucheckern oder Eicheln gibt, längere Zeit hindurch hier aufhalten. Zum Nächtigen werden dann gern Fichtenstangen- oder jüngere Baumhölzer aufgesucht. Der Weiterzug findet in südwestlicher Richtung statt. Überwinterungsgebiete sind Südwestfrankreich und die Pyrenäenhalbinsel.

Die Tauber*balz* beginnt im Regelfalle im März. Der bekannte Ruf klingt wie „Grugruh ru, ru; grugrugruh, ru ru; grugrugruh, ru ru; grugrugruh, ru, ru; ru!", doch kommen Abwandlungen durch Fortlassen oder Hinzufügen einer Strophe vor, auch werden die Strophen in sich verkürzt oder verlängert, und auch der Endruf kann verdoppelt werden. Sitzt ein Taubenpaar zusammen, so hört man, aus geringer Entfernung, einen tiefen knurrenden Doppellaut, den Heinroth als Nestlockton ansieht, daneben auch ein einfaches „Ru", das

oft wiederholt wird, aber nie den Rhythmus der Balzstrophe hat. Beide Gatten bauen. Das Nest steht sehr verschieden hoch, gern in Nadel- oder dichtbelaubten Laubbäumen, z. B. Pyramidenpappeln, Roßkastanien, Linden, aber auch in Buchen, Eschen, Ahornen u. a. m. Wenn auch GASOW[16] eine Neststandhöhe von bis zu 20 m angibt, so wird man es doch meist niedriger, bei etwa 5 bis 8 m finden: Ein sehr locker zusammengefügter, für einen Vogel dieser Größe auffallend kleiner Bau aus dürrem Reisig, flach und mit kaum erhöhtem Rand.

Das Gelege besteht, *wie bei allen Taubenarten,* aus zwei weißlichen, ungefleckten Eiern und wird nach nur 15- bis 17tägiger Bebrütung gezeitigt. Auch am Brüten und an der Jungenaufzucht beteiligt sich der Tauber, der während der Brut seine Täubin gewöhnlich in der Zeit von 10 bis 16 Uhr ablöst. Die Eltern sondern, wie alle verwandten Arten, aus dem Kropfe einen käsigen Brei, die sog. Kropfmilch, ab, mit dem die Jungen in den ersten Lebenstagen in der Weise gefüttert werden, daß der Jungvogel seinen Schnabel in den Schnabelwinkel des Elternvogels bohrt und dieser die Nahrung ihm zuwürgt.

Der verhältnismäßig langen, 3 bis 4 Wochen währenden Nestlingszeit folgt eine kürzere Ästlingsperiode, in der die Jungen, noch nicht flugfähig, in der Umgebung des Nestes hocken und dort von den Alten geatzt werden. Diese Periode, in der die Jungvögel besonders gefährdet sind (Habicht!), dauert ungefähr eine Woche.

Der *ersten* Brut folgt regelmäßig eine *zweite* im Juni, oft noch eine dritte. So schoß ich einmal am 5. Oktober einen Ringeltauben-Ästling von noch nicht 300 g, der höchstens vier Wochen alt war. Das Gelege mußte also um den 23. August herum gemacht, um den 7. September gezeitigt worden sein. Bei – überaus häufigem – Ausfall von Gelegen wird meist nach wenigen Tagen schon ein Nachgelege gemacht. Nach Verlust des Taubers paart sich die Taube mit einem der wohl stets vorhandenen Junggesellen.

Die *Nahrung* der Ringeltaube ist vielseitiger, als oft angenommen wird. Zwar ist sie in erster Linie Samen- und Knospenfresser, nimmt aber auch Grünfutter aller Art, Würmer und Schnecken an und, zumindest zeitweise, reichlich Insekten, so Eichenwickler- und Spannerraupen, Schildläuse, Käfer. Schaden stiftet sie vor allem zur Zeit der Getreideernte, wo sie von den Hocken Getreidekörner nicht nur nimmt, sondern auch in großer Anzahl verstreut, dann aber auch im Winter durch Bepicken und Abbeißen von Gemüsepflanzen, wie Kohlrabi, Rosenkohl u. a. Beim Winterraps, den sie oft so abäst, daß kein grünes Spitzchen mehr zu sehen ist, scheint gleichwohl ihr Schaden nicht sehr ins Gewicht

[16] Die Ringeltaube. DJV — Merkblatt Nr. 6.

zu fallen, wie mir Freiherr v. BOESELAGER berichtete: Die Bestockung wurde durch das Abäsen gefördert, vor allem aber wirkte die reichlich zurückgelassene Losung als Stickstoffdüngung so, daß der als hoffnungslos betrachtete Schlag später weit und breit der beste und ertragreichste war! In den Saatkämpen der Forstbetriebe kann gelegentlich Schaden entstehen, auch in Eichel- und Buchel-Freisaaten.

Die *Feinde* der Ringeltaube sind vor allem unter den Greifvögeln zu suchen. Voran stehen Habicht und Sperber(weib). Es folgt, in erstaunlich großem Abstand, der Wanderfalke. Unter den Eulen sind es Waldkauz und Uhu, die sie besonders zu fürchten hat; vom Haarraubwild bekanntermaßen die Marder, an deren Stelle im Weichbild der Städte wohl oft die Hauskatze treten mag. Elstern und Eichelhäher sind, nach englischen Untersuchungen, eine furchtbare Geißel für unsere Art durch ihre Nesträubereien, ebenso die Eichhörnchen. Der Hauptfeind aber ist, wie immer, der Mensch. Mag auch bei uns die

Taube im allgemeinen waidmännisch bejagt werden, in ihren Überwinterungsräumen erfolgt alljährlich ein gewaltiger Aderlaß, und sie wird dort mit allen erdenklichen Mitteln gezehntet.

Die *Jagd* auf die Ringeltaube fällt einmal in die Frühlingszeit, wo es dem balzenden Tauber gilt, zum anderen in den Sommer und Herbst. Im Frühjahr verrät uns der Tauber durch den Ruf seinen Standort, und es gilt, durch geschicktes Ausnutzen der Deckung *ungesehen,* durch ebensolches der Rufzeiten oder eines Lärmes, den der Wind im Raschellaub des Waldes, ein vorüberfahrender Lastzug, die Eisenbahn oder irgend etwas anderes erzeugt, *ungehört* ihm näherzukommen, bis ihn ein gutgezieltes Kleinkalibergeschoß oder die Schrotgarbe (3 mm) in das Fallaub wirft. Das ist oft schwerer, als man denkt, denn durch unablässige Verfolgung im Überwinterungsgebiet sind die Tauben sehr vorsichtig. Ist die Täubin dabei, dann äugen und vernehmen zwei Tiere eben mehr, als nur eines. Oft genug nimmt die Taube den Jägersmann wahr, und immer folgt der Tauber der Abstreichenden. Im Laubwald ist zudem während der Tauberbalz meist wenig Deckung, im Nadelwald zu viel, so daß es nicht leicht ist, den Rufenden in einem dicht beasteten Wipfel zu entdecken.

„Auf dem höchsten Fichtenwipfel", so schildert unser Hermann Löns, „der über und über voller glänzend brauner Zapfen hängt, fußt er und wiegt sich im Winde hin und her. Ich muß einen Umweg machen, denn der Weg geradeaus ist zu licht. Durch knospende Bickbeersträucher und aufbrechende Himbeerschossen, über dichte Haufen von Tannenzapfen, über weiche Schichten modernder Nadeln und spröde Bollwerke dürrer Braken schleiche ich mich im Bogen nach der hohen Fichte hin.

Lange muß ich warten, bis er wieder ruft. Vielleicht, daß er mich eräugt hat. Ich sehe in das verworrene Gedämmer der rotbraunen, toten Fichtenzweige um mich herum, in denen unzählige Spinnweben, vom Winde bewegt, wie silberne und goldene Fäden blitzen. Die Stirn tropft mir, der Nacken dampft, Ungeduld kribbelt unter dem Hut.

Endlich, nach langer Pause, ruft er wieder. Und bei jedem Ruf bin ich ihm zehn Gänge näher, bis ich, immer leiser schleichend, unter ihm bin. Aber nun kann ich ihn nicht sehen. Ich verrenke mir fast den Hals, aber die Spitze der Fichte deckt die Krone der Fuhre, unter der ich stehe. Endlich, nach vorsichtigem, lautlosem Herumschleichen um die Fichte, habe ich den Wipfel frei. Aber den Tauber sehe ich nicht. Einen Schritt mache ich nach links, einen zurück, aber er bleibt unsichtbar.

Der Sturm endlich zeigt ihn mir. Er biegt einen Zweig zurück, und ich sehe ihn hoch oben, den lauten Rufer. Schon will ich das Gewehr an den Kopf ziehen, da flattert er auf die Fuhre und ruft dort weiter, wieder unsichtbar für mich. So muß ich denn wieder einen neuen Ausguck gewinnen.

Lange, lange dauert es, ehe ich die zwanzig Schritte hinter mir habe. Erst ist der große dürre Ast im Wege, dann der sumpfige Graben, dann das Fallholz am Boden, dann die vielen Zapfen, dann die sparrigen Fichtenzweige, bis ich unter der Fuhre bin. Und als ich dort stehe, naß von Schweiß, da höre ich ihn wohl rufen, aber zu Gesicht bekomme ich ihn nicht, und schließlich verschweigt er, und ich stehe da und warte und warte, steif wie ein Stock und stumm wie ein Stein.

Ein anderer Tauber schwingt sich auf einen freien Ast und ruckst und knurrt. Leicht hole ich den herab, aber daran liegt mir nichts. Was mir in den Schoß fällt, kann mich nicht freuen."

Aber solche Einstellung ist heute wohl selten. Wer ihrer noch fähig ist, wird freilich mehr Freude an seinem Frühlingstauber haben, als an dreien, die er im Sommer an der Tränke schießt. Übrigens gibt es ein waidmännisches Mittel, dort, wo die Pürsch praktisch unausführbar wird, wie etwa in sehr lichten Feldgehölzen mit viel Unterwuchs, sich dennoch seinen Märztauber zu holen, und das ist die Jagd auf den Ruf. Die *Lockjagd* also, die man am besten ohne jedes Instrument, nämlich durch Nachahmung mit der Stimme oder auf den gefalteten, zu einer Hohlkugel geformten Händen (Abb.) ausübt. Beim Blasen müssen die End- mit den Mittelgliedern der Daumen nahezu einen rechten Winkel bilden, und man muß mit weich aufgesetzten Lippen, wie – nun, wie beim Küssen – *von obenher* blasen. *Diese* Locke herzustellen hat noch jeder Jungjäger gelernt, der die richtige Anleitung und Passion hat. Sie schafft mancherlei Freude, denn man holt sich auch den Kuckuck und den Waldkauz, diesen mitunter auf Armlänge, damit heran.

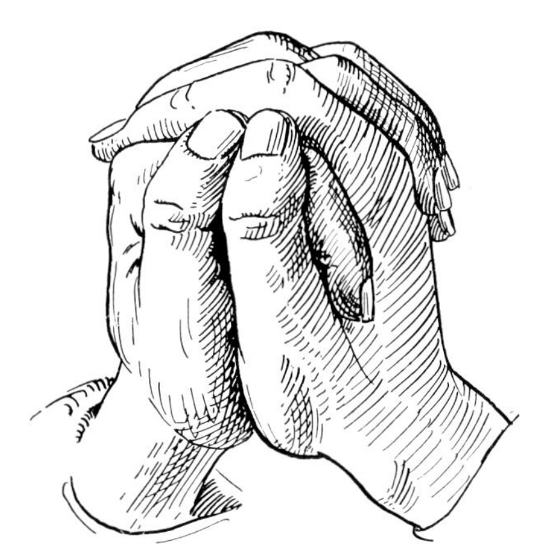

Handhaltung beim Taubenlocken

Wichtig für die Lockjagd ist ein geeigneter Stand, der möglichst gedeckt in 20 bis 30 m Entfernung von einem Rufbaum sein soll. Als solche dienen vorzugsweise vereinzelt stehende Eichen- oder Buchenüberhälter. Hört man einen Tauber, dann beginnt man zu locken, ein wenig kürzer vielleicht, fast zaghaft, wie ein Jungtauber es versuchen mag. Nicht immer antwortet der also Gerufene, mitunter steht er, obzwar er sein Lied fortsetzt, auch *nicht* zu; dann hat er meist eine Täubin bei sich. Oft aber schwingt er sich klatschenden Flügelschlages empor, schwebt in schönem Bogen heran, um mit sausenden Fittichen sich einzuschwingen und nach dem vermeintlichen Gegner Ausschau zu halten. Schlägt dann der graublaue Vogel in die Leberblümchen und Anemonen, die den Laubwaldteppich schmücken, dann empfindet der anspruchslose Waidmann die gleiche Freude, die dem verwöhnten ein Auer- oder Birkhahn bewirkt. So nennt man den Ringeltauber auch wohl den „Birkhahn des kleinen Mannes".

Wo eine überstarke Zunahme der Ringeltaube erfolgt ist, wie Ende der 30er Jahre in Nordrhein-Westfalen, wo große Schäden durch Abbeißen von Obstbaumknospen, ja sogar solchen von Strauchobst, und später an Frühkirschen zu beobachten waren, ist eine Verlängerung der Schußzeit, in dem genannten Falle bis 15. Mai, angeordnet worden und nach Ansicht des Herausgebers vom waidmännischen Standpunkt aus weniger bedenklich, als die jetzt allgemein gestattete Julijagd. Jene Maßnahme hatte dort rasch Abhilfe bewirkt, nachdem sich die Frühjahrsstrecke gegendweise verfünffacht hatte.

Die größeren Taubenstrecken werden jedoch allgemein bei der sommerlichen Jagd auf feldernde Taubenflüge erzielt. Hierbei ist die Pürsch zwischen den Getreidehocken zu nennen. Mehr Erfolg aber hat der Ansitz unter ein paar rasch zusammengestellten Mandeln oder der Anstand unter feldnahen Randbäumen, wo einzelne wipfeldürre Bäume die übrigen überragen. Auf ihnen baumen die Tauben besonders gern auf. Oft geht das Hin- und Herstreichen fast den ganzen Tag über. Am günstigsten sind die Morgen- und Abendstunden. Hat man einen Jungjäger dabei, der ab und zu die Taubenflüge auf dem Felde beunruhigt, dann kann man seine Strecke vervielfachen.

Als Schrotsorte wurde früher mitunter Nr. 7 (2½ mm) empfohlen, neuerdings Nr. 5 (3 mm), da die Ringeltaube doch verhältnismäßig hart ist.

Alle Tauben haben ein außerordentlich locker sitzendes Kleingefieder, was schon mancher Raubvogel zu seiner Enttäuschung erfahren hat, aber auch mancher Jäger, denn auch bei einem Streifkorn läßt sie reichlich Federn, ohne doch so getroffen zu sein, daß man sie beim Nachschauen zu Boden gehen sieht.

Variationen des Tagesanstandes sind der *Anstand* an der *Tränke* und der an den *Schlafbäumen.* Die Erklärung liegt schon im Wort. Es gehört dazu nichts, als daß man sich eine flachufrige Stelle an einem Teich, Bach oder Flüßchen ausmacht, wo die Tauben, besonders in den späten Vormittagsstunden und nachmittags, 2 bis 3 Stunden vor Sonnenuntergang, einfallen, um Wasser aufzunehmen. Anders als etwa die Hühnervögel, trinken sie dann saugend, mit tief eingetauchtem Schnabel. Man schießt sie jedoch nicht am Wasser selbst, sondern dann, wenn sie auf einem der die Wasserstelle umgebenden Randbäumen fußen, wobei man am besten im Augenblick des Einfallens die Waffe hochnimmt und anbackt. Wo viele Tauben sind, lohnt es sich durchaus, sich einen kleinen Stand einzurichten, der die nötige Deckung abgibt, sofern diese nicht von Natur aus vorhanden ist. In taubenreichen Jahren können bei solcher Gelegenheit beachtliche Strecken gemacht werden. In einem mir bekannten Revier schoß der Jagdpächter in der Erntezeit über 30 Tauben an solch einem Tränkplatz.

Weniger bekannt als diese sommerlichen Jagdarten ist die Herbstjagd auf die Ringeltaube im *Walde,* und zwar in Buchen- und Eichenalthölzern, wenn Mast liegt. HUGO OTTO (D. J. 1938) schildert sie uns wie folgt: „Unter den Jagdarten auf Wildtauben ist eine der erfolgreichsten das Angehen der großen Taubenschwärme bei der Äsung auf dem Waldboden unter den Althölzern. Als ich sie zum ersten Male unter Anleitung eines hervorragend tüchtigen Revierförsters mitmachte, war ich über Methode nd Erfolg erstaunt. Sobald wir eine Schar Ringeltauben bei der Suche nach Bucheckern und Eicheln erblickten, gingen wir im Abstand von wenigen Metern die Tauben an, wobei wir möglichst Deckung hinter dicken Stämmen benutzten, aber keine Rücksicht auf rauschendes Laub und knakkendes Geäst unter unseren Sohlen nahmen; denn an solche Geräusche sind die Ringeltauben gewöhnt, wenn sie in Scharen in die Baumkronen einfallen und überall totes Gezweige bricht und abstürzt. Es ist nötig, daß der Jäger sich im flotten Tempo den Taubenscharen nähert, auf die er meistens auf gute Schußnähe herankommt und fast immer einen Doppelschuß abgeben kann. In zwei bis drei Stunden hatten wir zu zweit nicht selten über 20 Ringeltauben erlegt. Die aufgescheuchten Wildtaubenscharen streichen nicht sehr weit ab und fallen nach kurzer Zeit an einem neuen Äsungsplatz ein. Beim Abstreichen des Fluges muß man auf die Richtung achten. Manchmal haben wir bei dieser Jagdart das Fahrrad benutzt, um den Einfall der Tauben schneller festzustellen. Sitzen die Ringeltauben noch in den Bäumen, dann hat das Anschleichen keinen Zweck. Man muß abwarten, bis die ersten Tauben zur Erde streichen. In weniger als einer Minute ist dann meistens die ganze Schar unten, und das Angehen kann aufs neue beginnen. Wo viele Ringeltauben der Bodenmast im Herbst nachgehen, birgt diese Jagdart herrliche Waidmannsfreuden in sich."

Aber auch durch Passen an Altholzhorsten kann man in dieser Zeit gute Strecken machen, wie uns das der genannte Autor am gleichen Orte berichtet: „Als ich einmal eine Einladung zu einer *Taubentreibjagd* erhielt, bei der wir zu Dreien Dutzende von Ringeltauben im November schießen sollten, war ich zunächst ein ungläubiger Thomas; aber ich folgte der Einladung. Es handelte sich um ein Niederwildrevier, das hauptsächlich aus ehemaligen Lohwaldungen bestand, in denen sich aber viele größere und kleinere Horste höherer Kiefern befanden. In der Stunde, in der die Sonne im Westen fast den Horizont erreicht hatte, bekam der Jäger in einem solchen Horst, der besonders gern von Ringeltauben aufgesucht wurde, im gegenseitigen weiten Abstande seinen Platz in einer Deckung. Der Jagdleiter hatte vier größere Knaben als Treiber mit, die ihre Aufgabe kannten und im weiten Kreise um die Jäger die Kiefernhorste beunruhigten. Bald hier, bald dort fielen Ringeltauben bei den Jägern ein. Es war ein andauerndes Hin- und Herstreichen in dieser Stunde langsam zunehmender Dämmerung. Als wir Schluß machten, lagen 87 Wildtauben auf der Strecke!“

Mit ähnlichem Erfolg wird jetzt in den Schadensgebieten des Rheinlandes der Abendanstand auf Ringeltauben an Feldgehölzen betrieben. Mit besonders gutem Ergebnis, wenn sich benachbarte Revierinhaber für bestimmte Tage verabreden und die überall vorhandene „Jungjägerreserve“ hier zum Einsatz kommt.

Auf *Zugtauben* wurde auf der Kurischen Nehrung gejagt, auch wohl in anderen küstennahen Revieren, und diese Jagd ist verhältnismäßig einfach, insbesondere bei diesigem Wetter, wenn die Tauben niedrig ziehen. – Einer seltsamen Jagdmethode ist noch zu gedenken, und das ist die Jagd auf Zugtauben in den Hochtälern der Pyrenäen. Wo diese sich zur Klamm verengen, werden sie von den Franzosen mit Netzen überdeckt, wie sie bei Entenkojen Verwendung finden. Die Tauben streichen unterhalb der Netze fort und finden sich in den immer weiter sich verengenden Garnen mit einem Mal gefangen. Solche aber, die vor den Netzen aufsteilen, werden von verborgen aufgestellten Schützen abgeschossen. Also getätigte Strecken gehen oft in die Hunderte, doch wäre es zu billig, sich über diese Methode, die in Deutschland ja ohnehin nicht in Betracht kommt, zu entrüsten, denn auf einigen Inseln machen wir es ja mit den nordischen Enten kaum anders. Freilich wäre es wünschenswert, wenn durch den C. I. C. wenigstens einige dieser Tau-

Die Taubenarten Mitteleuropas
Oben rechts: Ringeltaube, links: Hohltaube;
unten rechts: Türkentauben, links: Turteltaube

benfänge dem Zwecke der Beringung und damit der Zugforschung vorbehalten werden könnten.

Der *Hege* der Ringeltaube kann man dort das Wort reden, wo der Frühjahrsbesatz geringer ist, als es den örtlichen Verhältnissen angemessen erscheint, also weniger als 1 bis 2 rufende Tauber auf etwa 10 ha einer isolierten Waldfläche oder einer feldnahen Randzone kommen. Im Inneren größerer Waldgebiete ist die Siedlungsdichte oft wesentlich niedriger, insbesondere in den allerdings keineswegs gänzlich gemiedenen Nadelwäldern.

Da kommt es darauf an, daß man den Frühjahrsabschuß pfleglich betreibt und vor allem keinen schon gepaarten Tauber schießt, weil mit ihm, wie wir gesehen haben, vom Zeitpunkt der Eiablage der Täubin an die ganze erste Brut vernichtet wird. Gab es ein zeitiges Frühjahr, dann können in milden Landstrichen, etwa in der Rheinebene, gegen Ende der Schußzeit schon die Täubinnen ihr Gelege haben. Und doch darf der Jäger sich seinen Tauber holen, wenn er das in der Zeit von 10 bis 16 Uhr unternimmt, weil dann die verpaarten Tauber „Dienst haben" – sie lösen ja in dieser Tageszeit die Taube beim Brüten ab. Ein Tauber, der um diese Zeit heult, ist also, wenn überhaupt verpaart, dann sicher noch ohne Gelege. Doch sind im Mittelgebirge in den meisten Jahren die Tauben erst um den 1. Mai herum beim Brüten.

Und damit kommen wir zur Sommerhege. Für den waidgerecht denkenden – und den wissenden! – Jäger heißt es im Juli aus den genannten Gründen sehr, sehr zurückhaltend sein, ganz besonders bei einzeln streichenden Alttauben. Man rechne nach: Beginn der Bebrütung des ersten Geleges um den 1. V., 16 Tage Brutzeit, 28 Tage Nestlings- und 6 Tage Ästlingszeit. Das sind 50 Tage, so daß ein erneuter Brutbeginn sich frühestens um den 20. Juni erwarten läßt. (Zweitbalz und Paarung erfolgen schon während der Ästlingszeit der ersten Brut.) Mag auch in günstigen Jahren der errechnete Termin um 14 Tage, ja, 3 Wochen vorverlegt erscheinen, immer wird die hohe Mehrzahl der heimischen Ringeltauben um den 1. VII. herum noch hilfsbedürftige Junge haben. Man soll also nur in Flügen zu Felde streichende Tauben bejagen. Das sind im Regelfalle die flüggen Jungtauben der 1. Brut und überzählige Tauber bzw. Alttauben, die ausnahmsweise keine Zweitbrut machen, weil vielleicht das 2. Gelege zerstört und in dieser Jahreszeit dann kein Nachgelege mehr gemacht wurde. Unter *keinen* Umständen darf man im Juli im Walde *einzelne* Tauben schießen, es sei denn als solche erkannte Jungtauben oder rufende Tauber während der oben angegebenen Stunden. Erst um den 10., in Jahren mit zeitigem Frühjahr schon um den 1. August herum, braucht man sich auch im Walde keine Beschränkung mehr aufzuerlegen, denn auf die ja keineswegs die Regel bildende Drittbrut Rücksicht zu nehmen, hieße auf die sommerliche Taubenjagd überhaupt verzichten; und das würde, wegen der erwähnten Schadenswirkungen der Ringeltaube, unerträglich sein.

Sonstige zur Taubenhege empfohlene Maßnahmen sind Taubensulzen, die die Altvordern aber fast ausschließlich zum Ankirren und Abschießen der Tauben benutzten. Es besteht ein echtes Bedürfnis nach Salz, wie TOSCHI an afrikanischen Salzseen beobachtete. In wasserlosen Gebieten legt man wohl für das Hochwild künstliche Suhlen an, und davon profitieren auch die Tauben, die sie gern als Tränke benutzen.

Die Ringeltaubenstrecke beläuft sich in Deutschland auf etwa 300 000 Stück, so daß die Art im Gesamtstreckengewicht die Rebhuhnstrecke erreicht hat. Ringeltauben sind keine „Nebenwildart" mehr. Die Jägerei wendet ihr zunehmend ihre Aufmerksamkeit zu, vor allem auch, weil das Rebhuhn in vielen Gegenden zurückgeht und somit nach einem Ersatz gesucht wird. Zwar reicht ein Taubenbraten hinsichtlich seines Wohlgeschmackes an den des Rebhuhnes nicht heran, und Alttauben sollte man überhaupt nicht braten, sondern zu Taubenbrühen verwenden. In jagdlicher Hinsicht aber bereitet die schwieriger zu erlegende

Taube dem Jäger oft mehr Freude als das Rebhuhn, auch weil die Taubenjagd methodisch vielseitiger ist.

Die beiden folgenden in Deutschland brütenden Arten sind ganzjährig geschützt. Wir nennen zuerst die *Hohltaube* (Columba oenas L.), die an dem fehlenden Weiß des Gefieders, dem in wechselnder Betonung aneinandergereihten Doppelruf (h*u*ru, h*u*ru, h*u*ru, oder hur*u*, hur*u* usw.) und ihrer geringen Größe zu erkennen ist; wiegt sie doch wenig mehr als die Hälfte einer ausgewachsenen Ringeltaube. Bekannt ist ihr Brüten in Baumhöhlen, aus denen sie neuerdings vielfach durch waldbewohnende Dohlen verdrängt wird. Ihr europäisches Verbreitungsgebiet deckt sich mit dem der Ringeltaube fast vollständig.

Ferner ist der *Turteltaube* (Streptopelia turtur [L.]) zu gedenken, die im Westen häufiger als im Osten Deutschlands vorkommt. Sie ist, wie die Hohltaube auch, ein reiner Zugvogel. Neben ihrer geringen Größe fällt sie durch das vorherrschende Rostbraun des Rückengefieders und im Fluge durch die weißen Endflecken des Stoßes sehr auf. Bei uns brütet sie neuerdings auch in Städten. So habe ich ihr Nest in Mannheim, in einem Straßenbaum mitten in der Stadt, gefunden. Die Stimme ist ein schnarrendes „turr, turr, turr“, das ihr auch den – ursprünglich lateinischen – Namen gab. Das Gewicht des winzigen Täubchens beträgt nur 150 g. Gleichwohl wird sie in Frankreich und im südlichen Mitteleuropa, wo sie sehr häufig ist, viel bejagt, und der Schuß auf die kleine, schnelle und wendige, dazu erstaunlich harte Taube ist als schwierig bekannt.

Die stürmische Nordausbreitung der *Türkentaube* (Streptopelia decaocto Friv.), die wie eine graue Lachtaube ausschaut, hat das hohe Interesse der Ornithologen und vieler Naturforscher und Jäger erregt. Der ursprünglich nur in Indien heimische Vogel, in Japan wohl künstlich angesiedelt, hat sich, wahrscheinlich zu Beginn der Neuzeit, nach Westen, Kleinasien und Balkanhalbinsel, verbreitet, verblieb aber in den damals erreichten Siedlungsräumen, um erst um 1930 nach Norden und Westen vorzustoßen. Heute hat er England, Skandinavien und das Baltikum erreicht, besiedelt aber Deutschland noch lückenhaft. Er ist Stadt-, Dorf-, Park- und Laubholzvogel und bleibt das ganze Jahr über bei uns. Bei Neutra sah ich ihn im Mittwinter, bei Temperaturen zwischen -15^0 und -17^0, auf einem Hühnerhof Futter suchen.

Der Balzruf ist dreisilbig, gewöhnlich mit Betonung auf der mittleren Silbe: „Ruck*u*-guh“. Der Angstlaut erinnert, wie bei anderen Tauben auch, an den durch Einziehen von Luft hervorgebrachten Schmerzenston eines auf dem „Marterstuhl“ des Dentisten sitzenden, empfindlichen Patienten. Das Gewicht eines fast ein Jahr hindurch von mir gepflegten, im Kreise Hünfeld erbrüteten und mir durch Forstamtmann Gieppner vermittelten männlichen Vogels betrug (bei nicht überreichlicher Ernährung) im Herbst des ersten Lebensjahres 160 g. Die Art wird also wohl etwas schwerer als die Turteltaube, mit der sie gelegentlich zu bastardieren scheint.

Ich habe 1945 in der Slowakei, wo die Art nicht unter Schutz stand, notgedrungen einige Stücke erlegt – Jagd konnte man den Abschuß dieses vertrauten Vogels kaum nennen. Doch hat in Österreich beginnende Übervermehrung die Frage nach Beseitigung der ganzjährigen Schonzeit schon hervorgerufen, und örtlich stehen wir auch in Deutschland vor diesem Problem, weshalb man ihr – zuerst in Bayern – eine Schußzeit vom 1. August bis 1. April einräumte: Die Türkentaube macht bis zu vier Bruten im Jahr!

DIE TAUCHER

Eines der Spitzenwerke der deutschen Jagdmalerei zeigt den bekannten Jagdschriftsteller Freiherrn VON PERFALL auf der Taucherjagd – gemalt von WILHELM LEIBL. Aber nicht das ist der Grund, weshalb wir die Taucher im „Neuen Diezel“ wenigstens kurz betrachten, sondern die Tatsache, daß die prächtigste und wohl auch häufigste Art, der Haubentaucher, leider ein arger Fischereischädling ist und aus diesem Grunde einige Aufmerksamkeit verdient. Denn wo Klagen gerechtfertigt sind, muß der Jäger ihnen Gehör schenken und seine Hilfe leihen – in unserem Falle dem Fischer.

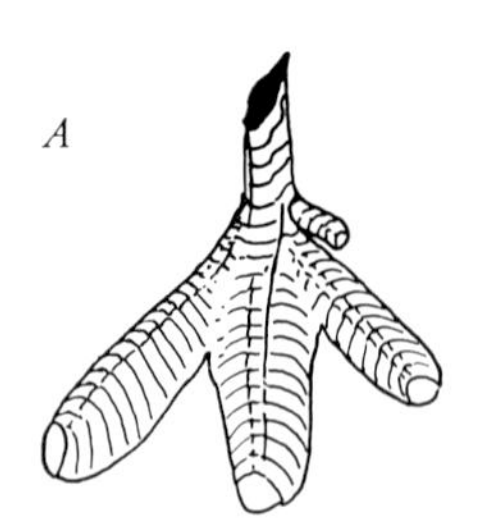

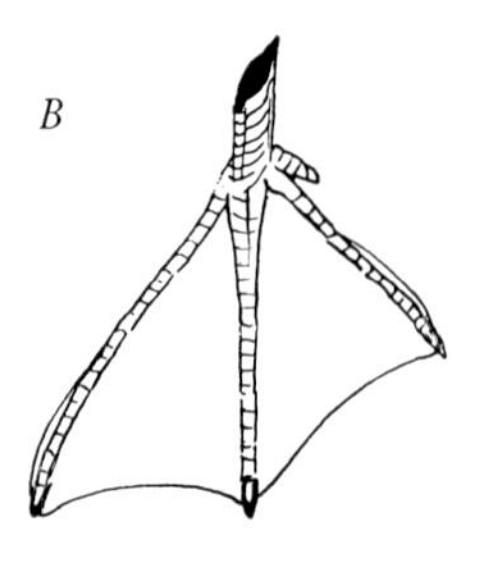

Schwimmfüße
A vom Lappentaucher
B vom Seetaucher

Es gibt zwei Ordnungen Taucher, die ausschließlich das Süßwasser bewohnenden *Lappentaucher* (Podicipedes), deren Zehen mit flossenartigen Verbreiterungen (Abb.) versehen, nicht aber durch Schwimmhäute untereinander verbunden sind, und die zwar am Süßwasser brütenden, überwiegend aber aus dem Meere sich ernährenden *Seetaucher* (Colymbi), die Schwimmhäute haben (Abb.). Die äußere, auf gleichgerichteter Anpassung beruhende Ähnlichkeit zwischen den beiden entwicklungsgeschichtlich uralten Gruppen ist größer als die eigentliche Verwandtschaft.

Von den Seetauchern brütet nur der *Prachttaucher* (Polartaucher) sehr vereinzelt in Deutschland, ostwärts der Oder, ist aber regelmäßiger Wintergast an der Küste und im Binnenlande, auf größeren Flüssen. Häufiger erscheint m. E., zumindest in Westdeutschland, sein im *Winterkleid* (Ruhekleid) ihm sehr ähnlicher, aber viel kleinerer Vetter, der *Sterntaucher,* den ich mehrfach an der unteren Fulda beobachtet habe. Meist wird er, auch von erfahrenen Jägern, als „Polartaucher“ angesprochen. Aus diesem Grunde seien die kennzeichnenden Merkmale im Bilde dargestellt (Abb. S. 271). Die dritte, beträchtlich größere Art, der *Eistaucher,* wurde zwar auch schon überall in Deutschland erlegt, ist aber zu selten, um uns hier näher zu beschäftigen. Die Gewichte der drei Arten betragen etwa 2, 1,2 und 4 kg. Von den Lappentauchern brüten in Deutschland neben dem *Haubentaucher* der *Zwerg-, Rothals-* und *Schwarzhalstaucher.* Die beiden letztgenannten Arten sind recht selten, der *Zwergtaucher,* der mit kleinsten Gewässern vorlieb nimmt, ist überall vorhanden, wo er auf solche trifft. Hinzu kommt – als Wintergast – der Ohrentaucher. Mit alleiniger Ausnahme des Haubentauchers genießen alle diese Arten, deren Nahrung hauptsächlich aus Wasserinsekten, Kaulquabben und Weichtieren, auch Wasserpflanzen besteht, gänzliche Schonung.

Es bezieht sich also das, was wir über *Taucherjagd* zu sagen haben, ausschließlich auf den *Haubentaucher* (Podiceps cristatus [L.]), der auf größeren stehenden Gewässern vorkommt, deren Ränder mit Schilf oder Rohr bewachsen sind. Er genießt keine Schonzeit, doch gilt für ihn zwingend der § 22, 4 des Bundesjagdgesetzes, der besagt, daß in der Brutzeit die für die Aufzucht notwendigen Elterntiere bis zum Selbständigwerden der Jungtiere nicht bejagt werden dürfen. Da bei den Tauchern beide Gatten des Paares brüten und die Jungen führen, ist also der Abschuß von ausgewachsenen Tauchern vom Brutzeitbeginn, der um den 1. Mai herum liegt, bis zur Beendigung der Aufzucht (frühestens 15. Juli) jagdgesetzlich verboten.

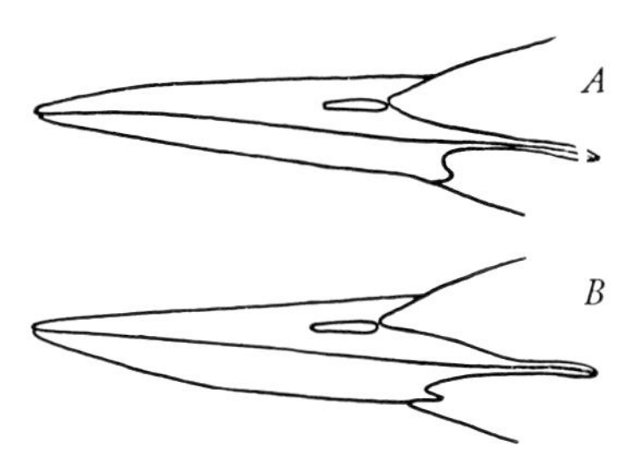

Schnabelformen
A Prachttaucher, B Sterntaucher
(verkleinert)

Rückenfedern
A Prachttaucher, B Sterntaucher

So wird der Abschuß der Haubentaucher zumeist in den Spätsommer fallen, wo er gewöhnlich auf der Kahnpürsch vorgenommen wird. Man stakt oder rudert den Kahn am Schilfrand entlang und erlegt die in Schrotschußweite Auftauchenden durch einen raschen Schuß mit 2½- bis 3-mm-Schrot, der auf Kopf und Hals abgegeben werden muß da, zumal bei Wiederauftauchenden, die den Jäger schon äugten, nur ein ganz schmaler Streifen der Rückenlinie sich über Wasser befindet, den meist die Schrote nicht erreichen. Es ist auch, wie bei der Entenjagd besprochen, Vorsicht am Platze im Hinblick auf die Gefährdung von Menschen durch abprallende Schrote.

In flachem Wasser kann man auch den Kahn verlassen, bevor er, um das Rohr biegend, einer offenen Stelle sich nähert. Eine Reservepatrone in der Linken, pürscht man sich im Adamskostüm hinter der Rohrwand an die Taucher heran, wobei brusttiefes Wasser am günstigsten ist. Als Student habe ich auf dem Inselsee bei Güstrow diese Jagdart, die auch v. PERFALL uns schildert, mit Begeisterung ausgeübt. Nur ist dann der Schußwinkel noch flacher, also äußerste Aufmerksamkeit auf das Hintergelände geboten.

Gelingt es mit mehreren Booten die Taucher in eine Bucht oder Ecke der Wasserfläche zu treiben, dann erheben sie sich und streichen, wie die Bläßhühner, über die Boote hinweg auf das freie Wasser zurück. Der Schuß ist dann nicht schwer, wenn man nicht die Geschwindigkeit des schmalflügeligen Vogels unterschätzt.

Gefährlicher noch als der Schrot- ist der Kugelschuß auf den im Wasser befindlichen Taucher, so verlockend es auch für einen guten Schützen sein mag, das kleine Ziel, das Kopf und Hals bieten, mit sicher hingezirkeltem Kleinkaliberschuß zu treffen. Ein sehr eindrucksvolles Beispiel erzählt OLBERG („Wild und Hund" 1952). „Ein neuer Forstbeflissener war eingetroffen. Auf einem Spaziergang um das Forstamt zeigte ich ihm die bezaubernd schöne Umgebung der Klosterruine Chorin, deren Abtshaus mein Wohnhaus war. Auf dem See am Hause schwamm ein Haubentaucher. Um dem angehenden Forstmann eine Freude zu bereiten, beschloß ich, auf den Taucher einen Schuß aus meiner kleinen Scheibenbüchse 8 × 46 abzugeben, obwohl die Entfernung reichlich 150 m betrug und ich daher mit der auf 80 m angeschossenen Büchse weit über den Taucher halten mußte. Nachdem ich dies lang und breit erklärt und die erste Einführung in die Ballistik beendet hatte, fiel der Schuß, und der Taucher streckte „alle viere" von sich. Am nächsten Tage sitze ich im Bewußtsein des besten Gewissens an meinem Schreibtisch, als unser Amts-

vorsteher mit besorgter Miene in die Tür tritt. Er müßte mich um Rat fragen, denn gestern abend wäre auf U. am Hüttenweg geschossen worden. Das wäre doch wohl nicht gut glaublich, meinte ich, und woraus man denn auf solche böse Absicht schlösse. Ja, der Betreffende hätte in seinem Garten gearbeitet, als plötzlich ein Schuß gefallen und mit lautem „Klatsch" ein Geschoß dicht neben ihm in den Zaunpfosten eingeschlagen wäre. „Hier ist das Geschoß." Triumphierend und besorgt zugleich wird es auf den Tisch des Hauses gelegt. Es bedurfte nur eines Blickes, um den Zusammenhang zu durchschauen. „Herr Amtsvorsteher", sagte ich, „angesichts dieses Korpus delikti ist alles Leugnen unnütz, ich bin der Täter", und mit dem Daumen hinter mich nach dem Ofen deutend, „da hängt die Mordwaffe. Ich gratuliere zu Ihrer so raschen und erfolgreichen Ermittlung!"

Dann aber setzte ich mich sofort aufs Rad, um den Tatort zu besichtigen. Wahrhaftig, da war haarscharf die Gestalt des völlig unverformten Geschosses mit allen seinen Ringen als Querschläger im hölzernen Torpfosten abgezeichnet.

Noch nachträglich konnte auch der Ort des Tauchers sehr genau lokalisiert werden, da der Schuß in Richtung auf einen bestimmten Uferpunkt abgegeben war. Es ging daraus hervor, daß das Hartbleigeschoß im Körper des Tauchers oder wahrscheinlich auf der Oberfläche des spiegelglatten Wassers fast genau im rechten Winkel abgelenkt worden war, um sodann 580 m weit nach Über- oder Durchfliegen eines ziemlich dichten Bestandes als Querschläger bei unserem Nachbarn zu landen. Wenn ich nicht selbst der Schütze gewesen wäre, hätte ich gewiß diese Möglichkeit angezweifelt."

Ob eine Verwendung des Wildbrets sich empfiehlt, vermag ich nicht zu sagen, glaube aber, daß – im Gegensatz zum Bläßhuhn – selbst der abgebalgte Rumpf kaum zu Tafelfreuden dienen kann. Dagegen sollte man nicht versäumen, den vom Rücken her gewonnenen Balg, d. h. das atlasweiße, glänzende Brust- und Bauchstück desselben, gerben zu lassen. Der Kürschner fertigt daraus wunderhübsche Taucherbaretts, Muffen oder Besatzstreifen für Mantel und Jacke der Herzallerliebsten. Übrigens bildet ein in aufgerichteter Stellung ausgestopfter Haubentaucher, auf einen dunklen Schrank placiert, einen wahrhaft schönen Zimmerschmuck.

DIE WILDGÄNSE

Der gleichen Ordnung wie die Säger und Enten gehören auch die Schwäne und die Gänse an sowie die für sich stehende Brandgans, die weder mit den Enten noch mit den Gänsen etwas zu tun hat, auch keine Mittelstellung einnimmt, sondern eben etwas anderes darstellt.

Als Wildart spielt die *Graugans,* die ihre Brutplätze auch in Deutschland – von seltenen Ausnahmen abgesehen *nur* ostwärts der Elbe – hat, eine sehr geringe Rolle, denn sie zieht schon zur Zeit der Hirschbrunft ab, und vorher kommt eine Bejagung nur in der Nähe der Brutplätze, gelegentlich des Strichs, in Frage, die aus Naturschutzgründen meist unterbleibt. Aus diesem Grunde sei nur ganz kurz auf ihre Lebensweise eingegangen, die der der Stockente nicht unähnlich ist. Jedoch wird die Fortpflanzungsfähigkeit erst mit

Name (wissenschaftl. Bezeichnung)	Größe Gewicht	Färbung	Besondere Merkmale	Stimme
Graugans *(Anser anser L.)*	3—4,5 kg	hellgrau, Flügel silbergrau	Schnabel gelb*rosa,* Nagel d. Oberschnabels weiß, Füße blaß fleischfarben	gagagagag und gigagag
Bläßgans *(Anser albifrons Scopoli)*	wesentlich kleiner als Graugans. Im Winter 2,5—3 kg	ähnlich Saatgans, helle Unterseite fleckig	Auffallende weiße Stirnblesse, die sich bis zum Schnabelgrund zieht, schwarze Bauchfleckung	hell, ein hastig gereihtes klik od. klak: sehr ruffreudig
Zwergganz *(Anser erythropus L.)*	kleiner als Bläßgans (1,5—2 kg)	sehr ähnlich Bläßgans, doch reicht d. Blesse weiter scheitelwärts	Auge mit deutlichem gelbem Ring, schwarze Bauchfleckung	ähnlich Bläßgans
Saatgans *(Anser f. fabalis Latham)*	wie Graugans, 3—4 kg	dunkler als Graugans, Flügel graubraun, Kopf dunkelrauchbraun	Schnabel leuchtend *orange*gelb, mit schwarzem Nagel u. mehr oder weniger ausgedehntem schwarzem Schnabelgrund. Füße rotgelb	ganz anders als Graugans, schmetterndes „Kai-ack", im Zuge auch dumpfes „Gak" oder „Gok"
Kurzschnabelgans *(Anser f. brachyrhynchus Baillon)*	viel kleiner als Saatgans (2—3 kg)	ähnlich Saatgans, aber kleiner und mit dunklerem Kopf	Schnabel schwarz mit rosa Binde. Füße rosa	ähnlich Saatgans typischer Flugruf „gagak"

zwei Jahren erreicht. Die erreichbare Lebensdauer scheint mehrere Jahrzehnte zu betragen, eine Kanadagans wurde nach H. Ringleben (Wildgänse-Merkblatt des DJV) über 30, eine Bläßgans sogar über 40 Jahre alt. Die Gatten eines Paares halten wohl lebenslänglich zusammen, und der Ganter ist zwar nicht am Brüten, wohl aber an der Aufzucht der Jungen beteiligt. Eine „Verlobungszeit“ haben die Jungen ebenso wie die Enten. Gänse sind in hohem Maße lernfähig. Sie „prägen“ sich in den ersten Lebensstunden sehr rasch auf den Pfleger und gehören in gewissem Sinne zu den „klügsten“ Vögeln, deren Familienleben in vielen Punkten dem des Menschen überraschend ähnelt.

Als Jagdwild kommen fast ausschließlich nordische Arten in Betracht, die Saatgans, daneben – heute in weit höherem Maße – die Bläßgans, und schließlich die Zwerggans. Die Erkennungsmerkmale sind in der Tabelle (S. 273) genannt.

Das Seltenwerden der *Saatgans* und ihr Ersatz durch die *Bläßgans* ist ein noch ungelöstes Rätsel, auf das F. Tischler und H. v. Viereck („Der Vogelzug“, 1939 und 1943) aufmerksam machten. Es begann um 1920; die gleiche Erscheinung wurde aus Ungarn bekannt. Heute ist im norddeutschen Küstengebiet die Bläßgans der häufigste Wintergast; nur um Föhr ist die Kurzschnabelgans, deren Überwinterungsgebiet diese Insel bildet, häufiger – sie ist dort mit etwa 90 % an der winterlichen Gänsestrecke beteiligt (R. Arfsten in W. u. H., 1956).

Neben den genannten Arten halten sich, nahezu ausschließlich im Küstengebiet, noch zwei andere Gänsearten bei uns auf, die für eine Bejagung kaum in Betracht kommen. Es sind die *Meeresgänse* der Gattung *Branta.* Am bekanntesten ist die überwiegend schiefergraue Ringelgans, die an den Halsseiten einen weißen Fleck hat, dem sie den Namen verdankt. Sie tritt meist in großen Scharen auf und geht selten aus der Wattenregion fort. Ihre Hauptnahrung bildet das Seegras. Sie ist jetzt ganzjährig geschützt.

Ähnlich verhält sich die Weißwangengans, die aber auch Grasfresser ist und in oft erheblicher Anzahl im Gebiet der Unterelbe überwintert. Die Brutplätze beider Arten liegen im hohen Norden.

Weder eine Gans noch eine Ente ist die sogenannte *Brandgans (Tadorna),* die im Küstengebiet der Nord- und der westlichen Ostsee brütet, und zwar vorwiegend in Höhlen. Sie ist ganzjährig geschützt; männliche und weibliche Tiere unterscheiden sich in der Färbung kaum: Sie sind weiß, mit schwarzem Kopf und Hals und rostroter Zeichnung, schwarzem Stoß und lebhaft rotem Schnabel, der beim Männchen einen großen Höcker trägt. Das Gewicht übertrifft das der Stockente kaum, in ihrer Flugweise – mit recht langsamen Flügelschlag – wirkt sie dagegen eher gänseartig.

Die *Jagd auf Wildgänse* ist, mit der bei der Graugans geschilderten, in seltenen Fällen zu billigenden Ausnahme, eine reine Winterjagd, da das Gros der überwinternden Scharen gewöhnlich erst im November bei uns eintrifft, von welchem Zeitpunkt an sie dann bis zum Februar bejagt werden können. Die Bejagung erfolgt durch Anschleichen, also als Pürschjagd, und auf dem Strich.

Die geeignete Waffe für ein Gänserevier ist der Drilling, da beim Anpürschen meist der Kugellauf zu sprechen hat, zwei Schrotrohre aber beim Strich zur Verfügung stehen müssen. Für diesen allein genügt eine Doppelflinte, möglichst Kaliber 12. Gänse schießt man bei uns ausschließlich von hinten und mit Schrot Nr. 3 bzw. 1. Ungarische Jäger gebrauchen, um der besseren Deckung der Schrotgarbe willen, feinere Schrotsorten, bis zu $2^1/_2$ mm herab, und halten ausschließlich auf Kopf und Hals, was starkes Vorhalten erforderlich macht. Das hat, will mir scheinen, den Vorteil, daß ein Krankschießen viel seltener wird. Die tatsächliche Entfernung wird bei diesem großen Flugwild häufig unter-

schätzt, und damit auch die Fluggeschwindigkeit, über die der auf den Anfänger schwerfällig wirkende Schwingenschlag leicht täuscht:

„Wohl seh' ich sie in langgedehnten Zügen
Hoch über mir am Saum der Wolken fliegen,
Doch kraftlos rauscht das sonst so sichre Blei
Mit mattem Flug an seinem Ziel vorbei."

Oft auch hört man die Schrote auf den harten Schwingen klappern, während die beschossene Gans unversehrt weiterstreicht.

Einer geflügelt herabkommenden Gans muß man sofort den Hund nachschicken, nachschießen oder nachlaufen. Die scheuen und klugen Tiere verstehen es, sich im Handumdrehen in eine Deckung zu begeben, wo sie für den Jäger unerreichbar werden, z. B. unter überhängendes Eis oder das Hohlufer eines Grabens. Das Ausnutzungsvermögen jeder, auch der geringsten Deckung ist erstaunlich.

Den *Gänsestrich* erlebt man in der Regel im Schilfgürtel oder in der Nähe großer Gewässer, auch Ströme, die den tagsüber auf den Saatfeldern verweilenden Gänsen zur Nachtzeit Sicherheit vor ihren Feinden bieten. Sie verhalten sich darin also gerade umgekehrt wie die Enten, die doch gewöhnlich tagsüber auf dem Wasser sich aufhalten, um nachts auf die Weide zu fallen, wie das im Sommer auch die Graugänse tun. – In der Nähe solcher Gewässer stellt man sich eine halbe Stunde vor Sonnenauf- bzw. -untergang an, wo einigermaßen die Gewähr geboten scheint, daß der Strich der grauen Scharen nah und niedrig vorbeigeht. Besonders ist das der Fall bei trüber, nebliger Witterung, wie sie ja gerade im November und Dezember nicht zu den Seltenheiten gehört. Kommen die ersten

Trupps außer Schußweite, und die nächsten folgen auf dem gleichen „Luftpaß“, dann empfiehlt sich sehr ein in einer Strichpause vorgenommener, rascher Standwechsel. Bei Schnee leistet das Schneehemd, mit Kapuze, versteht sich, vorzügliche Dienste.

Wesentlich günstiger als der *Abend-* ist der *Morgenstrich,* der unter den geschilderten Witterungsverhältnissen sich oft auf anderthalb Stunden ausdehnt, während der Abendstrich meist *kürzer* ist.

Wenn das Gelände es erlaubt, kann man die Gänse auch unmittelbar am oder gar in dem Gewässer erwarten, das sie zum Nachtquartier wählen. Eine sehr erfolgreiche derartige Jagd schildert der Olfm. i. R. v. Bülow in seinem Buche „Jägerleben aus dem Vollen“:

„Plötzlich hörte ich riesigen Gänselärm in der Ferne von den Koppeln her. Immer lauter wurde es und kam mählich näher. Jetzt sah ich gegen den helleren Abendhimmel die ersten Flüge nahen, einer hinter dem anderen. Der vorderste Flug kam auf etwa 50 Schritt. Ich ließ ihn unbeschossen, da gleich dahinter der nächste besser zu kommen schien. Schon war er heran. ‚Gik, gak‘, fast über meinem Kopf. Zwei Schüsse, und in schwerem Fall lösten sich zwei grausilberne Vögel aus der Kette und klatschten ins nahe Moorwasser. Schnell neue Patronen in die Läufe, denn schon waren die nächsten heran. Der erste Schuß riß eine herab, der zweite ging fehl. Aber auch die erste Gans war nur geflügelt. Nach der ersten Betäubung suchte sie zu fliehen. Erst zwei weitere Schüsse ließen sie verenden. Dann war der erste Ansturm vorüber. Drei Gänse, ich war zufrieden.

Da nahte es wieder, diesmal nur ein kleiner Flug von drei Stück, während es vorher wohl zusammen 150 bis 200 waren. Sie hielten von links genau auf mich zu und wollten etwa 30 m vor mir einfallen. Dicht über der Blänke, ehe noch die Flügel sich schlossen, sanken zwei unter meinen Schroten zusammen, und während die dritte entsetzt abstrich, war von hinten ein neuer, stärkerer Flug heran, steilte aber auf meine vorherigen Schüsse in die Höhe. Dahinter fliegende weitere Ketten folgten dem Beispiel. Ein versuchsweise abgegebener Schuß zwang aber eine weitere Gans zur Erde. Auf die flatternd Fallende gab ich noch einen erfolgreichen Schuß ab. Sie purzelte in das Schilf hinter mir. Nun kamen von der anderen Seite Gänse, von dort her, wo ich in Richtung auf die großen Neustädter Teiche vor wenigen Minuten Schüsse gehört hatte. Hunderte flogen an. Überall flog und kreiste es. Auf der Blänke fielen verschiedene Flüge ein, zu weit für meine Schüsse. Am Rande schossen zwei andere Jäger, die auf einem der Querdämme standen. Auch ich schoß noch weitere vier Gänse herunter, konnte sie aber bei der Dunkelheit nur noch fallen hören. Sehen konnte ich nur die zweitletzte, die mir fast auf den Kopf auf den Rand meines Standes fiel –. Inzwischen war es zu dunkel zum Schießen geworden, wenn auch überall noch Gänse zogen."

Berühmt ist die Gänsejagd am Neusiedler See im österreichischen Burgenland und in der ungarischen Pußta, wo die Gänse zu Zehntausenden in der Flugzeit sich aufhalten. Hier wird der Früh- und Abendstrich geübt, wobei die Schützen in Erdlöchern sitzen, da das deckungslose Gelände keine andere Möglichkeit des Sichtschutzes gewährt.

So klug auch die Gänse gewöhnlich ihre Weideplätze wählen, nämlich in der Mitte riesiger Schläge oder Feldmarken ohne jede Deckung, wobei sie oft noch eine ganz geringe Bodenerhöhung ausnutzen, auf der dann ständig einige „Wächter" stehen, so ist doch in vielen Fällen ein Anpürschen, besser gesagt ein Ankriechen möglich, wenn es auch mühevoll ist. Wo ein solches, in guten Gänsegegenden, im Winter viel geübt wird, haben die Jäger manchmal recht praktische Schutzpolster für Knie und Unterarme, auch wohl eine besondere Tragevorrichtung für Büchse und Drilling. Nie soll man vergessen, die Mündungskappe aufzusetzen. Bei Benutzung eines Zielfernrohrs genügt eine Annäherung auf 100–150 m, wenn die Büchse genau schießt. Der Haltepunkt liegt bei der seitwärts stehenden Gans etwa zwei Handbreit schräg vorwärts über dem Ruder. Welche Freude bereitet solch eine nach mühseliger Kriechpürsch mit gutem Kugelschuß erlegte Saatgans!

In verzweifelten Fällen wird mitunter auch ein verzweifeltes Mittel zur Erlangung der begehrten Beute angewandt, das „Heranschießen", das freilich nur in menschenleeren Gebieten denkbar ist wegen der möglichen Gefährdung des Hintergeländes. Ich habe es einmal in Pommern mit Erfolg angewandt, mit Erfolg insofern, als *nach* dem – hinter die in einer riesigen Senke stehenden Gänse abgegebenen – Schusse der Flug tatsächlich, durch den Widerhall vom als Kugelfang wirkenden jenseitigen Rand her getäuscht, sich erhob und genau über meinen Kopf strich. – Leider fehlte ich dann mit dem ersten Schrotschuß des Drillings, und beim zweiten klapperten die Schrote, es fiel wohl auch eine durchschossene Schwinge, nicht aber die heißersehnte Gans . . .

Unter gewissen Umständen ist auch das Zudrücken erfolgreich, wozu man neben einem „gut abgerichteten Burschen", wie es in einer früheren Auflage dieses Werkes heißt, auch eine genaue Geländekenntnis und eine solche der Gewohnheiten unseres Wildes braucht. Aufstehen tun die Gänse, wie alle Vögel, stets gegen den Wind, machen dann aber oft einen Bogen und streichen weniger unruhigen Gefilden zu, die nicht unbedingt in der Marschrichtung des Zudrückens liegen müssen. Ist man zu mehreren, dann verteilen sich die Schützen auf die jeweils aussichtsreichsten Abflugwege. Übrigens steigen auch beim Strich die Aussichten, wenn mehrere Schützen zugegen sind, die sich die Flüge gewissermaßen „zuschießen".

DIE WILDENTEN

Über die Zukunft der Jagd auf unsere Wildenten urteilt Diezel fast ebenso pessimistisch, wie über die auf Reh, Hase und Bekassine, aber glücklicherweise hat sich die jagdwirtschaftlich nahezu allein wichtige heimische Entenart, die *Stock-* oder *Märzente,* als so anpassungsfähig erwiesen, wie das einem Tier, das zum Haustier werden konnte, zukommt; so finden wir sie heute wie einst in allen Kreisen unseres Vaterlandes als Brutvogel, auch in den bayerischen Hochgebirgskreisen, denn sie ist eurytop wie keine andere ihrer Sippe und nimmt mit erstaunlich winzigen Gewässern und mit erstaunlich schlechten Brutgelegenheiten vorlieb, unter denen alte Krähennester, Raubvogelhorste, Reisighaufen noch nicht die sonderbarsten sind: In Berlin brütet sie sogar hin und wieder auf den Dächern der Hochhäuser im Zentrum der Stadt. So kann man ihr auch mit Schaffung künstlicher Nistgelegenheiten helfen, wovon im Kapitel über die Hege die Rede sein wird.

Die Stockente brütet in der *ganzen nördlich-*gemäßigten Zone, dazu im Mittelmeergebiet, in Nordwestafrika, Kleinasien und Japan; am Süß- und Brackwasser so gut, wie unmittelbar am Meer, an kleinen Wasserlöchern inmitten großer Schläge der Kultursteppe, wie mitten in einsamen Wäldern, bisweilen mehrere Kilometer vom Wasser entfernt. Ebensogut auch im Schilfgürtel riesiger Seenflächen oder rasch dahinfließender Bäche, Flüsse und Ströme. So vielseitig wie ihr Aufenthaltsort ist auch ihre *Nahrung,* die weit überwiegend aus pflanzlichen Bestandteilen besteht, vornehmlich aus Blättern, Trieben und Knospen vieler Wasser- und Sumpfpflanzen und Sämereien von Grassamen bis zu Eicheln, um derentwillen sie im Herbst gern in masttragenden Alteichenbeständen einfällt. Bei der tierischen Kost dürften Flohkrebse und allerlei Insekten und deren Larven überwiegen, gern nimmt sie auch Schnecken, selbst solche mit Gehäuse, und Regenwürmer. Zur Zeit der Getreideernte fällt sie auf die Stoppel ein, wobei eine deutliche Bevorzugung der Gersten- und Weizenschläge festzustellen ist – Roggen kommt gewöhnlich an letzter Stelle.

Das *Äußere* der Stockente ist zu bekannt, als daß es einer genauen Schilderung bedürfte, es sei nur auf die sie von anderen Arten unterscheidenden Merkmale hingewiesen, insbesondere auf die gelbroten Ruder und den schwarz und weiß eingefaßten, leuchtend stahlblauen Spiegel, den *keine andere Entenart* aufweist. Erwähnt sei auch, daß der Stockerpel, wie alle übrigen Entenarten, im Sommer ein dem der Ente ähnliches Gefieder trägt; er ist dann an dem grünlich-gelbgrauen Schnabel, dem schwarzen Scheitel und dem fehlenden oder nur undeutlich vorhandenen Augenstreif von der Ente zu unterscheiden.

Bei allen Enten und Gänsen erfolgt die *Paarbildung* im Laufe des Winters, und sie alle haben eine „Verlobungszeit", d. h. die beiden Gatten eines Paares finden schon Monate vor der eigentlichen Paarungszeit zueinander. Von den genau erforschten Feinheiten der Werbung haben leider die meisten Jäger keine Ahnung, auch davon nicht, daß die Erpel aller heimischen Arten eine eigentümliche Knochentrommel als Ausweitung der Luftröhre besitzen, die sie zur Hervorbringung eines leisen Pfeiflautes befähigt, der bei der Paarung eine Rolle spielt. Gewiß, das sind Einzelheiten, die nur denjenigen Waidmann interes-

sieren, der sich eines vertieften Interesses für die Tierwelt rühmen kann; aber daß heute noch alljährlich „Entenspezialisten" in der Jagdpresse das weithin schallende „brät, bräät – brät, bret, brett, brett" einem „uralten Erpel" zuschreiben, während *nur* das weibliche Tier zu dieser Lautäußerung imstande ist, das geht m. E. ein wenig zu weit, zumal man doch auf jedem Geflügelhof bei den Hausenten die schwache Stimme des Erpels hören kann! Denn dieser schallende Ruf, der das bevorstehende Aufstehen des Schofes zu kündigen pflegt und auch dem Heranlocken streichender Schofe dient, ist ja auch jagdlich von Bedeutung, nicht zuletzt bei der Lockjagd, für die man sich aus diesem Grunde ja in erster Linie weiblicher Lockenten bedient. Der Erpel verfügt dagegen neben dem geschilderten Pfeifen nur noch über ein recht leises, gedämpft klingendes „räb räb" und über eine gleichfalls nicht sehr laute quäkende Tonreihe, die er mit den Enten gemeinsam hat.

Die eigentliche Paarungszeit heißt „Reihezeit", weil man dann die Paare, fast noch häufiger eine Ente mit zwei Erpeln hinter sich, in einer Reihe streichen sieht. Paarungen sind dann häufig, und nicht immer ist es der angestammte Ehemann, der eine Kopulation erzwingt. Eine vollbefriedigende Deutung für diese massenhaft vorkommenden Vergewaltigungen der Enten ist noch nicht gefunden, der bekannte Ornithologe Prof. Dr. Freiherr GEYR V. SCHWEPPENBURG vermutete, daß der jeweilige zuständige Erpel im Brutrevier eines Paares auf diese Weise jede andere Ente zu vertreiben sucht; doch beobachtete ich solche Vergewaltigungen auch an neutralen Stellen, die gewiß nicht in ein Brutgebiet einbezogen waren, so auf Großstadtkanälen, und andererseits sah ich auf einem einsamen Waldteich ein Paar einfallen, bei dem sich nach einiger Zeit ein einzeln zustreichender Erpel einfand, der sofort die Ente zu vergewaltigen suchte. Er machte nicht den Eindruck, als sei er der „Hausherr“, sondern schien mir einer der vielen überzähligen Erpel zu sein, der seinen naturgesetzlichen Anspruch auf Triebbefriedigung erhob. Zwischen beiden Erpeln entstand dann ein fast eine Viertelstunde währender, höchst lustig anzuschauender Kampf nach Art des uns von WILHELM BUSCH skizzierten.

Das *Gelege* der Stockente weist mit (8–) 9–13 (–16) Eiern eine sehr hohe Eizahl auf, die schon darauf hindeutet, daß wohl sehr viele Gelege verlorengehen; in den meisten Revieren mangelt es an genügend sicheren Brutgelegenheiten! Gegen Störungen ist die Ente, die allein brütet, sehr empfindlich. Verläßt sie während der Brutzeit zur Nahrungsaufnahme das Nest, so deckt sie es regelmäßig mit ihren Daunen, auch wohl mit Grashalmen und anderem Nistmaterial zu; ein unbedeckt daliegendes Gelege, von dem die Ente aufgeschreckt wurde, ist in nahezu allen Fällen verloren ... Doch halten selbst hochbebrütete Eier ein Erkalten gut aus, so daß ein Versuch, sie künstlich zu zeitigen, stets zu empfehlen ist.

Die *Brutzeit* beträgt rund 24 Tage, die Führung hat bei der Stockente das Weibchen allein, doch übernimmt ausnahmsweise der Erpel eine gewisse Wächterrolle, was bei anderen Entenarten häufiger zu sein scheint, nach meinen Beobachtungen insbesondere bei der Knäkente, nach SCHUSTER auch bei der Spießente. Flugbar werden die Jungenten erst mit 7–8 Wochen, sie sind dann, im Gegensatz zum Rebhuhn, zugleich schußbar.

Bei kaum einer anderen Flugwildart, mit Ausnahme der Ringeltaube, zieht sich die Fortpflanzungsperiode so weit hin wie bei der Stockente und ihren nächsten Verwandten, was in erster Linie mit dem hohen Verlustprozent der Gelege zusammenhängen dürfte. Es werden dann Nachgelege, u. U. sogar mehrere Nachgelege gemacht, so daß selbst im August noch brütende Mutterenten anzutreffen sind; übrigens fand der Obj. FRANZ FINTER in *Drösing* (Niederösterreich) Mitte November ein Gelege von 12 Stück, das noch warm war. Man sollte Treibjagden auf Enten – außer auf Mausererpel (s. u.) – so spät wie möglich ansetzen auch dort, wo das Gesetz einen vor dem 1. August gelegenen Jagdaufgang vorsieht.

Von besonderer Bedeutung für den waidgerechten Jäger ist die *Kenntnis der Mauserverhältnisse,* insbesondere bei der Mutterente. Da der Herausgeber auf die aus den biologischen Tatbeständen für die jagdliche Praxis sich ergebenden Folgen wohl als einer der ersten hingewiesen hat, darf er sich hier selbst zitieren:

„Das für uns wichtigste Kapitel aus der Entenbiologie ist nicht so sehr die Fortpflanzung, sondern, so befremdlich das zunächst auch erscheinen mag, die Mauser. Es ist

zwar ziemlich allgemein bekannt, daß der *Erpel* im Mai eine Kleingefiedermauser beginnt und sein Prachtkleid mit einem dem schlichten Gewande des Weibchens ähnlichen ‚Ruhekleid' vertauscht, um daran anschließend auch sein Großgefieder (Flügel und Stoß) zu mausern, wobei, wie bei allen Enten, Gänsen und Schwänen, für einige Wochen die Flugfähigkeit verlorengeht; denn die Schwungfedern fallen nicht allmählich, sondern fast auf einmal aus. Im September beginnt nun eine zweite Kleingefiedermauser, als deren Ergebnis das farbenprächtige ‚Prachtkleid' wieder erscheint, und zwar auch schon bei den Jungerpeln. Die Schwingen werden also diesmal *nicht* gewechselt.

So bekannt diese Dinge vom Erpel sind, so unbekannt sind sie aber von der *Ente*. Dabei ist gar nicht einzusehen, warum nicht diese auch das Recht zu einer Vollmauser haben sollte? In der Tat erfolgt eine solche, jedoch im Zusammenhang mit der für die Aufzuchtperiode notwendigen Erhaltung der Flugfähigkeit erst später, Ende Juli, Anfang August. Die zu dieser Zeit flugfähigen Enten sind daher immer Jungenten, die dann der Führung der Mutter nicht mehr bedürfen, oder vermauserte Erpel, während die *Mutterenten* versteckt einzeln liegen, notgedrungen sehr fest. Ich habe das selbst erst als Student erkannt, als mir einmal der Hund zu Augustanfang eine von mir einwandfrei gefehlte, kaum noch flugfähige Altente lebend brachte. Solche festliegenden Altenten darf man also im Hochsommer unter keinen Umständen schießen. Man vernichtet damit seine Mutterenten. Das ist aber besonders schlimm deswegen, weil die Stockente sehr heimattreu ist und gern in ihr Brutrevier zurückkehrt."

Enten erreichen ein erstaunlich hohes Lebensalter; als Höchstalter wurden durch Ringfund bislang 18 Jahre ermittelt.

Außer der Stockente haben im Binnenland nur noch drei Entenarten eine – beschränkte – jagdliche Bedeutung, die *Knäkente*, die *Krickente* und die *Löffelente;* im Küstengebiet werden auch größere *Pfeif-* und *Spießenten*strecken gemacht. Da aber einige Entenarten ganzjährig geschützt sind, manche Jäger – und nicht die schlechtesten – sich auch für die Artzugehörigkeit der von ihnen erlegten Unbekannten interessieren, ist eine Übersicht (S. 282) über Kennzeichen und Aufenthaltsort der wichtigsten bei uns vorkommenden Arten gegeben.

Es sei vorausbemerkt, daß eine genaue Schilderung der voneinander abweichenden Jugend-, Alters-, Ruhe- und Prachtkleider aller Arten den Rahmen dieses Werkes überschreiten würde; sie finden sich in jedem vogelkundlichen Werk. So bemühten wir uns, das jeweils für alle Erscheinungsformen der betreffenden Art Charakteristische hervorzuheben. Die Tabelle enthält nur die Schwimm- oder Gründelenten (s. Abb. S. 283); die Gruppen der Süßwasser- und Meerestauchenten sowie die Säger – diese sind wegen ihres tranigen Geschmackes jagdlich von ganz untergeordneter Bedeutung – werden am Schluß des Kapitels kurz behandelt. Bei allen Arten ist der Erpel größer als die Ente.

In der *Waidmannssprache* heißt das männliche Tier *Entvogel*, das weibliche *Ente*. Der meist verwendete Ausdruck *Erpel* für den Entvogel ist wahrscheinlich ursprünglich kein Ausdruck der Waidmannssprache, aber in diese aufgenommen. Die mit Schwimmhäuten verbundenen Zehen heißen *Latschen*, Lauf und Fuß *Ruder*, doch nennt man die Verletzung eines Ruders durch den Schuß *ständern*. Die bunte Zeichnung des Flügels heißt *Spiegel*, der Schnabel wird mitunter als *Löffel* bezeichnet. Ein Verband junger Enten, die einem Gelege entstammen, wird *Schof* genannt, mehrere Schofe schlagen sich zu *Flügen* zusammen. Alle in der vorstehenden Tabelle aufgeführten Enten *gründeln*, d. h. sie kippen zur Nahrungsaufnahme nach vorn und nehmen mit raschen Schnabelbewegungen am ufernahen Gewässergrund Nahrung auf; man sagt auch, *sie stürzen sich*. Die Paarungszeit heißt, wie oben schon erwähnt, *Reihezeit.* Lebende, präparierte oder künstlich angefertigte Enten, die man auf einer Wasserfläche aussetzt, um vorbeistreichende Schofe zum Einfallen zu bringen, nennt man *Lockenten.* Den mausernden Entvogel nennt man auch *Rauherpel.*

Die *Entenjagd* zeichnet sich durch ganz besondere Vielseitigkeit aus, ja, es gibt kaum eine Jagdmethode, die hier nicht mit Erfolg in Anwendung zu bringen wäre, ob *Pürsch*

Name (wissenschaftl. Bezeichnung)	Vorkommen in Deutschland	Lebensraum	Wichtigste Kennzeichen	Besondere Merkmale
Stockente *Anas platyrhynchos L.*	überall	siehe im Text	glänzend stahlblauer Flügelspiegel mit schwarzweißer Einfassung. Stoß mit viel Weiß, 800–1400 g	laut pfeifendes Fluggeräusch
Krickente *Anas crecca L.*	überall, doch sehr viel seltener als Stockente	anspruchsvoller als Stockente, bevorzugt nahrungsreiche, dicht bewachsene Gewässer, gern auf Waldseen	metallisch glänzender, leuchtend *grüner* Spiegel, schmale weiße Einfassung. Kleinste Art, 250–450 g	außerordentl. rascher und wendiger Flug; fast geräuschlos
Knäkente *Anas querquedula L.*	mehr i. N u. O, zur Zugzeit überall. Ostwärts der Elbe viel häufiger als die vorige Art	vorzugsweise auf kl. Blänken der Moore und Luche, auch in Gräben und Torfstichen	*matt*schimmernder grüner Spiegel mit *breiter* weißer Einfassung, heller Überaugenstreif des ♂ i. Prachtkleid	kaum größer als Krickente, Flug wie bei dieser
Mittelente *Anas strepera L.*	seltener Brutvogel, fast nur im Osten und in Schleswig-Holstein	Größere offene Gewässer d. Ebene	fast Stockentengröße, Spiegel bei beiden Geschlechtern samtschwarz mit weißem Feld, beim ♂ dazu oben rostbraun	Fluggeräusch leiser als das der Stockente. Liegt hoch auf dem Wasser
Pfeifente *Anas penelope L.*	seltener Brutvogel im NO, sehr häufiger Wintergast im Küstengebiet	ähnlich Mittelente	in der Größe zwischen Stock- u. Knäkente, dicker Kopf, kurzer Schnabel u. Hals, oberhalb des mattgrünen Spiegels großes weißes Viereck	weißbäuchig, pfeifend-zwitschernder Ruf des Erpels zu jeder Jahreszeit, oft i. Fluge. Fluggeräusch!
Spießente *Anas acuta L.*	seltener Brutvogel, vornehmlich im O. Auf dem Durchzuge häufiger	ausgedehnte Moorflächen (Schwingmoore) u. Luche, Binnenseen mit breiten Verlandungsflächen	auffallend langer u. spitzer Stoß, besonders beim ♂ („Fasanenente")	sehr langer Hals
Löffelente *Spatula clypeata (L.)*	im O teilweise häufig, im W nur vereinzelt brütend, fehlt im Winter	Binnengewässer m. flachen Ufern, Altarme m. Verlandungszonen, auch Luchvogel	riesiger, langer und breiter Seihschnabel	s. Kennzeichen

oder *Suche, Ansitz* oder *Anstand, Treiben* oder *Lockjagd* – ja selbst die *Streife* auf Wildenten habe ich, zu Fuß und mit Kähnen, ausgeübt.

Wir beginnen mit der *Einzeljagd,* und zwar mit jener Mischform aus Pürsch und Suche, mit der im allgemeinen wohl der Jungjäger seine Entenjagd beginnt, dem *Absuchen* einzelner Tümpel, Gräben, Wasserlöcher und sonstiger kleiner Gewässer vom Lande aus. Man versucht sich ihnen möglichst gedeckt und leise zu nähern, sobald in Schofen liegende, gut flugbare Enten dort zu erwarten sind, und das ist etwa von Anfang August an der Fall. Der Schuß auf die aufstehende Ente (Schrot Nr. 5, bei Kleinenten – Krick- und Knäkenten – besser Nr. 7) ist außerordentlich leicht; schon aus diesem Grunde gewöhne sich der Jungjäger daran, nicht die auf dem Wasser sitzende, sondern die abstreichende Ente zu beschießen. Es bleibt ihm dann auch die Beschämung erspart, die ich fühlte, als ich einst auf einem inmitten eines riesigen Rübenschlages gelegenen Wasserloch, nachdem das Schof außer Schußweite hochgegangen war, eine zurückgebliebene Ente niederdonnerte – die mausernde Mutterente! Auch kann es geschehen, daß die noch nicht schußbaren, aber doch schon zu ziemlicher Größe herangewachsenen Jungenten aus einem späten Gelege der Unbedenklichkeit des beutelüsternen Jungjägers schußreif erschienen, ohne es zu sein – und auch in einem solchen Falle wird sich jeder ordentliche Junge schämen.

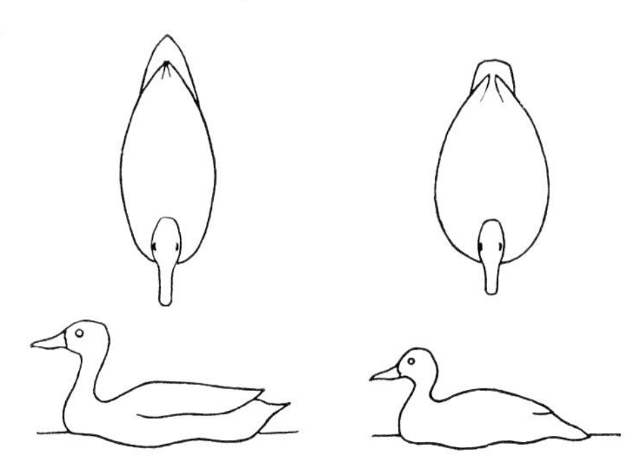

Links: Gründelente (Stockente)
Rechts: Tauchente (Tafelente)

Mit besonderem Vergnügen erinnere ich mich einer Entenpürsch im *Menzliner Peenebruch,* wo ich, Ende September, am Rande eines Torfstiches zwei schon fast vermauserte Stockerpel erblickte, die ich, durch einen Damm gedeckt, gut anpürschen konnte. Als ich nahe genug heran war, querte ich den Damm und schoß mit dem Schrotlauf meiner Büchsflinte auf den hintersten, nachdem ich ihn ein Stück hatte fortstreichen lassen. Doch siehe da – es kamen beide herunter! Am Vortage noch hatte ein alter Jäger behauptet, Stock- und Märzenten seien zwei verschiedene Arten – er meinte Erpel und Ente, ein Irrtum, dem selbst der große LINNÉ erlegen war. Nun konnte ich ihm an Hand der Mauserkleider eindeutig und glaubhaft beweisen, daß das nicht der Fall war – und der alte Praktiker gab dem jungen freundlich recht.

Ansonsten ist über diese Jagdart wenig zu sagen, es sei denn, daß vor ihrer allzu häufigen Ausübung in kleineren Revieren gewarnt sei, weil man durch ständig wiederkehrende Beunruhigung im Binnenlande seine wenigen Brutenten auf diese Art und Weise sicher zum Revier hinausteufelt.

Ein Hund ist bei solchen Jagden entbehrlich, sofern der Jäger einer etwa geflügelten Ente sofort nachläuft und gegebenenfalls mit dem zweiten Schuß nicht spart. Strebt sie zu Wasser und erreicht es, um dann augenblicklich fortzutauchen, dann freilich kann die Sache sehr schwierig werden, weil das den Ornithologen so verhaßte, offenbar nicht in ihre Vorstellungswelt passende „Festbeißen" einer Ente unter Wasser gar nicht ganz selten vorkommt; es konnte in klarem Wasser deutlich beobachtet werden. Normalerweise verliert man bei dieser mit Anpürschen verbundenen Suche nur selten eine Ente, und kommt das einmal vor, findet man sie in dem offenen Gelände mit einem herbeigeholten Hunde fast immer, denn nach Schwinden der Gefahr geht die Geflügelte stets an Land!

Ähnlich ist es beim abendlichen *Strich,* der nach dem Aufgang der Entenjagd besonders erfolgreich in der Nähe größerer Gewässer, deren Schilfgürtel unzähligen Schofen zum Tagesquartier dienen, und auf Stoppelfeldern auszuüben ist. Man sucht sich zweckmäßig eine kleine Deckung – als solche dient meist eine Getreidehocke, die man bei der kurzhalmigen Gerste durch einige aufgetürmte Garben ein wenig erhöht – und wartet auf die Enten, die da kommen werden. Es ist kein Jägeraberglaube, daß häufig eine einzeln streichende den Strich eröffnet, nur ist es natürlich nicht „die Mutter", die ja dann vollauf mit der Mauser beschäftigt ist, sondern wahrscheinlich meist ein Erpel im Sommerkleid. Auch ich hielt mich und halte mich heute noch stets an die mir von meinen jagdlichen Lehrmeistern vermittelte Regel, auf die erste, den sog. *Spion*, nicht zu schießen, die ja in der Tat oft eine Art kreisenden Spähfluges ausführt, und der sich später Jungentenschofe anschließen mögen.

Haben die Enten die Absicht einzufallen, so tun sie das, wenn nur irgendein kleines Tümpelchen oder Wasserloch in der Nähe ist, totsicher auf diesem und laufen dann von dort in die Stoppel. Fehlt ein solches, dann fallen sie aber gerade so gut auf dieser selbst ein. Der unerfahrene Jungjäger meint gewöhnlich, es sei leichter, die Enten beim Einfallen zu schießen, als beim geraden Fortstreichen, weil er das verwirrende Schwenken und Durcheinander beim Einfallen nicht bedenkt; kommen vollends Kleinentenschofe in der ihnen eigentümlichen „Affenfahrt", und noch dazu niedrig, angestrichen, dann möchte ich den Jungjäger sehen, der, wenn er überhaupt den Schuß los wird, nicht 8 bis 10 m hinten vorbeischießt!

Es ist also nicht richtig, sich in allzu großer Nähe vom Einfallsort anzusetzen; lieber ein halbes Hundert Meter davon – so lernt man die über den Kopf streichende Ente spitz oder halbspitz von hinten herunterzuholen und gewöhnt sich an das richtige Vorhaltemaß. Hat

der Schälpflug die Stoppel gewendet, dann bleibt für den Strich im Binnenland vorerst nur die Umgebung der geschilderten Gewässer, wo aber dann die Aussichten unsicher werden. Günstiger sind sie am Rande der Bäche und Flüsse und selbstverständlich im Küstengebiet, im Watt also und an den Deichen, wo im Herbst unvorstellbare Mengen von Enten aller Arten auf dem Strich sind. Der Freundlichkeit eines Dithmarscher Bauernjägers, Herrn CLAUSSEN, verdankte ich die Möglichkeit, einige Male solch einen Abendstrich im Watt zu erleben – und es war ein überwältigendes Erlebnis: Die immer neuen Scharen der wohl überwiegend im menschenleeren Norden erbrüteten Enten scheuen die Gestalt des Jägers oder den vorbereiteten Stand kaum, sondern streichen in der langen Dämmerung des Herbsttages wohl eine Stunde lang dem Jäger oft unmittelbar über den Kopf, bei dem dort fast stets herrschenden Winde meist mit sehr großer Geschwindigkeit, so daß der sich türmende Haufen leerer Patronenhülsen keineswegs immer einer entsprechend großen Strecke entspricht. Besonders interessant wird die Jagd hier durch den fast unerschöpflichen Artenreichtum: Dort kommen Pfeifenten mit den durchdringenden Zwitscherlauten der Erpel, hier wirbelt ein Flug Regenpfeifer vorbei, oder schneidigen Fluges kreuzen zwei Brachvögel gegen den Wind, nun fällt ein einzeln heranstreichender Stockerpel, senkrecht nach oben beschossen, dem Schützen fast auf den Kopf, weil der auffrischende Gegenwind den Bogensturz des Getroffenen in senkrechten Fall verwandelt; und wieder naht eine Schar Pfeifenten, aus der der Nachbar eine Doublette herabholt. Fast gleichzeitig streichen fünf Gänsejäger heran, die herrlichen Vögel, die man schon deswegen schont, weil ihr Braten kaum genießbar ist. Nun nahen wieder Kricken – vergebliche Liebesmüh –, doch halt, da löst sich eine vom Schof und geht schrägen Fluges in den Schlick; ein Stockentenschof stürmt niedrig und pfeifenden Fluges heran, der erste Schuß geht vorbei, der zweite holte eine herunter – aber wenn man ganz ehrlich ist: Die Beschossene war es nicht, sondern eine der hinteren! Immer dunkler wird es, grell zuckt das Mündungsfeuer der Nachbarn – selber habe ich das Schießen schon einstellen müssen, weil ich Korn und Ziel nicht mehr zusammenbringe. Und immer noch fallen Schüsse, es ist bewundernswert, wie diese alten Wattjäger das schwindende Licht im Westen selbst in tiefster Dämmerung noch zu nutzen verstehen und Ente auf Ente herabholen!

Läßt der Winter alle stehenden Gewässer im Eise erstarren, dann konzentriert sich das Wasservogelleben auf die offenen Stellen der Bäche und Flüsse. Hier führen Pürsch und Suche oft zum Ziel, aber auch der Strich ist dann gut und bringt manchen Grünkragen an den Rucksack. Jetzt kann man auch die auffällig gefiederten Entvögel von den Enten gut unterscheiden, und so wird man bemüht sein, möglichst nur jene zu erlegen. Bei länger anhaltender Kälte stellt man die Jagd auf die dann oft erbärmlich mageren, immer traniger werdenden Enten ein und *streut Futter – nicht Schrote!*

Solange man mit gutem Gewissen die Jagd ausüben kann, ist auch ein Ansitz an offengebliebenen Stellen möglich. Leider mißbrauchen ihn manche Jäger dazu, um das Schof nach dem Einfallen auf unwaidmännische Art zu beschießen, indem sie „in die Vollen" halten. Gewiß kann man einmal zwei Enten mit einem Doppeltreffer zu erbeuten trachten, wenn sie abseits sind. Aber in den dicht beieinander auf dem Wasser liegenden Flug hineinzuschießen ist nicht waidgerecht, weil gerade auf dem Wasser das unkontrollierbare Abprallen der Schrote das Doppelte von dem krank macht, was man allenfalls zur Strecke bringen zu können hofft. Unwaidmännisch ist der Schuß auf im Wasser befindliche Enten nicht. Es kann aber bei gutem Licht zweckmäßiger sein und erhöht die Jagdfreude, bei der geschilderten Ansitzjagd die Enten erst einfallen zu lassen, sich dann aufzurichten und aus den Aufstehenden sich eine Doublette zu holen.

Einer eigentümlichen Jagdart auf Strichenten ist noch zu gedenken, die im Mittelmeergebiet angewandt wird, insbesondere im Küstengebiet um Venedig. Dort werden Tonnen im Brackwassergelände des Po-Deltas eingegraben, in denen der Schütze zusammengekauert sitzt, nachdem er vor Morgengrauen im Kahn dorthin gebracht wurde. So unbequem ein solcher Stand sein mag, bei dem zu gewissen Zeiten enormen Entenreichtum dieser Gegenden bringt er doch dem Schützen oft Frühstrichstrecken von 50 und mehr Enten ein.

Auf größeren Teich- und Seeflächen wird heute noch eine Form der Entenjagd betrieben, die von den geschilderten Jagdarten sehr abweicht: Die *Jagd* auf *Rauherpel.* Sie nutzt den als feststehend erachteten Erpelüberschuß und wäre aus diesem Grunde positiv zu beurteilen, wenn ihr nicht auch schwerwiegende Nachteile gegenüberständen. Nach den sorgfältigen Untersuchungen von DATHE und PROFFT an über 100 Stockentenbruten ist etwa ein Drittel der Schofe am 1. August – in den meisten deutschen Ländern Beginn der Schußzeit – noch nicht flugbar. Ferner hat zu diesem Zeitpunkt der größte Teil der Erpel bereits vermausert, während der größte Teil der Mutterenten flugunfähig ist. Aus diesem Grunde verbietet sich diese Jagdart heute von selbst, sie würde zu einer Rauh*enten*jagd! Wo aber örtlich die Schußzeit um 14 Tage vorverlegt ist, kann zwar an sich eine Jagd auf Mausererpel noch stattfinden. Es ist dabei jedoch zu bedenken, daß sie wegen der in das Schilf zu mähenden Schneisen, der Vorbereitung der Stände und des notwendigen Aufgebotes an Treibern, die teils zu Fuß, teils zu Kahn vorgehen müssen, umfänglicher Vorbereitungen bedarf, und es ist ferner zu bedenken, daß diese Vorbereitungen eine erhebliche Beunruhigung des Reviers mit sich bringen. Wer des öfteren die Strecke einer solchen Rauherpeljagd sah, der weiß zudem, daß dabei wohl immer auch noch nicht schußreife Jungenten, auch Mutterenten, seltene und, in der Hitze des Gefechts, bisweilen auch geschützte Arten geschossen werden. Außerdem wird meist auch der Schuß auf streichende Enten freigegeben, und gerade hierbei kommt manche Mutterente zur Strecke, die spät von den noch nicht flugbaren Jungen aufsteht und rufend über ihnen kreist. In vergangenen Jahren war das sogar die Absicht, weil man die Biologie unserer Enten noch nicht kannte und also nicht wußte, daß die Jungenten während der Flügelmauser ihrer Mütter führerlos ihre ersten Ausflüge machen, also nicht, wie man vermeinte, durch den Abschuß ihrer Führerin im Brutrevier festgehalten werden können. Eher ist wohl das Gegenteil der Fall, denn ich habe beobachtet, daß ein gut flugbares Schof tagsüber auf dem Tümpel sich aufhielt, auf dem eine nicht mehr flugfähige Altente, sicherlich wohl das Muttertier, ihre Mauser durchmachte. Aus diesen Gründen muß von der Beibehaltung dieser Jagdmethode abgeraten werden.

Nicht so vom *Ententreiben* als solchem, das bei genügender Ausdehnung der bejagten Fläche, die entweder aus einem größeren See oder aus einer Anzahl kleinerer, nahe beieinandergelegener Gewässer besteht, waidgerecht und dazu höchst vergnüglich betrieben werden kann.

Meine Erinnerungen gehen zurück zu meinem jagdlichen Jugendparadies *Menzlin,* wo ein mitten im Felde gelegenes Bruch, das „Große Moor", durch einen Damm in zwei Hälften geteilt, oft benutzte Gelegenheit zu herrlichen „Entenbelustigungen" bot. Besonders günstig war es, daß sich, nur 100 m vom Ostrand des Bruches entfernt, ein kleines, aber dicht bewachsenes Wasserloch befand, das gern von hochgemachten Enten aufgesucht wurde. Wir jagten meist mit 1–2 Treibern und 3–4 Schützen, die sich an den bekannten „Luftwechseln", den bevorzugten Strichbahnen der Enten, vorstellten, während der Treiber vom Damm her das nur etwa 60 m breite Bruch durchwatete und so die Enten hochmachte. Diese Jagden fanden meist im August statt. Zwar gingen gewöhnlich mehrere Schofe gleichzeitig hoch, doch blieben immer noch Nachzügler genug, um jeden Schützen auf seine Kosten kommen zu lassen. Als erstes standen die Stockenten auf, dann folgten oft kleinere Trupps von Knäk- oder Krickenten; fester und meist einzeln lagen die Löffelenten, die häufig vertreten waren. Während der westliche Teil des Bruches getrieben wurde, fielen oft schon wieder Schofe im Ostteil ein, der meist als zweiter drankam. Von dort ging es dann zu dem abseits gelegenen Wasserloch, das häufig noch ein paar Stockenten,

gelegentlich auch ein Schof Krickenten barg. Inzwischen waren gar nicht so selten im Westteil wieder Enten eingefallen, und die Jagd konnte dort erneut beginnen.

Etwas anders verläuft die Treibjagd auf Seenflächen mit breiten Schilf- und Rohrgürteln. Hier ist eine größere Anzahl von Treibern, hier sind auch Kähne nötig, die mit einigen Schützen bemannt sind, während der übrige Teil der Schützen sich auf geeigneten Ständen am Ufer befindet. Lohnen tut eine Treibjagd sich nur, wenn die Ausdehnung des Sees so groß ist, daß die beschossenen Schofe an einer anderen Stelle des Schilfgürtels wieder einfallen und so mehrfach vorkommen. Kleine, isoliert gelegene Verlandungsseen, sie mögen so reich an Enten sein, wie sie wollen, gestatten diese Jagdart nicht, da im Regelfalle nach den ersten Schüssen alle Enten auf einmal hochgehen und verschwinden – wenn nicht auf Nimmerwiedersehen, so doch auf Stunden und Tage.

Durchaus waidgerecht ist auch die winters geübte Jagd mit dem Motorboot auf Flüssen und Strömen, die vor allem im Mündungsgebiet von Elbe, Weser und Ems betrieben wird. Der Herausgeber machte einige Jahre hindurch alljährlich eine solche Jagd mit und stellte immer wieder fest, daß die Zahl der hierbei verlorengehenden Enten und Bläßhühner erstaunlich gering war. Selbstverständlich darf diese Jagdart in Notzeiten, also etwa bei sehr hartem Frost, nicht betrieben werden. Sie ist – zu Unrecht – heute in einigen Bundesländern verboten.

Im Vordeichgelände Westholsteins habe ich die *Streife* auf Enten erlebt, bei der die gut ausgerichtete Schützenschar zwischen Außendeich und Meer die von unzähligen Gräben und Wasserlöchern durchzogenen Polder absuchte. Hätte ich es nicht mit eigenen Augen gesehen, so hätte ich es nicht für möglich gehalten, daß in kleinsten Gräben von noch nicht $^1/_2$ m Breite und 30 cm Tiefe Stock- und Kleinenten liegen könnten, aber es war so. Sie nahmen die Flugrichtung meist übers Meer hinaus, so daß ein Vorziehen des seewärtigen Flügels sich als zweckmäßig erwies: Die Enten kamen so mitunter, nachdem sie vor dem inneren Flügel der Streife aufgestanden waren, dem äußeren noch einmal zu Schuß.

Es bleibt noch zu behandeln die *Lockjagd,* die heute allerdings in Deutschland nicht mehr allzu häufig ausgeübt wird. Als Lockenten dienen vielfach Attrappen, meist aufgeblasene Gummitiere, die mit mehr oder weniger natürlichen Farben bemalt sind, auch grob aus Holz geschnitzte Enten; die merkwürdigsten Lockenten sah ich in *Mittelschweden* auf einer südlich *Stockholm* gelegenen Schäre: der Jäger hatte im Winter geschossene Eisenten mit einem durch den Rücken getriebenen Nagel auf Brettchen befestigt und, ohne irgendwelche Präparation, in einer recht natürlichen Stellung einfach getrocknet; schön sahen sie nicht aus, und sie rochen auch nicht gut, aber er schoß mit Hilfe solcher „Präparate“ seit Jahren seine Enten!

In den Niederlanden verwendet man meist lebende Lockenten, die mit einer an das Ruder geknüpften Schnur von etwa der doppelten Länge der Wassertiefe gefesselt im Wasser ausgesetzt werden, wobei sie durch einen an das andere Ende der Schnur befestigten Stein zum Ausharren gezwungen sind. Schon ein einziges, natürlich weibliches, Tier tut seine Dienste, indem es beim Herannahen streichender Schofe seine schallenden Sehnsuchtsrufe ertönen läßt und damit diese zugleich auf sich und die reichlich ausgestreute Kirrung aufmerksam macht. Der oder die Schützen halten sich in guter Schußentfernung in einer Rohrhütte oder einem zwischen dem Schilf errichteten kleinen Zelte auf. Man schießt dann in den Niederlanden meist mit großem Kaliber auf die in dem Wasser befindliche Schar; nur die sportlicher denkenden Stadtschützen ziehen den Schuß auf die streichende Ente vor. Bei Verwendung künstlicher Lockenten wird beim Vorbeistreichen der Schofe das laute Bräten mit dem Munde oder einer künstlich hergestellten Entenlocke nachgeahmt, doch veranlaßt die Kirrung im Verein mit der Anwesenheit vermeintlicher

Jungenten im Heidemoor — *Nach einem Gemälde von J. A. Schrijnder*

Artgenossen die Schofe vielfach ohnedies zum Einfallen. Sind sie mißtrauisch und wagen es nicht, nach dem Einfallen auf Schußweite heranzurudern, so gibt es eine außerordentlich einfache, auch beim Winteransitz zu übende Lockmethode: Man stelle sich recht plastisch einen sauren Hering vor, in den man heftig hineinbeißen möchte! Dann ergreife man mit Daumen und Zeigefinger beider Hände die Wangen und ziehe sie, bei kaum geöffneten Lippen, rasch nach außen, gehe ebenso rasch in die Ausgangslage zurück und wiederhole diese Bewegung in der Sekunde 2- bis 3mal. Die reichlich erzeugte Flüssigkeit im Mundinnern bewirkt ein schnalzendes, plätscherndes Geräusch, das dem Schlabbern oder Schnattern einer Nahrung aufnehmenden Ente *täuschend ähnlich klingt* und die Mißtrauischen heranzieht – beste Deckung vorausgesetzt!

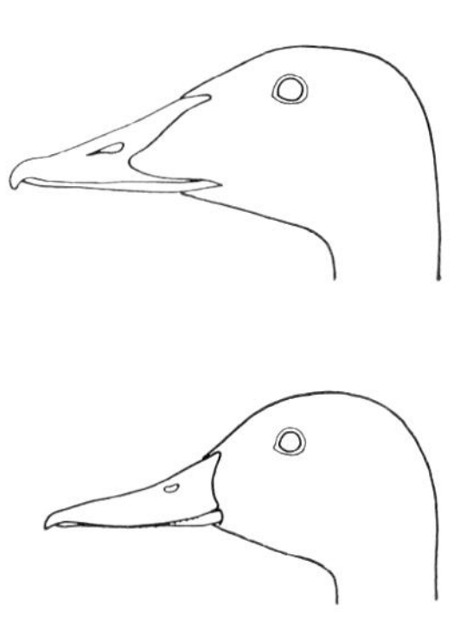

Kopf einer Eiderente (oben) und einer Stockente (unten) stark verkleinert

Eine sehr viel geringere Rolle als die Schwimm- oder Gründelenten spielen bei der Entenjagd die Tauchenten, und zwar nicht nur wegen ihres oft nicht recht schmackhaften Wildbrets, sondern auch, weil sie in zwar nicht geringerer Artenzahl, aber in sehr wesentlich geringerer Besatzstärke bei uns brüten. Im Winter, wenn ihr Wildbret erst recht tranig, ja beinahe ungenießbar ist, finden sie sich in größerer Anzahl bei uns ein, und zwar überall, auch tief im Binnenlande, wo sie auf den offenen Stellen vornehmlich fließender, aber auch stehender Gewässer regelmäßig anzutreffen sind. Die Tauchenten sind schwimmend wie im Fluge an ihrer von der der Gründelenten recht abweichenden Körperform zu erkennen: den für alle Gründelenten kennzeichnenden, schräg nach hinten oben gerichteten Enten„stietz“ sieht man bei ihnen nicht. Sie liegen tiefer im Wasser, sind gedrungener und, von oben gesehen, breiter und haben einen bedeutend kürzeren Hals als jene (s. Abb. S. 283). Auch machen sie von ihrer meist tiefen, knarrenden, aber nicht weittragenden Stimme weniger Gebrauch.

Da einige Arten *geschützt* sind, sei in Kürze einiges über die wichtigsten Formen gesagt:

Die häufigste Art unter den heimischen Brutvögeln ist die *Tafelente;* der Erpel im Prachtkleid mit rostrotem Kopf, schwarzer Brust und weißem Bauch, die Ente schlicht graubraun. Sie brütet auf größeren Seen und buchtenreichen, langsamfließenden Flüssen, westlich der Elbe wesentlich seltener als im Osten. – Sehr viel seltener ist die ihr ähnliche, aber nur etwa krickentengroße, also sehr kleine *Moorente,* mit überwiegend kastanienbraunem Gefieder, die, ausgewachsen, von allen anderen Arten leicht an der sehr hellen, fast weißen Iris des Auges zu unterscheiden ist. – Nur vereinzelt brütet bei uns die wunderschöne *Kolbenente,* von der sich ein größerer Brutbesatz am Bodensee, ein anderer auf der Insel Fehmarn, weitere in Mecklenburg befinden; neuerdings scheint sie ihr Brutgebiet auszuweiten. Auch sie ähnelt in etwa der Tafelente; der Erpel im Prachtkleid hat einen hellkarminroten Schnabel, die Ente eine weiße Wangenzeichnung. *Die Art ist in Deutschland ganzjährig geschützt.*

Die *Reiherente* brütet vereinzelt im Osten und an wenigen Stellen westlich der Elbe. Sie ist aber eine der häufigsten Wintergäste unter den Tauchenten. Der Erpel, der dann sein Prachtkleid trägt, fällt durch die weißen Körperseiten bei im übrigen überwiegend schwarzer Färbung auf. Weniger deutlich sind die zu einem reiherschopfähnlichen Gebilde verlängerten Scheitelfedern zu sehen, denen die Art ihren Namen verdankt. – Ein zumindest im Westen sehr seltener Brutvogel, aber regelmäßiger und häufiger Wintergast ist die schöne *Schellente,* bei der das Männchen im Prachtkleid überwiegend weiß mit schwarzgrün schillerndem Kopf und dunklem Rücken erscheint. Sehr charakteristisch ist ein etwa markstückgroßer Fleck zwischen Schnabel und Auge. Die Schellente ist ausschließlich Baumbrüter; sie hat ihren Namen von dem eigentümlich lauten, harfenden Fluggeräusch des Erpels, das durch eine besonders gebaute Schwungfeder verursacht wird.

Seltener als die genannten Arten und vornehmlich im Küstengebiet, bisweilen aber auch weit im Innern anzutreffen sind die der Reiherente sehr ähnliche *Bergente* (Erpel mit *grauem* Rücken, das Weibchen mit einem kennzeichnenden weißen Ring um den Schnabelgrund), die beiden *schwarzen* Arten (*Samtente,* groß, mit weißem Spiegel, *Trauerente,* kleiner, ohne Spiegel), bei denen der Oberschnabel an der Wurzel knollig aufgetrieben erscheint, und die sehr auffallende, weißköpfige *Eisente* mit beim Erpel stark verlängerten Mittelstoßfedern. Die drei letztgenannten Arten brüten im hohen Norden und halten sich außerhalb der Brutzeit fast ausschließlich in den Küstengebieten des Meeres auf.

Gleichfalls eine Meeresente ist die größte aller bei uns vorkommenden Entenarten, die im Norden wegen ihrer wertvollen Daunen, mit denen sie ihr Nest polstert, in Deutschland wegen ihrer *Seltenheit streng geschützte Eiderente.* Sie ist Brutvogel auf manchen Nordseeinseln und bleibt im Winter gewöhnlich an der Küste, verstreicht aber auch weit ins Binnenland; so habe ich sie von *Hann. Münden* mehrfach erhalten. – Leider wird sie – vor allem Weibchen – vielfach als Stockente erlegt, ist aber viel größer – Gewicht i. D. etwa 2 kg – und dunkler, ihr Flug ist schwerfälliger als der jener Art. Ein gutes Ansprechmerkmal ist auch die Kopfform: Der Schnabel geht ohne jeden Absatz in den Kopf über.

Den Enten nahe verwandt sind die *Säger,* so genannt wegen ihrer mit nach hinten gerichteten Hornlamellen versehenen, zum Festhalten erbeuteter Fische besonders geeigneten Schnäbel. Es sind herrliche Tiere, die unbedingte Schonung verdienen. Bei der kleinsten Art, dem relativ kurzschnäbligen *Zwergsäger,* ist das Prachtkleid ganz überwiegend weiß mit schwarzen Säumen und sehr charakteristischer schwarzer Augenmaske. Er erscheint bei uns aus seinen nordischen Brutgebieten im November/Dezember, oft in Gesellschaft der Schellente, mit der er sich auch paart, so daß Bastarde vorkommen. – Der Mittelsäger brütet, nicht häufig, an einigen Stellen der deutschen Ostseeküste. Von dem etwas größeren *Gänsesäger* unterscheidet sich das Männchen durch seine viel dunklere Färbung, insbesondere die grauen Körperseiten und den bis auf einen weißen Ring bräunlichen Hals, das Weibchen durch die dunklen Daunen.

Säger sind, wie die gleichfalls von Fischen lebenden Taucher, fast ungenießbar. In der „Verordnung für Jagd- und Schonzeiten" sind sie nicht aufgeführt, so daß sie wohl ganzjährig mit der Jagd zu verschonen sind, doch scheinen einige Bundesländer sie jagdrechtlich als *Wildenten* anzusehen und den Abschuß zu gestatten. – Als Abschluß dieses Abschnittes darf, nach so viel trockener Systematik, wohl ein Sonett Platz finden, das der Herausgeber unter dem Eindruck des winterlichen Wasservogellebens auf der Oberweser schrieb:

Beim Anblick eines Gänsesägers

Die Reiherente war uns erster Bote.
Der Taucher, der bestirnte, kam gezogen,
Als Herold dann mit Schellenklang geflogen
Ein Erpel, den das nächt'ge Eis bedrohte.

Und dann kam er, und der korallenrote
Gezackte Schnabel furchte kurz die Wogen,

Er kam und schwang den Fisch im Silberbogen –
Und eisengrün der Federschopf ihm lohte.

Samtschwarz und atlasweiß prangt das Gefieder,
Und wenn, sich flügelnd, er die Schwingen spreitet
Und stumm den Leib der Morgensonne wieder

Und wieder, flügelnd sich, entgegenbreitet,
Gibt preis er jene ganz unnennbar zarten
Goldrosa Farben, die zu schaun wir harrten ...

Es gibt Wildarten, die *hegbar* sind, und solche, die es nicht sind. Zu den erstgenannten gehören die meisten Schalenwildarten, der Fasan und andere, zu den letztgenannten vor allem die Waldhühner, viele Raubwildarten, Schnepfen und zahlreiche andere Sumpf- und Wasservögel. Die Stockente rechnete man früher auch zu diesem Wild, man nahm also an, man könne ihre Besatzziffern, außer allenfalls durch Einschränkung des Abschusses, kaum beeinflussen. Versuche, die in den dreißiger Jahren, vor allem im Rheinland, aber auch in anderen Gegenden, unternommen wurden, haben uns eines anderen belehrt: Man kann der Stockente helfen, sofern nur *eine* Voraussetzung erfüllt ist, ein zur Aufzuchtzeit an Kleintierleben und Pflanzen nicht allzu armes Gewässer.

In solchem Falle erweist sie sich vor allem dankbar für die Schaffung von Brutgelegenheiten. Als solche dienen Entenhäuschen oder Bruthütten, die auf ein paar Pfählen etwas oberhalb des Wasserspiegels stehen, wobei es zweckmäßig ist, wenn die Pfähle mit Blechmänteln versehen sind, um das Heraufklettern von Ratten zu verhindern. Sehr gern haben die Enten einen Ruheplatz vor dem Eingang des Hüttchens, dessen Inneres mit etwas Schilf, Laub oder Heu versehen sein muß, um ein Umherrollen der Eier bei der glatten Unterlage zu verhindern. Solche Häuschen werden überall gern angenommen, man sieht sie ja häufig auch in städtischen Park- und Gartenanlagen. Auch Kopfweiden leisten zur Brut gute Dienste. Eine dritte Möglichkeit sind einfache, flache Körbe oder Kisten, die, nach der Wasserseite offen, auf starken Seitenästen wassernaher Bäume angebracht werden. Sie können sich bis etwa 8 m hoch über dem Wasser oder dem ja meist weichen Uferboden befinden, die schlüpfenden Jungenten tun sich bei ihrem Sprung in die Tiefe nichts; es ist sogar beobachtet worden, daß acht im Berliner Zoologischen Garten erbrütete Stockentenküken 10 m tief auf ein Steinpflaster sprangen, ohne daß auch nur eines sich verletzte. – Nur an rasch fließendem Wasser empfehlen sich künstliche Niststätten nicht, weil die Küken von der Strömung weggerissen werden.

Sehr hilft es den Enten, wenn das Schilf oder Rohr der Gewässer nicht restlos im Winter abgemäht wird, weil auf diese Weise Deckung gerade in der Zeit erhalten bleibt, in der die Ente nach Niststätten sucht. Wo die Nutzung des Vegetationsgürtels der Gewässerränder nicht oder nicht mehr betrieben wird, fehlt es eigentlich nie an Brutenten.

Isolierte Kleingewässer, wie Fischteiche, Parkseen und dergleichen, kann man leicht künstlich mit Enten besiedeln, indem man einige Paare der im Tierhandel überall erhältlichen Stockenten aussetzt, denen die Schwingen beschnitten sind, und sie gut füttert. Sie nisten dann in den vorbereiteten Entenhäuschen, bringen ihre Jungen aus und ziehen sie auf. Diese bleiben, wenn sie immer wieder etwas gefüttert werden, sehr *standortstreu*, ebenso wie die nach der Mauser wieder flugfähigen Alten. Auch das Unterlegen gefundener Stockentengelege unter gut brütende Haushennen, die dann die Führung der kleinen Schar übernehmen, führt rasch zum Ziel. Im nächsten Frühjahr wird man oft die Beobachtung machen, daß zurückkehrende Enten sich ihren Erpel mitbringen und dort brüten, wo sie selbst erbrütet worden sind. – Bei kleineren Wasserflächen muß man sich jedoch vor einer Überbesetzung hüten, insbesondere, wenn sie nicht sehr nahrungsreich sind. Die Zahl der Entenküken schwindet sonst schnell dahin, wie man das auf den meist übervölkerten städtischen Park- und Tiergartenteichen beobachten kann; auch stören sich zu Beginn der Nistzeit die Enten gegenseitig. In Parks wird daher vielfach im Februar, März und April ein vorhandener Erpelüberschuß mit der Kleinkaliberbüchse vermindert. – Sogenannte „*Hochflugbrutenten*" sind kein Jagdwild, sondern eine neue, u. U. gewiß praktisch zu nutzende Erscheinungsform eines *Haustieres*. Sie können als Lockenten dienen und die Begründung eines Wildentenbesatzes erleichtern, nicht aber diesen ersetzen.

Weitere Hegemaßnahmen bestehen in der Bekämpfung der Entenfeinde, insbesondere der als Nesträuber unliebsam sich betätigenden Jugend und der Ratten, die Eier und Jungenten vernichten (s. Rattenkapitel). Es muß auch noch Erwähnung finden, daß steilwandige Gewässer, wie alte Torfstiche oder Gräben bei niedrigem Wasserstande oft zu Wildfallen werden, in denen vielfach auch Jungentenschofe verhungern (v. Appen, W. u. H. 1953). Die Mutterente pflegt sie bei Nahrungsknappheit zu einem benachbarten Gewässer zu führen, wenn der Heger den Kleinen Ausstiege schafft.

Als dritte Gruppe von Hegemaßnahmen ist die *Fütterung* zu erwähnen, die erfreulicherweise von vielen Kreisgruppen des Deutschen Jagdschutzverbandes in Notzeiten durchgeführt wird. Notwendig zur Vermeidung von Verlusten ist sie bekanntermaßen bei länger anhaltenden Frostperioden, wenn große Mengen von Enten sich auf den wenigen offenen Gewässerstellen zusammendrängen, wo sie oft erbärmlich abmagern. Man füttert Druschabfälle, Getreide, Baum- und Hülsenfrüchte aller Art, Küchenreste und gedämpfte Kartoffeln, die man mit Fleischmehl oder Sojaschrot vermischen kann. Die Hausente ist ja „das Schwein unter dem Federvieh", und auch die Stockente ist für alles dankbar. – Darüber, wie man durch jagdbetriebliche Maßnahmen im engerren Sinne des Wortes, insbesondere den uns so sehr am Herzen liegenden Schutz der mausernden Mutter, Entenhege treibt, haben wir im jagdlichen Teil alles Nötige gesagt.

Die Entenstrecke in der Bundesrepublik beträgt heute etwa 250 000 Stück jährlich – ganz überwiegend Stockenten. An zweiter Stelle dürften die im Küstengebiet viel bejagten Pfeif-, nach ihnen Krickenten kommen. Wie mein Schüler Niemeyer feststellte, sind die Entenzahlen im letzten Jahrzehnt ausweislich der Ergebnisse der Internationalen Entenzählung *nicht* zurückgegangen.

DER REIHER

Von den Reihern (Ardeidae) zählen *drei Arten* zu den ständigen *Brutvögeln* Deutschlands, der Fisch- oder Graureiher (Ardea cinerea L.), die Große und die Kleine Rohrdommel (Botaurus stellaris [L.]) und Ixobrychus minutus [L.]. Purpurreiher (Ardea purpurea L.) und Nachtreiher (Nycticorax nycticorax [L.]) brüten in Deutschland von Zeit zu Zeit einmal, dieser neuerdings z. B. in Bayern, und Silber-, Seiden- sowie der seltsame Rallenreiher sind Irrgäste. Jagdlich interessiert uns nur der *Fischreiher,* da die anderen Arten ausnahmslos ganzjährig Schonzeit genießen. Alle Reiher, auch die Rohrdommeln, streichen, im Gegensatz zu Störchen und Kranichen, mit S-förmig angewinkeltem Halse (s. Abb. S. 295).

Der Fischreiher ist in Norddeutschland überall da, wo er seine *Lebens*bedingungen erfüllt findet, heute wieder häufig, da ihm kaum mehr nachgestellt wird. Notwendig sind ihm größere Gewässer mit seichtem Uferrand, wo er waten und die „Anstandsjagd" ausüben kann. Er wünscht hohe Baumbestände in zumindest weiterem Umkreise, aber wo er diese, bei sonstiger Gunst des Geländes, nicht findet, errichtet er seine Horste auch auf Masten, Gebäuden, ja im Schilf. Wie erstaunt war der Herausgeber, in *Rotterdam* den großen Vogel in den Alleebäumen einer der belebtesten Hauptstraßen massenhaft horsten zu sehen, unmittelbar vor den Fenstern der Büros und Geschäfte, nur wenige Zentimeter über der funkensprühenden Leitung der „Elektrischen"! Schon hierin offenbart der Vogel seine erstaunliche Anpassungsfähigkeit.

Bei solchen Umständen nimmt es nicht wunder, wenn *niederländische* Zoologen seine höchst interessante *Fortpflanzungsbiologie* bis ins kleinste geklärt haben: Das männliche Tier erwählt seinen Nistplatz, wo angängig einen vorjährigen Horst, und sucht nun durch Stimme und auffällige Bewegungen die Aufmerksamkeit eines Weibchens zu erregen, wobei gewisse Federpartien gesträubt und gleichsam symbolisch Zweige und Nistreisig aufgenommen werden. Das eigentliche Ausbessern (oder Neubauen) des Nestes erfolgt erst nach der Paarung durch beide Gatten gemeinsam. Die (3–) 4–5 (–7) Eier werden meist im April gelegt und, von beiden Gatten, 3½–4 Wochen bebrütet. Die Jungen machen eine Zeit von 6–7 Wochen im Horst und dann eine etwa vierzehntägige Ästlingszeit durch. Sie sind recht unverträglich, so daß oft eins der Geschwister aus dem Nest stürzt und also selten mehr als 2–3 hochkommen.

Das Brüten erfolgt fast immer in Kolonien, die oft sehr kopfstark sind, mitunter aber nur etwa 6–8 Paare umfassen oder, selten, in Einzelbruten. Jede größere Reiherkolonie hat ihre Mitbewohner, insbesondere Milane und Krähen, die von der stets reichlich zu Boden fallenden Atzung und Brut schmarotzen, gern auch Kormorane, z. B. bei *Lütetsburg* (Ostfriesland), und sogar Wanderfalken und Seeadler. In den Horsten selbst nisten nicht selten Kleinvögel mit.

Die *Nahrung* besteht im Sommer fast ausschließlich aus Fischen bis zu 25 cm Länge, doch werden solche von 12–16 cm bevorzugt. Der tägliche Nahrungsbedarf beträgt nach

den genauen Untersuchungen von CRANTZ (1964), Vogelwarte Neschwitz, ca. 500 g. Hiervon entfallen 60–70 % auf sog. Nutzfische, doch nimmt der Reiher vielfach auch kranke oder geschädigte. – An Strömen kann man ihn nicht als schädlich bezeichnen, von Brutanstalten läßt er sich *leicht* durch Scheuchanlagen fernhalten. Auskünfte geben alle Vogelwarten und Jagdinstitute. Daneben werden Insekten und Lurche genommen; im Winter vielfach – und oft ausschließlich – Mäuse. Die Reiher stehen dann zu 30 und mehr auf den Feldern und Wiesen, um sich dem Mäusefang hinzugeben, und es scheint, als ob sie ihren regelmäßigen Fortzug mehr und mehr aufgeben oder doch hinausschieben. Dem Unkundigen sind diese „Winterreiher" auf oft gewässerfernen Fluren ein höchst überraschendes Bild. – Die Jungen werden meist erst mit zwei Jahren geschlechtsreif und tragen dann das grau-weiße Alterskleid mit den langen, *schwarzen* Scheitelfedern.

Die um der Fischereiwirtschaft willen bisweilen notwendige Verminderung der schönen, so groß erscheinenden (aber doch nur etwa 1,5–2 kg schweren) Vögel erfolgt vor Beginn der Brut- oder nach Ende der Aufzuchtzeit, wenn man eine Kolonie als solche in ihrer Kopfstärke herabzusetzen genötigt ist. Der Abschuß von Altreihern darf vom 1. V. bis 15. VII. nicht getätigt werden. Weitergehende Schonzeiten bestimmen das Saarländische und Hessische Jagdgesetz – andere Länder werden folgen. Den Einzelabschuß nimmt man bei der Pürsch am Ufer vor. Man überrascht auch wohl einmal einen Jungreiher an einem kleinen Teich oder kann sich dort, wo an künstlichen Fischteichen Reiher zu Schaden gehen, mit Erfolg in der Morgenfrühe ansetzen. Der Schuß auf den nur langsam Tempo und Höhe gewinnenden Großvogel ist dann leicht. Es genügt Schrot 3–3$^{1}/_{2}$ mm. Der Herausgeber schoß seinen ersten und für vier Jahrzehnte einzigen Reiher im Hochsommer in einem Feldgehölz, wohin die Tiere in großer Anzahl zum Übernachten kamen, den zweiten – für die Sammlung des Instituts für Jagdkunde – vom Boot aus an einer Buhne, wo er überrascht wurde. Man hört seinen seltsam unmelodischen, rauhen Schrei – „kräjk" – zu jeder Nachtstunde, auch von fliegenden Stücken. Als Folge der Verschmutzung aller unserer Flüsse jagt der Reiher heute vielfach in kleineren Gewässern und macht dort, besonders an Bachforellen, oft großen Schaden. Hier muß der Jäger helfen, und er kann das mit gutem Gewissen tun, denn die Art ist in keiner Weise bedroht und hat mit Sicherheit seit der Jahrhundertwende stark zugenommen. Natürlich kann man auch – mit Vorsicht wegen des Hintergeländes – den Kugelschuß anwenden, wobei man am besten die Hornet – oder eine andere kleinkalibrige Patrone – benutzt.

Die schönen Scheitelfedern sind ein heute noch beliebter Hutschmuck, obzwar der bekannte „Reiherbusch" vom Seidenreiher stammt; die Schlegel und die vom Brustbein gelöste Flugmuskulatur („Reiherbrust"), wie ein Filet gebraten, sind ein Leckerbissen. Das bestätigte mir, nachdem er die erste von mir bearbeitete Auflage kritisch durchgesehen hatte, auch mein alter, grundgelehrter Freund Dr. H. KREYENBORG (†), der Jahre hindurch um des lukullischen Mahles willen sich jeweils einen Jungreiher schoß.

Einer interessanten Verhaltungsweise des Reihers sei noch gedacht, über die H. RABBEN nach einer aus nur 4 m Entfernung getätigten Beobachtung berichtet (Allg. Fischerei-Ztg. 81, 8, 1956): Vor Beginn seiner Anstandsjagd sah er einen Fischreiher sein Gewölle ins Wasser speien, das eine Ölschicht verbreitete – und diese lockte Aale herbei; andere Beobachtungen scheinen diese Kirrmethode, auf die mich Dr. GRÜNEFELD/Eschwege hinwies, zu bestätigen. „Es gibt nichts, was es nicht gibt", pflegte mein großer Lehrer OSKAR HEINROTH zu sagen.

DIE GREIFVÖGEL

„Es würde zu weit führen, wollte ich hier die Naturgeschichte aller bei uns vorkommenden Raubvögel der jagdlichen Abhandlung vorausschicken. Sie würde, wollte ich sie auch nur ganz unvollkommen, nur andeutungsweise bringen, fast die Stärke eines Buches für sich allein beanspruchen; kurze Andeutungen aber hierher zu setzen, die weder belehren noch ein klares Bild geben, das widerstrebt mir. So viel es nötig erscheint, und so viel der praktische Jäger das Aussehen, die Lebensweise und die Gewohnheit der Raubvögel kennen muß, um die Jagd erfolgreich betreiben zu können, so viel werde ich mich bemühen, im Verlaufe der nun folgenden Besprechung anzuführen. Die Adler gehören außerdem der hohen Jagd an und sind nicht in einem Werke der Niederjagd zu besprechen.

Bevor wir beginnen, sollen alle auf die Raubvögel und deren Jagd gebräuchlichen *waidmännischen Ausdrücke* mitgeteilt werden. *Fänge* nennt man allgemein die Füße aller Raubvögel, den ganzen Unterschenkel nennt man auch wohl *Ständer,* sonst dürfte man nicht sagen, der Raubvogel ist *geständert,* ein Ausdruck, der allgemein üblich ist. Bei den zur hohen Jagd gerechneten Raubvögeln wendete man einst die Ausdrücke *Beine* und *Füße* an, ebenso beim Uhu. *Hosen* nennt man das mehr oder minder tiefgehende Federkleid der Ständer, man sagt also u. a., der Vogel ist bis *zur Hälfte* oder bis *an die Zehen behost* usw. Der Schwanz heißt *Stoß.*

Bauen Raubvögel ihr Nest und brüten sie, so sagt man, *sie horsten;* das Nest ist der *Horst;* verlassen sie es, so sagt man, *sie streichen ab;* desselben Ausdruckes bedient man sich selbstverständlich auch, wenn sie von einem Baum oder von der Erde fortfliegen. *Rütteln* heißt das besonders vom Turmfalken und den Bussarden, seltener auch von anderen Arten geübte Verharren an einem Punkte der Flugbahn, wobei der Stoß gefächert und rasch mit den Schwingen geschlagen wird. *Aufhaken* oder *aufblocken* sagt man, wenn sich Raubvögel auf Bäume oder Felsen setzen; ist das geschehen, so *blocken* sie darauf. Die von dem Raubvogel lebendig gefangenen Tiere nennt man seinen *Raub;* totgefundene oder Luder dagegen, die von vielen Gattungen auch angenommen werden, bezeichnet der Jäger als ihren *Fraß.* Die Raubvögel *stoßen* auf ihren Raub, wenn sie sich aus hoher Luft auf ihn herabstürzen, sie *schlagen* ihn, wenn sie ihn ergreifen und die Fänge einschlagen, sie fressen ihre Nahrung nicht, sondern *kröpfen* sie, wobei sie die *Rupfung* hinterlassen. Die nicht verdaulichen Teile, wie Federn, Haare, Zähne usw., geben die Raubvögel meist erst am nächsten Morgen, oder noch später durch den Schnabel wieder von sich; man nennt sie *Gewölle.* Die meist flüssigen Auswürfe aus dem After nennt man *Geschmeiß;* wenn sie diese von sich geben, so sagt man, sie *schmeißen* oder *schmitzen.*

Fallbäume sind dürre, blätterlose Bäume, die man bei den Krähenhütten anbringt, damit hier die durch den Uhu herbeigezogenen Vögel *aufhaken.*"

Als Diezel diese Zeilen schrieb, war in Deutschland *ein* Zweig der Jagd völlig erloschen, der in den Jahren nach dem Ersten Weltkrieg überraschend kräftig wiederaufblühte und sich auch durch die Wirrnisse des Zweiten Weltkrieges und des Zusammen-

bruches hindurchgerettet hat: die *Falknerei.* Mit ihr wurde die alte *Fachsprache* der Falkner, die sich voreinst gesondert neben der Waidmannssprache gehalten hatte, künstlich wiederbelebt, und manches floß daraus neuerdings in diese über, die ja, weil sie eine glücklicherweise sehr lebendige Fach- und Standessprache ist, fortwährend neues Sprachgut in sich aufzunehmen vermag. So ist das Wort *Terzel,* für den gegenüber dem Weibchen um ein Drittel kleinern Wanderfalkenmann, heute wohl Gemeingut aller Jäger geworden, und es wird auch auf Habicht- und Sperbermännchen übertragen. Auch *anjagen* für den Beginn des Raubfluges auf ein ins Auge gefaßtes Opfer, *anwarten* für den Zeitraum, wenn der Raubvogel in der Luft gleichsam steht, ohne noch ein festes Ziel zu haben, und *aufsteilen* für das jähe Emporstoßen nach mißglücktem Stoß oder zur Überhöhung des fliehenden Beutevogels vor dem ersten Stoß haben sich eingebürgert. *Lahnen* für das Betteln, *Atzung* für Nahrung und manche andere Ausdrücke werden voraussichtlich folgen. *Streng abzulehnen* ist dagegen die Übernahme solcher Bezeichnungen, für die die Jägersprache schon gute Fachworte hat, wie etwa *Startpennen* für unsere *Stoßfedern,* Hände für *Fänge* oder *schmelzen,* auch *kälken* für *schmeißen.* Abzulehnen ist auch die Übernahme vorerst entbehrlich erscheinender Worte, wie *Bruck* für die weiße Stoßunterseite oder *Sprinz* für den Sperbermann.

Die Bezeichnung der ganzen Gruppe als solcher lautet jetzt vielfach *Greifvögel,* weil man sich eine psychologische Wirkung davon verspricht, wenn das Wort *Raub* nicht im Namen erscheint. Wir glauben nicht, daß man einem ganzen Volke ein noch so gutes Kunstwort aufoktroyieren kann, halten aber innerhalb der Jägerei dessen Gebrauch doch für zulässig, ja wohl auch wünschenswert. Auf das entschiedenste aber müssen wir uns dagegen wehren, wenn begonnen wird, nun auch andere Gruppen unseres Wildes umzutaufen und man etwa das Haarraubwild mit dem unschönen, aus der Gaunersprache stammenden Worte *Greifer* zu bezeichnen sucht!

Die Einstellung zu den Greifvögeln hat sich seit Erscheinen der ersten Auflagen dieses Buches sehr gewandelt, wie das am deutlichsten in der „Verordnung über Jagd- und Schonzeiten vom 20. 3. 1953" zum Ausdruck kommt, in der nur noch 2 von den etwa 18 ständig in Deutschland brütenden Arten überhaupt eine Schußzeit haben, dazu eine der als Wintergäste anzutreffenden. Es sind dies *Habicht, Mäuse-* und *Rauhfußbussard.* Die *Eulen* sind z. Z. außer in Bayern nicht mehr jagdbar und auch dort ausnahmslos ganzjährig geschützt.

Neuerdings hat man sich, und nicht ganz mit Unrecht, wieder darauf besonnen, daß die von manchen Raubvogelarten, in erster Linie vom Habicht, hin und wieder auch vom Mäusebussard, angerichteten Schäden der Niederwildhege entgegenstehen. Es hängt dies wohl damit zusammen, daß, durch Jahre oder gar Jahrzehnte hindurch währende weitgehende Schonung, die genannten Arten sich recht vermehrt haben, so daß sie auch dem Hausgeflügel waldnaher Siedlungen Schaden zufügen. Aus diesem Grunde können wir uns auch nicht entschließen, das Kapitel über Raubvogel*jagd* gänzlich zu streichen. Doch behandeln wir zunächst, der Anlage dieses Werkes entsprechend, die *Naturgeschichte.* Die wichtigsten biologischen Angaben finden sich auf den Seiten 300 bis 303, die für das Ansprechen maßgebenden Flugbilder auf S. 305.

Alle heimischen Raubvögel gehören innerhalb ihrer Ordnung zu der artenreichsten der drei Familien, die man, recht unglücklich, *Falkenvögel* genannt hat. Neuere Forschungen, insbesondere STARCKS und STRESEMANNS, lassen vermuten, daß die ganze Gruppe sich stammesgeschichtlich keineswegs als eine Einheit verstehen läßt, sondern nur durch gleichlaufende Anpassung untereinander ähnlich wurde. Sicher ist die Habicht-Sperber-Gruppe, sicher sind auch die Edelfalken den übrigen Raubvögeln nicht näher verwandt als etwa den Eulen oder Reihern, und „Adler" ist vollends ein Sammelbegriff, der über verwandtschaftliche Zusammenhänge nichts aussagt: Adler sind schlechthin Großformen, von denen die eine den Bussarden, die andere den Milanen, die dritte keiner anderen Gruppe nahesteht.

Unter den *Bussarden* ist ausführlicher des *Mäusebussards* zu gedenken, dem das Gesetz eine örtlich wechselnde Schußzeit bestimmte. Er ist der bei weitem *häufigste Raubvogel seiner Größe,* für die meisten Menschen das Urbild des Raubvogels. Bei uns ist er Stand-, Strich- und Zugvogel. Ausgewachsene Stücke verbleiben fast durchweg ganzjährig in ihrem Revier, wie ich selbst an einem fast reinweißen Stück, das ich wohl ein Jahrzehnt unter Beobachtung hatte, habe feststellen können. Es ließ sich im Winter durch in meinem Garten ausgelegte Hasengescheide und dergleichen füttern und duldete dann Annäherung auf nächste Entfernung. Das bekanntgewordene Höchstalter des Bussards beläuft sich auf 24 Jahre. Es liegt also, wie das vieler Raubvögel, recht hoch.

Mäusebussarde gibt es überall, nur in waldlosen Gebieten von beträchtlicher Ausdehnung ist die Art seltener, weil es ihr an Horstgelegenheiten mangelt.

Schon im März beobachtet man die herrlichen *Balzflüge.* Der *Horst* steht nur selten auf alleinstehenden Bäumen, öfter in Althölzern, gern im Laubholz, aber auch auf Kiefern

1 Name (wiss. Bezeichnung)	2 Brutvorkommen in Mitteleuropa	3 Eizahl	4 Brut- beginn	5 Brut-, Nestlings- und Ästlingszeit in Tagen
Wanderfalk *(Falco peregrinus Gmel.)*	weltweit verbreitet. Im Norden u. Osten Deutschlands Baum-, im Westen Felsenbrüter. Selten	(2-) 3-4 (-6)	Anf. April	29; 35-40; 14 (?)
Baumfalk *(Falco subbuteo L.)*	überall, aber weniger häufig als Turmfalk	(2-) 3 (-4)	Juni!	28; 30 (?) 14 (?)
Turmfalk *(Falco tinnunculus L.)*	überall häufig	(4) 5-6 (-9)	Mai	28-31; 27-33; viele Wochen
Steinadler *(Aquila chrysaetos [L.])*	als Brutvogel nur in den Alpen	2 (-4), doch wird fast stets nur ein Junges groß	Ende März	44-45; 77-80; mehrere Wochen
Schelladler *(Aquila clanga Pallas)*	nur im Osten	(1-) 2, nur 1 Junges wird groß	Anf. Mai	?
Schreiadler *(Aquila pomarina C. L. Brehm)*	vom Osten bis zur Weser	(1-) 2, nur 1 Junges wird groß	Mai	43; 49-56 (?)
Mäusebussard *(Bueto bueto [L.])*	überall sehr häufig	(2-) 3 (-5)	Ende April	28-31; 42-49; mindestens 30
Falkenbussard *(Bueto b. vulpinus [Glog.])*	Brutvogel nur im Osten, Westgrenze Schweden bis Bulgarien. Wintergast	—	—	—
Rauhfußbussard *(Bueto lagopus Pont.)*	Nordeuropa und -asien, Wintergast!	—	—	—
Rohrweihe *(Circus aeruginosus [L.])*	mehr im Norden und Osten, i. Süddeutschl. nur sehr vereinzelt	(3-) 4-5 (-7)	Mai Juni	32-33; 34-38; mehrere Wochen
Kornweihe *(Circus cyaneus [L.])*	fast ausschließlich in Norddeutschland	(3-) 4-5 (-8)	meist erst Ende Mai	29-30; 35-42; etwa 20
Steppenweihe *(Circus macrourus [Gmelin])*	gelegentlich in einzelnen Paaren Brutvogel in Mecklenburg, sonst Osteuropa	4-6	Mai?	?
Wiesenweihe *(Circus pygargus [L.])*	fast nur noch im N. u. O. Häufig auf den ostfries. Inseln	(3-) 4-5 (-8)	Ende Mai	28-29; 35, ?

6 Flugbild	7 Sonstige Kennzeichen	8 Schonzeit	9 Nahrung
mauerseglerartig; keilförmiger Stoß	mehr als krähengroß	ganzjährig	Flugbeute! Fast nur Vögel
wie Wanderfalk, aber bedeutend kleiner	Oberseite sehr dunkel	ganzjährig	Flugbeute; vorzugsweise Insekten (Libellen) und Kleinvögel
ähnlich Baumfalk, aber auffallend langer Stoß	rötliche Färbung Rüttelflug!	ganzjährig	Bodenbeute! Meist Insekten und Kleinsäuger
Flugbreite 2 m! Brettförmige Flügel mit gespreizten Handschwingen	dunkelbraun, Stoßwurzel heller	ganzjährig	vielseitig: v. Rothirsch (Spießer) bis z. Schneemaus, v. Auerhuhn bis zur Ringamsel; auch Reptilien und Fische, Frösche. Im Winter Aas
wie Steinadler, doch nur Bussardgröße	dunkel, Oberschwanzdecken weiß gefleckt	ganzjährig	Kleinsäuger, Bodenbrüter, Reptilien, Frösche, Fische, Insekten. Besonders gern Bläßhühner
wie Schelladler	Kopfregion stark vorspringend. Jagt vielfach *zu Fuß!*	ganzjährig	wie Schelladler, aber weniger Vögel als Mäuse und Frösche
rundflügelig! Segelflieger	in d. Farbe sehr abändernd von weiß bis dunkelbraun. Kreisen, Rüttelflug!	1.4.-31.7.	Feldmäuse, Jungwild, Maulwürfe, auch andere Kleinsäuger. Bodenbrüter und andere Vögel, die er meist anderen Raubvögeln abjagt, Insekten, Aas
schlanker und spitzflügeliger als Mäusebussard	rostrot, insbesondere am Stoß	1.4.-31.7.	wie Mäusebussard, aber anscheinend mehr Hühnervögel
größer und langflügeliger als Mäusebussard	Stoßwurzel weiß, scharf abgesetzte schwarze Endbinde, deutlicher schwarzer Fleck am Flügelbug	1.4.-31.7.	wie Falkenbussard
spitzflügeliger als Bussard, Stoß länger	Jagdflug m. kurzen Schwebestrecken, hierbei Flügel weit über der Horizontalen	ganzjährig	Eier und Jungvögel des Wassergeflügels, vorzugsweise Bläßhühner, Frösche und Fische
♂ fast weiß, mit schwarzen Flügelspitzen, ♀ goldbraun	wie Rohrweihe	ganzjährig	wie Rohrweihe, aber weniger Wasservögel; Kleinsäuger
wie Kornweihe. Beim ♂ das Schwarz der Flügelspitze keilförmig nach innen vorspringend		ganzjährig	wie Wiesenweihe
♂ ausgedehnte schwarze Flügelspitze, rumpfwärts schwarze Binden und Flecken	kleiner und dunkler als die vorige Art	ganzjährig	vorzugsweise Eidechsen, Kleinsäuger, zur Brutzeit Bodenbrüter, Eier und Junge

1 Name (wiss. Bezeichnung)	2 Brutvorkommen in Mitteleuropa	3 Eizahl	4 Brut-beginn	5 Brut-, Nestlings- und Ästlingszeit in Tagen
Habicht *(Accipiter gentilis [L])*	überall verbreitet, auch in großen Waldgebieten u. im Hochgebirge	(2-) 3-4 (-5)	April	35-38; 36-40; etwa 14
Sperber *(Accipiter nisus [L])*	überall, auch in Städten	(3-) 4-6 (-9)	Mitte bis Ende Mai	31-33; 24-30; 14?
Roter Milan *(Milvus milvus [L])*	im Westen häufiger als i. Osten; besonders im Flußtälern, aber auch im Mittelgebirge	(2-) 3 (-4)	Ende April-Mai	?
Schwarzer Milan *(Milvus migrans [Boddaert])*	im Osten wie im Westen, vornehmlich in Flußtälern und an großen Seen. Fehlt meist im Gebirge	2 (-4)	Ende April-Mai	?
Seeadler *(Haliaetus albicilla [L])*	Brutvogel nur im N. u. O., westwärts bis Schleswig-Holst. und Ostniedersachsen	2 (-3)	Febr. bis März	um 40; etwa 70; etwa 30
Wespenbussard *(Pernis apivorus [L])*	überall, aber nirgends häufig	2	Juni!	30; 40-46; einige Wochen
Schlangenadler *(Circaetus gallicus [Gmelin])*	selten; im S. u. O. neuerdings vereinzelt in Bayern und Württemberg	1 (-2)	Mai	35; 60-80; mehrere Wochen
Fischadler *(Pandion haliaetus [L])*	als Brutvogel nur im N. u. O.	(2-) 3 (-4)	Anf. Mai	35; 55-70; etwa 30
Bartgeier *(Gypaetus barbatus [L])*	Gebirgsvogel Südeuropas, neuerdings vereinzelt wieder in den Alpen, wo zuvor ausgerottet	1 (-2)	Febr. bis März	?
Gänsegeier *(Gyps fulvus Habl.)*	Südeuropa, neuerdings nicht selten im österreich. Alpengeb. v. Salzburg bis Kärnten, aber nicht brütend	1	Febr. bis März	?

6 Flugbild	7 Sonstige Kennzeichen	8 Schonzeit	9 Nahrung
Flügel a. d. Basis breit; spitz auslaufend. Sehr langer Stoß	niedriger Jagdflug	Brutpaare 1. 5. - 15. 7.	vorzugsweise Vögel vom Reiher bis zum Goldhähnchen, daneben Eichhörnchen, Hasen, Kaninchen u. a. Säuger. Fische, selten Insekten
wie Habicht, aber bedeutend kleiner	wie Habicht	ganzjährig	ganz überwiegend (mittlere und) kleine Vögel, auch Küken; nur 2-3 % Säugetiere
helle, schwarz und weiß gezeichnete Flügelunterseiten, tief gegabelter Stoß	rotbraune Färbung	ganzjährig	ähnlich Rohrweihe, jedoch viel Fische und Kleinsäuger. Gern Aas
ähnlich wie Roter Milan, aber ohne Weiß u. mit flach gegabeltem Stoß	kleiner und dunkler als Roter Milan	ganzjährig	wie Roter Milan, aber mit weit überwiegendem Fisch- und Froschanteil. *Viel Aas*
brettförmige Flügel mit stark gespreizten Schwingen, gefächerter, heller Stoß	Flügelspanne fast 2½ m, Stoß im Alter weiß	ganzjährig	Wassergeflügel vom Singschwan, Storch und Reiher bis zu Enten u. Seeschwalben. Bevorzugt Bläßhühner. Gern auch Fische, seltener Rehe, Füchse, Hasen und Aas
sehr bussardähnlich, schmalflügeliger	hintere Flügelkante breit schwarz	ganzjährig	fast ausschließlich Wespen- und Hummelbrut. Selten Reptilien, Regenwürmer; Kleinsäuger und -vögel nur vereinzelt
bussardähnlich, aber viel größer, Unterseite meist weiß, braungefleckt	dicker, fast eulenartiger Kopf	ganzjährig	Schlangen und Eidechsen, seltener Frösche und Insekten
sehr auffallend durch die meist stark gewinkelten Flügel u. d. schwarz-weiße Unterseite	rüttelt gern über dem Wasser	ganzjährig	fast ausschließlich Fische
lange Flügel, falkenähnlich! Auffallend langer Stoß	Größe!	ganzjährig	ganz überwiegend Aas
Flügel auffallend breit, Stoß kurz, Handschwingen stark gespreizt	Kopf und Hals weiß, Halskrause über dem Flügelansatz. Oft gesellig	ganzjährig	ausschließlich Aas

und sogar Fichten, und zwar meist recht hoch. Die Brutbiologie ist aus der Tabelle zu ersehen. Beide Gatten brüten und füttern. Nach der eineinhalb Monate währenden Nestlingszeit werden die Jungen noch einen weiteren Monat hindurch von den Alten geführt; die Schonzeit – zur Zeit 1. 4. bis bis 31. 7. – ist also durchaus richtig bemessen.

Unter den *Beutetieren* des Bussards stehen bekanntermaßen die Wühlmausarten, ganz besonders die Feldmaus, an erster Stelle, auch Maulwürfe werden gern von ihm angenommen. Es kann keinem Zweifel unterliegen, daß er auch Junghasen schlägt, wie das nicht nur häufig beobachtet wurde, sondern auch durch UTTENDÖRFERS Listen nachgewiesen ist. Da er sehr häufig anderen Greifvögeln ihre Beute abjagt und auch anderweit schmarotzt, so z. B. an Fuchsbauen zur Aufzuchtzeit, darüber hinaus auch gern Aas annimmt, würden wir uns täuschen, wenn wir alles das, was bei ihm am Horst oder im Gewölle erscheint, als von ihm geschlagen ansähen. So schlägt er z. B. Rebhühner, auch Rebhuhnküken, im Sommer fast nie, und auch im Herbst und Winter sind es mehr sein nordischer und sein östlicher Vetter, die den Rebhühnern nachstellen, worauf wir noch zu sprechen kommen. Auch Kaninchen zu schlagen ist er meist zu ungeschickt, wie wir das bei Behandlung jener schon erwähnt haben.

So ist er nur bei *sehr hoher Siedlungsdichte,* und das wäre mehr als ein Brutpaar auf 1000 ha Wald und Feld, in Schranken zu halten, denn ein zu dichtes Beieinanderhausen bekommt ihm ohnehin nicht, weil unsere Fluren nicht das ganze Jahr hindurch nahrungsreich genug sind, um allzu viele seiner Art zu ernähren, wie gelegentliche Winterkatastrophen zeigen. Wir meinen auch, daß die neuerdings sich mehrenden Übergriffe auch unseres Mäusebussards auf Haushühner mit einer zu hohen Siedlungsdichte zusammenhängen und sähen eine *Bestandesregulierung* am liebsten im Laufe des Monats März; über das Wie wird weiter unten gesprochen werden.

Im Winter ist, heute offenbar in geringerer Zahl als früher, vor allem in der Norddeutschen Tiefebene, der etwas größere *Rauhfußbussard* bei uns zu Gast, der an seinen vollständig befiederten Läufen und am Flugbild (s. Abb.) zu erkennen ist. Es scheint, daß er etwas aggressiver als die heimische Art ist, und im Regelfalle wird *er* es sein, der winters Feldhühner schlägt. Seine Ansitzplätze sind meist Erdhügel.

Neuerdings hat eine östliche Rasse des Mäusebussards die Aufmerksamkeit der Fachleute auf sich gelenkt, der im Vergleich zu diesem schlankere, mehr spitzflügelige und, wie schon NIETHAMMER schreibt, wendigere und temperamentvollere *Falkenbussard* (Buteo b. vulpinus [Geoy.]). Er ist meist von roströtlicher Färbung, und er ist es, dem, nach DATHE, die meisten nachsommerlichen Untaten am Hausgeflügel zuzuschreiben sind. Da er im zoologischen Sinne zum Mäusebussard gehört, ist sein Abschuß im Rahmen der für diesen zugebilligten Schußzeit selbstverständlich gestattet – es können ihn ohnehin nur wirkliche Kenner von jenem unterscheiden.

Als eine „furchtbare Geißel unseres Niederwildes" betrachten wir nach den Untersuchungen SIEWERTS und vor allem BRÜLLS den Habicht nicht mehr, aber, in Abweichung von der Auffassung des Letztgenannten, als einen doch in vielen Fällen höchst unerwünschten Gast. Es sind weniger die Brutpaare, die uns den Schaden machen, denn gar nicht so selten sind diese, wenigstens einen Teil des Jahres hindurch, auf Eichelhäher, Krähen, Elstern, auch Tauben und andere Arten spezialisiert und lassen die Hauptwildarten mehr oder weniger ungeschoren. Deutschland ist aber *Hauptdurchzugsgebiet* für die Habichte Skandinaviens, des Baltikums und Nordrußlands, und von August an erscheinen diese in großer Menge und richten oft erhebliche Verheerungen vor allem unter Fasanen, Rebhühnern, auch Hasen an. Zu diesen Einwanderern kommen die Jungen der Einheimischen, die von den Alten aus dem Brutrevier verdrängt werden und nun im Lande umherschweifen.

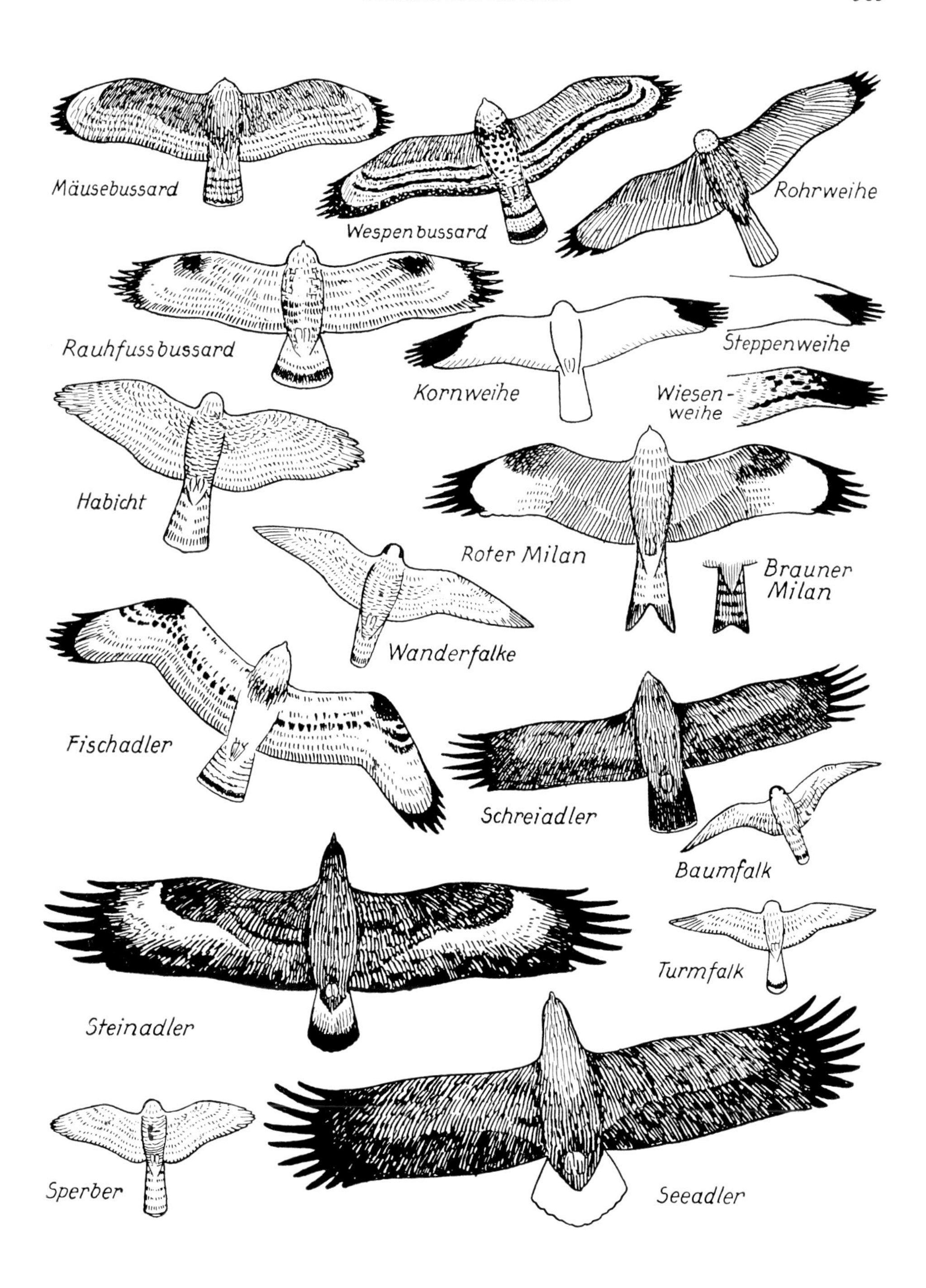

Greifvogelflugbilder
(nach Murr, Mauve u. a.)

Aber auch die Bruthabichte sind nicht so harmlos, wie mancher Raubvogelfreund sich das einbildet. Liest man die Beuteliste des Habichts, wie sie UTTENDÖRFER nach Funden am Horstplatz zusammenstellte, dann erscheint das Wirken dieser Art unter dem heimischen Niederwilde leicht weniger schlimm, als es in der Tat ist. Denn es wird, wie wir bei der Behandlung der Fortpflanzung dieser Art sehen werden, das Weibchen während des größten Teiles der Brutzeit und, nicht ganz so ausschließlich, der Aufzuchtzeit, mitsamt seinen Jungen von dem sehr beträchtlich kleineren Männchen ernährt, das natürlich schwächere Beute, wie Eichhörnchen, Häher, Elstern, Stare und Drosseln, auch Kleinvögel, bevorzugt. Wohl aus diesem Grunde fehlt bis heute das Rehkitz in der Beuteliste des Habichts. Doch wurden von UTTENDÖRFER auch in dieser Zeit immerhin noch über 200 Feldhasen, über 800 Rebhühner, 700 Ringel- und doppelt soviel Haustauben gefunden, wobei man sich allerdings vor Augen halten muß, daß sich diese Beute auf mehr als dreihundert kontrollierte Bruten verteilt. – SCHNURRE (Z. Jagdw. 1965) fand Schnepfenreste.

Habichte sind durch den Schneid charakterisiert, mit dem sie auch sehr viel größere Tiere, wie Fischreiher, oder andere Raubvögel, wie Bussarde, Milane, Wanderfalken, gelegentlich auch ihresgleichen, anfallen.

Besonders empfindlich ist der *Schaden,* den der Habicht (und zum Teil auch der Sperber, s. u.) an unseren Waldhühnern macht, deren Rückgang meiner Überzeugung nach *zum Teil* durch die starke Vermehrung der genannten Arten in den letzten Jahrzehnten mitverursacht ist. Nicht umsonst haben alle Waldhühner, auch das starke Auerwild, eine dem Fernerstehenden fast unbegreifliche Scheu vor Raubvögeln. Was der Habicht an Balzplätzen des Birkhahnes anrichten kann, darüber hat der Herausgeber in Heft 2 (1953) von „Wild und Hund" eingehender berichtet, und in Diskussionsbeiträgen kamen viele ähnliche Beobachtungen zutage. Mehrfach wurde ihm von Kennern auch über erfolgreiche Angriffe des Habichts auf balzende Auerhähne berichtet, und ein norwegischer Ornithologe hat sogar dem Terzel, der selten ein Gewicht von anderthalb Pfund erreicht, den mächtigen Auerhahn nachgewiesen, der doch mindestens das Fünffache wiegt. So vermag das Habichtweib, das mit höchstens 1250 g nicht mehr wiegt als ein Stockerpel, den ausgewachsenen Feldhasen zu schlagen, was nur sehr wenige Arten unter dem heimischen Raubwild fertigbringen.

Geradezu unheilvoll ist aber das Wirken des Habichts in der Nachbarschaft der Fasanerien und dort, wo man in freier Wildbahn Fasanen einzubürgern und zu hegen bemüht ist. In der Fasanerie *Klein-Auheim* fing Revierjäger BEHNCKE binnen drei Jahren 48 Stück, obwohl in der Nachbarschaft kein Brutpaar vorhanden war. Der weitaus größte Teil bestand aus Vögeln im Jugendkleide, die ja in dem ihrem Schlüpfen folgenden Jahre noch nicht fortpflanzungsfähig sind und umhervagabundieren, wie denn überhaupt die meisten Raubvogelarten erst im Alter von zwei oder mehr Jahren fortpflanzungsfähig werden.

Den Habicht erkennt man, wie O. HEINROTH bei seinen Vorträgen witzig zu bemerken pflegt, daran, daß man ihn *nicht sieht*. Jedenfalls gilt das für von den Menschen viel belaufene Reviere. Einmal ist er nämlich mehr Waldjäger, als jeder andere Raubvogel, zum anderen

übt er gern die „Ansitzjagd", d. h. er lauert, geduckt an einen Stamm oder größeren Ast geschmiegt, an einer aussichtsreichen Stelle, etwa in einem Eichenaltholz zur Mastzeit, um dort sich einfindende Tauben, Häher oder Eichhörnchen in blitzschnellem *Überraschungsstoß* zu erwischen, und drittens ist er, vor allem in dichtbesiedelten Gegenden, vorwiegend Dämmerungsjäger. Zudem führt sein Jagdflug meist niedrig über dem Boden dahin, bisweilen in weniger als Mannshöhe, und er bevorzugt für seine „Luftpürsch" gedecktes Gelände, einen Dickungsrand etwa, um dessen Ecke herumschwenkend er den Waldhasen überrascht, der zur Äsung auf einen grasigen Forstweg herausgehoppelt war, oder, außerhalb des Waldes, einen Heckenstreifen, hinter dem er entlangstreicht, um, auf die andere Seite übergehend, sich blitzschnell mitten in ein Volk Rebhühner zu werfen oder einen bunten Fasanenhahn zu übertölpeln. So sind seine *Rupfungen* meist das einzige oder zumindest erste, woran der Jäger seine Anwesenheit erkennt. Für sie ist charakteristisch, daß sie meist *am Rande* oder *in* einer Deckung, z. B. Stangenholz, zu finden sind. Oft nimmt der Habicht seine Beute wieder auf, trägt sie ein Stückchen weiter und rupft dann wieder, so daß die Rupfung über mehrere Stellen verteilt ist. Ähnlich macht es der Sperber, der nach BRÜLL meist auf Baumstümpfen und kleinen Bodenerhebungen rupft. Bei Vögeln seiner Größe hinterläßt er oft Schädel, Ständer, Brustbein und Armknochen. An der Stelle, wo Habicht und Sperber nach dem Rupfen ihrer Beute das Kröpfen vornehmen, findet sich fast regelmäßig ihr Geschmeiß in Gestalt eines oft meterlangen, kalkweißen Streifens.

Dagegen ist die typische Rupfung des *Wanderfalken* ganz anders. Zunächst rupft der Vogel zumeist auf freiem Feld, und zwar in der Regel Bauch- und Rückengefieder sowie die Schwanzfedern und die Flügel, bis zu den Unterarmschwingen, der von ihm nahezu ausschließlich erbeuteten Vögel. „Ein Federring kommt bei dem scharfäugigen Falken dadurch zustande, daß er sich ständig auf der Beute dreht, um seine Umgebung im Auge zu behalten. Als typischen Beuterest lassen die Falken, außer dem Wanderfalken auch Merlin- und Gerfalken, den Schultergürtel mit den noch fest am Handskelett sitzenden Handschwingen zurück! Die Falken werfen ihr Geschmeiß nicht weit, wie Habicht und Sperber, sondern unter sich, so daß ihr Zeichen ein runder Kotfleck an der Rupfung ist!" (BRÜLL).

Bekommt man ihn in Anblick, so kann man den Habicht, und in etwa gilt das auch vom Sperber, mehr nach der Flug*weise,* als nach dem Flug*bilde* ansprechen, das er deutlich nur zeigt, wenn er im Frühjahr seine Balzflüge macht. Dann erkennt man den außerordentlich langen Stoß und die kurzen, spitz auslaufenden, am Grunde aber breiten Schwingen. So hat das Flugbild eine entfernte Ähnlichkeit mit dem der Amsel.

Das Ansprechen nach dem Gefieder ist für den Fernerstehenden in freier Wildbahn meist recht schwierig, weil das Jugendkleid, bräunlich und mit deutlicher Längsfleckung auf der Vorderseite, dem der Altvögel gar nicht gleicht, und dieses wiederum, mit seiner grauen, mit engwelliger Schwarzzeichnung gezierten Unterseite, einem graubrüstigen Bussard nicht ganz unähnlich sieht. Hat man den Habicht in der Hand, so verraten dem Kenner die enorm starken und langen, fast überlangen, Fänge die Artzugehörigkeit sofort.

Die *Balz* beginnt an schönen Märztagen. Der Horst liegt oft im Innern größerer Waldungen, aber auch in Feldgehölzen, sofern diese recht dicht sind. Meist befindet er sich hoch und in Stammnähe in alten Eichen oder Buchen, aber auch Weißtannen und Fichten. Doch ist hinsichtlich des Horststandes kaum eine Regel aufzustellen, im Gegensatz zum Sperber (s. u.). Das Vollgelege hat drei oder vier Eier – andere Zahlen sind ungewöhnlich – und wird im April, seltener im Mai, gemacht und nach $5^1/_2$ Wochen gezeitigt, wobei die Bebrütung ganz überwiegend durch das Weibchen erfolgt. Auch die Nestlingszeit währt mit

5 bis 6 Wochen lange, und ihr folgt noch eine Ästlingszeit, in der die Jungen, schon recht erwachsen wirkend, von den Alten noch unterhalten werden, von denen sie sich erst in der zweiten Julihälfte trennen. Als starker, von wenigen Tierarten gefährdeter Raubvogel kann sich also der Habicht eine langsame Jugendentwicklung gewissermaßen „leisten" (HEINROTH). Nach den schönen Untersuchungen BRÜLLS ist das Weibchen, das während der Aufzuchtzeit die Schwingen mausert, zeitweise nahezu flugunfähig, zumindest sehr flugbehindert. Das Männchen mausert dagegen, in langsamerem Tempo, erst gegen Ende der Aufzuchtzeit. Die höchst merkwürdige Arbeitsteilung der Geschlechter haben wir oben schon kurz berührt, das Heranschleppen der Beute durch den Terzel, das Verfüttern durch das Weibchen; ähnlich ist es bei den meisten Raubvögeln. – Verunglückt dieses oder wird es abgeschossen, während die Jungen noch klein sind, so verhungern sie, weil das Männchen das Zerkleinern und Darbieten der von ihm oft weiterhin in Massen herbeigeschleppten Nahrung nicht vorzunehmen imstande ist. Bei Verlust des Männchens geht die Brut gleichfalls zugrunde, weil das Muttertier sie nicht zu ernähren vermag. Der waidgerechte Jäger begrüßt daher den dem *Brutpaar* durch die Jagd- und Schonzeiten-Verordnung gewährten Schutz (1. 5. bis 15. 7.).

Beim Sperber wiegt das Männchen mit 120–160 g kaum mehr als eine Misteldrossel oder eine Bekassine im Herbst, das Weibchen auch nur selten über 1/2 Pfund. Färbung und Lebensweise, insbesondere auch alle Einzelheiten der Jagdweisen und des Brutverhaltens, sind sehr ähnlich wie beim Habicht, soweit sich nicht aus dem beträchtlichen Größenunterschied Abweichungen ergeben. Nur der Horststand unterscheidet sich beträchtlich, da der Horst überwiegend in recht geringer Höhe im Nadelholz, und zwar fast durchweg in jüngeren Stangenhölzern, in der Nähe einer Blöße oder eines Gestells, zu finden ist, was merkwürdig wenig Jägern bekannt ist.

Die Art ist in weitaus größerem Umfange Vogeljäger, vor allem Kleinvogeljäger, als der Habicht. Der Beuteanteil an Säugetieren beläuft sich auf nur wenige Prozente. Unter rund 60 000 bei Horstpaaren festgestellten Beutetieren fanden sich noch keine 1400 Säugetiere, darunter ganze 15 Junghasen und 47 Jungkaninchen. Das ist ein verschwindender Bruchteil an Haarnutzwild, und diese Zahl hat, im Gegensatz zu den Verhältnissen beim Habicht, in etwa auch das ganze Jahr über Gültigkeit, weil das Sperberweibchen nach Beendigung der im Vergleich zum Habicht später liegenden Brutzeit kaum noch Gelegenheit zu solchen Übergriffen hat. Aber auch dem Feldflugwild erwächst im Sperber kein nennenswerter Gegner, denn es fanden sich unter der genannten Zahl von Beutetieren nur 4 Rebhuhn- und 13 Fasanenküken.

Der *Sperber* ist also wirklich fast ausschließlich Kleinvogeljäger, was auch dadurch belegt wird, daß unter den Beutetieren weit über 8000 Sperlinge, 4600 Singdrosseln, 4000 Buchfinken und Zehntausende von anderen Vögeln dieses Größenbereiches sich befanden. Für den Jäger ist er also im allgemeinen indifferent, und der verständnisvolle Vogelschützer hat sich schon längst davon überzeugen lassen, daß bei dem massenhaften Vorkommen der genannten Arten der Sperber selbst bei erheblicher Siedlungsdichte diesen nicht ernstlich Abbruch zu tun vermag.

Es ist jedoch beobachtet, daß Sperber unsere *Waldhuhnküken,* selbst die des Auerhuhns, recht erfolgreich *bejagten,* und bei der hohen Gefährdung dieser Arten hört da für den Waldjäger natürlich der Spaß auf. Einer der besten Kenner des Vogelschutzes, Prof. Dr. Frhr. VON VIETINGHOFF-RIESCH, gab mir, als ich ihn nach Schutzmaßnahmen für das nach Jahrzehnten im Harz sich wieder einfindende *Haselwild* fragte, wie aus der Pistole geschossen die Antwort: „Sperber kurz halten!" – und nach den Beobachtungen CHRISTOFS („Der Anblick", VIII, 1953) scheint das im Hinblick auf alle Waldhühner zu gelten.

„Trifft er ein Gesperre an", so berichtet der Genannte, „dann vernichtet er dieses oft in wenigen Stunden vollkommen. Ich habe solches selbst beobachtet. Es war beidemal bei der Pürsch. Einmal saß ich am Rande eines verwachsenen Schlages, ich kannte dort ein Gesperre Haselwild. Plötzlich stieß ein Sperber, um sogleich zu einem Junghaselhuhn abzustreichen. Erst bei der vierten Wiederkehr, ungefähr im Verlauf von drei Viertelstunden, gelang es mir, den Sperber zu erlegen. Es war ein ziemlich starkes Weibchen.

Das zweite Mal kam ich gerade dazu, als ein Sperber am Rande eines Himbeerschlages sich aus einem Auerwildgesperre ein Junges holte. Ich wartete nicht lange und konnte beim zweiten Anflug wieder ein Sperberweibchen erlegen."

Wo aber Waldhühner fehlen, besteht zu einer ernstlichen Bekämpfung des schneidigen Räuberchens kaum Anlaß, wenn es auch kein großes Unglück ist, wenn außerhalb der bei diesem Spätbrüter erst im August zu Ende gehenden Fortpflanzungszeit einmal einer einem blitzschnell hingeworfenen Schnappschuß erliegt. Denn die Siedlungsdichte der Art, die ich schon in meiner Jugendzeit mitten in Berlin, 5 km von der Grüngürtelgrenze entfernt, Sperlinge jagen sah, hat sich seit jenen Tagen – mir erfreulich – gehoben. Im 1965 vom DJV beratenem Entwurf der neuen Jagd- und Schonzeiten-Bundesverordnung ist nunmehr ganzjährige Schonzeit für den Sperber vorgesehen.

Eine *Bestandsregulierung* der zur Bejagung freigegebenen Raubvogelarten erfolgt, was leider kaum bekannt ist, am besten *im Laufe des März*. Die hier in Betracht kommenden Jagdarten sind in erster Linie der Ansitz an dem dann schon erwählten Horste, an dem meist beide Geschlechter bauen, sowie die heute fast vergessene *Krähenhütte*, für die bekanntlich auch ein künstlicher Uhu, ja, ein zahmer oder sogar ein ausgestopfter Waldkauz als Lockvögel gute Dienste leisten können. Wir schildern die Hüttenjagd im Krähenkapitel. Zur Horstjagd ist wenig zu sagen. Man setzt sich, bei Deckungsmangel in einem vorgerichteten Stand, den man aus ein paar Holzscheiten oder Jungfichten zusammenbaut, in Horstnähe an und sucht den Habicht oder Bussard abzuschießen, besser noch beide Gatten des Paares, da namentlich beim Habicht meist in kurzer Zeit Ersatz für den fehlenden Partner vorhanden ist. Glückt das bis zum 31. März nicht oder nur teilweise, dann muß man, was den Bussard anbetrifft, auf Grund der Schutzbestimmungen bis zum 1. 8. warten, oder man muß, was auf Grund der gesetzlichen Bestimmungen nur beim Habicht in Betracht kommt, später den Horst ersteigen und ausnehmen. Besser wartet man bis zur Ästlingszeit der Jungen und schießt dann die nach *Atzung lahnenden*, also um Futter bettelnden, Jungvögel als Ästlinge ab, gegebenenfalls die Alten dazu.

Außer mittels dieser Methoden, von denen die Hüttenjagd auch im Herbst zur Verminderung der Habichte beitragen kann, wird man des gefährlichen Räubers nur dann habhaft werden, wenn man ihn bei einem frischen Raub erwischt, den er bei eiliger Flucht nicht mitnahm. Hier lohnt unbedingt ein *Ansitz*, denn in fast allen Fällen kehrt der Habicht binnen einer Stunde zum Raub zurück. Im übrigen aber ist seine Erlegung nur ein Zufall. Die alten Niederwildheger arbeiteten daher mit mancherlei Fangmethoden, von denen wir doch den *Habichtskorb* erwähnen wollen, weil er, mit einer (lebenden oder) ausgestopften Taube als Köder, den Habicht unversehrt fängt, zur Freude unserer Falknerkameraden, die gern Abnehmer lebender Habichte sind, zur Freude auch der Tiergärtner, die auf diese Weise ständig den interessanten Greif ihren Besuchern vorstellen können. Es sei aber bemerkt, daß ein Habicht im zoologischen Garten nur dann zu einem wirklichen Schaustück wird, wenn er zuvor nach den Methoden der Falkner „locke gemacht", also gezähmt wurde. – Der Habichtskorb ist m. E. dort, wo man für einen bedrohten Waldhuhnbestand oder für das Feldflugwild, insbesondere Fasanen, ernstlich etwas tun will, eine unumgängliche Notwendigkeit. Ich kenne ein Birkwildrevier, wo sich

der Bestand an diesem Wilde mehr als verdoppelt hat, nachdem dort zwei Jahre hindurch ein Habichtskorb aufgestellt war.

Den Mäusebussard bejagt man, wo es notwendig erscheint, auf dieselbe Weise wie den Habicht. Dazu kann man ihn auf der Pürsch erlegen und notfalls, bei einer übermäßigen Zunahme der Siedlungsdichte im Winter, auch am Luder.

Mehr aber als zur *Verminderung* dieser Raubvogelarten sollte man zur Vermehrung der *Geschützten* tun. Den Schutz des Jägers verdient in allererster Linie der *Wanderfalk*. Er scheint, nach englischen Untersuchungen, besonders empfindlich gegen bestimmte Insekticide zu sein, die seine Eier abtöten. Die Horste, spärlich noch vorhanden, sind durch fanatische Taubenliebhaber in solchem Maße gefährdet, daß in Deutschland nur noch wenige Brutpaare ihre Jungen hochbringen. Bei einem vom Herausgeber kontrollierten Horst in unmittelbarer Nähe von *Hann. Münden* haben die Alten ihre Brut in Jahren nur zweimal aufziehen können, in allen anderen Jahren wurden die Eier zerstört oder die Jungen vernichtet. Die niederträchtige Gesinnung der Täter offenbarte sich u. a. darin, daß sie dem zuständigen Ortsheimatpfleger, einem um den Schutz dieses letzten Brutpaares in weitem Umkreise besonders verdienten Bauern, die schändlich gemordeten, fast schon flüggen Horstjungen heimlich auf sein Besitztum legten. In solchen Fällen könnte ein Pächter, insbesondere aber ein Berufsjäger, durch ständige Überwachung des Horstgeländes manches Gute tun, wie ja auch manche Eigenjagdbesitzer, vor allem aber unsere Forstbeamten, durch Schonung der Horstbäume sich große Verdienste um die Vermehrung der selten gewordenen Arten erworben haben.

Daß man dem Bussard durch Darbietung von Katzen, Krähen, Aufbrüchen, Raubwildkernen und ähnlichen Dingen im Winter eine regelrechte Fütterung zuteil werden lassen kann, wurde oben schon erwähnt und ist leider auch manchem begeisterten Raubvogelschützer unbekannt. Der Niederwildheger wird um so eher dazu bereit sein, als er damit, gerade in der kritischen Zeit, den Mauser von seinen Rebhühnern ablenkt.

DIE KRÄHENVÖGEL

Eine erheblich größere Rolle als die *Greifvögel* spielen im Niederwildrevier die so ungleich häufigeren *Krähenvögel,* die samt und sonders zu der weltweit verbreiteten Ordnung der Sperlings- oder Singvögel (Passeriformes) gehören, da sie als Nestjunge „sperren" und ihr Stimmapparat im Prinzip genau so gebaut ist wie der der Nachtigall oder des Goldhähnchens. – Alle Arten – mit Ausnahme des *Kolkraben* – sind zwar wohl überwiegend Pflanzenfresser, keine aber verschmäht tierische Kost, und bei den meisten besteht diese nicht nur aus Insekten oder Mäusen, sondern auch aus Junghasen und -kaninchen, jungen Rebhühnern, Fasanen und anderem Niederwild. Besonders unangenehm aber werden sie dadurch, daß sie ausnahmslos förmlich *versessen* auf Eier sind, wobei sie Raubvogel- und sogar Reiherhorste ebenso plündern, wie die Nester der Ringeltaube, vorzüglich aber aller *Bodenbrüter.*

Über die wichtigsten Daten aus der *Fortpflanzungs*biologie unterrichtet die nachstehende Tabelle, und wir gehen nur dort, wo es aus jagdbetrieblichen Gründen zweckmäßig erscheint, auf Einzelheiten ein.

Alle Krähenvögel machen regelmäßig nur eine Brut im Jahr.

Art (wiss. Bezeichnung)	Paarungs-zeit	Eierzahl	Brutbeginn etwa	Brutzeit in Tagen	Entwicklungs-dauer v. Schlüpfen bis z. Ausfliegen (in Wochen)	Ge-schlechts-reife nach
Kolkrabe *(Corvus corax L.)*	Jan.-Febr.	(3-) 5-6 (-7)	März-Mai	20-21	6	22 Mon.
Aaskrähe *(Corvus corone L.)*	Febr. bis März	(4-) 5 (-6)	Ende April	17-18	4½-5	22 Mon.
Saatkrähe *(Corvus frugilegus L.)*	Febr. bis März	3 (-6)	Mitte April	18	4–5	22 Mon.
Dohle *(Corous monedula L.)*	März	(2-) 5-6 (-7)	Anf. Mai	17-18	5	22 Mon. (10-)
Elster *(Pica pica L.)*	März bis April	(3-) 6-8 (-10)	Anf. Mai	17-18	3½	22 Mon.?
Tannenhäher *(Nucifraga caryocatactes L.)*	März	(2-) 3-4 (-5)	Ende März	16-18	3½	?
Eichelhäher *(Garrulus glandarius L.)*	Mitte bis Ende April	5-6 (-8)	Ende April Anf. Mai	16-17	knapp 3	?

Einen eigentümlichen Wandel in seiner Wertschätzung hat die größte bei uns vorkommende Art, der *Kolkrabe,* durchgemacht, vielleicht der klügste aller Vögel, den die Germanen zum Begleiter des Göttervaters machten; später wurde er zum Aasvogel und Leichenschänder, dann galt er als einer der schlimmsten Jagdschädlinge, um, nachdem seine Ausrottung fast vollendet war, als der „edle Rauk", der „geheimnisvolle Wodansvogel" verherrlicht zu werden, worüber die Hochgebirgsjäger verwundert die Köpfe zu schütteln pflegen; denn sie kannten und kennen ihn ja seit eh und je als den Aasfresser, der er den größten Teil des Jahres hindurch nun einmal ist und bleiben wird.

Bei uns brütet er in größerer Zahl nur noch in *Schleswig-Holstein,* in den benachbarten Teilen *Niedersachsens* und auch in *Mecklenburg,* sowie im gesamten *Alpengebiet;* in geringerer in Ostpreußen, ganz vereinzelt auch anderwärts. Seinen Bedarf an tierischem Eiweiß kann er bei der peinlich sauberen Kadaververnichtung durch die Abdeckereien wohl nur noch im Küstengebiet oder in Stromnähe (Unterelbe!) decken und in entlegenen Gebieten, wo ein Fortschaffen von Großtierkadavern nicht möglich ist. Seine Unterschutzstellung hat an solchen Orten zu einer nicht unbeträchtlichen Vermehrung der Art geführt, so daß seitens der Jägerei schon Klagen laut geworden sind. Oft freilich wird ihm wohl ein Junghase nicht ganz zu Recht angekreidet, denn Brüll beobachtete, wie ein Kolkrabe hintereinander drei *beim Schleifen eines Ackers* umgekommene Quartalshäschen ergriff und zu Horste trug. – Der wehrhafte Vogel hält übrigens sein engeres Brutgebiet von Krähen und auch ihm an Größe stark überlegenen Raubvögeln frei, und es ist beobachtet worden, daß er *im Luftkampf* eine Krähe durch einen Schnabelhieb tötete. Sicherste Ansprechmerkmale sind neben seiner Größe und dem keilförmigen Stoß der wahrhaft klobige Schnabel, insbesondere aber die tiefe, klangvolle, mitunter auch merkwürdig nasal klingende Stimme. Er ist jagdbar ohne Schußzeit.

Derjenige Krähenvogel, mit dem sich die *Jäger* am *dringlichsten* auseinanderzusetzen haben, ist die *Aaskrähe,* die bei uns in einer ostelbischen, grau bemantelten Form, der *Nebel-* oder *Graukrähe,* und in einer westelbischen, einfarbig schwarzen Form, der *Rabenkrähe,* vorkommt. Diese ist überwiegend Standvogel, während die nordischen Graukrähen Zug- oder Strichvögel sind und in der kalten Jahreszeit, vor allem im Norden unseres Vaterlandes, durchziehen oder überwintern. Beide Rassen bewohnen oder bejagen doch nahezu jeden Landschaftstyp, wenn sie auch die Randzonen der Wälder bevorzugen. Neuerdings brüten sie auch im Innern der Städte und werden vielfach Geflügelhaltern sehr *lästig* durch fortgesetzten *Kükenraub.* Einzelne Krähen haben sich sogar auf das Töten von ausgewachsenen Haushühnern spezialisiert, wie das Straubinger von einem Rabenkrähenmännchen beschrieben hat, dem *sieben getötete Althühner* nachgewiesen wurden.

Die Aaskrähe legt ihren Horst, meist nicht übermäßig hoch, gern in Laubbäumen, aber auch im Nadelholz an. Dabei ist sie keineswegs wählerisch und brütet auch in einzelstehenden Bäumen, notfalls in Büschen, in den Städten auch an Häusern. Das Nest ist verhältnismäßig groß, sehr solide gebaut und wird später gern von anderen Vogelarten, vor allem Raubvögeln (Wanderfalk!) angenommen. – Das Weibchen *sitzt,* und das ist für den Jäger wichtig, beim Brüten gewöhnlich sehr *fest.* Die Jungen werden von beiden Eltern gefüttert. Nur in der ersten Lebenswoche werden sie tagsüber, weitere 14 Tage dann noch nächtens vom Weibchen gewärmt. Sie machen wenig Spektakel und drücken sich tief in die Nestmulde, wenn Gefahr droht, so daß es oft nicht ganz einfach ist, festzustellen, ob ein Krähennest Junge enthält.

Die *Saatkrähe* ist etwas kleiner als die vorgenannte Art, hat einen schlankeren Schnabel und einen intensiv violetten Schiller über dem einfarbig schwarzen Gefieder. Ausgewachsene Stücke sind an einer etwa markstückgroßen Kahlstelle an der Schnabelwurzel zu erkennen. Sie nistet wesentlich seltener als Raben- und Nebelkrähe bei uns, und ist bekanntlich Koloniebrüter, so daß ihr Brutplatz dem Menschen kaum verborgen bleibt; neuerdings versucht sie sich auch in den Städten anzusiedeln, so beherbergt das ostfriesische Küstenstädtchen *Norden* eine kleine Kolonie, und auch in süddeutschen Großstädten sind Ansiedlungsversuche unternommen worden, wurden aber zumeist vereitelt.

Die Art gilt als landwirtschaftlich durch Vertilgung von Ungeziefer ganz überwiegend nützlich; doch hat, nach neuesten Untersuchungen Dr. MEUNIERS, in Schleswig-Holstein ihre insektenvernichtende Tätigkeit praktisch nur geringe Bedeutung; jagdlich ist sie nicht harmlos: Im Wolgadelta ist sie vorzeiten, in England neuerdings als gefährlicher Eiräuber zur Plage geworden. Doch wiegt sie den angerichteten Schaden z. T. dadurch auf, daß sie selber, als *Ästling* geschossen, einen Braten von außerordentlichem Wohlgeschmack liefert, der, richtig zubereitet – und *vorurteilslos* genossen – dem des Fasans gleichwertig ist. Die wenigen bestehenden Kolonien sollte man erhalten und nur, wenn die Jungen eben flügge sind, einen gewissen Abschuß durchführen, wie er im vorigen Jahrhundert, zumal im Osten, oft förmlich zum Volksfest wurde.

Die im Winter in großer Anzahl unsere Fluren bevölkernden Saatkrähenschwärme östlicher Herkunft läßt man zweckmäßig ungeschoren, ein Abschuß ist sinnlos; schon aus diesem Grunde sollte jeder Jäger Saat- und Rabenkrähen unterscheiden können.

Die *Dohle,* die sich gern unter die winterlichen Krähenflüge mischt, ist als geselliger Stadtbrüter bekannt, weniger bekannt ist ihr Eindringen in den Wald, wo sie größere Spechthöhlen und Nistkästen gern annimmt und dadurch zum Wohnraumkokurrenten für Höhlenbrüter ihrer Größe, besonders die Hohltaube, wird. Auch sie nimmt gern Eier und Jungvögel, ist aber im Vergleich zur folgenden Art verhältnismäßig harmlos.

Die *Elster* ist mit ihrer kontrastreichen Schwarzweißzeichnung und dem dunklen, metallgrün und blau glänzenden Stoß einer der schönsten deutschen Vögel, zugleich aber einer der schlimmsten Räuber im Niederwildrevier. Zur Brutzeit des Niederwildes scheint sie sich geradezu auf Rebhuhn- und Fasanengelege zu spezialisieren, greift auch Küken und, vor allem zu mehreren, Junghasen an. Sie ist also in Anbetracht ihrer Kleinheit höchst aktiv, mutig und angriffslustig. Da sie sich, wie die Raben- und Nebelkrähe, während der Kriegs- und Nachkriegszeit in einem bislang nicht bekannten Ausmaße vermehrt hat, muß ihr der Niederwildheger seine besondere Aufmerksamkeit zuwenden, worüber er im Kapitel über die Jagd das Nötige findet.

Auch der *Tannenhäher,* der in Deutschland unter Naturschutz steht, während er in den österreichischen Alpen als einer der dort gemeinsten Vögel und gelegentlicher Schädling jederzeit geschossen werden darf, hat sich in Deutschland beträchtlich vermehrt und brütet heute wohl in den meisten Mittelgebirgen, dazu im Hochgebirge. Ein „Naturdenkmal" ist er keineswegs mehr, andererseits doch noch nicht so häufig, daß man bei uns von Schadenswirkungen sprechen könnte; zudem lebt er wohl ganz überwiegend von pflanzlicher Kost – gerade dadurch wird er nach meinen Beobachtungen in den Getreidefeldern der Bergbauern bisweilen schädlich. NIETHAMMER führt zudem Jungvögel und Eier auf seinem Speisezettel an; ob er auch Waldhuhngelege vernichtet, konnte ich nicht erfahren.

Sehr anders gefärbt als der Tannenhäher mit seinem nußbraunen, dicht weißgefleckten Kleide, dem schwarzen Stoß mit dem weißen Saum und dem langen, spitzen Schnabel ist der ihm nahe verwandte *Eichelhäher,* dessen Beschreibung wir uns ersparen zu können meinen; ist er doch gewöhnlich in Garten und Wald die Erstlingsbeute des Jungjägers, und jedermann kennt ihn. Der hübsche Vogel macht wenig Nutzen, aber viel Schaden, diesen besonders durch systematisches Absuchen aller Sträucher und Hecken nach Nestern, wobei er sich vor allem als ein furchtbarer Feind unserer Grasmückenarten erweist, die sich seiner nicht erwehren können; andere Singvogelarten vertreiben ihn, zumindest gelegentlich, durch oft mit erstaunlichem Mut geführte Angriffe. Daneben schädigt er die Gärten, indem er die Beerensträucher plündert, die Haselnüsse absammelt und besonders eine sehr unangenehme Vorliebe für junge Erbsen an den Tag legt, so daß in waldnahen Gärten ein Erbsenanbau mitunter kaum mehr möglich ist. Natürlich nimmt er auch Getreide und ebenso Insekten. Seine Hauptnahrung bilden wohl Eicheln und Bucheckern, und mit seiner Vorliebe dafür stiftet er vielfach auch forstlichen Schaden, den die oft gerühmten, aber

Krähenvögel. Oben: Elster, unten (v. l. n. r.): Nebelkrähe, Saatkrähe, Rabenkrähe, Kolkrabe

doch meist spärlichen „Hähersaaten“ schwerlich aufwiegen. Dem Jäger ist er als Lärmvogel oft unangenehm, weil er ihn durch sein Geschrei dem Wilde kündet und so manche Pürsch und manchen Ansitz verdirbt; doch gibt er oft auch Gelegenheit zu netten Beobachtungen. Seinen jagdlichen Schaden behandelten wir im Ringeltaubenkapitel, doch haben zweifellos auch andere Flugwildarten unter ihm zu leiden. Frisch gesetzte *Junghasen* scheint er allerdings, im Gegensatz zur Elster, *im allgemeinen unberührt* zu lassen.

Kurz erwähnt sei noch die gelbschnäblige *Alpendohle,* ein ausgesprochener Hochgebirgsvogel, dessen herrliche Flugspiele den Gebirgswanderer immer wieder begeistern.[17] Jagdlich ist sie wohl ohne Bedeutung, wenn sie auch hin und wieder ein Schnee- oder Steinhuhngelege plündern mag: Rörig fand in ihrem Magen Eierschalen.

Unter den *Bekämpfungsmaßnahmen* gegen die Krähenvögel wird gewöhnlich an erster Stelle die Vergiftung mit Phosphoreiern genannt, eine Methode, der man die Wirksamkeit nicht absprechen kann, sofern sie richtig geübt wird. Wohl aber kann man gegen sie grund-

[17] Das Gedicht auf S. 316 ist, wie das auf S. 290/291 abgedruckte, dem Bändchen „Schöpfer im Geschöpfe“ des Herausgebers entnommen (Bayer. Landwirtschaftsverlag, München).

Ode an die Alpendohlen

Seht, wie der Schwarm in jagendem Fluge sich
Stürzt von dem Grat, in schwindelnde Tiefen hin,
Mit unablässig schrillem Pfeifen –
Ein Durcheinander von schwarzen Flügeln.

Und jetzo folgend einem Gebote nur,
Seht Ihr sie steigen, nur durch des Aufwinds Kraft
Und ohne eines Flügels Regung,
Wieder empor – in stillem Schweben ...

Der schönen Flieger leuchtendes Schnabelgold,
Hellrote Zehen prangen vor samtenem Schwarz.
Wie herrlich schuf sie Gott, des Menschen
Letzte Gefährten in eisiger Höhe.

sätzliche Bedenken anmelden, die hier jedoch nicht näher erörtert zu werden brauchen, da ja im „Diezel" ohnehin nur die Jagd mit der Waffe behandelt wird. Ich frage nur: Sollte nicht der waidgerechte Jäger, der als Treuhänder der Heimat und ihres Wildes sich fühlt und gegen „Gift in der Landschaft" aus seinem gesunden, natürlichen Empfinden heraus seine Bedenken anmeldet, nun nicht auch selbst auf jegliche Giftanwendung verzichten? Wird er nicht glaubhafter, wenn er seine hegerischen Ziele mit den alten, sauberen Methoden der jagdlichen Krähenbekämpfung zu erreichen weiß?

Ich habe in dieser Frage, noch zusammen mit ULRICH SCHERPING, einen Beschluß des Niederwildausschusses des DJV herbeiführen können *gegen* die Giftanwendung, der in vielen Bundesländern rechtlich verankert wurde. Auch heute, nach fast zehn Jahren, ist es meine Überzeugung, daß die notwendige Bekämpfung der Krähenvögel mit jagdlichen Mitteln möglich und erfolgreich ist, wenn man sich nur die Mühe macht.

Hier sind die besten Methoden der *Nestabschuß,* der für eine wirksame Besatzverminderung wohl am meisten empfohlen werden kann, der *Abschuß am Schlafbaum* und die *Hüttenjagd.* Die genannten Jagdarten lassen sich zum Teil auch miteinander verbinden.

Es wäre ein Irrtum zu glauben, daß der *Nestabschuß* erst dann ausgeführt werden könnte, wenn die Krähe *brütet*; er ist zwar auch dann statthaft, da alle Krähenvögel, mit Ausnahme des Kolkraben, des Tannenhähers und der Alpendohle, dem freien Tierfang unterliegen, also nicht den Schutz des mehrfach zitierten § 22 der „Verordnung über Jagd- und Schonzeiten" genießen. Der Nestabschuß ist aber meist schon im *März* möglich, wenn die Tiere *bauen,* wobei das Männchen überwiegend Zuträger ist, das Weibchen die Niststoffe einbaut. Außerdem findet man *vor* der Brutzeit, wenn die Bäume noch kahl sind, die Nester bedeutend leichter. Befindet sich in der Nähe des Neststandes eine gute und dichte Deckung, dann sollte man so frühzeitig wie möglich von ihr Gebrauch machen und die Tiere abschießen, wobei es vollständig genügt, wenn zunächst *eines* der beiden *fällt,* weil der *überlebende Gatte,* läßt man den toten Vogel so, wie er eben fiel, liegen, in kurzer Zeit *herbeikommt,* alle Scheu vergißt und sehr oft durch seine Angst- und Schreckrufe noch *benachbarte Paare* herbeiruft, die sich dann ebenso unvorsichtig verhalten. Ich habe noch wenige Tage, bevor diese Zeilen geschrieben wurden, ein Rabenkrähenmännchen geschossen, um das in kürzester Zeit 6 bis 8 Krähen versammelt waren, und wären meine

Jungjäger schon im 3. oder 4. Felde gewesen, dann hätten mindestens noch drei dazu gelegen! Gerade um der Märzhäschen willen, denen es bekanntlich vielfach an Deckung fehlt, sollte also die bequeme Möglichkeit des Abschusses bei Baubeginn stets im Auge behalten werden.

Ist das aus irgendwelchen Gründen nicht möglich, dann muß der Nestabschuß eben dann getätigt werden, wenn das Weibchen brütet, was immer schon vor Vervollständigung des Geleges geschieht. Das *Weibchen brütet allein,* und zwar sehr *fest.* Die richtige Methode ist es, sich dann einen *Gehilfen* mitzunehmen, der, wenn sich der Jäger an einem günstigen Platz aufgestellt hat, an den *Stamm klopft* und so die Krähe vom Neste bringt. Sitzt sie ganz besonders fest, dann muß man ein Aststück in Richtung auf das Nest schleudern. Viele Jäger meinen, es sei notwendig, nach Abschuß der abstreichenden Krähe nun noch einen Schuß mit grobem Schrot auf das verlassene Nest zu donnern, um die Eier zu zersieben – das ist ein ganz *unnötiger Aufwand!* Denn weder das allenfalls übrigbleibende Männchen, noch auch ein anderes Weibchen wird je die Brut fortsetzen, vielmehr fällt das Gelege in kürzester Zeit anderen Nesträubern, wie Eichhörnchen, Elstern oder Eichelhähern, zum Opfer; wohl aber sollte man auch jetzt den Versuch machen, das unfehlbar herbeistreichende männliche Tier, das von Anbeginn an die Fütterung der Brütenden besorgt, durch einen kurzen Ansitz – in Deckung – zu erwischen.

Von dem *Schuß* auf die *auf dem Nest* sitzende *Krähe* halte ich *nicht* viel. Einmal fängt das derbe Reisig des Baues einen Teil der Schrotgarbe ab oder macht sie matt, so daß die Krähe gesund abgeht oder nur krankgeschossen wird; es besteht aber nicht der geringste Grund dafür, Krähen, weil sie schädlich sind, nun unwaidmännisch zu behandeln! Zum anderen sollte gerade der Waldjäger die gute Gelegenheit zu einem Schrotschuß auf die Streichende nicht ungenutzt lassen, der Jungjäger es sich nicht zu leicht machen. Der Hauptgrund aber ist der, daß man meist nur ein Stück vom Stoß sieht, also *nicht sicher ansprechen* kann, und da Krähennester sehr oft von Raubvögeln angenommen werden, flattert dann plötzlich sterbend ein reizendes Turmfälkchen zu Boden, oder es streicht gar, schwer krank, ein Bussard ab, wie mir das als Jungjäger einmal passierte, als ich, entgegen meiner ursprünglichen Absicht, auf Anraten eines Försters einen angeblichen Krähenhorst beschoß – einmal und nie wieder!

Jungkrähen haben auch ein *Ästlingsstadium,* und während dieser freilich nur wenige Tage dauernden Zeit holt man sie bequem einzeln mit Kleinkaliber herunter, da sie dann sehr auffallen. Auch bei dieser Gelegenheit kann man den Abschuß der *Alten* verspätet noch *nachholen,* doch muß dann ein Schrotrohr zur Verfügung stehen.

Etwas anders verläuft der *Nestabschuß* der *Elster,* auf den der Herausgeber besonders eingehen möchte, weil er bei seinen Vortragsreisen die Erfahrung gemacht hat, daß diese ebenso bequeme wie wirkungsvolle Methode, die eine *Verbindung von Nestabschuß* und *Abschuß am Schlafbaum* darstellt, in der Jägerei kaum bekannt ist. In Westdeutschland bauen oder bessern die Eltern ihre gewaltigen Burgen meist schon im *März* aus und übernachten dann vielfach in deren unmittelbarer Nähe. Da um diese Zeit alle Bäume noch unbelaubt sind, unser Tier aber fast ausschließlich in Laubhölzern baut, sind die Nester sehr leicht zu finden. – Hat man eine Elsterburg, an der ein Paar baut, festgestellt, dann begibt man sich in einer hellen Nacht dorthin und wird meistens die dann gut aushaltenden Elstern gegen den hellen Himmel sitzen sehen. Man kann dann sogar mit einiger Vorsicht den Nest- bzw. Schlafbaum umkreisen und es so einzurichten suchen, daß *ein* Schrotschuß (Nr. 7) *beide* Eierräuber gleichzeitig zur Strecke bringt. Schlafende Elstern haben mich, bei Mond und bedecktem Himmel, bis auf vier Meter herangelassen – probatum est!

Dieser so leicht durchzuführende *Abschuß* der Elstern *vor* dem eigentlichen *Brutbeginn,* etwa auf dem Heimweg vom Schnepfenstrich, ist deshalb so besonders wichtig, weil ein Abschuß der *brütenden* Elster seine Schwierigkeiten hat: Oft ist es kaum möglich, durch den schützenden Dornenverhau so an das Nest heranzukommen, daß man es einigermaßen frei hat; ein Schrotschuß auf den mit hartem Lehm gepanzerten Bau ist sinnlos, der – freilich wirksame – Kugelschuß teuer und oft auch gefährlich, und klopft man die Elster heraus, so weiß sie sich mit einer geschickten Schwenkung oft genug in Sicherheit zu bringen. Außerdem sind Elstern an ihrem Nest gewöhnlich ganz besonders scheu und vorsichtig, scheuer noch als die Aaskrähen. So kommt der geschilderten Methode eine große Bedeutung zu, denn es bleibt praktisch ansonsten ja nur noch der *Abschuß* mit dem Uhu und der der eben flüggen *Jungen,* der allerdings sehr *lohnend* sein kann, weil man nach dem Abschuß *einer* oft noch drei oder vier *andere* erwischt, wenn man sich einigermaßen gedeckt anstellt und das erbeutete Tier unweit auslegt. Aber wieviel Gelege sind bis dahin den Alten zum Opfer gefallen?!

Eine ebenso interessante, wie wirksame Methode der Elsternbekämpfung lernte ich im Revier Grone bei Göttingen bei meinem Jagdfreund Bartold L. kennen: In der zweiten Aprilhälfte versammeln sich seine ständigen Jagdgäste, soweit sie leidliche Flugwildschützen sind, an dem beiderseits mit viel Buschwerk und Laubholz bestandenen Bahndamm, der sein Revier durchzieht. Wie bei der Treibjagd werden die Schützen in etwa 80 m Entfernung voneinander aufgestellt, während die Hunde das Buschwerk durchstöbern. Immer stehen dann Elstern auf, gewöhnlich außer Schußweite. – Die Schützen stehen nun gedeckt an, und es dauert selten länger als eine $^{1}/_{2}$ Stunde, bis die ersten Schwarzweißen zurückkommen! Entweder bekommt man sie dann beim Anflug, oder man löst seinen Hund, der die Eingefallenen hochmacht, wobei, wenn sie über den hochgelegenen Bahndamm streichen, der Abschuß nicht schwer ist (2–2$^{1}/_{2}$ mm!). Solche Jagden werden, verbunden oft mit dem Nestabschuß, 2–3mal wiederholt – und das Revier ist elsterfrei! Besonders nett dabei ist erstens, daß die Jagd in der sog. „Toten Zeit" stattfindet, wo jede Gelegenheit zu jagdlicher Betätigung kein Gastjäger besonders erwünscht ist, zweitens Gelegenheit zu guten Schüssen bietet und drittens jeder Erleger einer Elster einer Einladung zur Hühnerjagd sicher sein darf.

Als letzte jagdliche Methode zur Verminderung der Elstern sei erwähnt, daß diese sich verhältnismäßig leicht im Habichtskorb fangen, vor allem dann, wenn man eine lebende Artgenossin als Lockvogel nimmt.

Vom Mittsommer an haben die Aaskrähen, vor allem in wenig waldreichen Gegenden, fast immer ihre ganz bestimmten Schlafwäldchen, kleinere oder größere Feldgehölze, denen sie in oft nach Hunderten zählenden Scharen allabendlich zustreben, und ein Anstand in einem solchen liefert oft mehrere an den „wohlverdienten Galgen". Das ist nicht ganz nutzlos, bis in den Oktober hinein sind es ja Brutkrähen und ihre Nachkommenschaft, die man auf diese Weise vermindert, außerdem kann man eine tote Krähe immer brauchen, sei es, aufgehängt, zur Abschreckung ihrer Artgenossen in Hof, Garten und Feld, sei es – mit Vorsicht wegen einer tatsächlich möglichen allmählichen Bleivergiftung durch darin befindliche Schrote – als Nahrung für gefangenes Raubwild oder die Schweine, sei es endlich für den Luderplatz. Hinsichtlich ihres Schlafplatzes sind die Krähen übrigens sehr konservativ, sie halten auch bei mehrfacher Beunruhigung daran fest, kommen allerdings in solchem Fall schließlich sehr spät und schwingen sich dann – bei schlechtem Schußlicht unerreichbar – sausenden Fluges in die undurchdringlichen Baumkronen ein.

Im *Winter* den Krähen nachzustellen, halte ich für ziemlich *nutzlos,* nicht so sehr wegen des geringen Erfolges, als wegen der Anhäufung von Strichvögeln – und der hohen Patronenpreise. Die Schadenswirkungen sind im Winter unbedeutend, und man *erschwert sich* nur unnötig die so entscheidend wichtige *Verminderung der Brutkrähen im März und April* dadurch, daß die Krähen sehr scheu werden. Das heißt natürlich nicht, daß man den Räubern so etwas wie eine winterliche Schonzeit angedeihen lassen soll, lediglich vom planmäßigen Winterabschuß wird hier abgeraten.

Das gilt aber nur für die Krähen, in *gar keiner Weise etwa auch für die Elstern,* die bei uns durchaus Standvögel sind. Bei ihnen, die sich in den letzten Jahrzehnten in einem kaum zu beschreibenden Maße vermehrt haben, darf keine Gelegenheit, sie zu vermindern, ungenutzt bleiben.

Der Eichelhäher wird immer nur Gelegenheitsbeute vor allem des Jungjägers bleiben, auf seine Bejagung gehen wir nicht ein; es sei nur erwähnt, daß nach den Untersuchungen des Ofm. Dr. HENZE in München alle Maßnahmen der biologischen Schädlingsbekämpfung durch praktischen Vogelschutz in Revieren mit übermäßigem Eichelhäherbesatz zur Erfolglosigkeit verdammt sein können, wenn nichts gegen die Häher geschieht. HENZE konstruierte deswegen eine Häherfalle, die so hervorragend wirkte, daß sie auch die Jäger sich nutzbar machen sollten.

Die Dohle abzuschießen, kann nur in besonderen Fällen sinnvoll sein.

Die letzte – heute tatsächlich kaum mehr bekannte – Art der Krähenvogelbekämpfung mit der Waffe ist die Jagd von der *Krähenhütte* aus, bei der man sich bekanntlich eines – lebenden oder künstlichen – Uhus bedient, waidmännisch mitunter als *Auf* bezeichnet. Diese Jagd diente früher in erster Linie dem Abschuß von Raubvögeln, und in diesem Betracht ist es gut, daß sie verschwunden ist, denn wenn man alte Hüttenjagdregister durchblättert, dann graust es einem ob der Hekatomben hingemordeter Turmfalken, Bussarde, Milane und vor allem Adler. Die Krähen spielten, wenn sie auch den Namen für die ganze Einrichtung abgeben, doch keineswegs die Hauptrolle . . .

Heute wäre es recht gut, wenn in geeignetem Gelände hier und da eine Krähenhütte sich befände, die uns zur Verminderung der schwarzen, grauen und schwarzweißen Gesellen hülfe. Der Haupthinderungsgrund, die Schwierigkeit der Beschaffung und Haltung eines Uhus, ist schon vor 50 Jahren als hinfällig erkannt worden. Nicht nur der ausgestopfte Uhu tut's, sondern notfalls sogar eine scheinbar mehr oder weniger mißlungene Attrappe, genauso, wie die Rebhühner sich von dem auch oft nicht gerade meisterhaft dargestellten Raubvogelflugbild des Hühnerdrachens täuschen und Dohlen sich schon durch einen in der Hand geschwenkten schwarzen Lappen zu einer Hilfsaktion für den vermeintlich gefangenen Artgenossen bewegen lassen. Freilich entfällt die Freude an der Beobachtung des scharfsichtigen, gefiederten Jagdgehilfen, dessen Reaktionen dem Hüttenjäger die Annäherung eines Krähenschwarmes oft schon frühzeitig verraten.

Es klingt geradezu paradox, wenn wir nunmehr feststellen, daß es nicht nur ohne Uhu, sondern auch ohne Hütte geht. In unserer Zeit, in unserer übervölkerten Heimat, scheut man sich ja, nicht ganz mit Unrecht, vor jeder Daueranlage, die früher oder später der Zerstörungswut der lieben Mitmenschen, insbesondere derjenigen unserer so milde geleiteten Jugend verfällt. Auch ist das Lauern in der immer ein wenig kalten, feuchten und dumpfen Hütte, die ja im Regelfalle kaum etwas anderes ist als ein überdachtes Erdloch, nicht jedermanns Sache – der Herausgeber erinnert sich von seiner Studentenzeit her mit einigem Mißvergnügen der winters dort verbrachten Stunden. So ist denn ein erfinderischer und passionierter Hüttenjäger darauf gekommen, einen kleinen Schirm aus eingerollt zu tragenden Rohrwänden herzustellen, in die einige Scharten geschnitten sind, und mit ihr umherziehend geeignete Plätze aufzusuchen; als Sitz dient der Jagdstock.

Diese transportable Anlage hat den großen Vorteil, daß man im Frühjahr nicht nur der Brutkrähen und Elstern Herr wird, indem man sich in der Nähe ihrer Brutreviere begibt, sondern auch der um diese Zeit knapp einjährigen, vagabundierenden Jungkrähen, die ja in dem ihrer Aufzucht folgenden Kalenderjahr noch nicht brüten und ansonsten schwer zu überlisten sind. Sie sei daher unseren Niederwildhegern zur Beachtung und Erprobung empfohlen.

Die Regeln, die man beim Gebrauch einer solchen oder bei Anlegung einer festen Hütte zu befolgen hat, sind nach DIEZEL kurz folgende:

„Findet sich in einer größeren, baumlosen Ebene ein einzelner Berg oder Hügel, so ist dies ein sehr bedeutender Vorteil, denn hier fällt der Uhu selbst dem in größerer Entfernung vorüberziehenden Krähenvogel am sichersten in die Augen. In ebenen Gegenden würden sich auch vorstehende Punkte an Flüssen empfehlen, deren Lauf der Flug der Vögel gern folgt.

Der Jäger soll – so schreibt es die strenge Regel vor, die aber nur selten befolgt wird – schon vor Tagesanbruch, wenn noch kein Rabenvogel seine Schlafstätte verlassen hat, und ohne alles Geräusch seinen Uhu an Ort und Stelle gebracht haben."

Die Aufstellung erfolgt auf der *Jule,* dem oben mit einem Querholz versehenen, zugespitzten Pfahl, der in etwa 10–15 m Entfernung von Hütte oder Schirm eingerammt wird. In ungefähr der gleichen Distanz *hinter* der Jule muß ein *Fallbaum* stehen, ein Laubbaum mit breit ausladender, möglichst zopftrockener Krone, auf der die auf den Uhu hassenden Krähen und Elstern gern aufbaumen.

Bei Schnee, überhaupt bei frostigem Wetter, soll man den Uhu gar nicht aussetzen, da der schlechte Erfolg des Unternehmens vorauszusehen ist. Ein Haupterfordernis ist für Hütten auf Bergen, die im allgemeinen den Vorzug verdienen, helles und windiges Wetter, während für die Hüttenjagd in Flußtälern und auf ebenen Feldern trübe, regnerische Witterung mit Wind vorzuziehen ist.

Es ist nicht ratsam, auf eine Krähe oder Elster sofort nach ihrem Erscheinen zu schießen, da sie durch ihr Geschrei nicht selten Artgenossen in großer Anzahl herbeilockt.

Hat man Veranlassung, einen der Raubvögel zu schießen, die zu erlegen das Gesetz erlaubt, so benutze man dazu den Augenblick, wo er vom Fallbaum abwärts nach dem Uhu stößt. Auf dem Fallbaum hakt, außer Krähenvögeln, gewöhnlich nur der Bussard auf.

DIE JAGDHUNDE

In der Jagdkynologie unserer Zeit zeichnen sich drei Zeitspannen ab: Der Anfang aus dem Primitiven heraus, die Entwicklung und der Erfolg. Es ist nicht möglich, an dieser Stelle den ganzen geschichtlichen Werdegang des Jagdhundwesens zu schildern und die Rassekennzeichen der vorzugsweise zur Jagd zu verwendenden Hunde, die sich ohnehin ständig ändern, zu beschreiben. Das eine wie das andere bringt dem Praktiker wenig Nutzen. Wer den Jagdhundabschnitt des „Diezel" liest, will der kynologischen *Praxis* nahegebracht werden, will wissen, was der zur Jagd zu verwendende Hund leisten kann und wie man zu dieser Leistung kommt.

Das Primäre bei der Verwendung des Hundes ist also die Brauchbarkeit, das Sekundäre, das äußere Erscheinungsbild, der Typ, den die ständige Vorwärtsentwicklung der Leistungsfähigkeit fordert. Zwar ist es gut, wenn beides in schöner Harmonie zusammenfließt, doch Bedingung ist es nicht. Eine für die Verhältnisse in alter Zeit hinreichende Brauchbarkeit war schon zu jenen Zeiten da, als noch mit Vorderladern geschossen wurde; sie ist heute durch Hochleistungszucht vervollkommnet. Man jagt heutzutage mit verbesserten, modernen Hinterladergewehren in Räumen, die mit Wild, besonders Flugwild, nicht überreichlich besetzt sind, und daher brauchen wir den flüchtigen, weitsuchenden und feinnasigen Hund. So gehört zum waidgerechten Jagdbetrieb, einst wie jetzt, der Gebrauchshund genauso gut wie das Gebrauchsgewehr, beide sind im Grunde nicht voneinander zu trennen.

Der Hund ist dem Jäger seit altersher Helfer im Jagdbetrieb, und zwar nicht nur vor, sondern besonders nach dem Schuß. Er tritt bevorzugt in Erscheinung bei allen Nachsuchen auf Hoch- und Niederwild, er dient uns bei der Suche im Feld, beim Stöbern und bei der Wasserjagd.

Es ist nicht so, wie es leider gerade heute, nach dem verlorenen Zweiten Weltkriege, vielfach wieder dargestellt wird, daß die organisierten Gebrauchshundmänner eine „Zunft für sich mit eigener Sprache und eigenen Ansichten" seien. Der Jagdgebrauchshundmann ist in erster Linie Jäger, wie jeder andere es auch sein will. Die von ihm gebrauchten Fachwörter sind Bestandteil der Jägersprache.

Der Gebrauchshundmann ist aber immer ein Jäger, der erkannt hat, daß das *Jagen ohne brauchbaren Hund Stückwerk ist,* ja, daß es früher oder später *zum üblen Schießer- und Aasjägertum ausarten* kann. Der fertige Gebrauchshund ist demnach eine Notwendigkeit, die keiner, der die ethische Seite des Waidwerks im Auge hat, umgehen darf.

So ist es wichtig, dem Kernproblem „Gebrauchshund zur Jagd" näherzutreten und ängstlichen Gemütern Zweifel und Scheu vor der Abrichtung zu nehmen. Selbstverständlich kann jeder, der guten Willens ist, selbst einen Jagdhund für seinen eigenen Gebrauch heranbilden. Daß das gelingt, wenn die Liebe zum Geschöpf diese Notwendigkeit diktiert, beweisen die vielen Stadtjäger, die oft von den Etagenwohnungen der Großstädte aus ihre Hunde nach gerechter Schule ausbilden, sie sonnabends und sonntags im Revier führen und sich auch noch die Zeit nehmen, sie erfolgreich auf Preissuchen vorzuführen. Dazu ist natürlich erforderlich, daß man den Gebrauchshund nicht als notwendiges Übel oder Anhängsel betrachtet, sondern als einen unumgänglich erforderlichen Helfer für die jagdliche Praxis, als Freund und Waidgenossen.

Die Jägersprache hat selbstverständlich auch Fachausdrücke, die sich auf Körperbau und Führung des Hundes erstrecken. So spricht man von *Fang* statt „Schnauze", *Behängen* statt „Ohren", *Läufen* statt „Beinen", *Rute* statt „Schwanz", *Waidloch* statt „After". Der männliche Hund heißt *Rüde,* der weibliche *Hündin.* Den Geschlechtsteil der Hündin nennt man *Schnalle,* den des Rüden *Glied.* Beim Geschlechtsakt *hängen* die Hunde, die Hündin wird vom Rüden *gedeckt* oder *belegt.* Sie wird etwa jeden 6. Monat *heiß* oder *läufig.* Die *Hitze* stellt sich mit Schwellen der Schnalle ein, dem einige Tage danach das *Färben* (Bluten) folgt. Vom ersten Tage des Färbens an gerechnet wird die Hündin am 9. bis 12. Tage ihrer Hitze vom Rüden gedeckt. Die Hitze dauert 3 volle Wochen; soll die Hündin in dieser Zeit nicht belegt werden, so ist sie sorgfältig unter Aufsicht zu halten. Wird sie wider Erwarten von einem Fixköter doch belegt, so ist ein Fachtierarzt zu Rate zu ziehen. Es ist durchaus unsinnig anzunehmen, daß eine unrein gedeckte Hündin für immer für die Reinzucht verdorben ist. – Eine gedeckte Hündin hat *aufgenommen,* sie *trägt* oder *geht dick* in der 5., 7. oder 9. Woche. Vom Decktag an gerechnet *wirft* sie nach 62 bis 65 Tagen. Ihre Jungen nennt man *Welpen,* deren Ruten bei vielen Rassen am 3. Tage waidgerecht gekürzt (etwa um 1/3 ihrer Länge) oder *kupiert* werden. Etwa vorhandene *Wolfskrallen* (5. Zehe an den Hinterläufen) werden mit scharfer Schere abgeschnitten. Die Schnittstellen werden weder bepudert noch mit Jod betupft. Die geringe Blutung hört nach dem Belecken durch die Mutter von selbst auf. Junge Hunde *zahnen* ab 4. bis 5. Monat, sie wechseln das Welpengebiß. In dieser Zeit sind sie besonders anfällig gegen Staupe. Die besten Würfe – der Jugendprüfungen des nächsten Jahres wegen – sind die, die im Januar bis April fallen. Solche Hunde kann man im Herbst desselben Jahres bereits *bejagen* (mit auf die Jagd nehmen). Sie gehen dann in ihr *erstes Feld.* Ein Jagdhund ist also nicht 1, 3 oder 9 Jahre alt, sondern *steht im 1., 3. oder 9. Feld.* Der Hund wird *abgerichtet,* nicht dressiert (alter falscher Ausdruck). Der Mann, der von Berufs wegen Hunde für die Jagd *fertigmacht,* ist ein Berufsabrichter (kein „-dresseur"). Die moderne Abrichtung kennt keine Quälerei, wohl aber Zwang, um den Starrsinn harter Hunde zu brechen. Gestraft wird weder mit einer Hundepeitsche („Ochsenziemer") noch mit der flachen Hand, sondern mit einer Gerte. Die Hand des Herrn straft nicht, sie liebkost, *liebelt ab;* nur die Gerte straft, und das nur dann, wenn der *angeleinte* Hund sich dieser Strafe nicht entziehen kann. Strafe nie einen nicht angeleinten Hund, er wird sonst *handscheu.* Auf der Jagd (Ausnahme: Schweißarbeit auf Schalenwild [Riemenarbeit]), vor allem der Wasserjagd, ist dem Hund *die Halsung* (Halsband) abzunehmen. Der Jährling (etwas über 1 Jahr alt) kommt in die *Zwangsabrichtung* (früher Parforcedressur). Um ihn zu sammeln, erhält er die Abrichtehalsung (Torquatushalsband mit stumpfen Stacheln, in Waffengeschäften erhältlich) umgelegt. Er lernt das *Setzen,* Kommando *Platz* oder *Halt* und Legen („daun") an der *langen Leine.* Ein Hund, der auf leisen Pfiff nicht reagiert, ist *harthörig,* tut er es, hat er *feinen Gehorsam.* Ein Jagdhund, der alle Sparten des Jagdbetriebes beherrscht, ist *fertig abgeführt, firm* und, wenn er nicht gar zu eigenwillig ist, *führig.* Um Junghunde für das Verlorenbringen angeschossenen Wildes zu schulen, werden sie auf *Schleppen* (mit Haustaube, Eichelhäher, Rebhuhn, Kaninchen) am *Riemen* (Schweißriemen, etwa 6 bis 10 m lang, bei Sattlermeister Dallmann in Celle für Jagdgebrauchshunde und Teckel erhältlich) *gearbeitet.* Der schleppenfertige Hund arbeitet später frei, d. h. vom Schleppenanfang bis zum ausgelegten Stück, nimmt das Stück auf und bringt es dem *Führer* (Abrichter). Für

die Schweißarbeit auf Schalenwild kann der Hund auf *künstlichen Rotfährten* (gezogen mit Wildschweiß, ersatzweise auch Hammel-, Schweine- oder Rinderblut), geübt werden. Am Schleppenende liegt kein Bringobjekt, sondern eine Rehdecke, Sauschwarte o. ä. Die Aufforderung zum Suchen von bringfähigem Wild (Kanin, Hase, Rebhuhn, Fuchs usw.) heißt: „Such verloren, bring!", die zur Schweißarbeit: „Such verwundt!", die Belohnung für gut ausgeführte Arbeiten: „So (ist's) brav" (mit Streicheln des Kopfes). Bei der natürlichen Schweißarbeit wird der Hund, der oft stark angestrengt, „abgemüdet" ist, nach erfolgreicher Arbeit abseits vom Stück *abgelegt.* Nach dem Aufbrechen wird er *genossen gemacht,* d. h., er erhält Stücke von der Milz, vom Feist oder vom Lecker als Belohnung angeboten. Auch läßt man ihn nach dem Aufbrechen die schweißbefleckte Hand belecken, eine sehr *gerechte* Maßnahme. Bei der *Feldarbeit* (Suchjagd im Felde auf Rebhühner, Fasanen usw.) *steht* der Hund *vor.* Er verharrt in völliger Ruhe am Wild, das er *in der Nase* hat, ohne *einzuspringen.* Der Jäger geht heran und *tritt* das betreffende Wild *heraus.* Sehr *flüchtige,* temperamentvolle Hunde mäßigt man in ihrer stürmischen Suche durch lautes Anreden mit „langsam", „ruhig", „halt". (Auf das letztgenannte Kommando hin hat sich der Hund zu legen und zu warten, bis der Herr heran ist.) Die meisten Hunde moderner Zuchten sind *Lautjager,* d. h., sie folgen dem aufgestöberten Hasen *lauthals* auf Sicht *(Sichtlaut)* bzw. auf der Spur *(Spurlaut)* oder, was unerwünscht ist, sie sind stumm. Hunde, die laut werden, wo kein Haarwild flüchtig geworden ist, sondern z. B. nur ein kleiner Vogel ihren Laut auslöste, bezeichnet man mit *waidelaut* oder *waidlaut,* eine sehr unerwünschte jagdliche Eigenschaft, die glücklicherweise nicht sehr oft vorkommt. Hunde, die sehr *lockeren Hals* haben, kann man leicht zum *Totverbellen,* andere zum *Totverweisen* erziehen. (Siehe einschlägige Literatur.)

Die diesem Kapitel eingefügten prächtigen Bilder Meister BUDDENBERGS zeigen uns die Praxis mit dem Hunde in bester Weise. Wir sehen den schußruhigen Deutsch-Drahthaar (DD) am Wasser, der aber besser die Halsung nicht umhätte. Der Deutsch-Langhaar (DL) *bringt* flott aus verschneiter Dickung den Fuchs *verloren,* der Deutsch-Kurzhaar (DK) apportiert zuverlässig den starken Winterhasen, der Deutsche Wachtelhund (DW) stöbert mit großer Passion auf den buntschillernden Fasanenhahn, und der Teckel arbeitet in seinem ureigensten Gebiet, am Fuchsbau, und schleift den von ihm gewürgten Fuchs aus der Röhre. Die englischen Vorstehhunde (Pointer vorn und Gordonsetter hinten) haben im Feldrevier die Hühner fest, und gleich fallen die ersten Schüsse vor den gut abgeführten Hunden.

Es ist nicht möglich, auf bestimmte Gebrauchsvorzüge unserer Vorstehhunde hinzuweisen. Die eigene Ansicht geht oft eigenartige Wege. Es ist z. B. nicht so, daß der Pudelpointer (PP) besonders geeignet für die Wasserjagd ist. Pudelpointer guter Zuchten sind vielseitige Gebrauchshunde, die in allen Fächern des praktischen Jagdbetriebes vortreffliche Arbeiten leisten, genau wie alle anderen Schläge auch. So ist auch der Deutsch-Kurzhaar (DK) kein ausgesprochener Feldhund. Er ist auf Vielseitigkeit gezogen und leistet bei gerechter Einarbeitung überall die beste Arbeit, genau wie Weimaraner, Griffon, Stichelhaar, Langhaar, Großer schwarzweißer und Kleiner Münsterländer. Sogar die in Deutschland gezogenen englischen Vorstehhunde eignen sich, wie oft bewiesen wurde, für vielseitige Verwendung. Hunde mit Leistungsmängeln gibt es bei jeder Rasse, doch ist es sicher, daß solche Mängel meist weniger der Veranlagung zuzuschreiben sind, als vielmehr unsachgemäßer Einarbeitung, noch dazu, wenn lediglich Reviere zur Verfügung stehen, die gering mit Niederwild besetzt sind, was ja heutzutage sehr oft der Fall ist.

Daß es zu *Anfang* der neuzeitlichen Jagdausübung, also zur Zeit der *Vorderlader*, schon recht brauchbare Hunde gab, ist eine feststehende Tatsache. „Rassereinheit" im heutigen Sinne des Wortes besaßen sie zwar nicht. Sie waren grobzellig, mitunter triefäugig und von meist starkem Wuchs. Die Langsamkeit ihrer Bewegungen war eine Notwendigkeit, denn die Feuerbereitschaft des Jägers war gehemmt, mindestens durch das „Stopfen" der Vorderladergewehre erschwert. So war es gut, daß sich Figur und Temperament der Hunde dieser schießtechnischen Primitivität anpaßten und das Jagen dadurch doch noch gute Erfolge brachte. Die Nase dieser alten Jagdhunde war ausreichend, auch ihr Vorstehen entwickelte sich infolge gerechter Abrichtung immer mehr, und die Wasserarbeit ließ nichts zu wünschen übrig. Da die Ruhe oberstes Gebot war, keine hastende Eile den Jagdbetrieb störte, kehrte auch der Jäger jener alten Zeit reich an Beute heim.

Allerdings sagt DIEZEL selbst schon in einer seiner ersten Ausgaben: „Einen firmen, gehorsamen, hasenreinen Vorstehhund abzurichten, ist in einer Gegend, wo die Niederjagd in gutem Stande ist, etwas sehr Leichtes usw. Allein Hunde so zu dressieren, daß sie in alle Sättel passen und in einer und derselben Viertelstunde die verschiedenartigsten Funktionen mit gleicher Sicherheit und Geschicklichkeit ausführen, das halte ich für das höchste der Dressierkunst . . ." Daran wolle man erkennen, daß bereits zu so früher Zeit das Streben nach Vielseitigkeit im Jagdgebrauch begann.

Eine kräftige *Aufwärtsentwicklung* trat mit Anfertigung der Hinterladergewehre und der daraus resultierenden schnelleren Feuerbereitschaft ein, und eine Verbesserung der Leistungen des deutschen Jagdgebrauchshundes war die logische Folge. Der Übergang vom langsamen Trabsucher zum galoppierenden Gebrauchshund vollzog sich in den achtziger Jahren des vorigen Jahrhunderts. Auf großen Gutsflächen reiner Feldreviere bevorzugte man den englischen Pointer, die Setter verschiedenster Schläge und daneben auch den deutschen Hund. Daß dieser durch das vorhandene englische Material im Laufe der Jahre und Jahrzehnte verbessert wurde, war die Folge. Durch die Zufuhr englischen Blutes traten eine Verfeinerung der Nasengüte und -reichweite und ein schnittigerer Körperbau deutlich in Erscheinung. Man soll nicht rundweg behaupten, daß durch die erfolgte Pointereinkreuzung z. B. bei Deutsch-Kurzhaar damals die Nervenverfassung gelitten habe. Das ist nur bedingt richtig. Wo natürlich Pointer mit schwachen Nerven und deutlich zutage tretender schwächlicher Konstitution zur Zucht verwendet wurden, mußte sich in den daraus entstehenden Zuchtprodukten kein Fortschritt, sondern ein Stillstand oder gar ein Rückschritt entwickeln. Diese hier und da festgestellten Fehler und Mängel wurden aber durch sorgfältige Weiterplanungen herausgezüchtet. So hat nicht das so oft und heute noch mitunter geschmähte Pointerblut schädlich bei der Heranzucht des deutschen Hundes gewirkt, sondern der gewissenlose Züchter, der mit organischen Fehlern und Verhaltensmängeln behaftete Hunde zur Zucht benutzte.

In dieser brodelnden und gärenden Entwicklungszeit trat in der Gebrauchshundesache in Deutschland ein wahrhaft genialer und großer Mann auf den Plan: FREIHERR VON ZEDLITZ UND NEUKIRCH; sein Schriftstellername war HEGEWALD. Er wurde der Schöpfer des neuen deutschen Jagdgebrauchshundes, jenes Tieres, das in seiner vielseitigen Verwendungsfähigkeit bisher von keiner ausländischen Rasse übertroffen wurde. HEGEWALD war auch der eigentliche Begründer des *Jagdgebrauchshundeverbandes* und des *Deutschen Gebrauchshundstammbuches* (DGStB), dessen erster Band 1897 erschien. Seit dieser Zeit werden alle auf Verbandsgebrauchsprüfungen mit I. bis III. Preis prämiierten Gebrauchshunde in dieses große Leistungszuchtbuch eingetragen. So ist der Name HEGEWALD untrennbar mit der Entwicklungsgeschichte des jagdlichen Gebrauchshundwesens verbunden, und darüber hinaus erzüchtete er den Pudelpointer und den Deutsch-Drahthaar.

In den neunziger Jahren des vorigen Jahrhunderts begann also die eigentliche Zucht des vielseitigen deutschen Vorstehhundes unter HEGEWALD, Major v. BÜNAU, OBERLÄNDER, MEHLICH u. a. Es war eine an kynologischen Fehden reiche Zeit. Schon 1891 wurde in Berlin der *„Verein für Prüfung von Gebrauchshunden zur Jagd"* gegründet, HEGEWALD wurde der Schriftführer. Der Zweck war die Förderung der Zucht von „Vollblutstämmen" *vielseitig* leistungsfähiger Gebrauchshunde. Durch möglichst hoch dotierte Wanderprüfungen, Führung eines Gebrauchshundstammbuches (siehe oben), Unterstützung erfolgreicher Abrichter, Bereitstellung erprobter Deckrüden für Zuchthündinnen der Vereinsmitglieder und Verlosung gut gezüchteter Welpen usw. wurde nach außen hin geworben. Es interessiert vielleicht, zu erfahren, daß für den *I. Preis 1000* Deutsche Goldmark, für den II. Preis 500, für den III. Preis 300 und für einen IV. Preis (sogenannte befriedigende Leistungen) 200 Deutsche Goldmark vorgesehen waren, sehr beachtliche Summen also bei Einsätzen von nur 30 Mark. Die erste Verbandsgebrauchsprüfung veranstaltete der Verein für Prüfung von Gebrauchshunden zur Jagd am 11. und 12. Oktober 1892 bei Sonnenwalde. 7 Hunde waren gemeldet, die mit einem I., einem II. und drei III. Preisen prämiiert wurden. Es waren: DK Erra Hoppenrade, gew. 1887, Züchter und Besitzer JULIUS MEHLICH. Führer Zwingermeister MARCARD, DK Cora Bukkow, gew. 1888, Besitzer Jagdzeugjäger LUTHER, Buckow.

Die III. Preise gingen an DK Treff Hattorf, Besitzer und Führer Königl. Forstaufseher BODEN-HATTORF, der der Jagdgebrauchshundbewegung mit seinem DK-Zwinger Wendland bis in sein hohes Alter treu blieb. Erra II-Hoppenrade und Freya Scheeßel.

HEGEWALD schrieb über diese 1. Gebrauchssuche: „Hier ward für die deutsche Gebrauchshundzüchtung im echt vaterländischen Sinne der feste Grundstein gelegt, auf dem gemeinsam und erfolgreich weitergebaut werden wird." Dieser Satz hat historischen Wert bekommen, denn HEGEWALD hat damals nicht zu viel versprochen! Auf allen diesen Erstlingsprüfungen und weiteren der sich nun gründenden anderen Vereine ist weitergebaut worden bis zur Jetztzeit, getreu dem Wahlspruch unseres Meisters HEGEWALD: „Qualität, nicht Quantität!"

Der *Erfolg* und der Hochstand – den wir übrigens trotz des verlorenen Zweiten Weltkrieges in züchterischer und führungstechnischer Hinsicht im Jahre 1954 *fast*, im Jahre 1959 wieder voll erreicht haben – stellte sich in den zwanziger Jahren ein und hielt sich bis 1939, dem Beginn des unglückseligen Krieges. Der Jagdgebrauchshundverband und die

Zuchtvereine hatten und haben heute eine Elite von Berufsführern, einen Stab erfahrenster Mitarbeiter als Vorsitzende und Schriftführer der Vereine, vor allem auch bestbewährte Preisrichter, und die Zucht steht, was Führigkeit und vielseitige Anlagen der einzelnen Hunde anbetrifft, auf der Höhe. Die Prüfungsordnung für Verbandsjugend- und Verbandsgebrauchsprüfungen ist von alten Praktikern des Jagdgebrauchshundewesens in vortrefflicher Weise aufgebaut. Hunde, die auf VGPen I. bis III. Preise erhielten, können etwas und sind auch praktisch in gut besetzten Revieren firm geworden.

Es ist selbstverständlich, daß die bedingungslose Kapitulation auch der deutschen Gebrauchshundbewegung und vor allem der Zucht schwere Wunden schlug. Die Ausübung der praktischen Jagd war für Jahre verboten. In den einst gepflegten Revieren, besonders des deutschen Ostens, schossen Besatzungstruppen die blühenden Wildbestände zusammen, und die Führung des Jagdhundes in der Praxis war so gut wie unmöglich geworden. Trotzdem wurde von alten Idealisten weiter gezüchtet. Die bestehenden und bisher bewährten Zwinger pflegten im stillen ihre Mutterlinien. Schon 1948, unter primitivsten Umständen, wurden die ersten Zusammenkünfte abgehalten, die Sichtung des vorhandenen Materials begann, und bald folgten die ersten Prüfungen. Der Deutsche Jagdschutzverband warb für die Hege in der Wildbahn, und 1949 erwachten auch der Jagdgebrauchshundverband und die Zuchtvereine zu neuem Leben. Es ist verwunderlich, daß sowohl Waidwerk wie Jagdgebrauchshundwesen, die ja immer untrennbar miteinander arbeiten, so schnell die schweren Kriegsschäden meisterten und voll überwanden.

In führungstechnischer Hinsicht hat es im Gebrauchshundwesen leider immer verschiedene Ansichten und Überzeugungen gegeben. Es ist vorzugsweise der Streit um den Verlorenbringer, um den Hund „nach dem Schuß". Dabei ist es doch ganz selbstverständlich, daß ein Gebrauchshund nicht nur Verlorenbringer krankgeschossenen Feder- und Haarwildes sein muß, er soll daneben auch gute Leistungen auf der Schweißfährte von Schalenwild zeigen, also verständig und ruhig am Schweißriemen gehen. Diese guten Eigenschaften vervollkommnen sich in der Praxis durch Übungssuchen auf Schweiß und Schleppen, und solche Vorübungen sind sehr nützlich. Der Vorstehhund – sein Name sagt das schon – wird aber auch im reinen Feldrevier bei der Jagd auf Rebhühner und Fasanen verwendet, so soll er nicht einseitig ein Hund *nach* dem Schuß, sondern auch ein Hund *vor* dem Schuß sein, denn er hat Federwild im Felde durch raumgreifende Suche nicht nur zu finden, sondern er muß das gefundene auch vorstehen, will der Jäger Erfolg haben. Beides zusammen, die Arbeit vor und nach dem Schuß, bringen uns erst dem erstrebten Ziele näher. Das bevorzugte Hinsehen nach hervorragender Spurleistung, z. B. auf den Jugendprüfungen auf der Gesundspur des Hasen und darüber hinaus die Prüfung der Jährlinge noch im Herbst auf manchen Herbstzuchtprüfungen hat der Zucht entschieden geschadet. Ein Hund nämlich, der bereits die volle Abrichtung hinter sich hat, sollte nicht mehr auf Hasengesundspuren im Herbst geprüft werden; denn diese Prüfung hat er bereits auf der Verbandsjugendprüfung des gleichen Jahres im Frühjahr hinter sich. So kommt es, daß in lockerer Führung die Hunde anfangen zu brackieren, sie lieben die ihnen angenehme Witterung der Hasenspur dann mehr als die des Federwildes. Dieser Umstand brachte schwerwiegende Auseinandersetzungen. Die Verbandstagungen der letzten Jahre brachten Einsicht. Es setzte sich die Erkenntnis durch, daß dem Gehorsam am Wild eine vermehrte Bedeutung beizumessen sei. So wird es kommen, daß in Zukunft auf Verbandsgebrauchsprüfungen das für den praktischen Jäger so besonders hervorstechende Fach *Gehorsam* ganz besondere Berücksichtigung findet, denn ohne Gehorsam gibt es keine vollendete Führung im Feld, am Wasser und im Wald.

Die *Führung* selbst ist zweifellos für einen angehenden Jäger schwierig, denn die Arbeit mit dem Hunde ist noch nicht Allgemeingut aller Jäger geworden, und wie eingangs erwähnt, scheuen sich viele sonst gute Waidmänner davor, sich selbst einen Jagdhund zu erziehen und heranzubilden. Wer aber erst erkannt hat, daß die Schulung gar nicht so schwer ist, macht es selbst. So haben wir in der Gebrauchshundbewegung Vertreter aller Volksschichten, die nicht nur ihren Hund selbst aufziehen und für die vielseitigsten Belange des Waidwerks fertigmachen, sondern die auch auf Prüfungen sehr erfolgreich führen. An Hand guter Abrichtebücher ist das auch möglich, allerdings gehören Ruhe, gesunde Nerven und natürlich auch eine gewisse Zeit dazu. Obwohl wir Berufsjäger bester Güteklasse haben, deren hervorragende Leistungen über allen Zweifel erhaben sind, ist es von Vorteil, einen Jagdhund selbst zu erziehen und nach den Gegebenheiten des betreffenden Reviers zu arbeiten. Die Leistung eines Hundes erwächst in *der* Wildbahn, in der das Tier groß wird und zu arbeiten hat. So entspricht die Vielseitigkeit dem Besatz des Reviers. Wo wenig Wild ist, manche Art sogar fehlt, kann man keine Vielseitigkeit erzielen, die Arbeit bleibt trotz bester Veranlagung des Hundes Stückwerk. Für solche Reviere kauft man sich besser einen fertigen *älteren* Hund, der uns, ist er erst eingewöhnt, noch viel Freude machen kann.

Wo aber alle Vorbedingungen da sind, *erwerbe* man einen Welpen guten Blutes aus bewährter Zucht. Meist kommt er im Alter von 8 bis 10 Wochen in unsere Hand. Er wird

von seinem zukünftigen Herrn und Meister persönlich aus der Transportkiste genommen und erhält auch von ihm den ersten Leckerbissen und Milchtrank. Danach läßt man ihn auf umzäunten Hof oder im Garten laufen, damit er sich löst und Bekanntschaft mit seiner neuen Umgebung machen kann. Erste Eindrücke sind bleibend, auch das Lob durch die sanft streichelnde Hand des neuen Herrn. Welches Geschlecht man wählt, ob Rüden oder Hündin, hängt ganz davon ab, ob man züchten und einen Zwinger aufbauen will. Es ist nicht einwandfrei erwiesen, daß die Hündinnen treuer, anhänglicher und zuverlässiger sind als die Rüden. Es gibt Bummler unter beiden Geschlechtern, allerdings werden sie meist dazu durch zu weitgehende Nachgiebigkeit erzogen, von Natur sind sie es gewöhnlich nicht. Stets trete man dem Jagdhund, der in seine Arbeit hineinwachsen soll, mit Ruhe, Freundlichkeit und Bestimmtheit entgegen, keinesfalls als Tyrann, und man mache keinen

Sträfling aus ihm. Die Zeit, wann man einen Junghund mit ins Revier nimmt, ist niemals eng umgrenzt. Am besten möglichst früh, aber unter Berücksichtigung seines körperlichen Zustandes. So können die Eindrücke nur auf kleinen, kurzen Gängen gesammelt werden; läßt der Welpe in der Spannkraft nach, geht man nach Hause. Vier Monate alte Jagdhunde können bereits beachtliches Interesse an Wildspuren und -fährten zeigen, ja, mitunter fassen sie geschossene Karnickel mit angewölftem guten Griff und tragen sie heran.

Der erste gelinde Zwang setzt beim Gehen an der Leine ein. Der Junghund sträubt sich gegen Halsband und Leinenzug. Aber das ist nur eine kurze Zeit so. Man ziehe den sich sträubenden einfach mit sanfter Gewalt hinter sich her, lege eine kleine Pause ein, und schon bald wird man feststellen, daß er seine Widersetzlichkeit aufgibt und uns folgt. Mit einem gut an der Leine gehenden, *leinenführenden* Junghund kann man sich schon überall zeigen, selbst auf sehr belebter Straße. Eine kleine, dünne Gerte sorgt dafür, daß der Hund von Anfang an gar nicht dazu kommt, die Leine zu straffen. Sittsam und artig hat er an der linken Seite seines Herrn „bei Fuß" zu gehen. Das ist die Grundforderung. Sie bewahrt den Anfänger in der Erziehung des Hundes vor manchem späteren Ärger. Hart sein in dieser Beziehung!

Wir brauchen zur Erziehung eines unbedingt feinen und bei keiner Gelegenheit versagenden Gehorsams zwei – in Waffengeschäften erhältliche – Pfeifen: eine schmale, sog. Pfiffpfeife und eine Trillerpfeife. Auch eine Doppelpfeife mit Pfiff und Triller tut dieselben Dienste. Die Pfeifen werden an ein Bändchen geknüpft und am besten um den Hals gehängt. So sind sie immer griffbereit und gehen nicht verloren. Der einfache, kurze Pfiff heißt: Hierher! *Der Trillerpfiff heißt: Halt!* Den Hund an den Pfiff, nennen wir ihn hier den Kommpfiff, zu gewöhnen, ist ein Kinderspiel. Lange Hanfschnur von etwa 25 m, Hund angeleint. Wir entfernen uns vom herumbummelnden Hund. Pfiff! Zugleich die Worte: „Komm her", und dabei haspeln wir den Hund ganz gelinde bis nahe an unsere Füße. Beachte: Ganz heran, bis an die Stiefelspitzen, soll der Junghund kommen und gar keine Scheu vor der nach ihm greifenden Hand haben, denn, wie bereits betont, die Hand des Herrn liebkost, streichelt, niemals straft sie. Der Hund beleckt aus Anhänglichkeit und Dankbarkeit diese streichelnde, liebende Hand. Sei stolz darauf, wenn der Junghund das tut, und gib ihm keine Ohrfeige dafür, denn *die Hand straft nie, nur die Gerte straft!* Bei der Abrichtung mußt Du denken lernen wie ein Hund, mußt Dich in sein Leben und seine Verhaltensweise hineinfühlen, dann bist Du ein guter Abrichter. Einige Übungen, überall, auch im freien Felde gemacht, bringen bald festen Gehorsam. Gerade beim Nachprellen am Wild, beim Aufstehen von Federwild, das junge Hunde gern hetzen, soll der Pfiff, besonders der Haltpfiff – Triller, beachtet werden. Wird gestraft, dann nur, wenn der Zögling vorher angeleint ist. Die Gertenhiebe seien fest und kurz. Beim Strafen für den Ungehorsam auf Pfiff läßt man den Kommpfiff ertönen.

Der *Halt-, Daun- oder Trillerpfiff* wird dem Hunde aber erst bei der Führung im Felde beigebracht. Es tritt wiederum die lange Hanfleine in Aktion. Wir lassen dem Hunde Spielraum, soweit die Leine reicht. Dann kurzer Pfiff, auf den der Hund zurückkommt. Hat er uns erreicht, ertönt der Triller. Dabei drücken wir den Hund in Liegestellung und möglichst so, daß der Kopf zwischen den Vorderläufen ruht. Das ist für das in Abrichtung stehende Tier keine Zwangslage, im Gegenteil, eine Ruhestellung. Um dem Hunde diese Lage beizubringen, bedarf es längerer Übungen, doch es gelingt immer. Hat er erst begriffen, macht er auf jede Entfernung auf Trillerpfiff halt und sucht später auf *Armdirektive* weiter, ohne an uns heranzukommen. Das ist das A und O für die Suche im Felde!

Das *Bringen* ist die Klippe bei jeder Gebrauchshundabrichtung. Bei folgerichtigem Vorgehen des Führers lernt es jedoch jeder Hund. Nach erfolgter Feldführung im Frühjahr zur Paarhühnerzeit nehmen wir den jungen Hund an die *Torquatus-Halsung.* Auch ein leichter Bringbock ist dann zu basteln oder zu erstehen. Der Hund soll sich auf Befehl „Setz dich“ an kurz gehaltener Führleine hinsetzen und aufmerksam sein. Nun öffnen wir ihm mit der linken Hand durch Griff über den Nasenrücken den Fang und lassen den Bringbock hineinrollen. „Faß, apport“ heißt das Kommando dazu. Die rechte Hand drückt gegen den Unterkiefer, die linke ruht auf dem Nasenrücken. „Halt fest“ ist der nächste Befehl. Sicher sträubt sich der Hund und will das ihm unbekannte Etwas aus dem Fang loswerden, aber die Hände des Abrichters verwehren ihm das. Nach kleiner Wartezeit erlösen wir ihn mit den Worten „Gib aus“ und loben. Zehnmal, zwanzigmal, hundertmal und mehr muß diese Übung vorgenommen werden. Der Hund lernt es, wenn man nur Ruhe und Festigkeit, Liebe und Geduld bewahrt. Gerade diese Übung ist die absolut unentbehrliche Vorstufe zum zuverlässigen Apportieren in der Praxis! – Faßt und hält nun der Hund den Bringbock, ohne daß wir ihm dabei noch behilflich sind, so gehen wir weiter, aber nur einen kleinen Schritt. Wir halten ihm den Bock vor die Nase und ermuntern „Faß apport!“ Ein Kommando, das er ja schon gehört hat, als wir ihm den Bringbock mit Zwang in den Fang drückten. Der Lehrling wird nicht reagieren. Deshalb greifen wir wieder mit der linken Hand über den Oberkiefer, drücken mit Daumen und Zeigefinger in Gegend der Fangzähne auf die Lefzen und bereiten dem Hunde dadurch gelinden Schmerz. „Faß, schön apport.“ Nach vielen Übungen öffnet unser Zögling willig den Fang und greift nach dem Bock. Wir haben gewonnen, er faßt zu! Nun wird ganz allmählich weiter vorgegangen. In immer größerer Entfernung wird der Bringbock dem Hunde vor die Nase gehalten und „Faß apport“ gesagt. Will er nicht, greifen wir sofort zum schmerzenden Lefzendruck zurück und erzwingen den Erfolg. Mal hoch, mal niedrig wird nun der Bock gehalten, schließlich dicht über dem Boden, so daß der Hund beim Zugriff aufstehen muß. Aber immer noch bleibt die Hand am Bringobjekt. Schließlich bemerken wir den Fortschritt, daß der Hund schon beim Ansichtigwerden des Bockes nach ihm greift, wenn er am Boden liegt und das „Faß apport“ ertönt. Nimmt er ihn nun noch nicht auf, muß wieder auf die letzte oder vorletzte Phase zurückgegriffen werden, denn er lernt es in jedem Fall. Eines Tages freuen wir uns über den Erfolg und haben nur noch nötig, den Bringbock auf nähere und weitere Entfernung aufnehmen zu lassen. Vor dem Abnehmen mahne man stets: „Setz dich!“, „Halt fest!“, „Aus!“

Vom Aufnehmen und Zutragen des Bringbockes bis zum sogenannten „Apportieren" gibt es einen *Übergang.* Wer es nicht versteht, diese Überleitung zu finden, macht schlechte und unzuverlässige Bringer in der Praxis, mitunter noch nicht mal diese. Da ein angehender Jagdgebrauchshund kein maschinelles Werk ist, muß man, wie schon betont, sich seiner Psyche anpassen, muß versuchen, empfinden zu lernen wie ein Hund. Der im Aufnehmen des ihm geläufig gewordenen Bringbockes firme Hund muß nun lernen, andere Gegenstände aufzunehmen: einen alten Handschuh z. B., mit der Wittrung des Herrn, das Taschentuch, Portemonnaie, Schlüsseltasche, schließlich eine alte Kleider- oder sogenannte Wurzelbürste usw. Bringt er diese Sachen vorschriftsmäßig, dann erst wählen wir das Wildkanin, den Eichelhäher, die Haustaube. Bitte ganz genauso vorgehen, wie hier angegeben, denn die Wildtaube, die Krähe, die Wildente eignen sich nicht als erste Übergangsbringobjekte. Die Wildtaube läßt zu viel Federn, und die beiden anderen Geflügelarten erregen beim Anfänger meist Ekel.

Wir fangen am besten wieder von vorn an: *Die Haustaube.* Der Hund setzt sich auf Kommando. Taube vor den Fang halten, Lefzendruck, „Faß apport!", „Halt fest!", „Aus!" Einige Übungen und die Sache klappt. Nimmt der Hund die Taube auch allein vom Boden auf, trägt sie einige Schritte auf uns zu, setzt sich und gibt auf Befehl aus, gehen wir in logischer Folge weiter. Wir erinnern kurz: „Setz dich!", „Faß apport!" (u. U. Lefzendruck), „Halt fest!" mit evtl. Rütteln am Bringobjekt, um den Begriff des Festhaltens zu festigen, „Aus!" Das ist das ABC des Mußbringers unter jeder Bedingung und des zukünftigen Verlorenbringers auf der Wundspur. Der Raum verbietet es, auch das Tragen von *schweren* Gegenständen und Wild (Fuchs) zu schildern. Nach der genauen Angabe der Anfangsgründe ist dies aber auch nicht nötig. Wohl aber die Erinnerung an eines: Keine schroffen Übergänge, niemals Gegensätze, stets Ruhe, Geduld und Einfühlungsvermögen in die Seele des Hundes.

Der junge *Jagdhund,* der im Revier geführt ist und überall Bekanntschaft mit Wild gemacht hat, inzwischen auch ein flotter Bringer von Gegenständen und Wild aller Art geworden ist, muß *warten* lernen. Es ist bekannt und leider nichts daran zu ändern, daß die meisten *Menschen* dies Warten nicht gelernt haben. Wenn sie es nun von ihrem Hund verlangen, wirkt das lächerlich. Das Warten verlangt nicht nur die jagdliche Praxis, sondern es entspringt auch altem jagdlichem Brauchtum. Wer das Brauchtum achtet, vergleiche das Warten nicht mit dem „Ablegen", denn „Ablegen" und „Warten" sind nicht dasselbe. Viele Hunde lassen sich wohl kurz ablegen, aber sie warten nicht gern, weil sie es nicht *wollen.* Warten bedeutet Gehorsam, Ruhe haben, Vertrauen zum Herrn, wachsam sein, wenn es notwendig ist, bellen, im äußersten Falle: Zufassen.

Wie wird es gemacht? Im schattigen Garten, auf einer einsamen Waldblöße, wird ein Pfahl in die Erde geschlagen; seine Oberfläche schneidet mit der Erdoberfläche ab. Auf dem Pfahl wird ein Ring mit einer starken Krampe festgenagelt. Der Hund bekommt das Dressurhalsband (Torquatus) um und wird an mittelstarker, sogenannter Ausstellungskette, die zwei Wirbel hat, angelegt. Kommando: „Platz, warten!" Der Hund legt sich, diesmal aber nicht wie beim Haltpfiff (Triller) mit dem Kopf zwischen den Vorderläufen, sondern mit erhobenem Kopf. Das muß so sein, denn er soll ja warten und wachen. Das letztere aber kann er nur, wenn er die Umgebung abäugen kann. Der Anfänger tobt und reißt an der Kette, wenn wir ihn verlassen. Er jault und bellt auch. Kehre um, befiehl nochmals: „Platz, warten!" und gib ihm mit der Gerte einen kräftigen Hieb über die Keulen. Allmählich, ganz allmählich lernt er, seinen Widerstand aufzugeben. Steigere diese Übung, bis er Stunden wartet. Um den Sinn des Wartens und Wachens voll zu lehren, legt man zum Hund einen Rucksack oder dergleichen, auf dem der Hund ruhen kann.

Auch den leeren Rucksack kann man so ausbreiten, daß der Hund darauf Platz nehmen kann und so gegen Frühjahrs- und herbstliche Bodenkälte geschützt ist.

Nach längerer Übungszeit (Sommermonate) lösen wir ihn von der Kette und versuchen, ihn frei warten zu lassen. Wir erleben dabei manchmal Wunder, denn viele, wir wollen nicht sagen die meisten Hunde, *folgen uns schleichend nach.* Ein Zeichen, daß sie den engeren Sinn des Wartens noch nicht erfaßt haben. Schlußfolgerung: Immer wieder von vorn anfangen. Erst wenn der Hund angeleint oder frei lange Zeit wartet und auch bei fallenden Schüssen liegen bleibt, ist er fest in diesem *in der jagdlichen Praxis nicht zu entbehrenden Abrichtefach.* Bei den Anfangsstadien wird deshalb die Kette gewählt, nie ein Lederriemen, damit der Hund den Riemen nicht durchkaut. Später, wenn er firm ist, kann man den Hund natürlich auch am Riemen ablegen oder an einem Aststummel mit dem Schweißriemen festlegen.

Ein Ablegen, das sich aus den eingangs geschilderten Fällen ganz von selbst ergibt, ist das am Stück. Es macht, wenn der Hund richtig und verständig eingearbeitet ist, gar keine Schwierigkeiten. Trotzdem glaube man nicht, daß es in jedem Fall ohne irgendwelche Vorbereitung hundertprozentig gelingt. Dazu gehört denn doch mehr: Der Hund muß begriffen haben, daß er nicht nur zu warten, sondern auch das gestreckte Stück nicht mehr anzufassen hat. Man bedenke, daß dies Ablegen in der Mehrzahl aller Fälle von abgemüdeten und auch hungrigen Hunden verlangt wird. Es ist deshalb notwendig, den Hund, bevor man ihn verläßt, mit einigen kräftigen Bissen zu füttern. Beim Aufbrechen von Schalenwild befindet sich der Hund abgelegt in der Nähe. Nach dem Aufbrechen wird er genossen gemacht. Das heißt, er erhält Stücke von der Milz und vom Feist. Ist er von Jugend an daran gewöhnt, so lehnt er diese Bissen auch nicht ab. Er tut es aber immer dann, wenn er statt dieser Belohnungshappen Wurstbrot oder dergleichen erhalten hat. Vom Schalenwild, das er zur Strecke bringen half, steht ihm aber sein bereits erwähntes Recht zu. Dieses, und nach dem Aus-der-Decke-Schlagen die Dünnungen, sollten den Hunden immer roh zur Verfügung stehen. Auch Welpen fressen davon und werden frühzeitig an diese Delikatesse gewöhnt. So „genossen gemacht“ ist es nicht schwer, den Hund, bevor er am Stück abgelegt wird, zu belohnen und ihm nach langer Jagd das Hungergefühl zu nehmen. Ich habe es nur einmal erlebt, daß eine zuverlässige Hündin, die sehr lange bei einer starken Ricke warten mußte, ein handtellergroßes Stück unterhalb des Brustkerns aus einer Dünnung an der Schnittfläche herausgefressen hatte. Ich habe sie nicht bestraft, und sie hat es auch nicht wieder gemacht.

Völlig abwegig ist es selbstverständlich, zwei Hunde gemeinsam am Stück abzulegen. Davor sei gewarnt. Bei einer derartigen unüberlegten Maßnahme kann es zu schweren Beißereien und zu ewiger Feindschaft zwischen sonst gut befreundeten Hunden kommen.

Groß ist in allen Fällen die Freude, wenn man nach langer Wartezeit zurückkommt und den Getreuen und die Beute mitnimmt. Das Abliebeln für stilles Warten und Wachen sollte keinem Gebrauchshund vorenthalten bleiben, denn erst aus der innigen Freundschaft zwischen Waidmann und Hund formt sich das Verstehen und die gegenseitige Treue.

Die Leistung eines jeden Gebrauchshundes *im Revier* ist das Produkt seiner Praxis im heimischen Jagdbezirk. Damit soll nicht gesagt sein, daß man, eine gute Anlage immer vorausgesetzt, in einer *schwach* besetzten Wildbahn keine guten und vielseitigen Leistungen wecken kann. Selbstverständlich aber kommen wir in einem mit Niederwild *vorzüglich* besetzten Revier schneller und nachhaltiger zum Erfolg.

Es sieht so aus, als ob wir nach dem letzten Weltkrieg spätreifere Hunde hätten. Das anzunehmen wäre aber ein Trugschluß. Die gute Veranlagung, auch die Frühreife unserer Hunde sind geblieben, aber allerorten sind die Wildbestände, besonders der für die Einarbeitung unserer Hunde so dringend notwendige Federwildbesatz, geringer geworden. Da ist es kein Wunder, daß jetzt, bei einem weit geringeren Abschuß als vor dem Kriege, auch die Zuverlässigkeit, kurz die volle Eignung zum Gebrauch, viel später eintritt. Hatten wir früher bei reicher Jagdgelegenheit schon völlig fertige und erfahrene Hunde in deren zweitem Feld, so ist das heute leider nicht mehr so; sie werden drei und auch vier Jahre alt, um firm und zuverlässig zu werden. Das sollte man beachten. Für den Waidmann schlechthin spielt das nun keine so große Rolle. Als waidgerechter Jäger wird er vorsichtig schießen und möglichst versuchen, das Wild im Feuer verenden zu lassen. Trotzdem gibt es aber auch beim vorsichtigen Mann schlechte Schüsse, krankes Wild und Nachsuchen. Gerade diese wenigen Nachsucharbeiten mit dem Hunde mache man dann aber fachgerecht, gehe sehr ruhig und gewissenhaft vor und leite den noch nicht firmen Hund richtig an. Dann wird auch er, wenn auch etwas später, ein in allen Sätteln gerechter Gebrauchshund werden.

Im reinen Feldrevier, in dem lediglich Hühner, Hasen, Wildtauben, einige Enten und vielleicht ein Rehbock zu schießen sind, wird man keinen Dachshund führen wollen. Hierher gehört ein Vorstehhund (Kurzhaar, Langhaar, Drahthaar, Stichelhaar, Großer schwarzweißer Münsterländer, Kleiner Münsterländer-Heidewachtel, Weimaraner, Griffon, Pudelpointer, Pointer, Rotsetter, Englischer Setter, Gordonsetter). Sie alle sind gut durchgezüchtet und machen bei der Arbeit Freude. Dieselben Hunde kann man auch in gemischten Revieren, in denen Heide, Bruch und Waldbestände mit Wiesen und Feldern

abwechseln, gut gebrauchen. Für diese landschaftlich meist schönen Wildbahnen kommen noch hinzu der Deutsche Wachtelhund, der Cocker- und Springerspaniel, der Fox- und Jagdterrier und der Dachshund in seinen drei Haarvarietäten (kurz-, rauh- und langhaarig). Das ausgesprochene Waldrevier mit Hochwildbestand (vor allem Rot-, Dam- und Schwarzwild) verlangt den Hund des hirschgerechten Jägers, den Hannoverschen Schweißhund, den Bayerischen Gebirgsschweißhund oder die Dachsbracke. Aber auch die meisten der vorerwähnten Rassen kann man benutzen. Der Geschmack des einzelnen und die persönliche Bevorzugung einer Rasse entscheiden. Um nicht den Anschein zu erwecken, einseitig zu sein, wollen wir hier nicht darauf eingehen, welcher Gebrauchshundschlag der leichtestführige ist. Man kann in dieser Hinsicht nicht verallgemeinern. Es gibt in jeder Rasse leicht- und schwerführige Hunde, sehr kluge und weniger intelligente Tiere. Zum Troste aller Interessenten kann aber, wie eingangs bereits angedeutet, gesagt werden, daß unsere besten Stammzuchten so in der Vielseitigkeit durchgezüchtet sind, daß deren Produkte – richtige Aufzucht, Erziehung und Führung vorausgesetzt – zu den allerbesten Hoffnungen berechtigen. Das trifft nicht allein für die Vorstehhunde, sondern auch für die genannten Stöber- und Erdhunde zu. Zu bemerken ist aber noch, daß alle Vorsteh- und Stöberhunde im Apportieren ausgebildet werden. Man verlange das auch von den Terriern; vom Dachshund aber, der mitunter auch leichtes Wild heranträgt, sollte man es im allgemeinen nicht fordern. Der Dachshund ist Erdhund und Schweißhund, auch wohl Stöberer; in diesen drei Fächern kann er Vorzügliches leisten, das Herantragen von geringem Wild hingegen ist weniger seine Sache.

In Miniaturdickungen mit einem Ausmaß von höchstens einem Morgen braucht man keinen zum Stöbern prädestinierten Hund. Wenn ein Junge mit einer Klapper in der Hand durchkriecht, kommt auch der letzte Hase heraus. Es hieße den deutschen Stöberhund degradieren, wollte man ihn für kleine und kleinste Waldparzellen mit geringer Größe empfehlen. Der echte Stöberer braucht Arbeit und Entfaltungsmöglichkeit, er braucht Raum, um seine Kunst zu zeigen, er braucht aber auch einen Steuermann, der nicht nur waid-, wald- und fährtengerecht ist, sondern der sehr viel vom Hunde und seiner Führung weiß. So kommt es, daß der Deutsche Wachtelhund und der Cocker-Spaniel immer nur in jenen Händen zu finden sein werden, die ihn in waldreichen, mindestens stark gemischten Revieren leiten und führen. Es ist nicht vorteilhaft, beide hier genannten Schläge zusammen zu erwähnen, denn ihre körperliche und jagdliche Eignung ist doch zu unterschiedlich. Beiden Hunden tut man auch Unrecht, wenn man sie als Spezialisten bezeichnet. So einseitig sind sie nicht, denn ihre Domäne ist nicht nur der Wald und der Busch, sondern auch das Wasser und die Nachsuche. Stöberhunde sind Deckungsspezialisten, also vornehmlich Waldgebrauchshunde, und darum natürlich für einen umfangreichen Feldjagdbetrieb insofern ungeeignet, weil sie nicht von Natur aus vorstehen, wenn sie nicht das „Halt“ (auf Trillerpfiff) vor sich drückendem Wildgeflügel in sehr geschickter Hand lernen. Es wäre aber schade, wollte man ihnen diese Tugend anerziehen, denn das Vorstehen paßt nicht zum Stöberer, der selbständig das in dichter Deckung gefundene Haarwild (Hase und Fuchs) heben und dem Schützen zudrücken soll, was freilich auch gute Vorstehhunde zu lernen imstande sind. Die feineren jagdlichen Unterschiede beider Hunde möchten wir aber doch den Lesern von Diezels Niederjagd beschreiben, schon um keine falschen Einstellungen beim Erwerb eines solchen Tieres aufkommen zu lassen.

Der *Deutsche Wachtelhund* ist in Waldjägerkreisen durch seine Leistungen bekannt, ja berühmt geworden. Der verdienstvolle Förderer dieser uralten Rasse war in unserer Zeit der bei den Waidmännern wohlbekannte Oberforstmeister Rudolf Friess (†). Er hat sich mit der jagdlichen und figürlichen Hochzüchtung dieses echten Waldgebrauchshundes einen Namen

gemacht, und so lange das Geläut von Wachtelhunden in Berg- und Walddistrikten zu hören ist, wird der Name dieses hirsch- und waidgerechten Jägers nicht vergessen werden. Die Hunde werden als Braune und als Braun*schimmel* gezogen, eine andere Farbe gibt es nicht. Der Laut, also der lockere Hals, ist beim Deutschen Wachtel in ganz hervorragender Weise heraus- und durchgezüchtet. Die Hunde sind eminent arbeitseifrig, spurfreudig und meist auch scharf. Ihre Einarbeitung und Führung unterscheidet sich aber von der der Vorstehhunde erheblich.

Die erste Forderung für den Waldgebrauchshund ist die Rehreinheit. Es ist schwer, sie den Hunden anzuerziehen, und ganz selbstverständlich, daß Nachsuchen auf krankes Rehwild nicht eher von ihnen vorgenommen werden, bis die Hunde durchgebildet im Stöbern sind und die Abrichtung im Apportieren genossen haben, damit sie das beim Stöberbetrieb vor ihnen erlegte Wild: Hase, Fuchs, Waldschnepfe, auch pflichtschuldigst bringen und vorschriftsmäßig abliefern. Eine sogenannte „Hasenreinheit" kennt man beim Stöberhund nicht, wohl aber den Gehorsam am gesunden Hasen. Das heißt: Der dicht beim Führer gehende Hund soll dem vor ihm aufstehenden Hasen nicht auf Sicht nachprellen und weit hetzen, er muß sich auf Pfiff halten lassen. So ist selbstverständlich ein feiner Gehorsam beim Stöberer ebenso nötig wie Ruhe am Wild bei Ansitz und Pürsch, Riemenführigkeit im dichten Holz, Ablegen und unbedingte Schußfestigkeit. Das alles zeitigt aber nur die Praxis und der verständige, mit dem Waldjagdbetrieb vertraute Führer. Richtig eingearbeitet und geführt leistet der Deutsche Wachtelhund nicht nur beim Stöbern und Buschieren, sondern auch bei der Wasser- und Schweißarbeit Vortreffliches.

Neben dem Deutschen Wachtelhund ist auch der *Jagdspaniel* (Cocker und Springer, der letztgenannte in Deutschland selten) ein zu den Stöberhunden zählender Jagdgehilfe. In seiner Anlage und Führung unterscheidet er sich aber doch vom Wachtel recht erheblich. Während das Hauptarbeitsgebiet des Wachtelhundes die großen zusammenhängenden Wald- und Bergdistrikte sind, ist der Jagdspaniel mehr ein Gebrauchshund für das bebuschte parkartige Gelände, etwa die westfälische Landschaft mit ihren Wallhecken oder die holsteinische Knicklandschaft mit schilfreichen Seen und Teichen. Das soll man nicht als eine Herabsetzung der Leistungsfähigkeit und jagdlichen Brauchbarkeit dieser vortrefflichen Hunde auslegen. Aber es ist so, der kurzläufige Cocker z. B. eignet sich besser zum kleinen und mittleren Stöberbetrieb als zum großen, und er ist ein ausgesprochener Meister im Buschieren, also bei der „Jagd unter der Flinte". Als Fasanenhund, z. B. in Hecken, Dornicht und Remisen, ist der kleine bewegliche Cocker in seinem Element, und es ist eigentlich schade, daß oft von ihm Arbeiten verlangt werden, die wohl dem Wachtelhunde zustehen, nicht aber ihm. Man betrachte sich ganz objektiv das Gebäude dieser hier genannten Hunde, und man wird feststellen, daß der figürlich größere und hochläufig gebaute Wachtel durchaus in der Lage ist, den Winterhasen auch auf größere Entfernung heranzutragen, während man das vom Cockerspaniel wirklich nicht verlangen sollte. Wenn doch – schön sind derartige Bilder des Sichabmühens nicht! Man hole keine Bravourleistungen aus Einzeltieren heraus, sondern verlange das gute Durchschnittsvermögen von allen. Der Cockerspaniel trägt mühelos den Fasan, die Ente und das Wildkanin. Auf der Schweißfährte leistet er recht Gutes, aber zum schweren Bringen von Fuchs und Hase ist er nicht geschaffen.

Im Gegensatz zum Vorsteh- und Stöberhund zählt man *Jagd-* und *Foxterrier* sowie die Schar der *Teckel* zu den kleinen Jagdhunden. Wohnungsmäßige, auch jagdliche Verhältnisse können die Haltung eines größeren Hundes verbieten, und ein jagdlich guter Kleinhund ist immer noch besser als keiner. So kann man auch mit diesen Hunden gut waidwerken, aber man übertreibe nicht und verlange auch *von ihnen keine Arbeit,* die sie nicht bewältigen können. Es ist sehr schön und auch nichts dagegen zu sagen, daß die Vorstände von Zuchtvereinen für ihre Rasse werben. Wenn man aber Fotos sieht, auf denen ein Kleinhund versucht, einen Hasen über mit Neuschnee bedecktes Land zu schleifen, dann fragt man sich, ob hier nicht des Guten zuviel getan wurde. Wir betonten bereits, daß Terrier nach Möglichkeit im Apportieren ausgebildet sein sollten. Diese hochläufigen Kleinhunde können sich durch Verlorensuchen und Herantragen von geringem Wild, wie Wildkanin, Schnepfe, Huhn, Taube, Ente und Fasan sehr nützlich machen. Infolge ihrer guten Nase sind sie meist recht gut für den kleinen Stöberbetrieb, die Buschierjagd und für leichte Wassergelegenheiten zu gebrauchen; den kranken *Hasen* sollte man mit ihnen, wie den Rehbock, am *leichten Schweißriemen nachsuchen*, dann ist das *gerecht*. Im übrigen sind alle Terrier in erster Linie Kampfhunde im Bau und an Sauen, und hier leisten sie im Sprengen von Füchsen und als Saufinder vorzügliche Arbeiten, oft auch bei der Hetze. Die Dachshunde der drei Haarvarietäten (kurz-, rauh- und langhaarig) sind die geborenen Schweißarbeiter und Stöberer. Ein Forsthaus ohne Dackel kann man sich kaum vorstellen, und Jäger, die sie nicht beim Fuchssprengen verwenden, sind große Seltenheiten. Sie alle, diese kleinen Jagdgehilfen, erfordern aber nicht weniger Arbeit und Mühe bei der Führung im Revier als der große Hund, und sie sollten auch bei allem Waidwerken dabei sein, um etwas zu lernen. Warten und Ablegen vor allem kann und muß ihnen ebenso beigebracht werden, wie die Arbeit am leichten Schweißriemen auf Kunstfährten und Wildschleppen und die Ruhe bei Pürsch und Ansitz, um sie für die vielgestaltige Praxis zu üben. Ohne Erziehung keine Brauchbarkeit, ohne Übung im Revier auch hier kein Erfolg.

Wer nur *einen* Jagdhund hält, dem sei empfohlen, ihn im *Zimmer* bei sich zu haben. Bei Hunden, die sich stets in unmittelbarer Nähe ihres Herrn oder seiner Familienmitglieder aufhalten, besteht größere Gewähr dafür, daß sie anhänglich und führig werden. Der gut erzogene Jagdhund nimmt in der Wohnung weder Platz weg, noch stört er, und

wenn er auf einer Wintersauschwarte seinen steten Platz hat, dann fühlt er sich auch wohl. Er muß natürlich tagsüber des öfteren zum Nässen und Lösen hinausgelassen oder hinausgeführt werden, was zwar umständlich, aber für den Hundefreund keine Last ist. Nachts schläft er im Flur der Wohnung oder in einem anderen, wenig benutzten Raum. Wer hingegen mehrere Hunde hält oder den Einzelhund wirklich nicht im Zimmer haben kann, dem sei der Zwinger empfohlen. Er liege im Halbschatten und sei zugfrei und stabil. Der Boden sei betoniert und soll ein leichtes Gefälle haben, damit Regenwasser ablaufen kann, starkes Maschendrahtgeflecht umfriede ihn. Die Hütte, die jeder Tischler anfertigen kann, soll geräumig sein und wird am besten wintertags mit dicker Strohmatte, im Sommer mit zerschnittenem altem Teppich ausgelegt. Loses Stroh oder Heu ist deshalb nicht zu empfehlen, weil es die Hunde doch herausscharren und dann zu kalt auf dem Bretterfußboden liegen. Wenn schon Laub, dann die im Herbst gesammelten trockenen Farnwedel, die man luftig aufbewahren sollte, sie sind unbedingt floh- und ungezieferabweisend und wärmen wintertags gut. In einer Ecke des Zwingers muß eine sogenannte Holzpritsche aufgebaut werden, auf der die Hunde sich außerhalb der Hütte sonnen können. Man vermeidet damit, daß sie sich auf dem stets kalten Betonboden des Zwingers erkälten. Die Füße dieser Pritsche brauchen nicht höher als 40 cm zu sein. Der im Zwinger gehaltene Hund braucht Bewegung, das lasse sich jeder gesagt sein, der seinen Hund auf diese Weise unterzubringen gedenkt. Man kommt nicht umhin, ihn täglich genügend zu bewegen. *Eine halbe Stunde neben dem Rade zu laufen ist ihm dienlicher als zweistündiges langsames Spazierengehen.* Daß die regelmäßige Fütterung eine Selbstverständlichkeit ist, darauf braucht nicht besonders hingewiesen zu werden. Aber mit der Trinkgelegenheit sieht es oft böse aus. Man sorge selbst dafür, daß dem treuen Jagdbegleiter besonders in den warmen Sommermonaten des öfteren ein kühler Trunk gereicht wird, die Hunde sind dankbar dafür, außerdem ist das die geringste von einem Tierpfleger zu erwartende Pflicht. Im Zwinger ist der Hund immer ohne Halsung zu halten, denn es ist vorgekommen, daß sich Hunde schon an einem winzigen kleinen Drahtstummel aufgehängt haben. So ist das Umlassen der Halsung ein Leichtsinn! Auch im Zimmer hat die Halsung keinen Sinn. Deshalb Halsungen ab! Nur in der Stadt, auf Bahnfahrten und auf dem Wege ins und vom Revier ist eine zweckmäßige Halsung nötig, natürlich auch bei der Schweißarbeit (Riemenarbeit).

Daß der Jagdhund *Pflege* benötigt, steht außer Frage. Aber ganz besonders sollte man ihm *Haar*pflege angedeihen lassen zur Zeit des Haarwechsels. Zweimal im Jahr, im Spätwinter und im Frühherbst, haart der Hund genauso wie das Wild. Man glaube es, das ist eine körperliche und auch eine seelische Belastung für ihn, denn das Nachwachsen des jungen Haares verursacht ein Ausfallen des abgestorbenen alten Haares, und dieses einen ausgesprochenen Juckreiz. Sonst gut gepflegte und fast ungezieferfreie Hunde kratzen sich zur Zeit des Haarwechsels sehr viel mehr, als man es sonst bei normalem Flohbefall beobachtet. Die Ursache dieses Juckreizes ist bereits erwähnt, aber der auf der Haut vorhandene Staub tut ein übriges, das Jucken und Schaben zu vermehren. Am kurzhaarigen Hund beobachtet man all dies weniger, weil die Struktur des Haares den Zutritt von Luft nicht unterbindet. Bei draht- und langhaarigen Hunden muß man Haarpflege betreiben. Sie haben oft derart dicht stehendes Haar, daß man nachhelfen muß. Der sorgsame Pfleger tut dies auch gern, ob er es in jedem Falle richtig macht, ist eine andere Frage. Wo die Örtlichkeit es zuläßt, betreiben die Hunde selbst eine praktische Haarpflege. Sie wälzen sich, auf dem Rücken liegend, hin und her, springen dann auf und schütteln sich, so daß eine Wolke toten Haares von ihnen fällt. Wo dicht bebaute, mit Fichten unterstellte Gärten vorhanden sind, streichen sie mit dem Rücken durch die dichtbenadelten, tiefhängenden Äste und „bürsten sich" auf ganz natürliche Art. Haben sie dabei in der warmen Jahreszeit des öfteren Gelegenheit, ein Bad in sauberem Wasser zu nehmen, so ist gegen eine solche „Eigenpflege" nichts einzuwenden. Das praktischste und nachhaltigste Universalmittel ist bei sehr weich behaarten Drahthaarhunden das Trimmen und das Scheren. Der Praktiker wendet solche Kunstgriffe trotzdem nicht gern an, weil z. B. ein frisch geschorener Hund einfach scheußlich aussieht. Um ein Übel an der Wurzel zu fassen, sollte man sich dieser Methode aber doch bedienen, zumal nach dem Scheren lediglich ein öfter wiederholtes Bürsten mit einer harten Wurzelbürste nötig ist, um den Haarboden sauber zu erhalten. Wer das nicht mag, kämme mit engem Stahlkamm (Vorsicht, Hautverletzungen!) das tote Haar aus und bürste hinterher mit der Wurzelbürste. Zur Hauptflohzeit (Juli) pudere man

dann mit entsprechenden im Handel erhältlichen Pulvern gelegentlich, und man wird feststellen, daß das Jucken, Knabbern und Schaben am Körper des Hundes zur Seltenheit wird.

Der Gebrauchshund riecht nicht. Der Volksmund sagt zwar: „Der Hund stinkt!“ Damit kann aber nur der schlecht gepflegte gemeint sein. Sorge dafür, daß man von deinem Hund nicht so spricht. Mitunter riecht der Hund aber doch, nämlich aus dem Ohrinneren. Dies ist leicht dann der Fall, wenn dem Ohrinneren keine Pflege zuteil wird. Die Ohrpflege ist nun allerdings ein Kapitel für sich, d. h., sie ist immer dann schwierig, wenn durch Nachlässigkeit bereits Entzündungen der inneren Ohrgänge eingetreten sind. Dann schütteln die Hunde stark mit den Behängen, halten den Kopf schief, wimmern auch vor Schmerz und versuchen, mit den Zehen eines Hinterlaufes das Schmerz- und Juckgefühl zu beseitigen. Schau nur ein einziges Mal am Schlusse eines Hühnerjagdtages Deinem Hund in den Gehörgang hinein. Wenn Du es getan hast, kommst Du von selbst darauf, hier eine Wandlung eintreten zu lassen! Im Ohrinnern finden wir viel Staub, auch Ohrschmalz und Rötungen. Kein Wunder, denn der Hund sucht stets in flotter Gangart. Dornen, trockenes Kartoffelkraut, Schilfstengel usw. machen die schwach behaarten Innenseiten der Behänge wund. Wer Ohrerkrankungen, innere und äußere, vermeiden will, der pflege das Ohr seines Hundes. Er beseitige die Kletten, die sich bei langhaarigen Hunden im Gelock der Behänge festsetzen, durch Verlesen der Haare, nicht durch Kämmen. Mit einem längeren Stäbchen, um das ein Wattebausch gewickelt wird, den man mit ganz schwacher Verdünnung von Wasserstoffsuperoxyd oder Essigsaurer Tonerde tränkt (lauwarm), beseitigt man Staub und Ohrenschmalz, trocknet das Ohrinnere gut aus und stäubt ein wenig Tanoformpuder in das Ohr. So wird durch Sauberkeit vermieden, daß früher oder später Entzündungen entstehen, deren Ursache *meist* auf die Nachlässigkeit des Pflegers zurückzuführen ist. Hunde, denen soeben das Ohrinnere gesäubert wurde, sollten bis zum Abtrocknen vor Zugluft und Kälte behütet werden.

Nach langer Suchjagd bei warmem Wetter soll der Gebrauchshund auch nicht sofort ein kühles Bad nehmen. Die schnelle Abkühlung kann dem Hunde schaden. Man merkt es selbst, wenn erhitzte Hunde in das Wasser gehen und beim Schwimmen zu husten und zu würgen anfangen. Es ist praktisch nur zu empfehlen, den erhitzten Hund anzuleinen und abkühlen zu lassen. Erst dann führt man ihn angeleint an klares Wasser (nicht an durch Abwässer verunreinigtes!) und läßt ihn trinken. Erst nach Ablauf weiterer Wartezeit wird ihm die Halsung abgenommen, und nun kann er sich nach Herzenslust im Wasser tummeln und erquicken.

Mit dem fertigen Hund jage man ab zweitem Felde fleißig. Die praktische Jagd bringt uns Tage und Wochen, an denen man sich und den Hund nicht schont. Trotzdem übertreibe man nicht, sondern handle vernunftgemäß. Unvernünftig ist es, den Gebrauchshund wegen einer Ente in das Eiswasser zu lassen, nur um die Beute zu landen. Eine Wildente ist es nicht wert, die Gesundheit eines treuen Hundes zu opfern, oder ihn der Staupe oder späterem Siechtum zu überantworten. Natürlich kann es vorkommen, daß Hunde gelegentlich von Hetzen an krankem Wild eiskaltes Wasser durchqueren müssen. Dann behandle man sie aber hinterher entsprechend. Man versuche, sie trockenzureiben, und wenn es mit dem eigenen Mantel ist, und gebe ihnen hinterher Bewegung, damit sie wieder warm werden. So schadet etwas Außergewöhnliches nicht.

Eine Unsitte ist es auch, den Hund nach dem Schuß sofort einem beschossenen Stück Wild nachzuschicken, von dem man noch nicht weiß, ob es überhaupt Schrot bekommen hat. Der richtig geführte Hund wird, nachdem der Anschuß untersucht und festgestellt wurde, daß Schußzeichen vorhanden sind, vorschriftsmäßig zur *Wundspur,* z. B. eines Hasen, gelegt und mit dem ermunternden Zuruf „Such verloren!“ entlassen. Nun bleibt man stehen und wartet das Weitere ab. Keinesfalls entferne man sich von der Stelle, an der der Hund seine Arbeit begann. Erst nach seiner Rückkehr, mit oder ohne Beute, wird weiter disponiert. Die praktische Jagdausübung erheischt es, daß wir uns das Vertrauen des Hundes erhalten, darum unterstützen wir ihn bei allem seinen Tun und enttäuschen ihn nie. Die Ruhe ist das oberste Gebot der praktischen Jagd, und wer nur immer eilt und zum Weitersuchen ermuntert, braucht sich nicht zu wundern, daß er nervöse und ungeduldig hastende Tiere um sich hat, die den Erfolg in Frage stellen. Besonders ist das auf Treibjagden der Fall. An ihnen soll selbstverständlich auch der gute fertige Hund teilnehmen, in erster Linie aber, um etwas zu lernen. Ihn an jedem scheinbar kranken Hasen hetzen zu lassen, ist ein sehr schwerer Fehler, der die ganze an ihn gewandte sorgfältige Abrichtung zunichte machen kann. Auf Wald- und Feldtreibjagden gehört der Hund an die Seite des Jägers. Er tritt erst dann in Aktion, wenn das Treiben vorüber ist und Anschüsse dem Jagdleiter gemeldet sind. Wenn diese dann von den betreffenden Schützen ordnungsgemäß verbrochen wurden, ist es für den Führer eines gut geschulten Verlorenbringers ein leichtes, den Hund anzusetzen und arbeiten zu lassen. So beherzige man diese Mahnungen für die Praxis. Man wird nicht nur gut damit fahren, sondern man wird stets gut brauchbare, richtig erzogene und geführte Hunde bei sich haben, über deren Leistungen sich jeder freut.

Wenn eingangs erwähnt wurde, daß 1897 der erste Band des Deutschen Gebrauchshundstammbuches (DGStB) erschien, so sei hier ergänzt, daß im Jahre 1964 der 60. Band herausgegeben wurde. Alle Eintragungen sind auf Grund errungener I. bis III. Preise auf Vollgebrauchsprüfungen, also auf vielseitigen Leistungsprüfungen, auf denen die Hunde in allen in der Praxis vorkommenden Fächern geprüft werden, erzielt. Nicht genannt sind dabei die Eintragungen in die für die einzelnen Rassen vorhandenen Zuchtbücher. Dem Jagdgebrauchshundverband gehören viele Gebrauchshundvereine, Zuchtvereine und Kreisgruppen des DJV an. Sein derzeitiger Vorsitzender ist Amtsgerichtsdirektor A. Schott, Bad Kreuznach. Die Geschäftsstelle des Jagdgebrauchshundverbandes befindet sich in Händen des Dipl.-Ing. Jürgen Eiserhardt, Hamburg-Volksdorf, Holthusenstraße 30. Sie gibt jedem Jagdhundfreund gern Auskunft. Der Gebrauchshundverband sah im Jahre 1964 auf sein 65jähriges Bestehen zurück.

WAFFEN- UND SCHIESSKUNDE

WAFFENKUNDE

Wir Jäger unterscheiden bekanntlich Hochwild und Niederwild. Zum Hochwild zählt hauptsächlich alles „Schalenwild" außer dem *Rehwild,* obwohl dieses wohl heutzutage für die überwältigende Mehrzahl aller deutschen Jäger das edelste Wild ist, das für sie überhaupt in Betracht kommt. Nach allgemeinem waidmännischem Brauch und nach den geltenden Jagdgesetzen darf für seine Bejagung, ebenso wie für das Hochwild, nur das als Kugel bezeichnete, aus dem Büchsenlauf verfeuerte Einzelgeschoß verwendet werden.

Für die Niederwildjagd spielt zweifellos die *Schrotflinte* eine weitaus größere Rolle als die Jagdbüchse. Da aber dem zum Niederwild zählenden Rehwild ausschließlich die Kugel gebührt, müssen wir auch in diesem Buche wenigstens kurz über die Gewehre mit Büchsenläufen (Kugelläufen) sprechen. Doch können wir Hochwildbüchsen und -patronen beiseite lassen und uns auf die Waffen und Patronen beschränken, die *zum Abschuß von Rehwild* in Frage kommen und außerdem noch zum Abschuß von *Raubwild und Raubzeug* dienen, das ja sowohl mit Schrot wie mit der Kugel geschossen wird.

Wenn der Niederwildjäger im Sommer und Herbst die Jagd auf den Rehbock und im Herbst und Winter auf weibliches Rehwild ausübt, so ist für ihn das geeignetste Kugelgewehr der *Drilling,* da er auf alles andere Niederwild, Raubwild und Raubzeug zwei Schrotläufe zugleich zur Verfügung stellt. Ein weiteres „kombiniertes" Gewehr ist die Büchsflinte oder die Bocksbüchsflinte, in denen ein Kugel- und ein Schrotlauf neben- bzw. übereinanderliegend angeordnet sind. Derartige Gewehre haben für den Jungjäger einen hohen erzieherischen Wert, weil sie mit ihnen das überlegte und genaue Antragen des Schrotschusses besser lernen als mit Gewehren, die zwei Schrotläufe enthalten. Ferner bieten Büchsflinten bzw. Bockbüchsflinten den Vorteil, daß sich in ihr System auch ein zweites Doppelflinten-Laufpaar einlegen und wechselnd neben dem Bockbüchsflinten-Laufpaar verwenden läßt. Dem Jäger stehen dann praktisch zwei Gewehre mit gleicher Schäftung, was für die Treffsicherheit äußerst vorteilhaft ist, zur Verfügung. Will sich jedoch der Jäger gelegentlich allein dem Rehwild widmen, so kommt natürlich auch für ihn die *Büchse* in Betracht, sei es als Einzellader mit Kipplauf- oder Blockverschluß oder als Mehrlader die Repetierbüchsen Bauart Mauser, Mannlicher-Schönauer und andere. Die Wahl zwischen diesen Gewehren ist dann Ansicht- und Geschmacksache, *entscheidend ist die Patrone!*

Zum Abschuß von Rehwild eignen sich meiner Erfahrung nach am besten die *Kaliber 5,6 bis 8 mm.* Um auch für die waidmännisch in Betracht kommenden weitesten Schußentfernungen gerüstet zu sein, wird man zweckmäßig nur *starke Pulverladungen* wählen, die eine *rasante (wenig gekrümmte) Flugbahn des Geschosses* sowie gleichzeitig durch eine entsprechende Konstruktion des Geschosses *prompte Wirkung* gewährleisten und bei gelegentlich weniger gut sitzendem Schuß eine *zuverlässige Schweißfährte* liefern. Patronen der folgenden Kaliber können zu beliebiger Auswahl empfohlen werden: 5,6 × 52 R, 5,6 × 61 v. H. SE, .243 Winch., 6,5 × 54 M. Sch., 6,5 × 57 bzw. 6,5 × 57 R und 7 × 57 bzw. 7 × 57 R mit den von den Munitionsfabriken erprobten Laborierungen[18]. Die für Rehwild geeigneten Geschosse sollen ein Gewicht haben, das in den Kalibern 5,6 mm und .243 wenigstens 4,5 g, in den größeren Kalibern wenigstens 6 g beträgt. Ein für Rehwild besonders geeignetes Geschoß ist das 6,2 g schwere D-Mantelgeschoß (Doppelmantelgeschoß) der DAG (RWS), das bei der Verwendung in den Patronen Kal. 6,5×57 bzw. 6,5×57 R mit 2,9 bzw. 2,7 g T 39 aus 60 bzw. 66 cm langen Läufen eine Fluggeschwindigkeit V 100 = 844 m/s und eine Austreffwucht E 100 = 225 mkg ergibt und durch seine starke Schockwirkung in Verbindung mit guter Splitter- und Tiefenwirkung Rehwild prompt zur Strecke liefert. Gegen noch stärkere, auch für die Jagd auf Hochwild geeignete, als „Universalpatronen" bezeichnete Patronen, wie z. B. Kal. 7×64 bzw. 7×65 R (nach BRENNEKE) ist auch zum Gebrauch auf Rehwild an sich nichts einzuwenden, wenn sie auch u. U. je nach Geschoßtyp unnötig stark wirken. In Kal. 8×57 JS bzw. 8×57 JRS wird es sich empfehlen, auf Rehwild nicht die 12,7 g und 14,7 g schweren Geschosse, sondern leichtere Geschosse zu wählen, z. B. das 8 g schwere Teilmantel-Rundkopfgeschoß (DWM)) oder das 11,5 g wiegende D-Mantelgeschoß (RWS). Erfahrungsgemäß wirken mit größerer Endgeschwindigkeit auftreffende Geschosse (und das läßt sich in gewissen Grenzen mit leichten Geschossen besser erreichen) gerade gegenüber dem weichen Rehwildkörper befriedigender und geben bessere, schlagartige Wirkung. In richtiger Erkenntnis dessen gab s. Z. vom Hofe seiner Patrone Kal. 5,6 × 61 eine außergewöhnlich starke Ladung, so daß ihr 5,0 g schweres Teilmantel-Spitzgeschoß infolge besonders hoher Auftreffgeschwindigkeit auf Rehwild vorzüglich wirkt. Bei nur geringer Auftreffgeschwindigkeit reichen Geschosse dieses Kalibers und Gewichtes für Rehwild nicht mehr aus. Deshalb ist hierfür eine unter allen Umständen befriedigende Leistung dieses jagdlichen Kleinstkalibers 5,6 mm neben der Patrone Kal. 5,6 × 61 heute nur von einem einzigen Patronentyp deutscher Fertigung zu erwarten, und zwar von der Patrone Kal. 5,6 × 52 R, deren Anfangsgeschwindigkeit eine ausreichende Auftreffgeschwindigkeit bis etwa 150 m gewährleistet und deren D-Mantelgeschoß Fabrikat RWS (V 150 = 665 m/s) oder Teilmantel-Bleispitz-Geschoß Fabrikat DWM (V 150 = 721 m/s) auf schnellste Energieabgabe hin konstruiert sind. Die bekannten Flintenlaufgeschosse, die sich aus Schrotläufen verfeuern lassen, stellen einen behelfsmäßigen Ersatz anstelle des Kugelschusses aus dem gezogenen Lauf dar. Der-

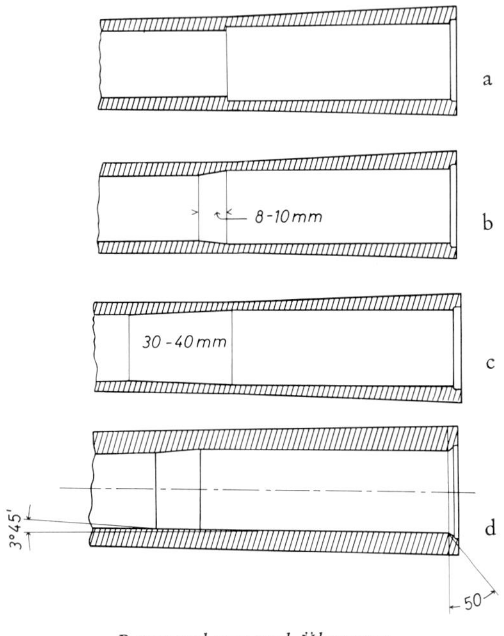

Patronenlager und Übergang

a. scharf abgesetzter Übergang,
b. kurzer Übergangskonus,
c. langer Übergangskonus,
d. genormter Übergangskonus und Randausfräsung.
(Aus: Eilers, Handbuch der praktischen Schußwaffen-Kunde und Schießkunst)

[18] Anm. Zeichenerklärung: M. Sch. = Mannlicher-Schönauer, v. H. SE = vom Hofe Super Expreß, Winch. = Winchester, R = Hülse mit vorstehendem Rand (für Kipplaufwaffen), S = Spitzgeschoß, V = Fluggeschwindigkeit (an der Mündung = V 0, auf 100 m vor der Mündung = V 100 usw.), m/s = Meter pro Sekunde, E = Geschoßenergie, d. h. Leistung, die sich aus der Geschwindigkeit und dem Gewicht des Geschosses ergibt und in mkg (Meterkilogramm) ausgedrückt wird.

artige Geschosse eignen sich aber für die Jagd auf Rehwild nur sehr begrenzt, weil die meisten Schrotläufe hiermit nicht ausreichend präzise schießen.

Zum Abschuß von Kleinwild, z. B. Kaninchen und Raubzeug, eignen sich am besten die Patronen Kal. .22 Winchester Magnum und .22 Hornet mit Kupfermantelgeschossen. Für den Abschuß von Krähen, Elstern usw. können auch die bekannten Kleinkaliberpatronen Kal. .22 long rifle verwendet werden. Für Kaninchen sind jedoch diese Patronen nicht ausreichend, weil sie nur bei gut sitzenden Kopfschüssen schnell genug töten.

Gewehre, die ausschließlich für den Kugelschuß in Frage kommen, sind die bekannten Repetierbüchsen, die für Patronen ohne Rand aller Kaliber angefertigt werden, und Kipplaufbüchsen. Ferner kommen für den Kugelschuß in Frage die sogenannten kombinierten Waffen. In ihren hauptsächlich verwendeten Ausführungen sind sie als *Büchs-* bzw. *Bockbüchsflinten* mit je einem Büchsenlauf und einem Schrotlauf oder als *Drillinge* mit je einem Büchsenlauf und zwei Schrotläufen versehen. Schließlich sind für den Kugelschuß mit Patronen Kal. .22 Winchester Magnum oder .22 long rifle auch die sogenannten Einsteckläufe verwendbar, die in Schrotläufe eingeführt werden.

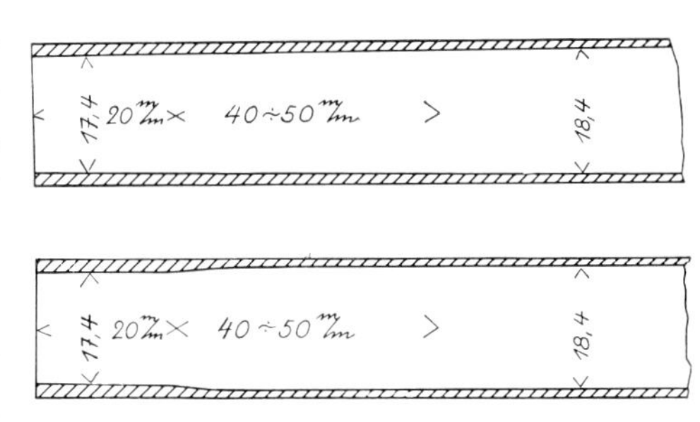

Würgebohrungen in verschiedener Form

Auf die mannigfaltigen Konstruktionen der kombinierten, mit Büchsenläufen und Schrotläufen versehenen Waffen soll in diesem Buch, das ausdrücklich der Niederjagd gewidmet ist, im einzelnen nicht eingegangen werden. Nur Drillinge und Büchs- bzw. Bockbüchsflinten, die für die Ausübung der Niederjagd neben der Schrotflinte hauptsächlich Bedeutung haben, sollen im Zusammenhang mit den Flinten genauer besprochen werden.

Für die Ausübung der Niederjagd kommt in erster Linie die Schrotflinte in Betracht. Die Laufkaliber der Flinten werden nach Nummern bezeichnet, die ursprünglich die Anzahl der auf ein englisches Pfund gehenden, in den Lauf passenden Rundkugeln angaben und sich später zu Normalbezeichnungen herausgebildet haben. Für durchschnittliche Jagdverhältnsise kommen nur die Kaliber 12, 16 und 20 in Frage. Kleinere Kaliber (24, 28, 32 und 36 bzw. .410) sind nur für Sonderzwecke zu gebrauchen.

Der Schrotschuß aus dem größeren Kaliber (unter sonst gleichen Verhältnissen der Laufbohrung usw.) ist natürlich wirksamer als der aus einem kleineren Kaliber, weil das Ziel von einer größeren Anzahl von Schroten[19] getroffen wird. Für den Unterschied der Leistung verschiedener Flintenkaliber kann das Verhältnis der Schrotladungen als einfachster Anhalt dienen. Eine Patrone Kal. 12/70 enthält heute von 2,5-mm-Schrot (Nr. 7) etwa 390 und von 3,5-mm-Schrot (Nr. 3) etwa 140 Körner, eine Patrone Kal. 16/70 entsprechend etwa 335 und 125 Körner, eine Patrone Kal. 20/70 entsprechend etwa 285 und 105 Körner. Die Kennzeichnung 65 neben der Kaliberangabe deutet darauf hin, daß es sich hierbei um Patronen der nur noch wenig gebräuchlichen Hülsenlänge von 65 mm handelt. Diese Patronen selbst sind infolge der Bördelung des vorderen Hülsenendes etwa 61 mm lang und enthalten eine Schrotzahl, die gegenüber der von Patronen mit 70 mm langen Hülsen je nach dem Kaliber bei der Schrotgröße $2^1/_2$ mm um etwa 10 bis 25 und bei $3^1/_2$ mm um etwa 5 bis 10 Schrote geringer ist. Patronen mit 70 mm langen Hülsen,

[19] Deutsche Bezeichnung der gebräuchlichen Schrotstärken

Durchmesser in mm	2	$2^1/_2$	3	$3^1/_2$	4
Schrot-Nr.	9	7	5	3	1

also Kal. 12/70, 16/70 und 20/70, die infolge der Bördelung des vorderen Hülsenendes etwa 66 mm lang und äußerlich durch einen auffallenden Längsstreifen gekennzeichnet sind, dürfen aus Schrotläufen mit Patronenlagern für nur 65 mm lange Hülsen nicht verschossen werden.

Die übliche Prüfung der *Schußleistung eines Schrotlaufes* wird auf 35 m Entfernung auf eine kreisförmige Scheibe von 75 cm Durchmesser vorgenommen. Gelangen von der in der Patrone enthaltenen Schrotmenge 70% oder mehr in den 75-cm-Kreis, so kann dies als höchste Trefferleistung, die sich aber infolge der dabei gegebenen, verhältnismäßig geringen Ausbreitung der Schrotgarbe nur für beste Schützen eignet, angesehen werden. In Kaliber 12/70 würde eine solche Leistung von 70% (obige Zahlenverhältnisse vorausgesetzt) bei 2,5-mm-Schrot = 273 und bei 3,5-mm-Schrot = 98, in Kal. 16/70 = 234 und 87, in Kal. 20/70 = 199 und 73 Treffer in dem 75-cm-Kreis ergeben. Für den Jäger, der nur eine Flinte führen will, die ebenso auf der Flugwildjagd wie auf winterlichen Treibjagden auf Hasen und etwa auch beim Schießen auf Wurftauben ihre Schuldigkeit tun soll, wird Kal. 12/70 am vorteilhaftesten sein. Doch leistet für jagdliche Zwecke auch Kal. 16/70 ausreichende Dienste.

Die *Bohrung des Laufes* scheidet sich in die des Patronenlagers und die des davor liegenden Teiles der Laufbohrung, der die darin vorwärtsbewegten Schrote führt. Beide Bohrungen müssen natürlich genau konzentrisch zueinander liegen. Ein scharfer Absatz und zu kurzer Übergang vom Patronenlager zu der Schrotführung der Laufbohrung ist für Gasdruck und Schußleistung nachteilig, weil dann der stoßartige plötzliche Eintritt der Schrote und des Patronenpfropfens in die um 1,5 bis 2 mm engere Schrotführung der Laufbohrung eine starke Stauung der Schußentwicklung verursachen kann. Daher muß der Übergang mit einem Konus von einer gewissen Länge versehen sein (s. Abb. S. 342). Der Übergangskonus soll aber auch nur so lang sein, daß der Pfropfen bereits unmittelbar vor seinem Austritt aus der Patronenhülse sofort von den Laufwänden gefaßt wird, damit möglichst keine Pulvergase an ihm vorbeidringen können. Patronenlager-Maße sind ebenso wie die Patronen-Maße genormt und aufeinander abgestimmt.

Wichtig ist beste Politur des Laufinneren, besonders im Übergangskonus. Man suche sie durch gute Laufpflege zu erhalten, um die Bleiablagerung der Schrote an der Laufinnenwand weitmöglichst zu reduzieren. Überhaupt bedarf die richtige Innenbearbeitung der Schrotläufe zur Herstellung eines gut und gleichmäßig schießenden Laufes eines vielseitigen Könnens, großer Sorgfalt und großer Erfahrung, besonders auch bei der Dimensionierung der Würgebohrung.

Mit dem Ausdruck *Würgebohrung* (choke) bezeichnet man eine Verengung des Kalibers nahe der Laufmündung, die den Zweck hat, die Streuung der Schrote zu vermindern und das Trefferbild nach der Mitte der Schrotgarbe zu verdichten. Die Würgebohrung besteht in der Regel in einer 10 bis 40 mm langen zylindrischen Verengung nahe der Mündung. Die Verengung beträgt je nach Kaliber und nach dem Grad der gewünschten Verdichtung des Trefferbildes bis zu etwa 1,2 mm (s. Abb. S. 343).

Der durch die Mündungsverengung erreichte Effekt einer Steigerung der konzentrischen Verengung der Schrotgarbe wird so verschieden begründet, daß es zu weit führen würde, hier darauf näher einzugehen. Man soll im übrigen bei Gewehrbestellungen dem Fabrikanten nie eine bestimmte Würgebohrung vorschreiben, sondern nur die von den Läufen geforderte *Leistung!*

Bis zu welchem Grade eine Verdichtung der Treffer nach der Mitte des Schußbildes erwünscht ist, hängt von dem *Verwendungszweck* (Wald- oder Feldjagd und Wasserjagd, Schießen auf Wurftauben) und von der größeren oder geringeren *Schießfertigkeit* des

Schützen ab. Für durchschnittliche Verhältnisse wird eine möglichst gleichmäßig deckende Streuung zweckmäßiger sein als starker Engschuß. Vorteilhaft ist es auch, den rechten Lauf einer Doppelflinte mit geringer Verdichtung und gleichmäßiger Verteilung der Treffer, den linken mit stärkerer Verdichtung der Treffer nach der Mitte zu wählen. Die *Länge der Läufe* einer Flinte kann je nach dem vorwiegenden Verwendungszweck verschieden gewählt werden. Für Hühnerjagd und Waldjagd sind kürzere Läufe, für Feld- und Wasserjagd sowie für Wurftauben-Schießen (Trap) längere Läufe vorteilhaft. Die Pulvergase werden u. U. von längeren Läufen etwas besser ausgenutzt, doch der Leistungsunterschied gegenüber kurzen Läufen fällt praktisch nicht ins Gewicht. Als Mindestlänge eines Schrotlaufes können 60 cm, als Höchstlänge 76 cm angenommen werden, als normaler Durchschnitt 65 bis 70 cm. Das Gewicht normaler Doppelflinten liegt zwischen $5^1/_2$ und $6^1/_2$ Pfund. Leichte und kurzläufige Flinten sind natürlich handlicher und führiger, aber man macht mit ihnen auch leichter Ziel- bzw. Abkommenfehler; außerdem fangen sie den Rückstoß nicht so stark auf, was sich bei häufigem Schießen unangenehm bemerkbar macht. Ein mittleres Gewicht von etwa 6 Pfund und mittellange Läufe sollte man nicht scheuen. Auch der Haltbarkeit, vor allem aber des dann unangenehmen starken Rückstoßes wegen sind gar zu leichte Flinten nicht zu empfehlen. Die *Wandstärke* der Flintenläufe sollte ausreichend bemessen sein.

Die Laufschiene soll gerauht sein, um nicht zu blenden. Eine gerade und flache Form verdient vor der gebogenen und muldenförmigen den Vorzug. Es ist vorteilhaft, die Schiene hinten recht kräftig zu gestalten und hoch zu legen und sie nach vorn schlanker und niedriger werden zu lassen, weil dies den zweckmäßigen Hochschuß begünstigt; denn der häufigste Fehler beim Flintenschießen auf flüchtige Ziele ist der Tiefschuß. Das *Korn* der Flinte soll möglichst groß sein, damit es beim raschen Schießen ins Auge fällt. Ein helles, aber nicht blendendes Korn aus Emaille oder Elfenbein oder Kunststoff ist besonders günstig. Ein zweites, feineres Korn in der Mitte der Laufschiene (nach dem amerikanischen Erfinder LYMAN-Korn genannt) ist vorteilhaft, um Anschlagfehler zu verbessern. Man sieht sofort, ob die Korne einander entsprechen (sich decken oder genau übereinander erscheinen), ob man also die Flinte richtig in Anschlag gebracht hat oder nicht. Namentlich für die jedem Flintenschützen zu empfehlenden Anschlagübungen leistet dieses zweite (Hilfs-) Korn gute Dienste.

Für die gute Leistung im Treffen mit einem Schrotgewehr ist einer der wichtigsten Punkte die *Schäftung*. Man sagt daher nicht mit Unrecht: „Die Läufe schießen, der Schaft trifft!" Wenigstens werden bei nur mittlerer Schußleistung der Läufe, aber einem Schützen passender Schäftung in der Regel bessere Erfolge erzielt als bei hervorragender Schußleistung der Läufe, aber nicht passender Schäftung. Allerdings wird der Flintenschütze, der infolge reichlicher Übung und Jagdgelegenheit im Schießen erfahren ist, schließlich mit jeder normalen, vom Fabriklager übernommenen Schäftung leidliche Treffergebnisse erzielen, aber er wird niemals unter schwierigen Umständen dieselben guten Leistungen erreichen wie mit einer seinen Körpermaßen und seiner Anschlaggewohnheit entsprechenden Schäftung. Ein langer Hals und lange Arme, überhaupt eine große, schlanke Figur machen einen längeren und u. U. einen gesenkteren Schaft erforderlich, als er für einen Schützen mit gedrungenen Körperverhältnissen passen würde.

Um zu untersuchen, ob ein Gewehr *gut „liegt"*, faßt man einen etwa in Augenhöhe liegenden, vielleicht 10 m entfernten Zielpunkt fest ins Auge, schließt dann beide Augen und geht, ohne die Körperhaltung zu verändern, rasch in Anschlag. Beim Öffnen der Augen muß man dann mit dem Korn auf dem Zielpunkt sein und die Laufschiene in ihrer ganzen Länge schimmern sehen, oder, wenn es sich um ein mit einem Visier versehenes

Gewehr handelt, so muß das Korn richtig in der Kimme erscheinen. Wem es nicht gelingt, bei geschlossenen Augen die ganze Körperhaltung und den Kopf so zu stellen, daß er nach Öffnung der Augen das Ziel in der Visierlinie erfaßt, der kann den Versuch auch zunächst mit offenen Augen machen. Er wird dann, wenn er schnell in Anschlag geht, ohne das Gewehr an der Schulter zurechtzurücken, also ohne sich selber zu betrügen, sofort erkennen, wohin das Korn zeigt.

Die drei *Hauptfragen der Schäftung sind:* 1. Die Senkung des Schaftes, d. h. der senkrechte Abstand der Oberkante des Schaftes von der Verlängerung der Laufschiene, was man dadurch feststellt, daß man ein Lineal über die Laufschiene legt. 2. Die Länge des

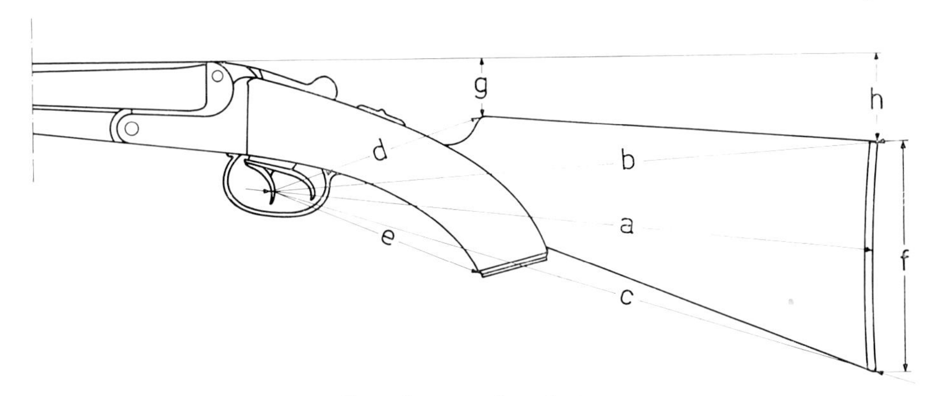

Maßbezeichnungen der Schäftung
a, b, c = Schaftlänge, d = Abstand der Schaftnase vom vorderen Abzug (Länge des Schafthalses), e = Abstand des Pistolengriffes vom vorderen Abzug (Länge des Pistolengriffes), f = Länge der Schaftkappe, g und h = Senkung des Schaftes an der Schaftnase und Schaftkappe

Schaftes, d. h. die Entfernung vom vorderen Abzug bis zur Schaftkappe. 3. Die Schränkung des Schaftes, d. h. die seitliche Ausbiegung des Schaftes „aus dem Gesicht".

Diese Schaftmaße müssen nun für den einzelnen Schützen, seiner Körperbeschaffenheit und Anschlaggewohnheit entsprechend, durch die schon angedeuteten praktischen Anschlagversuche ermittelt werden. Ein wichtiger Punkt ist dabei die Feststellung, wieviel bei raschem, ungezwungenem Anschlag auf ein beliebiges Ziel der Schütze von der Laufschiene sieht. Sieht er zu wenig oder gar nichts von der Schiene und nur das Korn, so würde es in vielen Fällen einen Tiefschuß ergeben; umgekehrt, wenn er zu viel Schiene sieht, übermäßigen Hochschuß. Im ersteren Fall ist der Schaft zu sehr gesenkt oder, wie man gewöhnlich sagt, zu „krumm" gearbeitet, im letzteren Fall zu „steil" oder zu „gerade" ausgeführt. Um das richtige Maß für die Schaftsenkung zu finden, ist folgendes Experiment zu empfehlen: Man ziele mit einem Drilling zunächst über Visier und Korn auf ein geeignetes Ziel, klappe dann, ohne die Gewehrlage zu ändern, das Klappvisier herunter und beachte, wieviel Schiene man nun sieht. Das pflegt auch für den Schuß mit der Flinte das richtige Maß zu sein. Im allgemeinen ist eine gerade Schäftung mehr zu empfehlen als eine zu krumme, weil beim Schrotschießen die Gefahr, zu tief zu schießen, größer ist, als die, zu hoch zu schießen. Man faßt ja auch beim Zielen und Schießen auf flüchtiges Wild, insbesondere auf Flugwild, das Ziel gern unten an oder läßt es „aufsitzen", um es während der Schußabgabe klar und deutlich zu sehen. Das Maß des erwünschten Hochschusses beim Schuß mit Schrot ist bei den einzelnen Schützen, entsprechend ihrer Anschlag- und Zielgewohnheit, etwas verschieden. Im allgemeinen wird auf normale Schußentfernung ein Hochschuß von 10 bis 15 cm zweckmäßig sein. Den Schaft sollte man lieber zu lang als zu kurz wählen, da ein zu kurzer Schaft auch leicht Tiefschuß ergibt und außerdem Backenstöße und Nasenstüber zur Folge haben kann. Die normale mittlere Schaftlänge von etwa 36 cm wird nur für kleine Schützen mit kurzen Armen zu groß sein. Neben der normalen dünnen Schaftkappe, die man im Winter für die bei dicker Kleidung erforderliche Schaftlänge braucht, ist eine auswechselbare, 8 bis 12 mm dickere Schaftkappe von Vorteil, wenn man zur warmen Jahreszeit die Jagd in dünner Kleidung ausübt und hierfür eine größere Schaftlänge benötigt.

Die zweckmäßige Schränkung des Schaftes „aus dem Gesicht" (s. Abb.) kann bei den einzelnen Schützen individuell auch recht verschieden sein. Die Schaftschränkung ist notwendig, weil die Laufschienen-Längsachse beim Einsetzen des Gewehres in die Schulter seitlich eine etwas schräge Lage zur Ziellinie erhält und die Laufschiene besser in diese Linie gebracht wird, wenn durch eine leichte Ausbiegung des Schaftes dieser Lage Rechnung getragen wird. Für die Körperformen vieler Schützen wird es auch zweckmäßig sein, die Spitze der Schaftkappe noch etwas weiter nach außen zu rücken als deren Oberkante. Als durchschnittliches Maß können für die Oberkante etwa 3 mm, für die Spitze etwa 5 mm angegeben werden. Außerdem hat ja auch jeder Schütze seine besonderen Gewohnheiten in der Bewegung seiner Arme und seiner Schulter, und nicht alle Schützen setzen das Gewehr genau in derselben Weise in die Schulter ein. Dies alles will beachtet sein, da von der Übereinstimmung von Körperbeschaffenheit, Bewegungsgewohnheit und Schaftform des Gewehrs das bequeme und damit erfolgreiche Schießen abhängt. Die Einzelheiten der Schäftung können schließlich endgültig nur durch die eigene Praxis erprobt werden. Für jeden Schützen ist diejenige Schäftung die beste, die ihm am bequemsten liegt, mit der er somit am schnellsten fertig wird und – trifft!

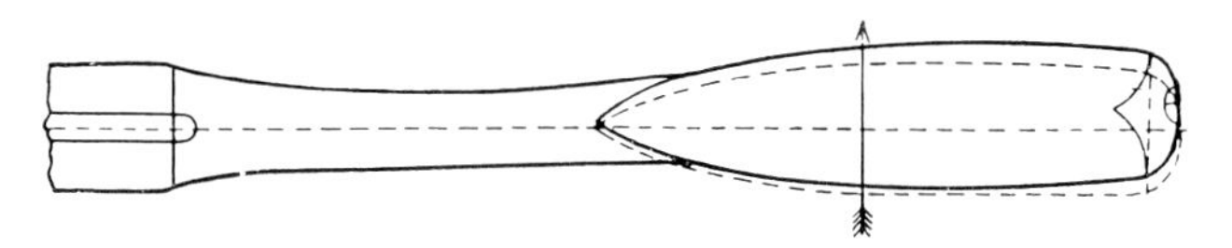

Schränkung des Schaftes „aus dem Gesicht" nach rechts (von oben gesehen)

Außer diesen Punkten der Schäftung, die von den einzelnen Schützen individuell berücksichtigt werden müssen, sind noch einige andere Verschiedenheiten der Schäftung zu beachten. In Deutschland ist die Schäftung mit *Pistolengriff und Backe,* im Auslande, besonders in Belgien, England und Amerika, die *glatte Schäftung* ohne Pistolengriff und Backe, die auch *„englische" Schäftung* genannt wird, vorwiegend im Gebrauch. Aber auch in Deutschland hat die glatte Schäftung ihre Liebhaber, namentlich bei Sportschützen, weil sie die gewandte und rasche Abgabe eines Doppelschusses mit der Flinte begünstigt. Andererseits hat die Schäftung mit Pistolengriff und Backe den Vorzug, daß man das Gewehr fester fassen kann und besser in der Gewalt hat, was besonders für den Kugelschuß in Betracht kommt, also auch für den Niederwildjäger, wenn er den Drilling oder die Büchs- bzw. Bockbüchsflinte führt. Auf alle Fälle ist ein stark gehaltener Vorderschaft von Vorteil.

Wir kommen nun zu einem gleichfalls wichtigen Punkt, dem *Abzug* („Drücker"). Die beiden Abzüge eines mehrläufigen Gewehrs dürfen nicht scharfkantig und weder zu eng noch zu weit gestellt sein, weil sonst der rasche Doppelschuß unnötig erschwert wird und man sich leicht den Rücken des Zeigefingers verletzen kann. 20 bis 25 mm können als Grenzen für den richtigen Abstand gelten. Außerdem ist es vorteilhaft, den vorderen Abzug mit einem Rückgelenk zu versehen, so daß er bei raschem Doppelschuß etwas nach vorn ausweichen kann. Auch ist es zweckmäßig, der Druckfläche der Abzüge eine leichte

Drehung nach rechts hinten zu geben, damit sie dem Abzugsfinger bequemeren Halt bieten, und den hinteren Abzug etwas nach rechts hinüberzusetzen, um ihn bei einem Doppelschuß schneller erfassen zu können. Streng zu vermeiden ist der sogenannte „tote Gang" der Abzüge, worunter man ein wirkungsloses Nachgeben des Abzugs versteht, bevor er den Schuß auslöst, sowie eine zu feste Einstellung der Abzüge. Sie soll 2,25 kg nicht überschreiten. Zwischen dem unteren Ende der Abzüge und dem Abzugsbügel darf nicht zu viel Zwischenraum sein, weil man sich sonst leicht bei raschem Doppelschuß die Finger verletzt. Der Abzugsbügel soll glatt und nicht zu stark sein. Hornbügel sehen zwar gut aus und sind bei kalter Witterung vorteilhaft, jedoch weniger haltbar als Eisenbügel. Der Abstand des Abzugsbügels vom vorderen Abzug soll 25 bis 30 mm betragen. Alle diese Einzelheiten und Kleinigkeiten, wie sie sich aus der Erfahrung ergeben haben, werden von unseren zuverlässigen Jagdwaffenfabriken und Büchsenmachern ohne weiteres beachtet.

Für die Festigkeit der Verbindung von Lauf und Schaft ist der *Verschluß* der Gewehre von größter Bedeutung. Als *Verschlußkasten* oder *Basküle* bezeichnet man den Teil am Kipplauf-Gewehr, der die Unterlage oder den Träger der Läufe bildet, die hinteren Enden der Läufe verschließt, das zum Aufkippen der Läufe erforderliche Scharnier und die Teile des Verschlusses enthält, durch die er verriegelt wird. Der Verschlußkasten hat nächst den Läufen den Druck der Pulvergase auszuhalten. Ist der Kasten zu schwach, so kann die beste Verschlußkonstruktion nicht halten. Es treten Dehnungen ein, und bald ziehen sich die Läufe vom Stoßboden ab, oder es entstehen gar Querbrüche, besonders im Winkel am Stoßboden, die den ferneren Gebrauch des Gewehres unmöglich machen. Von großer Wichtigkeit für den Verschluß ist daher einwandfreies Material und saubere Paßarbeit. Die verschiedenen Verschlußteile müssen saugend ineinandergreifen. Je kräftiger, länger und breiter der Verschlußkasten in seinen die Läufe aufnehmenden Bereichen gebaut ist, um so besser ist es für die Festigkeit des Verschlusses und natürlich auch für die gleichmäßige Schußleistung. Andererseits finden die Stärkeverhältnisse an dem Bedürfnis der Handlichkeit bzw. des Gewichtes der Waffe ihre natürliche Grenze. Es muß also der Kunst und der Erfahrung des Konstrukteurs und Fabrikanten überlassen werden, diese verschiedenen Bedürfnisse zu berücksichtigen und zu verbinden, soweit es möglich ist. Die heute allgemein vorherrschende Verschlußart der Kipplaufgewehre mit nebeneinander liegenden Läufen ist die doppelte Laufhakenverriegelung mit Greener Querriegel und Hebel auf dem Schafthalse (s. Abb.). Für Bockgewehre mit ihren übereinander liegenden Läufen wird vorzugsweise der Kerstenverschluß, der mit seinem doppelten Querriegel das Laufbündel beiderseits verriegelt, verwendet.

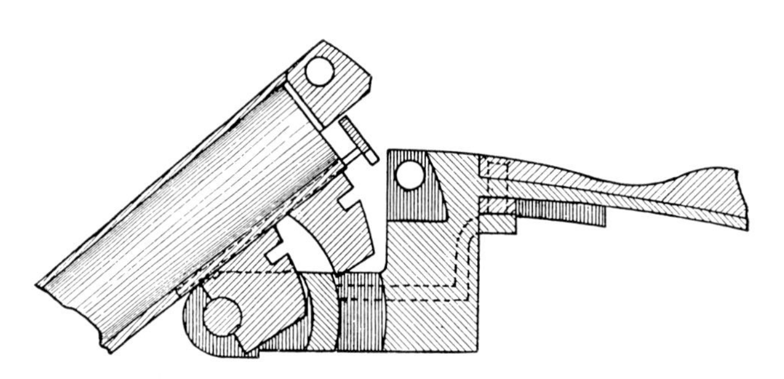

Laufhakenverschluß mit Greener-Querriegel

Beide Verschlußarten werden betätigt durch einen leichten Daumendruck nach rechts gegen den Verschlußhebel, der die Läufe soweit abkippen läßt, daß die Patronen bequem hineingeschoben werden können. Durch leichtes Zurückkippen der Läufe, wobei man zur Schonung der Verschlußteile gut tut, den Verschlußhebel mit dem Daumen leicht seitwärts zu drücken, ist der feste Verschluß wieder hergestellt, und die Läufe sind mit dem

Verschlußkasten fest verriegelt. In die zwei starken Einschnitte der beiden Laufhaken tritt zu deren Verriegelung ein starker Keil ein, der innerhalb des Verschlußkastens in Verbindung mit dem Verschlußhebel bewegt wird. Außerdem schiebt sich beim Schließen eines Gewehres, das mit Greener Querriegel versehen ist, durch eine kreisrunde Öffnung in der nach hinten verlängerten Laufschiene ein starker Bolzen, der ebenfalls durch den Verschlußhebel bewegt wird und beiderseits der Aussparung für die verlängerte Laufschiene im Verschlußstück eine feste Lagerung erhält. Praktisch gleichartig wirkt der Querriegel des Kerstenverschlusses, indem hierdurch zwei Lappen, die an die beiden Seiten des oberen Laufes angeschmiedet sind, mit dem Stoßboden (Rückwand) des Verschlußkastens verankert werden.

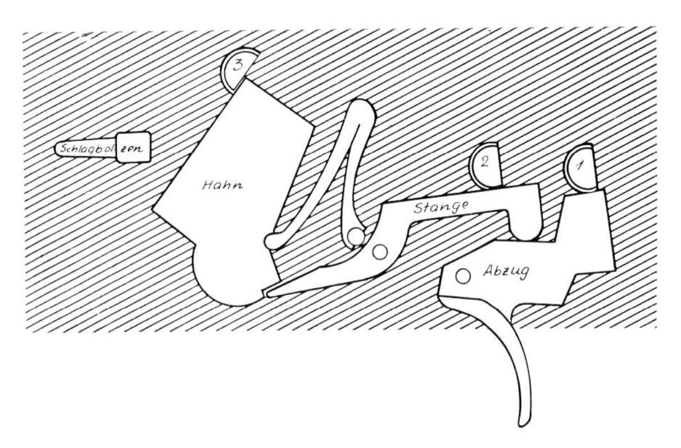

(1) Abzugs-, (2) Stangen- und (3) Schlagstücksicherung
(H. Krieghoff, Ulm)

Ebenso wichtig wie ein starker Verschluß ist eine zuverlässig funktionierende *Schloßkonstruktion* der Waffe. Gewehre mit äußeren Hähnen (kurz Hahngewehre genannt) können heute als veraltet bezeichnet werden. Wir wenden uns daher gleich den *Selbstspannern* zu. Große Verschiedenheit zeigen die Schloßkonstruktionen der Selbstspannergewehre in der Anordnung der *Sicherung*. Es sind Abzugs-, Stangen- und Schlagstücksicherungen zu unterscheiden. Die *Abzugssicherung* besteht in einer Vorrichtung, die sich riegelartig über die Abzüge schiebt, und deren Bewegung und damit ihre Einwirkung auf die Schloßteile verhindert. Die *Stangensicherung* stellt die Stange, das Verbindungsstück zwischen Abzug und Schlagstück, fest, und die *Schlagstücksicherung* das Schlagstück (den inneren „Hahn") durch ein sich dagegen legendes Sperrstück. *Letztere ist als zuverlässigste Sicherung anzusehen* (s. Abb.).

Es gibt auch Sicherungen, bei denen mehrere Sicherheitsvorrichtungen miteinander verbunden sind, sowie auch Sicherungen, die automatisch beim Spannen der Schlosse eintreten. Die Abzugssicherung allein ist nur bei einwandfreier Bearbeitung der Schnäbel der Abziehstangen und der Rasten der Schlagstücke sowie bei vorsichtiger Handhabung der Waffe ausreichend, hat aber den Vorzug, daß die Schloßkonstruktion an sich einfacher gehalten werden kann. Es muß aber davor gewarnt werden, ein nur mit Abzugssicherung versehenes Gewehr auch gegen Stoß und Fall als unbedingt gesichert anzusehen. Denn nur die Abzüge sind festgestellt. Die Schlosse selbst aber können durch starke Erschütterung zum Losschlagen gebracht werden. Zuverlässiger ist eine Stangen- oder Schlagstücksicherung, die nicht nur die Abzüge, sondern auch die Stangen bzw. die Schlagstücke feststellt. Einrichtungen, die mehrere Sicherungen miteinander verbinden, sind nur dann vorzuziehen, wenn sie wirklich erstklassig durchkonstruiert und ausgeführt sind. Für Drillinge, bei denen zu den beiden Schrotläufen ja auch noch der Kugellauf hinzukommt, ist eine unbedingt zuverlässige Sicherung besonders wichtig.

Der normale *Auszieher* bei Kipplaufwaffen schiebt die Patrone bzw. die abgeschossene Hülse so weit aus dem Lauf zurück, daß sie mit der Hand bequem erfaßt und entfernt werden kann. An besseren modernen Waffen findet man auch selbsttätig arbeitende

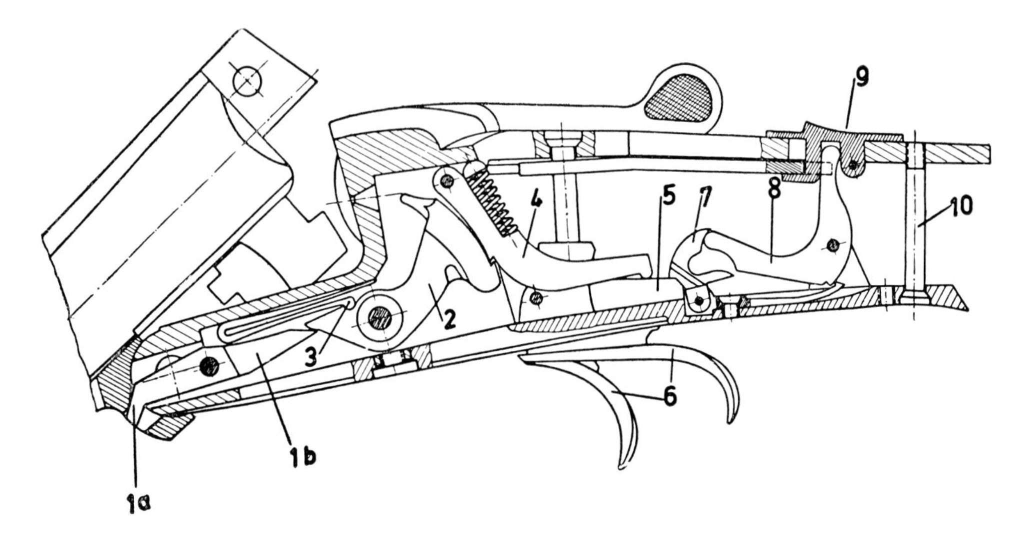

Kastenschloß Anson u. Deeley von J. P. Sauer & Sohn, Eckernförde, mit Abzugssicherung

1a vorderes Ende, 1b hinteres Ende des Spannhebels, 2 Schlagstück, 3 Schlagfeder, 4 Abziehstange, 5 Abzugsblatt, 6 Abzugsgriffe, 7 u. 8 Hebel der Abzugssicherung, 9 Schieber der Sicherung, 10 Kreuzschraube

Auswerfer (Ejektor), eine Einrichtung, die beim Abkippen der Läufe unter Federkraft die abgeschossene Hülse nach hinten herausschleudert, so daß beim Wiederladen eine erhebliche Zeitersparnis eintritt. Nur abgeschossene Hülsen werden ausgeworfen, nicht abgefeuerte Patronen nur so weit herausgeschoben wie beim normalen Auszieher. In unserem Zusammenhang ist es unmöglich und auch entbehrlich, auf die verschiedenen Modelle und Systeme von Selbstspannerflinten und kombinierten Gewehren im einzelnen einzugehen. Wir beschränken uns darauf, einige Beispiele vorzuführen (s. Abb. S. 350 u. S. 351).

Die Schlosse der neuzeitlichen Selbstspannergewehre sind entweder nach dem englischen Vorbild Anson & Deeley im Verschlußkasten untergebracht oder in dem sogenannten *Blitzsystem* auf dem Abzugsblech montiert oder als abnehmbare *Seitenschlosse* (z. B. Bauart Holland & Holland) konstruiert. Die verschiedenen Schloßkonstruktionen sind gekennzeichnet durch unterschiedliche Funktionsqualitäten und äußerlich durch die Lage der Befestigungsschrauben kenntlich.

Da die Sicherungsvorrichtung, wie schon erwähnt, beim Drilling besonders wichtig ist, sei noch hervorgehoben, daß z. B. Sauer & Sohn ihren Selbstspanner-Drilling Modell 3000 mit doppelter Stangenwechselsicherung herstellt, bei der, wenn auf Kugelschuß eingestellt ist, der rechte Schrotlauf, und wenn auf Schrotschuß eingestellt ist, der Kugellauf automatisch gesichert ist. In ähnlicher Weise liefert die Firma H. Krieghoff (früher Suhl, jetzt Ulm/Donau) einen sehr guten Selbstspanner-Drilling, Modell „Waldschütz", bei dem die Sicherung für Schrot und Kugel getrennt ist. Die seitlich zu bedienende Sicherung ist eine ausschließlich für den Schrotschuß bestimmte Stangensicherung, und der Kugellauf wird beim Einschalten auf Schrot automatisch durch Schlagstücksicherung gesichert. Beim Rückschalten auf Kugelschuß wird der Kugellauf automatisch entsichert.

Die für Drillinge geeignetste und sicherste Schloßkonstruktion ist eine solche mit zwei selbstspannenden Schlossen für die Schrotläufe und einem besonderen, von Hand durch Schieber oder Hebel zu spannenden Schloß für den Kugellauf. Die Konstruktion verhindert gegenüber jeder Umschaltvorrichtung oder besonderen Kugellauf-Sicherung als einzige das ungewollte bzw. eigenmächtige Lösen eines Kugelschusses bei Abgabe eines Schusses aus den Schrotläufen, wenn das Kugellaufschloß nicht gespannt ist.

Über die Frage, wie die Betätigung der Sicherung eingerichtet werden soll, läßt sich keine allgemeine Entscheidung fällen. Die verbreitetste Art ist die Vorrichtung mit einem Schieber auf dem Kolbenhalse. Andere ziehen die seitliche Anbringung (nach Greener), wieder andere die Anbringung vorn am Abzugsbügel vor. Was bequemer ist, läßt sich nicht eindeutig bestimmen, weil hierbei Gewohnheit und Übung mitwirken. Wichtiger ist, daß die Sicherung sich nicht ungewollt verschiebt, also nicht zu lose steht und beim Tragen des Gewehrs keine Angriffspunkte bietet, an denen die Kleidung sich festhaken kann. Zweckmäßig ist es ferner, wenn mehrere Kipplaufgewehre, die ein Jäger führt, mit einer Sicherung versehen sind, deren Betätigungsvorrichtung jeweils an gleicher Stelle der Gewehre angebracht ist.

Doppelläufige Kipplaufgewehre sind oftmals mit einer automatischen Sicherung ausgerüstet. Sie tritt selbsttätig ein, sobald man den Verschluß der Kipplaufwaffe öffnet. Beim Schließen ist die Waffe dann gesichert. Die Vorrichtung hat den Vorteil des jedesmaligen Gesichertseins der Waffe, sobald nach dem Öffnen des Verschlusses in die Läufe Patronen eingeführt wurden, aber beim Anschlag darf man nicht vergessen, die Sicherung rechtzeitig auszuschalten. Dies kann dem leicht passieren, der nebenbei noch ein Kipplaufgewehr ohne automatische Sicherung führt. Das Führen mehrerer Waffen ähnlichen Typs, die aber unterschiedliche Sicherungen oder unterschiedliche Anordnung der Einrichtungen für Sicherung und Umstellung haben, erfordert stets besondere Aufmerksamkeit, um Unfälle infolge Verwechslung von Handgriffen zu vermeiden.

Doppelflinte von J. P. Sauer & Sohn, Eckernförde
System Anson u. Deeley mit Greener Querriegel-Verschluß und Laufhakenverriegelung

Den Hauptwert möchten wir bei dieser Besprechung auf den sachgemäßen und vorsichtigen *Umgang mit der Waffe und ihrer Sicherung* legen, der in letzter Linie immer entscheidend ist. Die einfachste Sicherung ist gut, wenn der Jäger richtig mit der Waffe umgeht, und die vollständigste und sinnreichste Sicherung ist wertlos, wenn der Jäger seine Waffe unsachgemäß und unvorsichtig handhabt. Entsprechend dieser Wechselbeziehung mögen zum Abschluß noch folgende grundsätzliche Hinweise folgen:

1. Halte die Mündung deiner Waffe nie und unter keinen Umständen in der Richtung auf einen Menschen, auch nicht das gesicherte, ja, der Gewohnheit wegen, nicht einmal das ungeladene Gewehr!
2. Klimpere nicht unnötig an der Sicherung herum, und mache keine unnötigen Experimente damit, ob es wohl auch so oder so geht, z. B. wenn man auf „halbe" Sicherung stellt. Benutze die Sicherung immer nur im Bedarfsfall mit präzisem Schub auf „gesichert" oder „entsichert"!
3. Laß die Sicherung nicht einrosten oder sonstwie verschmutzen und benutze für die Schlosse und die Sicherung nur dünnflüssiges Öl (Paraffin- oder Knochenöl), das nicht zum Dickwerden oder zur Verharzung neigt!
4. Wenn irgend etwas an den Schlossen oder der Sicherung nicht in Ordnung zu sein scheint, so öffne vor der Untersuchung das Gewehr und nimm die Patronen heraus!
5. Wenn du nicht damit Bescheid weißt oder nicht zurechtkommst, so gehe mit dem Gewehr zu einem Fachmann, Büchsenmacher oder Schießsachverständigen, und lasse die Sache in deiner Gegenwart in Ordnung bringen, damit du zugleich etwas dabei lernst!
6. Nimm während der Jagdausübung, wenn du ein Hindernis zu überwinden hast, über einen breiten Graben springen oder über einen Zaun klettern mußt, stets die Patronen heraus, ebenso wenn du ein Fahrzeug besteigst, auf den Hochsitz kletterst oder in ein Haus eintrittst, und lasse auch nie zu Hause ein geladenes Gewehr im Gewehrschrank stehen oder an einem Riegel hängen!
7. Führe stets einen zusammensetzbaren Reinigungsstock oder den noch praktischeren biegsamen, zum Gebrauch feststellbaren *Schukra*-Stock im Rucksack mit, um Laufverunreinigungen im Revier sogleich beseitigen zu können, und schütze die Mündung auf dem Wege von und zur Jagd mit einer ledernen Mündungskappe. Sieh vor jedem Laden durch die Läufe!

Wenn der Jungjäger oder sonstige jagdliche Anfänger sich über die Schußwaffen und deren Munition zur erfolgreichen Ausübung der Niederjagd gehörig unterrichtet hat oder sich von einem Sachverständigen beraten ließ, soll er danach zu einem fachkundigen Büchsenmacher gehen, um sich eine Doppelflinte, Büchsflinte oder einen Drilling zu beschaffen. Der Büchsenmacher wird ihm verschiedene Gewehrmodelle vorlegen und bei der Auswahl auch seinerseits beraten. Die Schäftung kann gleich im Laden durch Anschlag erprobt werden. Stimmt noch nicht alles zu voller Zufriedenheit, so kann an der Schäftung vielleicht schon durch kleine Abänderungen geholfen werden, oder der Büchsenmacher rät dem Käufer, sich ein Gewehr genau nach Maß schäften zu lassen.

Wenn dann der Jäger in den Besitz eines geeigneten, ihm gut liegenden Gewehres gelangt ist, geht er auf den Schießstand, um das Gewehr einzuschießen. Handelt es sich um einen Drilling, so wird man zunächst den Kugellauf einschießen. Beim *Einschießen eines Kugellaufes* muß man für bequeme, sichere und weiche Unterlage Sorge tragen. Am besten schießt man sitzend an einem Tisch, auf den man beide Ellbogen aufstützt. Die Unterlage für den Gewehrlauf soll möglichst weich sein (gepolstertes Kissen oder Sandsack), und man muß den Lauf stets an der gleichen Stelle aufstützen, nicht nahe der Mündung, sondern etwa 15 cm vor dem Abzugsbügel, weil dann unterschiedliche Härte und Elastizität der Unterlage keine Rolle mehr spielen: Es tritt keine starke Prellung und damit keine durch die Auflage bewirkte Schußabweichung mehr ein. Aus gleichen Gründen soll auch im Revier das Gewehr grundsätzlich in demselben Abstand von etwa 15 cm von dem Abzugsbügel aufgelegt werden. Die Schüsse (etwa 6) gebe man langsam in großen Zwischenräumen ab, ohne den Lauf heiß werden zu lassen. Dies ist bei Drilling und Bockbüchsflinte besonders wichtig, denn hier erfährt der Büchslauf durch Erwärmung eine einseitige Verspannung, der Treffpunkt „klettert“ oft schon nach dem ersten Schuß, und der Lauf gibt, wenn er wieder erkaltet ist, demgegenüber Tiefschuß. Als normale Schußentfernung wählt man zunächst 100 m. Von Büchsläufen bester Schußleistung erwartet man bei 5 Schüssen auf 100 m einen Streukreisdurchmesser von nicht mehr als 4 cm, gleichmäßiges Abkommen selbstverständlich vorausgesetzt. Im allgemeinen ist ein geringer Hochschuß von etwa 3 cm auf 100 m zweckmäßig, so daß also die Kugel durchschnittlich etwa 3 cm höher sitzt, als man mit gestrichenem Korn oder Zielfernrohr abkam. Kleine Abweichungen nach der Höhe oder nach der Seite können durch Abänderung des Visiers durch den Büchsenmacher bzw. Verstellen des Zielfernrohrabsehens korrigiert werden.

Beim *Einschießen eines Schrotlaufes* ist zu bedenken, daß nicht dieselbe Regelmäßigkeit zu erreichen ist wie beim Kugelschuß. Die Trefferbilder fallen von Schuß zu Schuß, auch unter sonst völlig gleichen Umständen, immer etwas verschieden aus. Und schon wenige Meter Unterschied der Schußentfernung ergeben ein anderes Trefferbild. Zur Beurteilung der Schrotschußleistung hat man sich nach englischem Vorbild gewöhnt, als Schußentfernung 35 m und als Scheibe einen Kreis von 75 cm Durchmesser zu wählen, wie es ja auch den Bedürfnissen eines normalen jagdlichen Schrotschusses entspricht. Hauptsache ist, daß die Schrote den inneren Bereich des 75-cm-Kreises gut decken und über die ganze Kreisfläche möglichst gleichmäßig verteilt sitzen. Für das Abkommen beim Schrotschuß ist aber zu beachten, daß für die Jagdpraxis ein noch erheblich stärkerer Hochschuß erwünscht ist als beim Kugelschuß, nämlich auf 35 m etwa 10 bis 15 cm. Die Verteilung der Schrote innerhalb des 75-cm-Kreises muß von dem hauptsächlichen Verwendungszweck der Schrotläufe (Waldjagd oder Feld- und Wasserjagd und eventuell Wurftaubenschießen) und von der persönlichen Schießfertigkeit des Schützen abhängig gemacht werden, wie schon in früherem Zusammenhang betont wurde.

Wird die Verwendung von Flintenlaufgeschossen beabsichtigt, muß unbedingt zuvor durch Abgabe von Probeschüssen deren Treffpunktlage festgestellt werden. In vielen Fällen wird man dann finden, daß der Treffpunkt dieser Geschosse weit vom Haltepunkt abweicht und sie stark streuen, so daß ein sicheres Treffen ausgeschlossen ist. Abhilfe ist selbst für einen erfahrenen Büchsenmacher schwierig und oft aussichtslos; manchmal führt das Erproben der verschiedenen Flintenlaufgeschoßarten zum Erfolg.

Wenn das Einschießen von Schrotläufen auf feststehende Scheiben erledigt ist, empfiehlt es sich, auch noch festzustellen, welche Treffpunktlage *der Besitzer des Gewehrs* beim raschen Schießen auf stehende, verschwindende und sich bewegende Ziele erreicht. Man nehme zu diesem Zwecke eine große Scheibe, auf der in der Mitte ein deutliches Abkommen angebracht ist. Nun gehe man in normaler Schußentfernung nicht in gerader Richtung zur Scheibe, sondern abwechselnd nach rechts und nach links gewendet in Anschlag und schieße mit kurzer Wendung so rasch wie möglich auf die Scheibe. Der Schuß muß dann das Abkommen gut decken. Sitzt ein Teil der Schrote darüber, so ist das kein Fehler. Schießt man aber in der Regel darunter oder links oder rechts seitlich, so muß die Schäftung des Gewehrs geändert werden, vorausgesetzt natürlich, daß sich der Schütze überhaupt schon eine feste Anschlag- und Schießgewohnheit angeeignet hat. Erst wenn auch dieser Punkt zur Zufriedenheit erledigt ist, hat sich der Schütze mit seinem Gewehr richtig eingeschossen. Zweckmäßig ist es aber in jedem Fall, wenn er dann noch Schießübungen auf verschwindende, laufende oder fliegende Ziele folgen läßt, etwa auf „laufende" oder „fliegende" Zugscheiben und Wurftauben, um sich mit seinem Gewehr völlig vertraut zu machen.

SCHIESSKUNDE

Daß jeder Jäger nach einer möglichst großen Fertigkeit im jagdlichen Schießen strebt, ist selbstverständlich, denn nur der gute Schütze hat wirkliche Freude am Waidwerk und ist ein gerechter Jäger. Es ist dies eine ummittelbare Forderung der Waidgerechtigkeit, denn sie verlangt von uns, alles Wild sicher, rasch und möglichst quallos zu erlegen!

Wie man Schwimmen nur im Wasser und Reiten nur im Sattel erlernen kann, so ist auch das Schießen vornehmlich Sache der Praxis. Es lassen sich wohl Grundregeln aufstellen, und der Anfänger muß im Gebrauch der Waffe, ganz besonders im vorsichtigen Umgang mit ihr, unterwiesen werden, aber zur Erreichung einer gewissen Vollkommenheit in der Schießkunst hilft alle Büchergelehrsamkeit nichts, nur auf dem Schießstand und auf der Jagd kann sie erworben werden. Ich sage ausdrücklich „und auf der Jagd" und nicht auf dem Schießstande allein; denn wenn beim Schießenlernen mit der Büchse wie mit der Flinte auch die Vorbereitung auf dem Schießstande vorausgehen muß, so wird die tatsächliche Fertigkeit im jagdlichen Schießen doch nur auf der Jagd selbst erlernt. So mancher ist ein guter Schießstandschütze und auf der Jagd ein elender Stümper.

Altmeister DIEZEL stellte seiner Anleitung zur Schießkunst als Motto den folgenden SCHILLERschen Schützenspruch voran:

Das Schwarze treffen, in der Scheibe,
das kann auch ein andrer;
der ist mir der Meister,
der seiner Kunst gewiß ist überall,
dem's Herz nicht in die Hand tritt,
noch ins Auge.

Mit diesem Spruch wird eigentlich alles zusammengefaßt, worauf es beim jagdlichen Schießen ankommt. Die „ruhige Hand" und „das scharfe Auge" tun es allein keinesfalls; für das Jagdschießen kommen andere Momente in Frage, vor allem Geistesgegenwart, die Fähigkeit, schnell einen Entschluß zu fassen und seinen ganzen Körper so in der Gewalt zu haben, daß dieser Entschluß auch sofort seine richtige Ausführung findet. Wenn nun auch das Erlangen einer vollen Kunst im Schießen persönliche Eigenschaften erfordert, die angeboren sind und sich nicht allein erlernen lassen, so wird doch auch der talentvolle Anfänger, um diese „Schießfertigkeit" zu erwerben, sich durch viele Übungen mit seinem Gewehr so vertraut machen können, daß es ihm sozusagen von selbst in die Hand wächst.

Daher sind *Anschlagübungen* vor allem zu empfehlen. *So lange muß der Anschlag* des Gewehrs in verschiedener Stellung des Körpers zu einem Ziel geübt werden, bis der richtige Anschlag zur vollständigen unwillkürlichen Gewohnheit wird, bis der Schütze einmal wie das andere Mal das Gewehr in genau der gleichen Weise und Lage an die Schulter und die Wange an den Schaft bringt. Um den richtigen Anschlag zu erlernen, ist es außerordentlich wichtig, auch die Körper- und Gewehrhaltung unmittelbar vor dem Anschlag zu beachten (s. Abb. S. 356 u. S. 357).

Für die *Grundstellung*, die die Füße des Schützen bei dem Rechtsanschlag des Gewehrs zu der Ziel- bzw. Schußrichtung einzunehmen haben, ist die Abbildung Seite 355 Beispiel. Die darin gezeigte Fußstellung ergibt die genügende Wendigkeit des Schützen nach beiden Seiten und vermittelt dem Körper bei der Schußabgabe den ausreichend festen Halt. Der Körper des Schützen soll eine scharfe Profilstellung zu der Schußrichtung einnehmen, indem die linke Körperseite und linke Schulter annähernd der Schußrichtung zuzuwenden und die rechte Schulter etwas zurückzunehmen sind. Die Knie werden leicht durchgedrückt, ohne sie zu verkrampfen, und der Oberkörper ist bei gestreckter Haltung etwas vornüber zu neigen. Das Gewicht des Körpers ruhe auf dem linken Fuß, der rechte stehe nur locker auf dem Boden. Beim Büchsenschuß auf stehende Ziele ist der Körper leicht in sich gestrafft, beim Schießen mit Schrot gelockert zu halten. Die Arme müssen möglichst frei und zwanglos gehalten werden, auf keinen Fall dürfen die Ellenbogen, wie man es häufig sieht, krampfhaft gegen den Körper bzw. den Gewehrschaft gedrückt werden. Der Hinterschaft darf nicht zu tief unterhalb des rechten Ellenbogens und nicht zu eng an den Körper und den Ellenbogen gehalten werden, sonst findet der Schaft beim Hochfahren Widerstand und Reibung am Oberarm bzw. der Kleidung. Man halte den Hinterschaft vielmehr unmittelbar vor dem Anschlag (z. B. wenn der Hund vorsteht usw.) so weit nach vorn und so hoch, daß man ihn blitzschnell und ungehindert an die Schulter bringen kann.

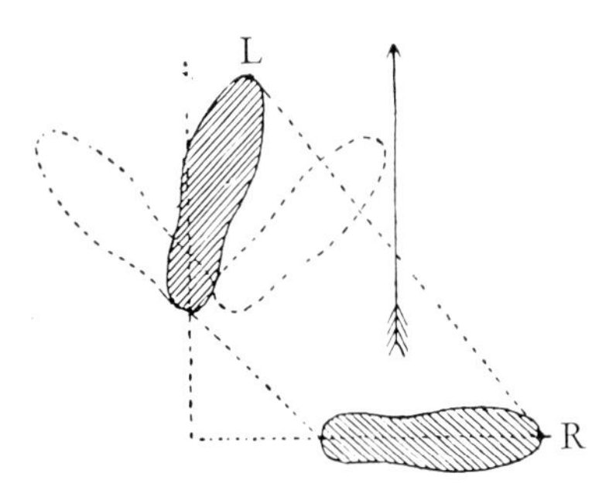

Schraffierte Fußsohlen richtige, punktierte Fußsohlen falsche Grundstellung der Füße zur Schußrichtung

Wir kommen nun zu den Anschlagübungen selbst. Diese führt man in der Weise aus, daß man sich irgendeinen Zielpunkt wählt, bzw. darauf anschlägt, und (natürlich mit ungeladenem Gewehr) rasch abdrückt[20]. Hat man darin eine gewisse Fertigkeit bei gleichbleibender Stellung des Körpers erlangt, so wiederholt man diese Übungen in halb oder ganz vom Ziele abgewandter Stellung und bemüht sich, immer möglichst schnell das Ziel zu erfassen und möglichst schnell abzukommen. Solche Anschlagübungen können gar nicht oft genug vorgenommen werden. Man greife daher auch im Zimmer, wenn man gerade einige Minuten Zeit und Lust hat, zu dem Gewehr und übe den Anschlag auf beliebig gedachte, stets wechselnde Ziele. Hierbei achte man auch darauf, die Körperstellung häufig zu ändern, in der Art, wie es auf der Jagd häufig vorkommt. Außerordentlich wichtig ist es, daß das Gewehr nicht verkantet und beim Abziehen nicht verrissen wird. Das Verreißen wird zwar bei der Übung mit dem ungeladenen Gewehr seltener hervortreten; aber schon hierbei muß der Schütze sich daran gewöhnen, die Tätigkeit des Abziehens nur mit dem zügig durchzukrümmenden Zeigefinger ohne irgendwelche Beeinflussung des Armes und des übrigen Körpers auszuführen, sonst kommt er leicht zu der üblen Angewohnheit des „Muckens", nickt beim Abgehen des Schusses mit dem Kopfe, reißt das Gewehr mit dem Arm nach unten – und schießt ein Loch in die Natur. Vielleicht

[20] Zur Schonung der Schlagbolzen benutzt man „Pufferpatronen". Es sind dies leere Metall- oder Kunststoffhülsen, die zum Auffangen des Schlagbolzens des Gewehrschlosses an Stelle des Zündhütchens eine federnde Vorrichtung enthalten.

Schütze in guter Körperhaltung und richtigem Anschlag

hat auch der Leser schon darüber gelacht, wenn ihm auf Treibjagden ein Versager oder, was dieselbe Wirkung hat, die nicht geladene, nicht gespannte oder gesicherte Flinte seines Nebenmannes bei ihrem Abziehen Gelegenheit bot, bei diesem die „höfliche Verbeugung“ zu beobachten, die er mit dem Gewehr und dem ganzen Körper beim Drücken machte!

Besser als aus der Beschreibung wird sich die vor und beim Anschlage einzunehmende Körperhaltung aus den Abbildungen erkennen lassen, die den Schützen schußbereit im Vorschreiten, schußfertig unmittelbar vor dem Anschlag und im Anschlage darstellen (s. Abb. S. 356 u. S. 357). Die ganze Körperhaltung soll beim Anschlage möglichst frei und ungezwungen sein, kein Muskel des Körpers darf krampfhaft angespannt werden; denn nur, wenn die Körperhaltung gelockert ist und die ganze Körpertätigkeit sich in völliger Übereinstimmung befindet, hat der Schütze sein Gewehr derartig in der Gewalt, daß er damit schnell der Bewegung des Wildes folgen kann. Die rechte Hand umspannt fest, aber unverkrampft den Schafthals und die linke soll am Ende des Vorderschaftes die Läufe halten.

Beim Hochbringen des Gewehres zieht die rechte Hand, die den Schafthals so umfaßt, daß der Zeigefinger bequem den vorderen Abzug erreicht, den Hinterschaft fest an die Schulter, und der schwach vorgeneigte Kopf legt sich mit der Wange leicht gegen den Schaft. Ein richtiges Einsetzen des Gewehres ist das beste Mittel gegen einen mit der Zeit empfindlich schmerzenden Rückstoß; bei richtigem Anschlag und gut liegendem, ausreichend schwerem Gewehr wird es nie eine blaue Schulter oder eine wundgestoßene Wange geben! Voll in die Schulter muß der Hinterschaft eingesetzt werden, nicht an den Oberarm. Der Schaft darf nicht zu hoch, aber auch nicht zu tief eingesetzt werden. Die Oberkante des Hinterschaftes soll mit der Schulter etwa gleiche Höhe haben.

Da wir gerade von der Haltung des Gewehrs sprechen, möge hierbei gleich erwähnt werden, daß sich der junge Jäger von Anbeginn daran gewöhnen muß, während der Jagdausübung stets sein Gewehr so zu tragen, daß er es immer fertig zum Gebrauch hat, andererseits aber seinem Nebenmenschen nicht das unerträgliche Gefühl verursacht, ein Gewehr auf sich gerichtet zu sehen. Man trage daher immer das Gewehr mit der Laufmündung nach einer Richtung, in der ein unabsichtlich losgehender Schuß unter keinen Umständen Unheil anrichten kann, entweder nach oben oder nach dem Erdboden zeigend (s. Abb. S. 359); denn das Unglück ist wohlfeil, und mancherlei Umstände können ein zufälliges Losgehen hervorrufen. Dabei ist auch zu bedenken, daß z. B. ein Schuß, der bei abwärts gerichteten Läufen auf gefrorenen Erdboden, Steine und dergleichen trifft, davon absetzen und hierdurch Unheil anrichten kann.

Ist der sichere und rasche Anschlag durch die vorbezeichneten Übungen in Fleisch und

Blut übergegangen, schreiten wir zu den *Schießübungen* selbst. Wir beginnen mit der Schrotflinte. Für den Anfang ist es dem jungen Jäger angelegentlichst zu empfehlen, zu seinen Übungen ein einläufiges Gewehr zu benutzen oder wenigstens, wenn ihm ein solches nicht zur Verfügung steht, nur *einen* Lauf der Doppelflinte zu laden, damit er nicht „in der Hitze des Gefechts" beide Läufe auf einmal abdrückt oder nach abgegebenem Schusse mit dem geladen gebliebenen Laufe ein Unglück anrichtet. Mit einem einläufigen Gewehr wird der Anfänger leichter fertig und gewöhnt sich dadurch von vornherein an das schnell entschlossene und dabei doch überlegte Schießen, auf das es bei der Jagd vor allem ankommt. Der Anfänger schießt mit einem Einläufer in der Regel besser, weil er keinen zweiten Schuß zur Verfügung hat, auf den er sich verlassen könnte, wenn der erste fehl ging. Das erwähnte „schnelle" Schießen darf aber keineswegs in „blindes" Schießen ausarten, wie wir es bei jungen Jägern oftmals beobachten können, die beim Aufstehen eines Volkes Hühner oder beim Herausfahren eines Hasen wie von der Tarantel gestochen das Gewehr an die Backe reißen, beide Schüsse blindlings abgeben und so meistens nicht einmal „in die Gegend" treffen.

Nein, die nötige Schnelligkeit darf sicheres Zielen nicht ausschließen, sie muß sich mit Ruhe und Entschlossenheit zum richtigen Haltepunkt und Treffer paaren; andererseits darf man durch langes Zielen nicht den richtigen Zeitpunkt zum Auslösen des Schusses versäumen.

Besonders zu empfehlen sind *Schießübungen auf „laufende" Hasenscheiben* sowie aufsteigende Fasanenscheiben, die aus starkem Blech hergestellt und mit Kalkfarbe anzustreichen sind, und auf Wurftauben. Die laufenden Scheiben müssen aus einer Deckung in

Haltung des Gewehrs vor dem Anschlag

Schütze in guter Stellung vor dem Anschlag auf hochanstreichendes Wild; für auf dem Boden anlaufendes Wild würde die Laufmündung zu hoch gehalten werden, es würde unnötige Zeit vergehen, um sie in Richtung des Zieles zu schwenken

Schütze in guter Stellung vor dem Anschlag mit mittelhoch gehaltener Laufmündung. Auf Wild, das auf dem Boden anläuft, wird die Laufmündung entsprechend tiefer gehalten

2 bis 4 Sekunden eine etwa 6 m breite Schneise überqueren und wieder hinter einer Dekkung verschwinden. Die Fasanenscheibe taucht ebenfalls aus einer Deckung auf, steigt an einem Draht schräge zu einem 8 m hohen Pfahl hinauf, wo sie wieder hinter einer Deckung verschwindet. Für das Schießen auf Wurftauben benutzt man ein- oder mehrarmige Wurfmaschinen, die die „Tauben“ (aus Asphalt gefertigte kleine Teller von etwa 10 cm Durchmesser) in flachem Bogen nach verschiedenen Richtungen schleudern. Sie fliegen bis etwa 70 m weit. Der Schütze steht 10 bis 13 Meter hinter den Maschinen. Zweckmäßig ist es, wenn der Stand für die Wurfmaschinen nicht hinter einem Deckungswall, sondern in einem etwa 2 m tiefen Graben angelegt wird, damit die Tauben wie vom Erdboden aufsteigende Rebhühner oder Fasanen erscheinen und dem Schützen unmittelbar nach Abwurf sichtbar werden. Sehr praktisch ist auch ein Übungsschießen auf sogenannte Rollscheiben. Hierzu dienen Wurftauben, die mit Hilfe einer besonderen Schleudervorrichtung über einen möglichst ebenen Erdboden gerollt werden.

Schießübungen auf Zug- und Rollscheiben sowie auf Wurftauben werden, um zunächst Anschlags- und hieraus sich ergebende Zielfehler und Fehlschüsse auszuschließen, durchgeführt, indem anfänglich das Gewehr bereits vor dem Abruf bzw. Erscheinen der Ziele an der Schulter angeschlagen wird. Ist bei einem solchen Schießen mit „Voranschlag“ eine bestimmte Sicherheit im Treffen erreicht, wird dazu übergegangen, das Gewehr erst bei dem Sichtbarwerden der Ziele anzuschlagen.

Eine viel umstrittene Frage ist es, ob man beim Zielen beide Augen offen halten soll oder nur das Zielauge. Zweifellos sind diejenigen Schützen im Vorteil, die beide Augen offen halten können. Leider ist dies aber nicht allen möglich, nämlich denen nicht, bei denen das Zielauge (gewöhnlich also das rechte) schwächer ist als das andere. Wer aber zwei gleich scharf sehende Augen hat oder aber mit dem Zielauge besser sieht als mit dem anderen, der tut sicher besser, wenn er beim Schießen (auch mit der Büchse!) beide Augen offen hält. Er hat dann besseren Überblick, es entgeht ihm nicht so leicht etwas, er sieht „plastischer“ und kann die Schußentfernung weit sicherer beurteilen!

Da auf dem Gebiet der Niederjagd der Schrotschuß eine größere Rolle spielt als der Kugelschuß, so sollen hier zunächst einige Regeln über das Schießen mit Schrot beim praktischen Jagdbetriebe genannt werden. Vor allen Dingen merke sich der angehende Jäger folgenden Satz: Von allen Fehlschüssen mit Schrot auf bewegliches Wild gehen 90 % unter dem Wild bzw., wenn das Wild breit vorbeikommt, gleichzeitig hinter dem Wild vorbei. Also Grundregel: Schieße auf flüchtendes Wild und auf Flugwild, als wenn du drüber weg bzw. vorweg schießen wolltest! Oder mit anderen Worten: Halte beim Schießen auf bewegliches Wild nicht dorthin, wo das Wild ist, sondern dorthin, wohin das Wild will. Nun ist freilich noch ein gewisser Unterschied zwischen dem Schießen auf Flugwild und dem auf flüchtendes Wild zu machen. Wir wollen letzteres zuerst behandeln und bei der nun folgenden Besprechung ein bestimmtes Wild, und zwar den Hasen, ins Auge fassen. Hierbei sind hauptsächlich folgende Fälle zu unterscheiden:

1. der Schuß auf den „breit“ vorbeikommenden Hasen;
2. der Schuß „spitz von vorn“ bzw. „spitz von hinten“!
3. der Schuß auf den Hasen schräg von hinten bzw. schräg von vorn;
4. der Schuß bergauf oder bergab.

Da man immer bestrebt sein muß, den flüchtenden Hasen vorn zu treffen, dieser aber noch während des Schusses seinen Platz verändert und die Schrote für die von ihnen bis zu dem Hasen zurückzulegende Flugstrecke eine bestimmte Zeit benötigen, muß man im Zielen nicht nur mitziehen, sondern auch, je nach Entfernung und Geschwindigkeit des Wildes, während des Mitziehens entsprechend weit vorhalten. Bei einem auf 30 bis 40

Schritt vorbeiflüchtenden Hasen hält man, die Flinte mitziehend, je nach der Fluchtgeschwindigkeit eine halbe bis ganze Hasenlänge vor den Kopf (s. Abb. S. 361, b). Ist die Geschwindigkeit *oder* die Entfernung groß, so hält man entsprechend mehr, manchmal zwei bis drei Hasenlängen vor. Das Abdrücken geschieht während des Mitziehens; denn wer die Flinte plötzlich zum Stillstand bringt, um abzudrücken, wird unfehlbar den Hasen hinten treffen oder ganz vorbeischießen. Nur wenn Hals, Kopf oder Blatt mitten im Streuungskreis der Schrote liegen, wird man den Hasen unterm Feuer strecken, man wird ihn also, wie der gebräuchliche Ausdruck lautet, *„rollieren"*, *„Rad schlagen"* oder *„Kopf stehen"* lassen. Je geübter ein Schütze ist, um so weniger wird er mit dem Schrotgewehr im

Richtiges Tragen des Gewehres

Erlaubtes Tragen des Gewehres, wenn niemand vor dem Schützen geht

büchsenmäßigen Sinne „zielen". Er wird es mehr und mehr lernen, den Schuß in die betreffende Richtung vor das Wild zu „werfen", wobei der Schuß unmittelbar auf das Anschlagen folgt. Wir behalten aber im folgenden, da diese Zeilen in erster Linie für Anfänger berechnet sind, den Ausdruck Zielen bei, zumal wir keine zutreffendere Bezeichnung haben und, wie oben ausgeführt, auch jeder Schrotschuß auf einem gewissen Zielen beruht.

Wie schon an einer anderen Stelle gesagt wurde, muß man, um ein wirklich guter Schütze zu sein und um die Wirkung des Schusses, also das „Zeichnen" des Wildes beobachten zu können, durch das Feuer oder durch den Schuß sehen, das heißt, man darf nicht im Augenblick des Abfeuerns die Augen schließen!

Wenn ich oben angegeben habe, wie man zielen soll, so nahm ich als äußerste Entfernung 50, allerhöchstens 60 Schritt an; denn die Waidgerechtigkeit verbietet es, mit Wissen und Vorbedacht, selbst mit Läufen Kal. 12/70 mit bester Trefferleistung, auf weitere Entfernung *als höchstens 50 m bei Schrot 3½ mm auf Hasen und 45 m bei Schrot 2½ mm auf*

Rebhühner mit der Flinte zu schießen. Bei Läufen kleineren Kalibers und solchen mit mittlerer Trefferleistung endet der wirksame Schußbereich schon auf etwa 40 bis 45 m mit Schrot 3½ mm und etwa 35 bis 40 m mit Schrot 2½ mm. Alle diese Entfernungsgrenzen gelten nur für Wild, das breit kommt, während auf spitz oder schräg kommendes Wild die Schußentfernung noch näher begrenzt werden muß. Auf 70 Schritt oder gar noch weiter zu schießen, ist ein unentschuldbarer, unwaidmännischer Leichtsinn, zumal der Schütze sowieso leicht die Entfernung unterschätzt und in Wirklichkeit auf 60 Schritt schießt, während er auf 40 Schritt zu schießen meint. Noch größer ist die Gefahr des falschen Schätzens auf dem Wasser, also bei der Entenjagd. Die Grenze des Kernschusses seines Gewehres findet der Jäger am leichtesten, wenn er wiederholt nach einer Papierscheibe, auf der etwa ein Hase gezeichnet ist, auf 40 bis 60 Schritt schießt. Er kann auf diese Weise leicht ermitteln, von wie vielen Schroten das Hasenbild auf jede Entfernung noch getroffen wurde. Für andere Wildarten nehme man mit den entsprechenden Schrotnummern dieselbe Prüfung vor. Über 50 Schritt hinaus werden die *allerwenigsten* Flinten noch eine gerade genügende Mindestdeckung erzielen, d. h. etwa 5 Schrote auf das Wild bringen.

Wir kommen nun zu dem *„spitz von vorn"* anflüchtenden oder *„spitz nach vorn"* abflüchtenden Hasen. Letzterer Fall tritt meistens auf der Suchjagd, ersterer häufig auf der Treibjagd ein. Betrachten wir zunächst den Schuß auf den Hasen spitz von vorn. Wenn der Hase dem Schützen entgegenkommt, ziele man so und komme so ab, daß das Wild auch mitten in den Streuungskreis der Schrote hineinläuft (s. Abb. S. 361, c). Um dies zu ermöglichen, ist auch hier ein Vorhalten unbedingt nötig; man halte daher so, als ob man mehr oder weniger dicht vor dem Hasen in den Boden schießen wolle. Aus dem Vorhalten wird also in diesem Falle ein Darunterhalten. Aber auch hier würde es ein großer Fehler sein, und man würde den Hasen nicht treffen, d. h. die Schrote würden über ihn hinweggehen, wollte man in dem Augenblick des Abdrückens das Gewehr plötzlich stillhalten. Das Vorschwingen und Abfeuern sei auch bei solchen Schüssen eins, denn nur dann wird das Wild mitten in den Streuungskreis der Schrote hineinflüchten und im Feuer verenden.

Beim Schuß *„spitz von hinten"* verfährt man gerade entgegengesetzt, d. h., man hält die Mündung nicht unter den Hasen, sondern darüber. Natürlich kommt es auch hier auf die Geschwindigkeit des Hasens und auf die Entfernung an. Flüchtet der Hase mäßig schnell, oder ist er noch ziemlich nahe, so hält man auf den Kopf (s. Abb. S. 361,d); flüchtet jedoch der Hase sehr schnell oder war die Entfernung, als man die Flinte an die Backe nahm, schon verhältnismäßig groß, so genügt das Zielen auf den Kopf nicht mehr, man muß jetzt das Ziel ganz decken und darüber halten. Kommt man bei diesem Schuß in der vorgeschriebenen Weise richtig ab, so trifft man den Kopf, das Genick oder das Rückgrat und zerschießt nicht bloß die Keulen.

Kommt der Hase in *schräger Richtung* oder entfernt er sich in einer solchen, gilt für beide Fälle dieselbe Regel. Sie ist am besten dadurch zu erläutern, daß man sich an der Seite des schräg entgegen- oder davonflüchtenden Hasen eine Linie gezogen denkt, die, bei der Blume beginnend, quer an dem Körper des Hasen entlanglaufend, vor dem Kopf und den Vorderläufen in den Boden geht. An dieser Stelle, also da, wo die gedachte Linie den Boden berühren würde, sei der Zielpunkt, an dem man abkommt, ohne das Gewehr zum Stillstehen kommen zu lassen. Man halte also bei diesem Schrägschießen, die Mündung bei dem sich nähernden Hasen senkend, bei dem davoneilenden hebend, ein wenig seitwärts vor (s. Abb. S. 361, a), etwa um die Hälfte des Maßes von Schüssen auf breit kommende Hasen. Natürlich sind hier die Schnelligkeit des Hasen und die Entfernung auch zu berücksichtigen, eine Sache, die dem denkenden Schützen bei einiger Übung leicht werden wird.

Flüchtet der Hase *bergauf oder bergab,* handele man nach der praktischen, alten Regel:

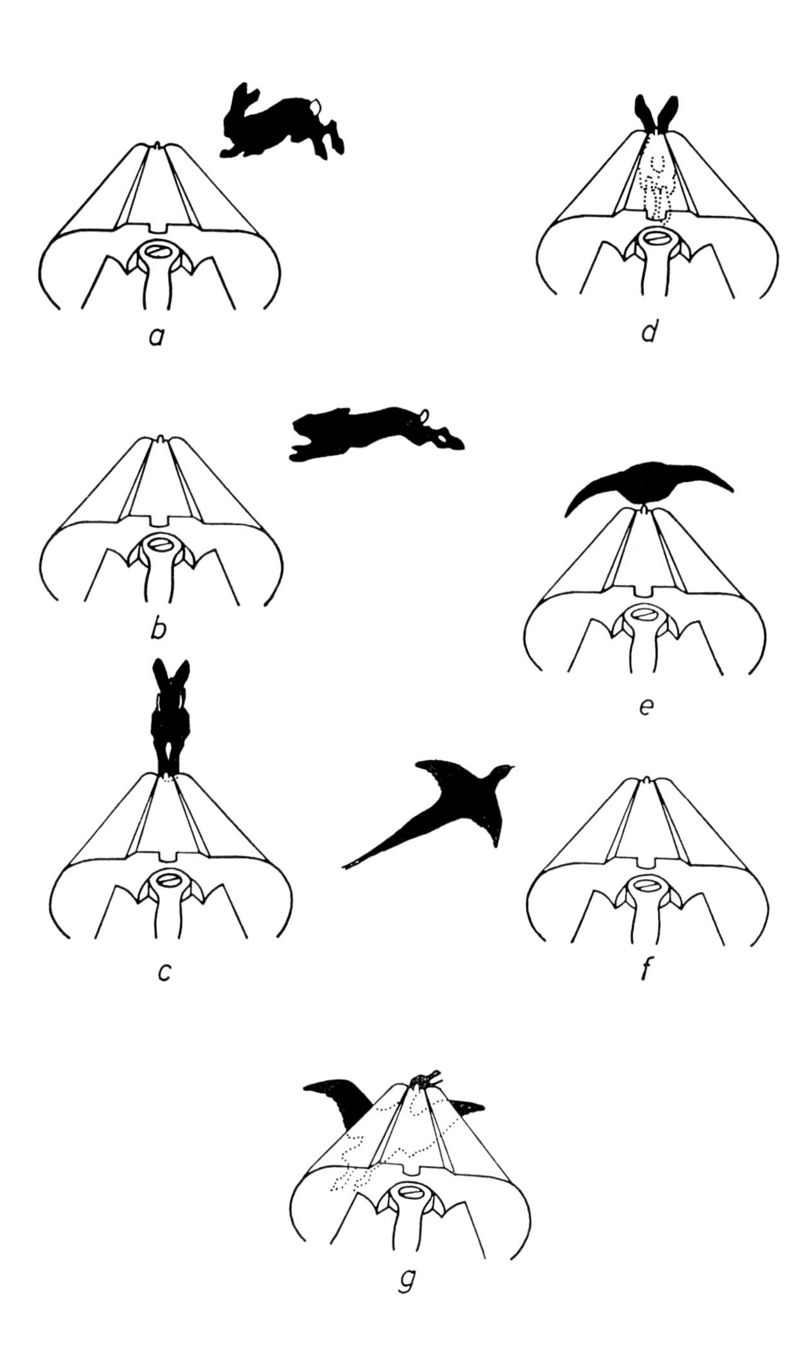

Schuß auf flüchtigen Hasen und streichendes Federwild

a = Schuß auf den schräg von hinten abflüchtenden Hasen, b = Schuß auf den „breit" kommenden Hasen, c = Schuß auf den Hasen „spitz von vorn", d = Schuß auf den Hasen „spitz von hinten", e = Schuß „spitz von hinten" auf ein leicht sich senkendes Rebhuhn, f = Schuß auf einen breit vorbeistreichenden Fasan, g = Schuß auf eine aufstehende Ente

„Bergüber – halt' drüber! Bergunter – halt' drunter!" Diese Regel ist für derartige Fälle durchaus richtig, wird aber leider oft fälschlich auch für das Schießen mit der Kugel auf feststehende Ziele geltend gemacht.

Zur Einführung in die *Flugwildjagd* bietet das Rebhuhn die häufigste und beste Gelegenheit. Es streicht bei der Suchjagd im ganzen in ziemlich unveränderter, allenfalls anfangs leicht steigender Richtung von dem Schützen ab; dieser Schuß gehört daher zu den leichtesten Schüssen der Flugwildjagd, besonders zu Anfang der Hühnerjagd, wenn die Hühner noch gut „halten". Ein nahe aufstehendes Rebhuhn lasse man bei windstillem Wetter etwa 20 bis 25 Meter fortstreichen, bevor man den ersten Schuß abgibt. Man benutze ferner auf der Jagd jede Gelegenheit, auf Krähen, Elstern und dergl. möglichst immer im Fluge zu schießen. Eine sitzende Krähe mit Schrot zu schießen, macht dem geübten Schützen bald kein Vergnügen mehr, er läßt sie, wie wir das im Krähenkapitel besprachen, ruhig abstreichen und schießt sie dann gewandt herunter. Das Abkommen auf Flugwild ist zwar häufig dasselbe wie auf Haarwild, doch sind die größere oder geringere Schnelligkeit des Fluges sowie die Flugrichtung (z. B. in vielen Fälle eine wachsende Geschwindigkeit und eine ansteigende Bewegungsrichtung) noch mehr in Rechnung zu ziehen. Die Abbildungen veranschaulichen die Art und Weise des Haltens auf Flugwild bei den am häufigsten vorkommenden Flugrichtungen.

Der Schuß auf Flugwild, das den Schützen von vorn kommend anstreicht, ist schwierig und bedarf besonders reichlicher Übung. Derartige Schüsse gelingen am besten, wenn man solchem Wild, solange es sich noch vor dem Schützen befindet, entgegen, d. h. „ins Gesicht" schießt, hierbei auf den Kopf des Wildes hält und während des Ziehens des Abzuges den Schuß davor wirft. Schießt der Jäger erst, wenn sich das Ziel bereits über ihm befindet, landet sein Schuß fast immer hinter dem Wild. Ähnlich mißlich verläuft der Schuß auf Flugwild, das bereits über den Schützen hinweggestrichen ist und von hinten beschossen wird. In diesem Fall wird das dabei erforderliche Vorhaltemaß meist nicht erreicht, das Wild krank geschossen oder gefehlt.

Eine der wichtigsten Obliegenheiten eines eifrigen und guten Jägers ist es, wenn Zeit und Umstände es ihm gestatten, mithin ohne Ausnahme, wenn er *allein* oder doch nicht von anderen abhängig ist, die Wirkung jedes seiner Schüsse, mag dieser nun getroffen haben oder nicht, genau zu untersuchen bzw. darüber nachzudenken. Die pünktliche Befolgung dieses Grundsatzes gewährt zwei große Vorteile, die für das praktische Jägerleben von gleich hervorragender Bedeutung sind. Erstens lernt man dadurch sich selbst und sein Gewehr kennen. Man gewöhnt sich daran, sich selbst, sein „Abkommen" usw. zu beobachten, also die Ursachen seiner Fehler ebensowohl festzustellen wie die Ursachen seiner Erfolge. Und zweitens wird bei gründlicher Nachsuche gar manches angeschossene Wild aufgefunden, während es im anderen Falle elend verludert wäre.

Wir können diesen Abschnitt nicht beschließen, ohne nicht auch über den *Büchsenschuß* in der Jagdpraxis das Nötigste gesagt zu haben. Weitaus die meisten Büchsenschüsse werden auf den stehenden Rehbock abgegeben, und zwar sollte es allgemeine Regel sein, nach Möglichkeit nur auf den breitstehenden Rehbock zu schießen, damit die Kugel auf die richtige Stelle (das „Blatt" und seine Umgebung) gesetzt werden kann. Es schießt sich am besten so, daß man, in geringem Abstand hinter den Vorderläufen heraufgehend, den Abzug oder Stecher in dem Moment zieht, in dem das Korn oder Zielfernrohrabsehen im unteren Viertel des Wildkörpers stehen. Daher wird die Büchse meist so eingeschossen, daß die Kugel auf etwa 100 m einige Zentimeter höher sitzt (Treffpunkt) als die bezielte Stelle (Haltepunkt).

Der beste und sicherste Schuß auf den Bock ist der auf den breitstehenden. Den Wildkörper schräg durchschlagende Schüsse sind möglichst zu vermeiden, weil sie oft wenig oder keinen Schweiß austreten lassen und dann eine unzureichende Schweißfährte liefern. Ist ein Schuß auf einen schräg stehenden Bock aus besonderen Gründen nicht zu umgehen, so hält man stets so, daß die Kugel die edlen Teile (Herz und Lunge) durchschlägt. Schießt man auf einen Bock „schräg von vorn", so hält man auf die zugewendete Seite des „Stichs", damit die Kugel etwas hinter dem Blatt der abgewendeten Seite wieder austritt. Schießt man „schräg von hinten", so muß man umgekehrt verfahren, nämlich entsprechend hinter das Blatt der zugewendeten Seite halten, damit die Kugel auf dem Blatt der abgewendeten Seite oder am Stich herausfährt. Kann man die bisher aufgeführten Schüsse nicht anbringen, so ist zu raten, überhaupt nicht zu schießen! Denn ein absichtlicher Waidwundschuß (durch Pansen und Gescheide) und Keulenschuß sind unwaidmännisch. Völlig „spitz" von vorn oder gar von hinten darf man ebenfalls nicht schießen, jedenfalls nicht auf gesundes Wild, weil dieser Schuß unsicher ist, leicht reine Laufschüsse herbeiführt und im besten Falle den Wildkörper der Länge nach durchschlägt, daher meistens, zumal die Geschosse oft im Wildkörper ihre Richtung ändern, das Wildpret entwertet. Höchstens kann man auf ganz nahe Entfernung den Halsschuß spitz von hinten anbringen.

Auf flüchtiges Rehwild darf sich nur der hierin geübte, gewandte Schütze unter günstigen Umständen den immer etwas gewagten Schuß erlauben. Ein Schuß aufs Geratewohl ist unwaidmännisch. Natürlich hält man entsprechend der Geschwindigkeit vor den Fleck, den man treffen will, *doch nicht in dem Maße* wie beim *Schrotschuß*, da die Kugel sehr viel schneller fliegt. Namentlich bei den modernen Büchsenpatronen mit hoher Geschwindigkeit muß man weniger vorhalten, um ein Vorwegschießen zu vermeiden. Man übt dies am besten auf die laufende Wildscheibe, und zwar mit wechselnder Geschwindigkeit der Scheibe.

Noch weit wichtiger als beim Schrotschuß ist es beim Büchsenschuß, genau auf die *Schußzeichen* (das Zeichnen des Wildes und die Merkmale an der Anschußstelle) zu achten. Der erfahrene Jäger sieht in der Regel schon am Zeichnen des Wildes, wo die Kugel sitzt, was sehr wichtig ist, wenn das Wild nicht schon im Gesichtskreis des Jägers zusammenbricht. Das zweite Erfordernis ist die gründliche Untersuchung der Anschußstelle auf Schweiß und Schnitthaare. Beides dient dem erfahrenen Jäger als entscheidender Wegweiser für sein weiteres Verhalten.

Wir haben uns bemüht, dem Jäger im engen Rahmen eines Kapitels einen Abriß von dem für ihn Notwendigsten aus der Waffen- und Schießtechnik zu geben, aber die beste Waffe, die beste Patrone, die beste Schießlehre nützen nichts, wenn der Jäger seine Weisheit nur aus Büchern sucht und die Praxis vernachlässigt. Übung allein macht den Meister, wobei aber zu bedenken gilt, daß die ersten Versuche nicht auf lebendes Wild, sondern auf stehende oder bewegliche Wildscheiben zu machen sind – wollen wir der Aasjägerei nicht Vorschub leisten!

SACHREGISTER

Aaskrähe 313
Abbalgen 153
Abendansitz
—, Hase 71, 74
—, Wildkaninchen 109
Abendpürsch 40
Abendstrich, Schnepfe 251
Abfedern 204
Ablaufpunkt 86
Abschlagen
— des Gehörns 52
—, Fuchs 142
—, Hase 89
—, Wildkaninchen 89
Abschuß vom Schlafbaum
—, Krähenvögel 317, 318
—, Reiher 295
Abschußbock 40
Abschußgestaltung
—, Fasan 214
—, Hase 94
—, Rebhuhn 232
—, Schnepfe 254
Abschußplan, Reh 40
Abschußregelung, Hase 95
Absprung, Hase 68
Abwehrer 207
Abwerfen, Reh 24
Abwurffläche 24
Abwurftermin, Reh 25
Abzug 347
Abzugsbügel 348
Abzugssicherung 349
Äsungsverbesserung, Reh 55
Albinismus
—, Fuchs 132
—, Hase 61
—, Reh 20
—, Wildkaninchen 105
Alpendohle 315
Alpenmurmeltier 115
Alpenschneehase 102
Alpenschneehuhn 233
Altersbestimmung
—, Fasan 203
—, Reh 21 ff.
—, nach Eidmann, Reh 21
—, nach Hübner, Reh 22
—, nach Ströse, Reh 22 ff.
Altersmerkmale, Hase 67
Alveolen, Reh 22
Angstgeschrei, Reh 48
Anschlagübungen 354
Anschuß, Reh 36
Ansitz
—, am Bau (Fuchs) 146
—, am Luder 147
—, an der Sasse (Hase) 74
—, auf Bisamratte 126
—, auf Dachs 182
—, auf Fischotter 193
—, auf Fuchs 142
—, auf Hase 71
—, auf Murmeltier 119
—, auf Reh 45 ff.
—, auf Steinmarder 168
—, auf Wildenten 286
—, auf Wildkaninchen 109
Ansprechen
— des Gehörns 41
—, Reh 40 ff.
Ansprechmerkmale, Hase 61
Anstand
—, Dachs 182 ff.
—, Hase 72
—, Ringeltaube 266
Apportieren s. Bringen
Aser 92
Auf, s. Uhu
Aufbrechen 52 ff.
Aufenthalt
—, Bekassine 256
—, Bisamratte 124
—, Dachs 179
—, Fischotter 190
—, Fischreiher 294
—, Fuchs 133
—, Greifvögel 299 ff.
—, Hase 62
—, Marder 161
—, Murmeltier 117
—, Rebhuhn 219
—, Ringeltaube 261
—, Stockente 278
—, Wildkatze 197
Aufsitzenlassen 74
Auftreffenergie 342
Aufzucht Fasan 213
Ausdrücken des Hasen 91
Ausklopfen s. Auspochen
Auslage des Gehörns 42
Auslaufpunkt 91
Ausneuen 165 ff.
Auspochen 169
Aussetzen
—, Biber 123
—, Fasan 212
—, Hase 98
—, Murmeltier 121
—, Stockenten 291
Austragezeit, Reh 27
Auswerfen des Hasen 91
Auswerfer 350
Auszieher 349
Autostraßen 100

Backe 347
Backenzähne
—, Hase 58
—, Reh 22
Bahnwärter 96
Balz, Fasan 202
Bartgeier 302
Basküle 348
Bastgehörn, Reh 24
Basthaar 19
Baue
—, Bisamratte 124
—, Dachs 180
—, Fischotter 191
—, Fuchs 134
—, Kaninchen 108
Bauhunde 336
Baujagd 151, 184
Baumfalk 300
Baummarder 159
Baumwollschwänzchen 105
Bekassinen 256
Belchen s. Bläßhuhn
Bergente 290
Berghase 102
Besatzschädigungen, Hase 97
Bestandesdichte 53
Biber 122
Bisamratte 124
Bisamratte, Bekämpfung 126
—, Pelzqualität 127
Bläßgans 274
Bläßhuhn 236
Blatten 47
Blattjagd 47
Blattschuß, Reh 42
Blattzeit 47
Blaufuß 241
Blutauffrischung, Fasan 214, Hase 98

Böhmische Streife, Hase 81
Bock-Büchsflinte 343
Bockkitz 24
Bracke, Olper 92
Bracken, Geläut der 93
Brackenjäger 92
Brackenjagd 92
—, Hase 92
—, Schneehase 104
Brandente, Brandgans 274
Bringen 330 ff.
Brunftkämpfe, Reh 30
Brunst, Reh 27
Brutdauer
—, Fasan 202
—, Fischreiher 294
—, Greifvögel 300 ff.
—, Krähenvögel 312
—, Rebhuhn 220
—, Schnepfe 247
—, Stockente 280
Bruteier, Fasan 213
Brutgelegenheiten, Stockente 291
Brutkonkurrenz, Bläßhuhn 236
Brutleben, Waldschnepfe 247
Büchse 341
Büchsenkaliber 341 ff.
Büchsflinte 341
Buntfasan 201
Buschieren 336
Bussarde 299 ff.

Camouflage 37
Cervidae 17
Chokebohrung 344
Cockerspaniel 336

Dachrosen 25
Dachs 178
Dachsbracke 334
Dachsgraben 185
Dachshaarpinsel 183
Dachshund 334
Dauerzähne, Reh 23
Deckung
—, für Hase 95
—, für Rebhuhn 229
—, für Reh 54
—, Wildenten 291
Demarkationslinie, Reh 24
Dentin, Reh 21
Dohle 314
Doppelschnepfe 256
Dornschnepfe 256
Doublette 225
Drahthaar 324
Dreitritt 160
Drilling 341
Drillinge
—, Hase 65
—, Reh 28, 50
Drücken, Reh 48
—, Fuchs 149

Edelfasan 200
Edelmarder 159
Eichelhäher 314
Eiderente 290
Einschlag 185
Einstandskämpfe, Reh 30
Einzelterritorium, Reh 32
Eireife, Hase 65
Eistaucher 270
Eizahl
—, Fasan 205
—, Fischreiher 284
—, Rebhuhn 220
—, Schnepfe 247
—, Stockente 280
Ejektor 350
Elster 314
Embryolyse 108
Embryonalentwicklung, Reh 26
Endenzahl, Reh 25
Erbschädigungen, Rehgehörn 25
Erdhunde 336
Ersatzdentin, Reh 21
Erstlingsflügel 203
Erstlingsgehörn, Reh 24
Erstlingskleid, Reh 20
Eulen 299

Fährte, Reh 35
Färbung
—, Dachs 178
—, Fasan 203
—, Fischotter 189
—, Fuchs 131
—, Habicht 308
—, Hase 60
—, Iltis 170
—, Murmeltier 115
—, Marder 159
—, Rebhuhn 218
—, Ringeltaube 261
—, Schneehase 102
—, Steppeniltis 172
—, Waldschnepfe 241
—, Wildkaninchen 105
—, Wildkatze 197
Falkenbussard 304
Falknerei 298
Falknersprache 298
Falkenvögel 299
Fallbäume 297
Fallbaum 320
Fallwild 99
Familienähnlichkeit, Rehgehörn 25
Fangschuß
—, Hase 85, 89
—, Reh 41, 43
Farbmutationen, Hase 61
Fasan 199
Fasanenbastarde 201
Fasanenrassen 200
Fegen, Reh 24
Fegetermin, Reh 24, 25
Feinde
—, Bisamratte 126
—, Fuchs 138
—, Hase 68
—, Marder 164
—, Murmeltier 118
—, Rebhuhn 222
—, Reh 31 ff.
—, Ringeltaube 263
—, Schneehase 103
—, Schnepfe 248
—, Wildenten 292
—, Wildkaninchen 108
Feldtreiben (Fuchs) 150
Festbeißen der Enten 283
Fichtenmarder 159
Fiepen, Reh 30
Fischadler 302
Fischotter 189
Fischreiher 294 ff.
Flintengewichte 345
Flintenkaliber 343
Flintenläufe 345
—, Länge 345
Flintensysteme 350
Flintenschlosse 350
Flüchten, Reh 31
Flügelstreife 82
Flugbahn 341
Flugbilder der Greifvögel 305
Fluggeschwindigkeit 342
Försterwitwen und -waisen, Hilfsfond für 88
Fortbewegungsarten
—, Hase 62
—, Wildkaninchen 107
Fortpflanzung
—, Bekassine 258
—, Bisamratte 126
—, Bläßhuhn 237
—, Dachs 181
—, Fasan 202
—, Fischotter 191
—, Fischreiher 294
—, Fuchs 136
—, Habicht 308
—, Hase 63
—, Hermelin 173
—, Iltis 171
—, Krähenvögel 313 ff.
—, Marder 162
—, Murmeltier 117
—, Rebhuhn 219
—, Reh 27 ff.
—, Ringeltaube 261
—, Sumpfschnepfe 258
—, Schneehase 103
—, Schnepfe 247
—, Stockente 278
—, Wildkaninchen 108
—, Wildkatze 196
Fossilfunde, Hase 58
Foxterrier 336
Frettchen 112
—, Abrichtung 112
—, Abstammung 112
—, Haltung 112

—, Leistung 112
Frettchenglocke 113
Frettchenmaulkorb 112
Frettieren 111 ff.
—, Hund beim 112
Frühjahrsbesatz, Hase 94, 95
Frühjahrshaarwechsel, Reh 21
Frühpürsch 39, 110
Fuchs 131 ff.
Fuchsdrücken 149
Fuchsgraben 152
Fuchspassen s. Ansitz
Fuchsreizen s. Lockjagd
Fuchsriegeln 149
Fuchssprengen 151
Fünflinge, Hase 65
Fütterung
—, Fasan 216
—, Hase 97
—, Rebhuhn 231, 232
—, Reh 56
—, Wildenten 293
Futterpfähle 98

Gabelgehörn 25
Gabler 25, 33
Gangarten, Hase 62
Gänsegeier 302
Gänsesäger 290
Gasdruck 345
Gebiß, Hase 58
Gebrauchshund 321
Gebrauchshundstammbuch 325 ff.
Gebrauchshundwesen 325 ff.
Gebrauchshundzucht 325 ff.
Gehörnanomalien, Reh 25
Gehörn, Reh 24
Gehörnjahre 42
Gehörsinn
—, Hase 63
—, Reh 33
Gehorsam 329, 330
Gelege, ausgemähte 216
Genossen machen 332
Geruchssinn
—, Hase 63
—, Reh 33
Geschichte des Rehwildes 17 ff.
—, der Wildkatze 195
Geschlechterverhältnis
—, Fasan 214
—, Hase 67
—, Reh 28, 54
Geschlechtshormone, Reh 26
Geschlechtsmerkmale, Hase 67
Geschlechtsorgane
—, Hase 66
—, Reh 27
Geschlechtsreife
—, Dachs 182
—, Fasan 203
—, Fischotter 192
—, Hase 66
—, Murmeltier 117
—, Reh 28
Geschoßenergie 342
Gesellschaftsbildung, Reh 30
Gesichtssinn
—, Hase 63
—, Reh 33
Gesichtszeichen, Reh 20
Gespenst 168
Gestalt
—, Dachs 178
—, Hase 59
Gesundspur 327
Gewehrhaltung 356
Gewehrschloß 349
Gewichte
—, Bekassine 258
—, Bläßhuhn 236
—, Dachs 189
—, Fasan 203
—, Fischotter 189
—, Fuchs 132
—, Hase 61
—, Hermelin 174
—, Iltis 172
—, Marder 161
—, Mauswiesel 174
—, Murmeltier 116
—, Rebhuhn 221
—, Reh 29
—, Schneehase 102
—, Schnepfe 242
—, Wildkaninchen 105, 108
—, Wildkatze 196
Giftindustrie 100
Giftpräparate 100
Ginsterkatze 198
Goldfasan 202
Gordonsetter 324
Graugans 273
Graukrähe s. Nebelkrähe
Graureiher s. Fischreiher
Greifvögel 297
Greifvögelschutz 311
Großbau 110
Großsippe 110
Großwiesel s. Hermelin
Grouse 234
Griffon 324
Gründelenten s. Schwimmenten
Grüne Brücke 88

Haar, Reh 20
Haarschnepfe s. Zwergschnepfe
Haarwechsel
—, Fuchs 138
—, Reh 20, 21
—, Schneehase 102
Habicht 304 ff.
Habichtskorb 310
Hahnenabschuß, Fasan 215
Hahnenfedrigkeit 203
Hahngewehre 349
Halbmond, Sauerländer 92
Hals, Reh 20
Halsschuß, Reh 44
Halten
— des Hasen 90
— des Rebhuhns 225
Haltepunkt 359 ff., 362
—, Fuchs 140
—, Murmeltier 115
—, Sitzhase 74
Hase 58 ff.
Hasenansitz
— am Waldrande 71 ff.
— im Walde 74
Hasenhetze 94
Hasen, heurige 59
Hasenklage 143
Hasenkrankheiten 99
Hasenkur 72
Hasenquäke s. Quäke
Hasenreinheit 336
Hasenschäden 101
—, Verhütung der 101
Hasensprung 160
Hasensuche 75 ff.
—, Diezels Erfahrungen 76 ff.
— im Walde 79
—, Jahreszeit 75, 76
—, Tageszeit 75
— und Hege 78
—, Witterung 75, 76
Hasenverluste 99 ff.
Hasenzucht 98
Haubentaucher 270
Heerschnepfe s. Bekassine
Hegbarkeit 291
Hege
—, Biber 123
—, Fasan 210
—, Hase 94
— mit der Büchse 50
—, Murmeltier 120
—, Rebhuhn 229
—, Reh 53
—, Ringeltaube 268
—, Wildenten 291
Hegebusch 230
Heidewachtel 333
Hennenabschuß, Fasan 215
Hennenfang, Fasan 215
Heranschießen 277
Herbsthaarwechsel, Reh 21
Herbstjagd, Ringeltaube 266
Herbststrich, Schnepfe 251
Hermelin 173
Herzschuß, Reh 43
Hessen des Hasen 91
Hexenring 35
Hexensteig 69
Himmeln 224
Himmelsziege s. Bekassine
Hochbrutflugenten 292
Hochwild 341
Hochschuß 346
Hodenruhe, Reh 27
Hodenverlust, Reh 27
Hohltaube 269
Horn 88
Hornbügel 348

Hornruf, Bracken- 92, 93
Horstjagd 310
Hühnerdrachen 226
Hülsen 341
Hüttenjagd 319
Hunde, wildernde 97

Iltis 170
Iltisfrettchen 172
Imponiergehabe 108
Impotenz, zeitweilige
—, Hase 66
Infanterist 207

Jäger, kriegsversehrte 83
Jägerhilfe, Neue 88
Jährlingsgehörn, Reh 24
Jährlingskleid, Reh 20
Jagd
—, Bekassine 258
—, Biber 122
—, Bisamratte 126
—, Bläßhuhn 238
—, Dachs 182
—, Fasan 205
—, Fischotter 192
—, Fischreiher 295
—, Fuchs 139
—, Greifvögel 310
—, Hase 71
—, Krähenvögel 316 ff.
—, Marder 165 ff.
—, Murmeltier 119
—, Rauherpel 286
—, Rebhuhn 223
—, Reh 36 ff.
—, Ringeltaube 264
—, Schneehase 104
—, Sumpfschnepfen 258
—, Stinkmarder 175
—, Taucher 271
—, Waldschnepfe 249
—, Wildenten 282
—, Wildgänse 274
—, Wildkaninchen 109
—, Wildtaube 264 ff.
Jagdbarer Bock 40
Jagdfasan s. Fasan
Jagdgebrauchshundeverband 325 ff.
Jagdgericht 88
Jagdhorn 36, 88
Jagdhunde 321 ff.
—, Ablegen 331
—, Abrichtung 328
—, Ankauf 328
—, Bringen 330
—, Führung 327
—, Gehorsam 330
—, Geschichte 325
—, Haltung 337
—, Kommandosprache 322
—, Leinenführigkeit 329
—, Nachsuche 337
—, Pflege 338
—, Verlorensuche 340
Jagdkleidung
—, Farbe 36
—, zum Winteransitz 139
—, zur Bekassinenjagd 258
—, zur Fuchsjagd 139
—, zur Suche 75
Jagdkönig 92
Jagdrechtliche Stellung
—, Bisamratte 126
—, Fasan 200
—, Mauswiesel 174
—, Reh 17
—, Waschbär 158
Jagdschutz, Hase 96
Jagdspaniel 336
Jagdterrier 336
Jagdwaffenarten 341
Jagdweise
— Habicht 308
Jugendentwicklung
—, Fasan 203
—, Hase 65
—, Reh 28
Jugendjagd 86
Jugendkleid
—, Fasan 203
—, Reh 20
Jule 320
Jungenzahl
—, Bisamratte 126
—, Dachs 181
—, Fischotter 192
—, Fuchs 136
—, Hermelin 174
—, Iltis 171
—, Marder 162
—, Mauswiesel 174
—, Murmeltier 117
—, Reh 28
—, Wildkatze 196
Junghasen 66
Jungjäger 40, 47, 71 ff., 85, 110, 143, 208, 224, 235, 284

Kahnpürsch 271
Kalkarsen 100
Kalkung 56
Kampfruf, Reh 30
Kanadagans 274
Kaninchenhauben 109, 113
Kaninchennetze 109, 113
Kaninchenschäden 113
Kaninchensterbe 113
Kanzelansitz, Reh 45 ff.
Kastenschloß 350
Katzen, wildernde 97
Kaufläche, Reh 22
Kaurand, Reh 22
Keilerhase 58
Kennzeichen
—, Bisamratte 124
—, Dachs 178
—, Fasan 200
—, Fischotter 189
—, Fuchs 131
—, Greifvögel 300
—, Hase 59
—, Hermelin 174
—, Hohltaube 269
—, Iltis 170
—, Krähenvögel 313
—, Marder 159
—, Mauswiesel 174
—, Murmeltier 115
—, Nutria 128
—, Rebhuhn 218
—, Reh 19
—, Reiher 294
—, Ringeltaube 261
—, Schneehase 102
—, Sumpfschnepfe 256
—, Taucher 270
—, Türkentaube 269
—, Turteltaube 269
—, Waldschnepfe 241
—, Wildenten 282, 289
—, Wildgänse 273
—, Wildkaninchen 105
—, Wildkatze 197 ff.
Kesseldurchmesser 91
Kesseltreiben
—, Hase 86
—, Vorbereitung 86 ff.
Keuchen, Reh 30
Keulenschuß, Reh 44
Kipplaufgewehr 343
Kipplaufverschluß 348
Kitz 20
Kitzabschuß 50
Kitzgehörn 24
Kitzruf 146
Kitzzahl 28
Klagen, Reh 30
Kleinkaliber 343
Kleinstbrache 230
Knäkente 282
Knochenhaut, Reh 24
Knödelbogen 92
Knopfgehörn, Reh 24, 29, 54
Königsfasan 202
Kolben, Reh 24
Kolbenente 289
Kolbenkappe 346 ff.
Kolbennase 346 ff.
Kolkrabe 313
Kompaniehase 89
Kopffasan 210
Kopfschuß, Hase 74
Korkenziehergehörn 33
Kormoran 294
Korn 343
Kornweihe 300
Krähenhütte 310
—, transportable 319
Krähenvergiftung 315
Krähenvögel 312
Krankheiten, Hase 99
Krankschießen des Hasen 88
Krellschuß, Reh 43
Kreuzgehörn 33

Krickente 282
Kücheneignung, Bläßhuhn 240
Küchenhase 73
Kümmern, Reh 51
Kugelfüchse 149
Kugelschuß, Reh 17
Kugelwaffen 341 ff.
Kunden, Reh 22
Kunstbau 153
Kurzhaar 324
Kurzschnabelgans 274

Ladung, Kugelpatronen 341 ff.
Lahmstellen 221
Langhaar 324
Lappentaucher 270
Laufbohrung 344
Laufhakenverriegelung 348, 349
Laufhakenverschluß 348
Laufinneres, Schrotlauf 344
Lauflänge 345
Laufpflege 344
Laufschiene 345
Laufschuß, Reh 27, 43
Laufwände 345
Lebensdauer
—, Dachs 182
—, Fischotter 192
—, Hase 67
—, Hermelin 174
—, Iltis 174
—, Mäusebussard 299
—, Marder 164
—, Mauswiesel 174
—, Murmeltier 118
—, Reh 23, 50
—, Schneehase 103
—, Schnepfe 247
—, Wildenten 281
—, Wildkaninchen 108
Lebensraum
—, Hase 62
—, Reh 32
—, Schneehase 102
—, Wildkaninchen 106
Leberschuß, Reh 43
Lederhaut, Reh 25
Legezeit
—, Fasan 202
—, Rebhuhn 229
Lietze s. Bläßhuhn
Linksschützen 83
Lockjagd
—, auf Fuchs 142
—, auf Marder 165
—, auf Ringeltauben 265
—, auf Wildenten 288
Löffelente 282
Luderplatz 147
Lungenschuß, Reh 42
Lyman-Korn 345

Märzente s. Stockente
Mäusebussard 299 ff.
Mäuseln 142
Malerfeder, Schnepfe 249
Mannlicher Schönauer 341
Mantelgeschoß 342
Marder 159
Marderschutz 169
Mausergewehre 341
Mauser der Wildenten 280
Mauswiesel 174
Meckern, Bekassine 257
Meeresenten 290
Meeresgänse 274
Melanismus
—, Fuchs 132
—, Hase 61
—, Hermelin 174
—, Reh 20
—, Wildkaninchen 105
Milan
—, Roter 302
—, Schwarzer 302
Milchzähne, Reh 23
Mittelente 282
Mittelsäger 290
Mörderböcke 42
Molaren, Reh 23
Mondscheinjagd 74
Moorente 289
Moorrebhuhn 219
Moorschneehuhn 234
Morgenstrich, Schnepfe 252
Mucken 355
Mümmeln 58
Münsterländer
—, Großer 324
—, Kleiner 324
Murmelöl 120
Murmeltier 115 ff.
Mutterkuchen, Reh 26
Myxomatose 114

Nachbarschütze 84
Nachsuche 43
Nachtansitz
—, Fuchs 145
—, Hase 74
Nachthetze 187
Nachtreiher 294
Nackenwind 48
Nagerpest 99
Nagezähne
—, Hase 58
—, Wildkaninchen 58
Nahrung
—, Bisamratte 125
—, Bläßhuhn 237
—, Dachs 180
—, Fasan 203
—, Fischotter 191
—, Fischreiher 294
—, Fuchs 135
—, Habicht 306
—, Hase 63
—, Hermelin 173
—, Iltis 171
—, Marder 162
—, Mäusebussard 304
—, Mauswiesel 174
—, Murmeltier 117
—, Rebhuhn 219 ff.
—, Reh 29
—, Ringeltaube 262
—, Schneehase 103
—, Schnepfe 247
—, Sperber 309
—, Stockente 278
—, Wildenten 278
—, Wildkaninchen 106
—, Wildkatze 196
—, Wildtauben 262
Nahrungsaufnahme, Reh 29
Nasenfleck, Reh 20
Naturgeschichte
—, Biber 122
—, Bisamratte 124
—, Bläßhuhn 236 ff.
—, Dachs 178
—, Fasan 200 ff.
—, Fischotter 189
—, Fischreiher 294 ff.
—, Fuchs 131 ff.
—, Greifvögel 297 ff.
—, Hase 58
—, Iltis 170
—, Krähenvögel 312 ff.
—, Marder 159
—, Murmeltier 115
—, Rebhuhn 218
—, Reh 17
—, Ringeltaube 261
—, Scheehase 102
—, Stockente 278
—, Sumpfschnepfen 255 ff.
—, Taucher 270
—, Waldschnepfe 241
—, Wanderratte 129
—, Waschbär 157
—, Wildgänse 273 ff.
—, Wildkaninchen 105
—, Wildkatze 194
—, Wildtauben 261
Nebelkrähe 313
Nebenhoden, Reh 28
Nebennierenrindenhormon, Reh 26
Nerz 177
Nestabschuß, Krähenvögel 316 ff.
Nestflüchter 66
Nestlingszeit, Reh 28
Notzeit 51, 56, 57, 98
Nutria 128
Nutzwirkung des Fasans 204

Obertreiber 87
Ohrentaucher 270

Paarbildung, Stockente 278
Paartritt 160

Paarung
—, Hase 65
—, Murmeltier 117
Paarungskämpfe, Hase 69
Paarungsvorspiel, Hase 65
Patronen 342
Patronenlager 342
Perückengehörn 27
Pfeifente 282
Pfropfen 344
Pinsel, Reh 19
Pistolengriff 346, 347
Pointer 324
Polartaucher 270
Prachtkleid, Fasan 202
Prachttaucher 270
Praemolar, Reh 23
Prellschrote 90
Proßholz 57, 98
Pudelpointer 324
Pürsch
—, auf Bläßhuhn 238
—, auf Dachs 184
—, auf Fuchs 150
—, auf Hase 80
—, auf Reh 36 ff.
—, auf Ringeltaube 264
—, auf Wildenten 283
—, auf Wildgänse 277
—, auf Wildkaninchen 110
—, Windbrechung 37
—, Windrichtung 37
—, Zeitpunkt 39
Pürschenstehen 39
Pürschfahrt 44, 80
Pürschfehler 37
Pürschfreudigkeit 40
Pürschpfad 45, 46
Pürschtechnik 37
Pürschzeichen, Reh 36
Pufferpatronen 355
Pulvergase 344
Puppe 168
Purpurreiher 294

Quäke 145, 165
Quäken 145 ff.
Querriegel 348

Rabenkrähe 313
Radschlagen 89
Rallen 235
Rallenreiher 294
Rammelzeit, Hase 64
Ranzduft 148
Ranzschleppe 148
Rassen
—, Fasan 200
—, Rebhuhn 219
Rassereinheit 324
Raubvögel s. Greifvögel
Rauhfußbussard 304
Rebhuhn 218
Regenpfeifer 260
Reh 17 ff.
Rehgehörn 24 ff.
Rehreinheit 336
Rehwildgeschoß 341
Reibefläche, Reh 23
Reiher 294
Reiherbrust 296
Reiherbusch 296
Reiherente 289
Reiherkolonie 294
Reihezeit 279
Rekordstrecken 206
Remise 98
Reviereignung, Fasan 210 ff.
Revierverbesserung 54 ff., 213, 229 ff., 291
Rickenabschuß 49
Rickenkitz 20
Ringelgans 274
Ringeltaube 261
Ringfasanen 200 ff.
—, Chinesischer 200
—, Mongolischer 200
Rohrdommel
—, Große 294
—, Kleine 294
Rohrweihe 300
Rose, Reh 24
Rosenstöcke, Reh 24 ff.
Rosenumfang, Reh 25
Rothalstaucher 270
Rothuhn 233
Rotsetter 333
Rückenschuß, Reh 44
Rückspoß 33
Rupfungen 308

Saatgans 274
Saatkrähe 313
Sack, Abwürgen 88
Sackmacher 88
Säger 290
Säugen, Hase 63
Salzlecken 57
Samenfäden, Reh 27
Samtente 290
Satzstärke
—, Hase 65
—, Wildkaninchen 108
Satzzahl, Hase 65
Satzzeit, abnorme, Hase 65
Sechsergehörn 25
Sechslinge, Hase 65
Seeadler 302
Seeschwalben 241
Seetaucher 270
Seidenreiher 294
Seitenschloß 350
Sichern
—, Hase 72
—, Reh 34
Sicherheitsbestimmungen 87, 357
Sicherung 349
—, automatische 351
Sicherungsschieber 350
Sichtschutz, Reh 31
Siedlungsdichte
—, Dachs 188
—, Fuchs 134
—, Hase 61, 68
—, Iltis 170
—, Marder 161
—, Reh 32
—, Wildkatze 194
Silberfasan 202
Silberreiher 294
Sinne
—, Hase 63
—, Marder 164
—, Murmeltier 118
—, Reh 33
—, Wildkaninchen 106
Skelettmerkmale
—, Hase 60
—, Wildkaninchen 60
Sommerabschuß d. Füchse 146
Sommereinstand, Reh 30
Sommerhaar, Hase 60
—, Schneehase 102
Sommerkleid, Reh 20
Spätsätze, Hase 65
Sperber 309
Spiegel, Reh 19
Spiele, Marder 163
—, Murmeltier 117
Spießente 282
Spießgehörn 25
Spitzgeschoß 342
Splitterwirkung 342
Sprengruf, Reh 30
Springerspaniel 336
Sproß, Reh 24
Sprünge, Reh 30
Spur
—, Dachs 183
—, Fischotter 189
—, Fuchs 133
—, Hase 62
—, Hauskatze 197
—, Hermelin 176
—, Hund 132
—, Iltis 176
—, Marder 160
—, Mauswiesel 176
—, Stinkmarder 176
—, Wildkaninchen 62, 105
—, Wildkatze 197
Spurleistung 327
Suche
—, Bekassine 258
—, Fasan 205
—, Fuchs 150
—, Hase 75
—, Rebhuhn 223
—, Schnepfe 252
—, Wildenten 283
—, Wildkaninchen 110
Sumpfhühnchen 235
Sumpfschnepfen 255
Sumpfschnepfe, Große, s. Doppelschnepfe

Sumpfschnepfe, Mittlere
s. Bekassine
Superfötation
—, Hase 65
—, Wildkaninchen 108
Systematik
—, Bisamratte 120
—, Dachs 178
—, Fuchs 131
—, Greifvögel 299 ff.
—, Haarraubwild 178
—, Hase 58
—, Krähenvögel 312
—, Murmeltier 115
—, Rebhuhn 218
—, Reh 17
—, Sumpfschnepfen 256
—, Taucher 270
—, Waldschnepfe 241
—, Wildgänse 273

Schadenswirkungen
—, Habicht 306 ff.
—, Wildkaninchen 113
Schädel
—, Dachs 181
—, Feldhase 60
—, Fischotter 189
—, Fuchs 131
—, Hase 60
—, Hermelin 171
—, Iltis 171
—, Marder 161
—, Mauswiesel 171
—, Nerz 171
—, Reh 21
—, Schneehase 60, 105
—, Wildkaninchen 60
Schäftung 345 ff.
—, englische 347
—, Länge 345
—, Schränkung 347
—, Senkung 346
Schaftkappe s. Kolbenkappe
Schaftmaße 346
Scheiben, laufende 357
Scheinranz 162
Schelladler 300
Schellente 289
Schießfertigkeit 354
Schießkunde 354
Schießübungen 357
Schlagen, Reh 25
Schlagstücksicherung 349
Schlangenadler 302
Schlegeln 43
Schleppe, Fuchs 148
Schmalrehabschuß 49
Schmelz
—, Hase 58
—, Reh 22
Schnabelbau, Waldschnepfe 241
Schneehase
—, Alpen 102
—, Nordischer 102
Schneehuhn 233
Schneepürsch 80, 81
Schnepfe im Treiben 209, 248, 253
Schnepfenbart 249
Schnepfenfeuer 249
Schnepfenlocke 249
Schnepfenrauch 249
Schockwirkung 342
Schonzeit
—, Fischreiher 295
—, Habicht 309
—, Tauben 265
Schonzeitbüchse 343
Schrecken, Reh 29
Schreiadler 300
Schrotflinte 343
—, Durchschlag 72
Schrothülsen 343
Schrotladung 343
Schrotschuß auf Wild 358
Schrotschuß mit Zielfernrohr 74
Schrotsorte
—, für Bekassine 258
—, für Bläßhuhn 240
—, für Dachs 183
—, für Fasan 207
—, für Fischreiher 295
—, für Fuchs 140
—, für Hase 84
—, für Hermelin 175
—, für Murmeltier 119
—, für Rebhuhn 225
—, für Ringeltaube 265
—, für Schnepfe 251
—, für Taucher 271
—, für Wildenten 283
—, für Wildgänse 274
—, für Wildkaninchen 110
Schrotzahl 343
Schürze 19
Schüsseltreiben 92
Schüttungen, Fasan 205
Schuß auf
— Bekassine 258
— Fasan 208 ff.
— Fischreiher 295
— Fuchs 140
— Hase 84, 88
— Hermelin 175
— Murmeltier 119
— Rebhuhn 225, 227
— Rehwild 42
— Schnepfe 251
— Taucher 271
— Wildenten 283
— Wildgänse 274
— Wildkaninchen 110
— Wildtauben 265
Schuß durch den Äser, Reh 44
Schußdistanz 360
Schußleistung von Flintenläufen 344
Schußwaffenkunde 341
Schußzeichen 363
—, Fuchs 140
—, Rebhuhn 224
—, Reh 42 ff.
—, Schnepfe 251
Schutz, Murmeltier 120
Schutz vor Feinden, Hase 68
Schwarzhalstaucher 270
Schwarzmeerfasan 200
Schweißarbeit 336
Schweißfährte 43, 327
Schweißhund
—, Hannoverscher 334
—, Bayerischer Gebirgs- 334
Schwimmenten 282, 289

Standes, Verlassen des 84
Standortskämpfe, Reh 30
Standortsmarkierung, Reh 25
Standortstreue
—, Fuchs 134
—, Reh 32
Standtreiben
—, Fasan 206
—, Hase 83
—, Wildenten 287
—, Wildkaninchen 113
Stange, Reh 24
Stangenende 24
Stangenmißbildung, Reh 27
Stangensicherung 349
Stangenstellung, Reh 42
Stangenumfang, Reh 25
Stangenwechselsicherung 350
Stecher, Schnepfe 248
Steinadler 300
Steinhuhn 233
Steinmarder 159
Steppeniltis 172
Steppenweihe 300
Sternschnuppen 271
Sterntaucher 270
Stichelhaar 324
Stimme
—, Bekassine 256, 257
—, Dachs 181
—, Fasan 202
—, Fischotter 192
—, Fischreiher 295
—, Fuchs 134
—, Hase 63
—, Iltis 173
—, Marder 164
—, Murmeltier 118
—, Pfeifente 282
—, Rebhuhn 221
—, Reh 30
—, Ringeltaube 261
—, Schneehase 103
—, Schnepfe 245
—, Stockente 279
—, Wildkaninchen 108
—, Wildkatze 196
Stimmfühlung, Reh 30
Stinkmarder 170
Stirnbein, Reh 24
Stirnduftorgan, Reh 25

Stirnzapfen, Reh 24
Stockente 278 ff.
Stöberhunde 334
Stoßboden 348
Strandläufer 241
Streckelegen 91
Streckenstatistik
—, Dachs 188
—, Fasan 217
—, Fuchs 155
—, Hase 100
—, Marder 169
—, Rebhuhn 232
—, Reh 53
—, Ringeltaube 268
—, Schnepfe 254
—, Wildenten 293
—, Wildkaninchen 113
Streckenuntersuchungen, Hase 95
Streife
—, Böhmische, Fasan 205
—, Böhmische, Hase 81
—, Fasan 205
—, Hase 79
—, Rebhuhn 227
—, Schnepfe 253
—, Wildenten 288
Streifen des Niederwildes 153
Streifschuß, Reh 44
Streupatrone 84
Streuung 345
Strich
—, Enten 283 ff.
—, Schnepfe 245 ff., 249 ff.
—, Wildgänse 275

Tafelente 289
Tagesjagdgesetz 50, 87
Tagesrhythmus
—, Hase 63
—, Murmeltier 118
—, Reh 29
Tannenhäher 314
Tarnung des Jägers 36
Taubensulzen 268
Tauchenten 289
Taucher 270
Taucherbarett 272
Teckel 324
Teichhuhn, Grünfüßiges 235
Tenebrosusfasan 202
Tertiär 58
Terzel 298
Tiefenwirkung 342
Tiro 209
Tollwut 151, 188
Tontauben s. Wurftauben
Tragsack, Reh 26, 27
Tragzeit
—, Bisamratte 126
—, Dachs 181
—, Fischotter 192
—, Fuchs 136
—, Hase 65
—, Hermelin 173, 174
—, Iltis 171
—, Marder 162
—, Mauswiesel 173, 174
—, Murmeltier 117
—, Reh 27, 28
—, Wildkaninchen 108
—, Wildkatze 196
Trauerente 290
Trefferbild 344
Trefferprozente 89
Treffpunkt 362
Treffpunktlage 353
Treiben auf
—, Bläßhuhn 238
—, Fasan 206
—, Fuchs 148
—, Hase 82 ff.
—, Rauherpel 286
—, Rebhuhn 228
—, Reh 50
—, Schnepfe 253
—, Taucher 271
—, Wildenten 287 ff.
—, Wildkaninchen 113
—, Wildtauben 266
Treiberlöhne 86
Treiberwehr 82, 84
—, Verhalten der 82, 85, 86, 91, 113, 206
Trillerpfiff 329
Trittsiegel, Fuchs 132
Trophäen
—, Murmeltier 119
—, Reh 52
—, Schnepfe 249
Tüpfelsumpfhuhn 235
Türkentaube 269
Tulpengehörn 25
Turmfalk 300
Turteltaube 269

Überfahren 100
Übergang 342
Übergangkonus 342
Überhege, Reh 54
Überwallung 24
Uhu 319
—, künstlicher 319
Unglücksfälle, Hase 100
Uterusschleimhaut, Reh 27

Verbandsgebrauchsprüfung 325
Verblasen 91
Verbreitung
—, Biber 122
—, Bisamratte 124, 127
—, Dachs 179
—, Fasan 200
—, Fischotter 190
—, Fuchs 131
—, Hase 61
—, Hermelin 173
—, Iltis 170
—, Marder 161
—, Murmeltier 116
—, Rebhuhn 218
—, Reh 17
—, Ringeltaube 261
—, Schneehase 102
—, Schnepfe 243
—, Stockente 278
—, Waschbär 153
—, Wildkaninchen 106
—, Wildkatze 194
Verbreitungsgeschichte
—, Fasan 199
—, Wildkaninchen 106
Verdichtung 344
Verengung 344
Verfärben, Reh 19
Vergesellschaftung
—, Fasan 203
—, Fuchs 136, 137
—, Hase 63
—, Marder 163
—, Reh 30
—, Wildkaninchen 107
Verhalten nach dem Schuß 42 ff.
Verhören 223
Verhoffen
—, Hase 72
—, Reh 34
Verlassen der Kanzel 46
Verlorenbringer 327
Vermehrungsquote
—, Fasan 214
—, Hase 94
—, Reh 28
—, Wildkaninchen 108
Verschluß 348
—, Kasten 348
Versorgen
—, Rebhuhn 227
—, Hase 91
—, Murmeltier 119
—, Reh 52, 53
Verwertung
—, Murmeltier 120
—, Taucher 272
Verwittern des Rehwechsels 49
Vierlinge
—, Hase 65
—, Reh 28
Viole 132
Volksnamen 162
Volkstümlichkeit
—, Hase 101
—, Murmeltier 121
—, Reh 17
Vordersproß 33
Vorhaltemaße 358 ff.
Vorhalten 358
Vorsichtsmaßnahmen (Wasserjagd) 271
Vorstehhunde 324
Vorstehtreiben
—, Fasan 206
—, Hase 82
—, im Felde 83

—, im Walde 84
—, Schneehase 104
—, Wildkaninchen 113
Vortragezeit, Reh 27

Wachtel 232
Wachtelhund 334
Wachtelkönig 235
Waffe
—, Ankauf 352
—, Einschießen 352
—, Haltung 356 ff.
—, Handhabung 352
Waffenkunde 341
Waidewundschuß, Reh 43
Waidmannssprache
—, Dachs 182
—, Fasan 204
—, Fischotter 192
—, Fuchs 138
—, Greifvögel 297
—, Hase 69
—, Jagdhunde 322
—, Marder 165
—, Murmeltier 119
—, Rebhuhn 222
—, Reh 33 ff.
—, Schneehase 104
—, Schnepfe 249
—, Wildenten 281
—, Wildkaninchen 108
Waldgebrauchshund 334
Waldjagden 84, 85
Waldschnepfe 241
Wanderfalk 300
Wanderratte 128
Wanderungen
—, Fuchs 134
—, Hase 62
—, Rebhuhn 221
—, Reh 32
—, Ringeltaube 261
—, Waldschnepfe 243
Waschbär 157
Wasseraufnahme, Reh 29
Wasserbedarf, Reh 29
Wasserhuhn s. Bläßhuhn
Wasserralle 235
Watvögel 241
Weimaraner 324
Weisheitszahn 24
Weißkopf 20
Weißwangengans 274
Wespenbussard 302
Widdergehörn 33
Widergang, Hase 68
Wiederausbreitung, Wildkatze 198
Wieselfang 175, 176
Wiesenweihe 300
Wildäcker 56
Wilddichte, Reh 32, 53, 57
Wilddiebsbekämpfung 97, 216
Wildenten 278
Wildernde Hunde 97
Wildernde Katzen 97
Wildfallen 100
Wildgänse 273
Wildkaninchen 105
Wildkatze 194
Wildmarken, Hase 95
Wildmarkenkiefer, Reh 24
Wildmarkenwiederfunde
—, Fuchs 134
—, Reh 32
Wildstandsregulierung, Reh 54
Wildtauben 261
Wildverluste, Reh 54
Wildversorgung s. Versorgen
Wildwagen 91
Windrichtung, Prüfung der 37
—, beim Hasenansitz 72
—, beim Kaninchenansitz 109
Windstärke 72
Winterabschuß, Krähenvögel 318
—, Hase 97
—, Rebhuhn 231
Winterfütterung, Reh 56
Winterhaar, Hase 60
Winterkleid, Reh 19
Winterruhe 182
Winterschlaf 117
Wirtschaftliche Bedeutung
—, Bisamratte 128
—, Dachs 188
—, Fasan 217
—, Fuchs 156
—, Hase 100
—, Marder 169
—, Murmeltier 120
—, Rebhuhn 232
—, Reh 53
—, Schneehase 104
—, Waldschnepfe 254
—, Wildkaninchen 113
—, Wildtauben 268
Wittrungsvermögen, Reh 33
Wollhaarigkeit
—, Hase 61
—, Reh 21
Würgebohrung 344
Wundspur 340
Wurftauben 357
Wurfzahl
—, Hase 65
—, Wildkaninchen 108

Zähmung
—, Fischotter 192
—, Fuchs 138
—, Marder 164
Zahnalterslehre, Reh 21, 22
Zahnfach, Reh 22
Zahnformel, Hase 59
Zahnwechsel, Reh 21
Zappe s. Bläßhuhn
Zeichnen des Rehwildes 42
Zerlegen 53
Zerwirken 53
Zielauge 358
Zielfernrohr für den Schrotschuß 74
Zielübungen 355
Zobel 159
Zuchtvereine 326
Zudrücken der Wildgänse 277
Zugstau, Schnepfe 244
Zugtauben 267
Zurücksetzen, Reh 25
Zusammenbrechen, Reh 43
Zuwachs, Reh 53
Zuwachses, Überschätzung des 95
Zuwachsprozent, Fasan 214
Zuwachsrate, Rebhuhn 232
Zwerggans 274
Zwergjagden 91
Zwergsäger 290
Zwergschnepfe 256
Zwergtaucher 270
Zwergwiesel 176
Zwillinge
—, Hase 65
—, Reh 26, 28, 50
Zwitter, Reh 26 ff.